# THE PITY OF WAR

# 战争的悲悯

[英] 尼尔·弗格森◎著
NIALL FERGUSON
董莹◎译

中信出版集团 | 北京

图书在版编目（CIP）数据

战争的悲悯 /（英）弗格森著；董莹译. —北京：中信出版社，2013.6（2024. 5重印）
书名原文：The Pity of War
ISBN 978-7-5086-3996-3

I. 战… II.①弗… ②董… III.第一次世界大战—国际关系史—研究 IV. ①K143 ②D850.9

中国版本图书馆CIP数据核字（2013）第089669号



战争的悲悯

著　　者：[英] 尼尔 · 弗格森
译　　者：董　莹
策划推广：中信出版社
出版发行：中信出版集团股份有限公司
（北京市朝阳区东三环北路27号嘉铭中心　邮编　100020）
承 印 者：北京通州皇家印刷厂

开　　本：787mm × 1092mm　1/16　　印　　张：25　　字　　数：492千字
版　　次：2013年6月第1版　　印　　次：2024年5月第5次印刷
京权图字：01–2010–7821
书　　号：ISBN 978–7–5086–3996–3 / K · 317
定　　价：68.00元

致J.G.F.和T.G.H.

我的欢乐感染许多人开怀大笑，
我的哭泣也是为许多事祭奠，
现在肯定都消逝了。我是指未知的事实，
战争的悲悯，战争留给我们的悲悯。

——威尔弗雷德·欧文《奇怪的相遇》

“邪恶”冷笑道：“必须这样！”
“仁慈”再一次低声问：“为什么？”

——托马斯·哈代《战后的平静》

# 目录

# 前言

## 约翰·吉尔摩·弗格森

当第一次世界大战[①]爆发时，约翰·吉尔摩·弗格森年仅 16 岁。他向负责招募新兵的军官隐瞒了他的真实年龄，军官也相信了他——抑或是故意相信了他。但就在招募即将结束的时候，他的母亲及时赶到，将他强行带回了家。如果说这个来自法夫的男孩可能因为错过这次参加战争的机会而懊悔，那他完全是多虑，因为次年他便如愿以偿。同时，任何关于战争将很快结束的想法都化为了泡影。数月的常规训练之后，他成为驻扎在瑟福斯高地二营堑壕里的一名二等兵（编号 s/22933），该营隶属于英国远征军第 9 师 26 旅。他是第一次世界大战应征入伍的 55 万多名苏格兰人中的一员。他们中有 26.4% 献出了自己的生命——只有塞尔维亚和土耳其军队才有过如此惨痛的伤亡情况。

我的祖父是幸存的 73.6% 中的一员。他的肩膀曾被一名狙击手射中，如果伤口再往下几英寸，那他很可能性命不保了。他从一场毒气战中死里逃生，但肺部却因此受

---

① 这场战争还常被称为“世界大战”或“欧陆大战”以及“伟大的战争”；“第一次世界大战”的命名则要归功于《泰晤士报》军事记者查尔斯·雷平顿：早在 1918 年 9 月，他便觉察出H·G·韦尔斯对于“能够结束战争之战”的乐观态度与事实相悖。

到了永久性的创伤。他关于这场战争最刻骨铭心的记忆——至少他曾跟他儿子讲过的——是一场抗击德军的战役。当敌军部队冲向他所在的堑壕时，他和战友上好了刺刀，等着反击敌军的命令。然而在这千钧一发之际，冲锋陷阵的命令竟然下达给了潜伏在堑壕下面的苏格兰步兵团。接着，双方进行了激烈交锋。伤亡是如此惨重，以至于我的祖父认为如果接到命令的是他们，那么他的生命恐怕在那一刻就会终结。

有关约翰·弗格森的参战记录寥寥无几。就像参加过第一次世界大战的绝大部分士兵（他们有数百万人）一样，他既没有发表过相关题材的诗歌，也没有写过回忆录，就连家书也无处可寻。有关他服役的文件无从查找，他所在兵团的记录中也很少有关于他的信息。他很有可能参加过 1916 年 7 月的索姆河战役——在比利伍德、卡诺伊和朗居尔等地的激烈交火中，短短 14 天，他所在的 750 人的营队中就有 70 人战死，381 人受伤或被俘。他可能 3 个月后又来到埃纳修道院，战斗刚刚打响仅数分钟，整个旅伤亡人数就已达到 70%。又可能，他在阿拉斯附近的圣洛朗负伤了，缺席了帕斯尚尔那场血战。在突袭齐格尔的战斗中，他所在的旅有 44 人牺牲，另有 214 人受伤或被俘。这算是种幸运吗？或许，他就是在那里被毒气所伤的。他在负伤一段时间之后便离开前线，去协助招募新兵了：此事有照片为证。照片上他和一群人坐在一起，他们身后是一块黑板，上面画着手榴弹。但是，他回忆，在 1918 年春那场与德军的血战中，在鲁登道夫孤注一掷要赢得战争时，他又回到堑壕里奋勇作战。仅在 3 月，他所在的二营就有 300 名战士在从古佐库尔撤退时牺牲。

然而，所有的一切只是基于现有资料的推测。除了他的军衔和编号，我拥有的唯一证据就是一个小盒子，里面装着一本小小的《圣经》、3 枚勋章以及几张他身穿军装的照片，照片上那个身穿苏格兰短裙的年轻人面无表情。第一枚勋章是国家战争勋章，上面刻着一个骑在马背上的裸体男人。这位骑士身后标注着 1914 年；马鼻子上，镌刻着传统意义上战争结束的时间——1918 年。马的后蹄下，是一个即将被踏碎的头骨（这意味着对死亡的藐视和胜利，还是代表着不幸的德国人？）。勋章的另一面看起来就像一枚旧硬币，上面是老套的皇家剪影以及如下的铭文：

GEORGIVS V BRITT: OMN: REX ET IND: IMP[①]

第二枚胜利勋章上的雕刻同样非常古典。勋章正面是右手持橄榄枝、挥舞着左手的长着翅膀的天使，人们不太确定它究竟意味着欢欣鼓舞的英国女人欢迎幸存者重回家园，还是死亡天使正挥别这个国度。勋章另一面的铭文（这次是用英文）如下：

① 拉丁文，直译为“乔治五世：至高无上的大不列颠国王和印度皇帝”。——译者注

# 捍卫文明的
# 伟大
# ·战争·
# 1914~1919

祖父的第三枚勋章是一枚铁十字勋章——从一个不知是阵亡还是被俘的德国士兵身上搜罗的纪念品。

我的祖父曾经在西线作战，这段历史成为他奇特的自豪感的来源，过去是，现在也一直是。如果深入探究这种自豪感，就会发现它与一个事实息息相关，那就是，第一次世界大战给我的祖国人民留下了一段最糟糕的回忆。活下来，即是一种充满神秘力量的幸运，而幸存同时也带来了神奇的恢复能力。让我感触最深的是，祖父重拾了那种相对稳定并且多姿多彩的市民生活（至少表面上是）。他在一家小型出口公司获得了一份工作，并被派往厄瓜多尔销售威士忌酒和五金器具。这份工作让他见识了独特的异域风情。几年后他重回苏格兰，并在格拉斯哥定居。他结婚生子，经营五金商店来养家糊口。之后他的妻子因病逝世，他便迎娶了我的祖母，和她生了另一个孩子，也就是我的父亲。他晚年一直住在格拉斯哥郊区的谢特尔斯顿地区的政府廉租房里，后来那里建了一所乌烟瘴气的大型钢铁厂。尽管他的肺部因不停地吸烟而继续受损（这个习惯或许是他在堑壕作战时养成的，当时香烟是普遍的麻醉剂和提神剂），他仍然有力气在金融风暴来袭的很长一段时间内妥善经营着他的小本生意，并且还能气喘吁吁地哄膝上的两个孙子玩耍。他似乎有着很强的生存能力，能像普通人一样活着。当然，他的生活也是绝大部分战争幸存者的一个缩影。

祖父很少跟我谈及他的战争经历，然而在他去世后，我却对此越发感兴趣，无法置之不理。战争结束后不久，我就读的格拉斯哥学校便已经开始正式纪念那些在战争中死去的人们。因此，在我6~17岁的这段时光里，我无时无刻不身处在一种缅怀的氛围中：每天早晨，当我即将踏进学校，首先映入眼帘的便是大西路和科尔布鲁克阶梯角落处的一块黯淡的花岗岩石板，上面刻着这所学校在战争中死去的学生的名字。在新古典主义建筑风格的洞穴型的主教学楼二层，我们同样可以发现一个“荣誉册”。有时，我们从代数课教室到拉丁语课教室的路上就能经过它。由于楼厅过于狭窄，我们不得不排成一队走过。每当我在这种时候看到其中一个名字时，虽然我与它素不相识，但它总能让我联想到这里有弗格森家族的一员。透过那些用庄严的黑体字镌刻的死难者的名字，我逐渐知晓了一段传奇，就像我们全班每天早晨念诵的主祷文所说的：

**勇者永生。**

我想，我第一次对于历史的思考便是要反对这条告慰英灵的教条。他们终归是死去了，为什么要否认这一事实呢？正如约翰·梅纳德·凯恩斯那讽刺一般的评价：人皆有一死，那些在第一次世界大战中幸存的人也不例外。从1918年11月11日签署停战协议到现在，80年过去了，即使不去查阅官方的退伍军人登记簿我们也会知道，曾在英国军队中奋勇作战的士兵们，仍然在世的只有不到几百人。第一次世界大战退伍军人协会只剩下160名会员，西线协会的成员也仅有90名左右。据可靠数据，幸存者总人数最多只有500人，其他参战国在世的幸存者也同样寥寥无几。不久之后，第一次世界大战就会落得像克里米亚战争、美国南北战争以及普法战争一样的境地——很难再听到当事人亲述其回忆了。勇者永生？一个小学生可能会不假思索地认为这突兀的臆断是正确的：所有在战争中死去的人都是勇敢的。而将他们的名字镌刻在墙上真会让他们看起来没有逝去、永垂不朽吗？这还真值得商榷。

当然，从电视上，我所得到的关于第二次世界大战的信息要多得多（特别是那些重复播放的战后拍摄的电影中），但或许是出于这个理由，我认为第一次世界大战更为惨烈，后来我才知道第一次世界大战中英国死亡的人数是第二次世界大战的2倍，但这种本能的意识原来就存在了。我12岁的时候时，学校的一个项目让我有机会完成了我的第一次历史研究。我当即选择了"堑壕战"这一课题，并提交了满满两大本从《观察与学习》这样的杂志上剪下的关于西线战事的图片资料，并做了简单的评论，当然这些评论的来源我已经不记得了（当时我还不知道脚注为何物）。

在我的英文老师的鼓励下，我对此课题的兴趣越发浓厚。与很多同龄的学生一样，我在很小的时候（14岁）便学习了威尔弗雷德·欧文的诗歌《为国捐躯》（*Dulce et Decorum est*），它一直冷冰冰地铭记在我的脑海：

> 毒气！毒气！快，兄弟们！……
> 如果你能听见，那颠簸而出的鲜血
> 从破碎了的肺，汩汩涌出，
> 如顽疾般肮脏，如呕吐物般酸苦，
> 无辜的舌头生了不治之疮，——
> 我的朋友，不要兴高采烈地
> 告诉那些胸中燃烧着荣耀欲火的孩子们，
> 那句古老的谎言：为国捐躯，
> 甘美且合宜。

西格弗里德·萨松的《猎狐人回忆录》（*Memoirs of a Fox-Hunting Man*）是当时的指定教材。此外，我还能回想起躺在床上阅读罗伯特·格雷夫斯的作品《向一切告别》（*Goodbye to All That*）以及海明威的《永别了，武器》（*Farewell to Arms*）的时光；我还记得我看过一部改编自薇拉·布里顿的《青春作证》（*Testament of Youth*）的电视剧，它的情节朴实无华，却相当精彩。当时那台小小的电视机还曾带我领略1930年电影版《西线无战事》，它深深地震撼了我；《多可爱的战争》（*Oh! What a Lovely War*）中那些与时代格格不入但心照不宣的场景也曾让我心烦意乱。但只有《为国捐躯》让我如此难以忘怀，它将矛头明确地指向教师们，真实地描写了一个男孩生命的陨落。大清早，我们被要求熟练掌握这篇诗作；然而没想到当天下午，我们却换上少年队制服，在操场上列队行进，这着实让人觉得奇怪。

虽然我生活的年代离战争爆发已有50年之久，但第一次世界大战却深深影响了我，对其他年轻人也一样。因为年代过于久远，我们已无法亲自聆听那些最鲜活的记忆。在我还是名大学生的时候，正是一本关于战争的文学作品，让我立志成为一名历史学家。1983年爱丁堡国际艺术节上，我欣赏了由格拉斯哥公民剧院表演的奥地利讽刺作家卡尔·克劳斯的戏剧《人类的最后时光》（*Die letzten Tagen der Menschheit*）。这无疑是我所观看过的最让我震撼的一部戏剧。它怪诞、荒谬，但却真实地还原了第一次世界大战，将克劳斯犀利的语言风格展现得淋漓尽致。我非常赞同这部戏剧的中心主题，这场战争就是一场重大媒体事件。在这场欠缺事实来源和追求短时间轰动效应的媒体风波中，人们在语言上做足了文章，反而忽略了其真实性。尽管如此，这个超越了当时思维水平的观点还是让我获益匪浅：在还没有为英国媒体撰写文章之前，我对这种观点便深信不疑。很显然，克劳斯尖锐的讽刺使得他的作品在英国毫无市场。直到20世纪60年代，这个国家才开始接纳这样的作品。相比之下，《多可爱的战争》就显得如此粗制滥造和愚钝。当晚，在离开剧院后，我下定决心要自学德语，这样就能够读懂克劳斯的原著，就可以写些关于他、关于这场战争的东西了。

之后，我遇到了对我同样有所启发的凯恩斯的著作《就业、利息和货币通论》。在读完这部作品之后，我又产生了学习经济的念头。我下定决心掌握这两个领域（德语与经济学），并将二者相结合。由此，我的主题为“战时经济”的博士论文便诞生了（准确地说，该论文集中研究了“德国的格拉斯哥”——汉堡的恶性通货膨胀状况）。该论文经过修改和出版，成为之后长达数十年关于“一战”经济方面（其根源、发展和结果）研究的开山之作。有些内容被刊登在学术杂志上，有些通过学术研讨、讲座或教科书，向更加小众的群体传播。然而本书则希望能改变人们由来已久的偏见，让更多的研究成果向历史学家们最需要拥有、但又是最难拥有的读者群——普通读者进行普及。

## 10个问题

诚然，市面上关于第一次世界大战的书籍浩如烟海，我写这本书的初衷不是对已有的内容进行重复。很明显，它也不是一本教科书。书中没有对于战争细节的陈述，因为这些内容在其他书中都可以找到。此外，我也不会试图去写“面面俱到的战争”：因为人们总会不可避免地遗忘战争的许多方面以及战场的一些情况。因此——冒着另辟蹊径可能带来的风险——我尝试努力走出这些已经被深度挖掘过的学术堑壕。与传统观点的侧重不同，比起外交、军事方面，我更倾向于研究战争带来的经济和社会历史方面的影响。一般来说，军事历史学家更倾向于探讨策略和战术问题，而忽略了同样让将军们挠头的经济问题。

偏重于经济和社会研究的历史学家（特别是德国人）则倾向于忽略那些硝烟炮火的桥段，而自觉或不自觉地认为，对战争起决定性作用的是“大后方”，而不是前线的那些战役。大多数历史学家倾向于以单一国家为出发点来研究战争。这一特点很容易从众多关于战争文学的书籍见到，同时也成为近年来那些不经行家之手便东拼西凑的论文和会议报告册子的一大特点。

我著书则本着对问题进行分析的原则。以下10个问题是我要解答的：

1. 这场战争真的不可避免吗？它缘起于军国主义、帝国主义、秘密外交，还是单纯的军备竞赛？（第1~4章）
2. 德国领导人为何对1914年的战争下了赌注？（第5章）
3. 当欧洲大陆战火燃起时，英国的领导者为何决定出手干预？（第6章）
4. 这场战争真像人们想的那样，是人们的激情使然吗？（第7章）
5. 卡尔·克劳斯认为宣传手段，特别是媒体，是导致战争爆发的元凶。是这样吗？（第8章）
6. 拥有强大经济优越性的大英帝国为何无法在美国不干预的情况下，对同盟国给予更迅速的打击？（第9章和第11章）
7. 拥有强大军事实力的德国军队在西线为何无法战胜英法联军，却能够轻取塞尔维亚、罗马尼亚和俄国？（第10章）
8. 正如战争诗人所说，为何在战事如此惨烈的境地下，人们还不肯罢休？（第12章）

9. 是什么给战争画上句号？（第 13 章）

10. 谁最终赢得了和平——更准确地说，谁为战争偿付损失？（第 14 章）

通过提出这些问题，并重新揭示这些问题的答案，我希望能够发掘出人们对战争这一主题的理解和信念中相互对立、矛盾的因素：一方面，战争是可怕的；另一方面，它又是不可避免的。我们需要扪心自问这些观念的根源是什么。在这方面，历史学家们做得还不够。

## 罪恶之战

坚持认为战争是“一件坏事”的人在很大程度上受到了“战争诗歌”（它们通常含有“反战”意味）的影响；20 世纪 70 年代，这些诗歌是英国学校的必修课程。

战争结束前夕，士兵们就开始写诗歌来描写战争了，内容则力图一扫维多利亚时代、爱德华时代和乔治王时代的浪漫主义文风，而这种改变则不仅体现在诗歌的传统结构变异上。萨松于 1916 年 2 月写下了他的第一首“直面现实”的战争诗《一切安好》，并在次年 5 月的《老猎人》杂志上陆续发表了数篇作品；1918 年，“大反攻”开始，理查德·奥尔丁顿的《年轻人的鲜血》（*The Blood of the Young*）也于同年发表（“我们对鲜血和它的腥味已感到厌倦”）。直到 1918 年欧文去世，他总共写了 100 多首诗，但这些诗在战后才拥有更大的读者群。埃德蒙·布伦登生平所作的最不浪漫的诗作《第三次伊普尔战役》以及艾弗·格尼的《奇怪的地狱》也都于战后才发表。

在颓废的表现主义和象征主义笼罩战后诗坛的同时，萨松和欧文也遇到了诸如威廉·克莱姆、卡尔·祖克迈尔以及在战争爆发两个月后便英年早逝的阿尔弗雷德·利希滕斯坦这样的可敬对手。利希滕斯坦完全可以称得上是反战诗人的先驱。他的《战前祷告》在萨松转变其写作风格一年半之前就已经问世了：

愿上帝保佑我远离苦海，
圣父、圣子和圣灵，
让我免受炮火侵袭，
让我们的敌人，那群恶棍，
永不会带我走，永不向我开枪，
愿我永不会殁于污秽，
为我们深爱的祖国。

瞧，我仍珍恋人生，
享尽田园生活，终有女眷陪伴，
教训那莽夫约瑟夫，
酩酊大醉度过人生，
直到无忧地长眠九泉。

瞧，我将诚心祈祷，
一日七省，
若你，万能的上帝，给予我仁慈，
予我生的希望，
而选择让我的战友，或许是胡伯，
抑或是迈尔，殒命沙场。

若我生还，
莫要我奄奄一息。
就让我受一点儿腿伤，
抑或是割伤前臂，
我便可衣锦还乡，
把故事娓娓而讲。

此外，祖克迈尔于1917年所作的关于年轻士兵的诗歌比欧文要狂野血腥得多——饥饿、杀戮、腐朽、酗酒、殴打、自慰……这也代表着战争诗歌已突破其英国式的风格特点，包含了更多元素，并在其他国家兴起，代表人物如法国的纪尧姆·阿波里奈和意大利的朱塞佩·温加雷蒂。近期出版的一本关于第一次世界大战的诗集收录了50余位作家的诗歌，其内容几乎涵盖和代表了所有主要参战国，毫无疑问，这个数字还会不断增加。随着这本书以及其他诗集越发受欢迎，战争诗歌也越发被中学和大学教育所青睐。

随后诞生了反战散文，包括各种文选、战争回忆录以及战争小说等，许多作品由于自传性太强而摇身一变成为了回忆录。事实上，最先以散文为武器抨击战争的却是那些没有亲历过战争的作者。1914年冬，乔治·萧伯纳苦心研究了敌人对自身行为的官方辩解后，就着手写作《战争常识谈》（*Common Sense about the War*）一书（糅合了其社会主义思想并体现了他本人独特的偏执性格）。在这本书问世前，报纸上曾刊登过一篇说服双方士兵"击毙自己的上司，而后凯旋"的文章。弗朗西斯·梅内尔于

1914 年 12 月发表的文章《战争即谋杀》真实地描写了“令人咋舌、尸无全身、散发恶臭的可怕战役”以及“对普通百姓的杀戮、伤害、奸淫”等场景。相比之下，克莱夫 · 贝尔 1915 年的作品《曾经的和平》（*Peace at Once*）则没有那么耸人听闻，贝尔赞同萧伯纳关于战争仅惠及“一小撮资本家”的论断。通过以调查者的视角审视索姆河战役，他更为真实地亲历了当年福特 · 马多克斯 · 福特所描述的让人大为不解的场面：“百万大军前仆后继……共赴恐惧的地狱。”

第一位试图以科幻文学形式对战争进行批判的人是H · G · 韦尔斯。在他 1916 年的作品《看透一切的布瑞特林先生》（*Mr. Britling Sees It Through*）中，他提出了如下问题：“我们过去为何而战？我们现在又为何而战？有人知道吗？”两年后韦尔斯说，这场战争已经沦落到仅仅是“无畏、丑恶的拼命和浪费”。两位女作家阿格尼斯 · 汉密尔顿和罗丝 · 阿拉提妮分别在 1916 年和 1918 年更加强烈地表现了她们的反战意图。D · H · 劳伦斯在 1916~1917 年针砭时弊，指出了战争的“暴力、不公和毁灭性”，并预言“枪林弹雨将彻底摧毁这个世界”，这场战争已经“碾碎了正逐步成长壮大的欧洲文明”。

甚至有许多媒体人和宣传家在战后都改弦更张。不同于战时报道，前战地记者菲利普 · 吉布斯在其 1920 年出版的《战争的真面目》（*The Realities of War*）一书中写道：

> 当人们流血牺牲，当投机者伺机牟利，当愤怒的火焰通过动员晚宴以及宣传演讲被疯狂煽动，我们的童年便注定充满杀戮和血腥……现代文明在燎原战火中毁于一旦……只因为被他们的政府、他们的哲学家和他们的媒体点燃了仇恨之火，这些同样进行虔诚祷告、同样向往美好人生、平日素无恩怨的人们之间竟展开着一场惨烈的屠杀。德国的士兵痛骂将他们推向死亡的军国主义。英国的士兵……回视他们的阵地，幡然醒悟……原来，秘密外交将下层贫苦百姓的生命玩弄于股掌之上，将他们强行置于战争的阴霾之下；原来，那些表面上痛恨德国军国主义的统治者……仅出于击败对手的野心；原来，人们可以变得如此愚蠢，去憧憬那场如同光荣的冒险一般的战争……

幡然醒悟的人不止吉布斯一人。在哈罗德 · 贝格比眼中，战争已然成为“屠夫的屠宰场，丧心病狂的杀戮和残虐，肮脏的狂暴者的狂欢，是世人未曾经历过的悲剧”。

如塞缪尔 · 海因斯所示，在 20 世纪 20 年代的英国虚构文学中，这样的案例数不胜数。福特 · 马多克斯 · 福特《队列之末》（*Parade's End*）中的主角克里斯托弗 · 蒂金斯正是由于国内阴谋家的背叛而颓废、堕落的英国精英阶层的一个缩影。弗吉尼娅·伍尔夫在《达洛维夫人》（*Mrs Dalloway*）一书中描述了另一类战争受害者：自杀的退伍士兵塞普蒂默斯·史密斯成为那些“陡然如释重负”的人的典型。在那些心灰意冷的人眼里，战争已然让世界失去了理智。

让人震惊的是战后的阴郁氛围已弥漫整个知识界。就连诸如约翰·巴肯——他的战时著作《绿斗篷》（*Greenmantle*，1924）成为“沙漠枭雄”神话的先驱——这样咄咄逼人的激进作家都无法幸免于难。在他的《俘虏王子》（*A Prince of the Captivity*，1933）一书中，那位奉行禁欲主义的主角——战争英雄亚当·梅尔福特努力在战后那个更为密不可分、以工人阶级为主导的世界格局中，为其强迫症一般的自我牺牲的勇气寻找用武之地。然而这次，巴肯不得不说服自己，这场战争不会这么简单。就连那些没有亲自上过战场的年轻作家也加入到批判大军。刘易斯·格拉西·吉本的《苏格兰人的书》（*A Scots Quair*，1932~1934）中的关键事件便是对女英雄克丽丝擅离职守的丈夫尤恩的处决。C·F·福雷斯特的《将军》（*The General*，1936）极力向人们灌输愚蠢至极的英国指挥官的刻板印象。

然而事实证明，退役士兵的证词（虽然它们常常是半虚构的）总归要比那些虚构的文学作品更有影响力。英国老兵A·P·赫伯特的《秘密战役》（*The Secret Battle*，1919）便是早期最成功的小说之一。该小说基于海军上尉埃德温·戴特因懦弱罪而被处决的真实事件展开；它试图向人们揭示，那位“哈里·彭罗斯”其实是一个很勇敢的小伙子，只不过长期受到战场环境的影响，以致最后精神崩溃、行为失常。1922年，《卫报》主编、退伍兵C·E·蒙塔古出版了他颇具争议的回忆录《觉醒》（*Disenchantment*），这本书可以说拥有战后文学作品最重要的影响力。“在那些年轻人的眼中——那些人曾目睹堑壕里满是被毒气杀死的人，目睹在贝蒂纳妓院门口排队等候的战友——战役失去了昔日的光环。”蒙塔古写道。他将这场战争用一句至今还颇能赢得共鸣的话来总结：“雄狮们自认为它们已经发现驴子了。”

蒙塔古于1926年发表的小说《不公正的审判》（*Rough Justice*）标志着战争小说的兴盛——之前的十几年仿佛是一个厚积薄发的过程。随着时间的推移，作品越发通俗易懂，同时也更具有表现力。T·E·劳伦斯于1926年私下出版了《智慧七柱》（*Seven Pillars of Wisdom*）；但直到第二年，这部著作才被编辑加工，由此诞生了其节本《沙漠革命记》（*Revolt in the Desert*）。同样在1926年，赫伯特·里德的《大撤退》（*In Retreat*）出版。这之后，一大批后起之秀崛起，包括1927年的马克斯·普洛曼、R·H·莫特拉姆，1928年的布伦登、萨松和E·E·卡明斯，1929年的理查德·奥尔丁顿、查理斯·埃德蒙兹、弗里德里克·曼宁以及罗伯特·格雷夫斯；萨松、曼宁、亨利·威廉森、理查德·布莱克以及利亚姆·奥弗莱厄蒂等人更是在1930年大放异彩。我们很容易在上述这些类型的书中找到类似于萨松那句尖锐的讽刺——“战争即为一场欺骗了我、欺骗了一代人的肮脏阴谋”。

萨松的谴责同样能够在其他国家找到共鸣。亨利·巴比塞的《火线》(*Le Feu*，1916)——截至战争结束，该书达到了30万册的好销量——揭示了法国人对西线战事的反感心理，能够超越它的只有亨利的政敌路易斯–费迪南德·赛林的作品《暗夜旅程》(*Journey to the End of the Night*，1932)了。1936年，罗杰·马丁·杜·加尔出版了《1914年夏》(*The Summer of 1914*)，这本书成为其长篇巨著——《蒂博一家》(*The Thibaults*)(书中，主人公雅克·蒂博由于1914年8月在法国和德国军队中散发反战题材的印刷品而被杀)精彩的收尾卷。这本书问世后，作者曾致信一位朋友：“任何事都胜过战争！任何事！……任何磨难、任何奴役，都无法与战争相比……”

所有关于反战题材的小说中，最著名的当属德国人埃里希·玛丽亚·雷马克的《西线无战事》(*All Quiet on the Western Front*)，该书拥有英语和法语两个版本，出版后遭到疯抢。但雷马克并不是魏玛时期德国唯一的反战作家。早在该书出版的前一年，路德维希·雷恩的作品《战争》(*Krieg*)、奥地利作家安德里亚斯·拉茨科的《战争中的人》(*People at War*，1917)以及阿诺德·茨威格的《格里斯查中士之案》(*The Case of Sergeant Grischa*，1928)就都表达了同样的反战情绪。在维也纳，人们将那些充满智慧的批判写入剧本并搬上舞台，如克劳斯1915年开始动笔、直到1922年5月才完成并出版的《人类的最后时光》(*Last Days of Mankind*)。美国人同样热衷于回忆、反省这场战争。对于美军飞行员埃利奥特·怀特·斯普林斯来说，这场战争就是“一场浪费人们精力的荒诞不经的喜剧”。

人们同样用画笔来描摹这场罪恶战争的可怕场景。保罗·纳什试图通过其笔下怪异、泥泞的景象——如《梅嫩街》(*The Menin Road*，1919)——来“收回那些推动战争的命令，并摧毁发号施令者的邪恶的灵魂”。马克斯·贝克曼决定放弃虽然短暂却让他身心都饱受摧残的戎马生涯，转而成为一名艺术家。这一转折以他那些刻画受伤战友的作品为标志，这些画作在风格上类似于那些鲜为人知的法国“伪画家”。乔治·格罗斯的作品与他作为一名志愿军的特殊经历不无关联(最后他本人被送进了精神病院)。他的风格怪诞的卡通作品《信仰治疗师》(*The Faith Healers*，1918)讲述了一位军医把白骨当成现役军人的荒谬事。从今天看来，那些灵感来源于战争的前卫画作仍发人深省。还有什么能比乔治·勒鲁的《地狱》(*Hell*，1917~1918)更让人对战争心生厌恶(该作品刻画了在泥土、浑水和浓烟中戴着防毒面具的法国士兵和时隐时现的尸体)？还有什么能比马克斯·斯莱福格特的《母亲》(*The Mothers*)更让人悲恸欲绝呢(作品中，无数的女人俯身在一个无边无际、满是尸体的堑壕边高声恸哭)？

英国近代虚构文学中关于第一次世界大战的作品最能够体现这场战争的罪恶。其中最杰出的代表便是帕特·巴克1990年的三部曲：《再生》（*Regeneration*）、《门里的眼睛》（*The Eye in the Door*）和《幽灵之路》（*The Ghost Road*）。实际上，巴克试图通过塑造一个双性恋、出身贫寒而又愤世嫉俗的虚构形象——比利·普赖尔，将萨松的作品，如《舍斯顿的进步》（*Sherston's Progress*），以及心理学家W·H·里弗斯的作品以符合现代读者要求的语言重新予以解读。在萨松的原著中，出于作者本人的顾虑以及当时严格的审查制度，对“性”这个话题是避而不谈的。但在比利·普赖尔那里，“性”成了司空见惯的事情。可能对于历史学家来说，这样的重读不符合时代特征，但它着实是小说成功的关键。它并没有直接表现比利对战争的厌恶，但其实他对战争的厌恶要比对自身的不满更胜一筹。

通过在《幽灵之路》这本书中对4位军官（其中一位便是威尔弗雷德·欧文）在战斗间歇进行的辩论的描写，巴克清楚地表达了他本人对战争的态度。一位名叫波茨的曼彻斯特的大学生首先发言。他赞同费边的观点，认为这场战争“为投机者的老巢锦上添花”。“出身传统军队世家、接受贵族教育却培养出鲁莽性格”的哈利特反驳道：“我们是为祖国的合法利益而战的。我们要打破比利时的中立立场。我们在为一个独立的法兰西共和国而战……因此，这场战争终归是合理的。”性格更为冷静的比利听到他们的说辞后，得出了如下结论：“不过是黄口小儿之言。”很显然，比利的认识更为客观：任何合理的自我辩解都已荡然无存，它已经退化为永不停止的系统。无人从中受益，无人被其操纵，也无人知晓如何给它画上一个休止符。哈利特最终也接受了这种观点，在他痛苦的弥留之际（他的脸大部分被子弹打烂了），他最后说的话可称得上是上述辩论的总结。大家在他含糊的话语中只听懂了一句话——“不值得”。就像是要把这句话牢牢铭记似的，病房里的其他病人都加入进来，反复温习着那句“不值得”，那“嘤嘤嗡嗡的叨念不是对悼念死者的恸哭的抗议，反倒像是和弦一样”。伊文·里弗斯，这位劝说萨松、欧文和普赖尔重返战场的仁兄（其中两个人后来在战场上牺牲），这时也备受激励，加入了他们。

塞巴斯蒂安·福克斯同样大获成功的作品《鸟鸣》（*Birdsong*，1914年）以战前发生在法国的一段唯美的爱情故事为开端。在1916年，当故事的英雄斯蒂芬以一名士兵的身份重返家园时，他那曾经的快乐生活已经被轰炸得满目疮痍。他亲身经历了被困井下的孤独的惶恐——那种井坑是专门在德军占领的地区埋放爆炸物用的。矿工杰克的不幸经历更是向世人再现了狄更斯式的苦楚，他那被病痛折磨的儿子先他一步去了。于是，故事的主人公年纪轻轻就对战争隐约产生了一种悲观的想法。“他被连长痛斥了一顿，”福克斯写道，“因为他在士兵中传播消极信息，他认为战争将会越发惨烈，直到遇到某个转折点。”

> 最初，他只是觉得战斗打响后不久便会以传统方式迅速告一段落。但后来他看到狙击手疯狂向德军先头步兵射击……对他来说，似乎有一种无法抗拒的邪恶天性在背后推动着这些人……他开始相信，事情将越发糟糕……他鄙视这场战争……

大部分现代读者对第一次世界大战的印象和了解并不是来自于历史学家的文献，而是通过关于此类题材的文学作品，当然还有报纸、电视、剧院和电影院。我提到过的《多可爱的战争》——于 1963 年由一家戏剧工作室首演——它向人们传达了 20 世纪“60 年代的信息”，即只要权力掌握在上流社会的蠢货手中，战争总会再次发生。彼得 · 韦尔的电影《加利波利》是对其最好的诠释，它将澳大利亚的理想主义与波姆的愚蠢行为之间的矛盾揭示得淋漓尽致。电视纪录片同样对人们产生了巨大影响。26 集系列片《第一次世界大战》（1964 年首播于英国广播公司频道）和之后的《1914~1918 年》，都赢得了广泛好评。尽管早期的系列节目在多数情况下都旨在客观阐述战争，而非谴责战争，但是许多观众似乎对那些节目的评论充耳不闻，而是在那些残酷的历史镜头前，更为笃信他们既成的想法：“恐怖无比堑壕战”和“骇人听闻的对无辜平民的大屠杀应当遭到唾弃”。相比之下，《1914~1918 年》道出了人们的心声。它将镜头聚焦于“普通人忍受已久”的战争的文化历史因素，因此反复呈现出战争的罪恶和无谓。就连罗恩 · 阿特金森的喜剧系列《黑爵士》都能够给人们留下指挥官愚蠢无能的印象。

此外，每年都有数以千计的人来到曾经的西线战场，试图“亲眼目睹”那里的场景，一种对战争的缅怀和战争旅游业之间的奇怪交叉在战争一结束就出现了。当然，那些游人所看到的场景与当年浴血奋战的士兵所看到的截然不同。他们只能看到由埃德温 · 勒琴斯爵士等人设计的呈几何图案的宏伟公墓，以及已经恢复了昔日平静的乡村。时至今日，只有从关于战场介绍的旅游指南上，人们才能感受到这片土地曾发生过的悲惨的一幕。

尽管第一次世界大战已经过去了 80 年之久，但我们仍旧不难发现，它依然备受当代社会的关注：不同于近期的几场战争（如朝鲜战争），它历久弥新。在英国，那些关于审判逃兵的争论还在继续，许多人还在竭力为那些已经枪决了的人们平反。在我动笔写这本书之前的一个月（1998 年 4 月），英国的报纸上还出现了 3 则关于第一次世界大战逸事的报道：一个是关于传言中德国人为了阻隔荷兰和当时已占领的比利时而修建的“死亡地带”；一个是关于那位“在加利波利战场上提醒阿斯奎思所犯的错误”的巴特利特的密电；还有一个是关于两位战功卓绝的英国士兵的葬礼，考古学家在蒙希勒普勒附近发现了他们的尸体。其中一位士兵的亲人还说：“我是真的不理解，这场战争怎么会发生。我不懂人类为何把自己送去当炮灰。”

## 这场战争一定要发生吗？

有一位历史学家，他关于第一次世界大战的研究在学术界享有很高的赞誉，他就是A·J·P·泰勒。首次于1963年出版的《第一次世界大战》（*The First World War*）一书，是他关于这一主题的最成功的著作。截至20世纪80年代末，这本书卖出了至少25万册。这是我在孩提时代阅读过的成年历史读物之一；我想，我头一次看到死人，正是我父母所出版的该书封面上那具可怕的高度腐烂的士兵尸体。在泰勒看来，这场战争是愚蠢、徒劳的：“政治家们被这铺天盖地的大事件压得喘不过气。将军们也同样无所适从……所有人都在跌跌撞撞地、徒劳地探寻出路……没有人追问战争的意义。德国人挑起战争，是为了取胜；盟军予以反击，是为了不输掉战争……这场战争就是为了胜利而存在的。”此外他还认为，这场无意义的战争既不合理又消耗巨大：凡尔登战役是“为了打仗而打仗”，第三次伊普尔战役成为“盲目的战争中最盲目的屠杀”。泰勒绝不是一个多愁善感的人，但正是由于他刻薄讽刺的语言当中甚至带有一丝幽默诙谐，他才为前辈们——利昂·沃尔夫、芭芭拉·塔奇曼、艾伦·克拉克和阿利斯泰尔·霍恩——的那些同样值得一读的作品补充了一些情感元素。与这些作家同时代的罗伯特·基大声疾呼，强烈反对“那场上层政治家和将军们以牺牲百万勇士的生命换取权力和利益的骗局……在某种意义上，它可与德国人的纳粹集中营相比”。这样的激情并没有随时间而减退。结合老兵的口述历史以及自己的一腔愤慨，林恩·麦克唐纳将描写西线战争主要阶段的书卷集中，表达出战争即为十足的地狱，士兵们则是受害者的观点。约翰·拉芬也将英国将军们描写为“屠夫和笨蛋”。

然而，我们也应当听听少数派的声音。实际上，有一群数量极其可观的历史学家始终坚持认为第一次世界大战并不是“毫无意义”的。如果说它有其邪恶的一面，那这种邪恶则是必不可少的。

当然，人们为这场战争的辩护从战争伊始就有了。野心勃勃的政客迫不及待地出版他们对战争爆发原因五花八门的解读：如比利时的灰皮书、奥地利的红皮书、俄国的黑皮书和德国的白皮书。报纸和出版社也在竞相对这场战争进行分析。仅在英国，截至1915年年底，就有至少7篇连载故事被刊登在《泰晤士报》和《卫报》上；此外还出现了一批著名的专栏作者：约翰·巴肯，阿瑟·柯南·道尔，威廉·鲁鸠，甚至埃德加·华莱士。到战争结束时，巴肯出版了至少24部作品。这些作品所共有的特点就是，它们对于英国参战动机的正确性具有毫不动摇的信念。

战后出版的官方作品同样印证了这一点。在这里，想要搞清楚它们的规模是根本不可能的。英国最为洋洋大观的作品当属詹姆斯·埃德蒙长达14卷的关于西线战事的报告。对于胜利者来说，评述战争会相对容易些。以英国为例，英国人会写，德国对大英帝国形成威胁，后者成功地应对了挑战。但对于那些充满失败情绪和暴动不断的国家而言，这项任务变得无比艰巨。虽然如此，德意志帝国档案的14卷书集《战争》（*Der Krieg*）仍执拗地洋溢着对德国在战争中出色表现的自豪感。值得注意的是，它的最后一卷是在第二次世界大战结束后才公之于众的。

在1918年后出版的结集档案中也鲜有刺耳的愧疚。俄国的布尔什维克政府也通过自己的出版物来评判这这场战争，据其记载，这场战争无非是帝国主义者的殉道之战。从政治视角来看，德国社会民主党党员卡尔·考茨基及其团队出版的文献与前者有异曲同工之处。更为自相矛盾的是那些在国民大会和国民审查委员会上探讨的德意志帝国崩溃的原因，这给予身处革命前夜的德国领导人一个回应层出不穷的质疑的机会。《欧洲各国政府的重大政策》（*Grosse Politik der europäischen Kabinette*）于1922~1926年出版，共54册40卷，涵盖了1871~1914年间的历史。其中，德国人为自己提出了新的要求。虽然它起初是对《凡尔赛和约》中“战争罪”的回应，并出于德国政府在1918年前的利益的考量而在内容上稍有保留，但这套书自始至终都符合外交历史学家们的出发点。它的成功促使英国和法国也分别出版了各自的版本，即由G·P·古奇和哈罗德·坦珀利编纂的11卷外交部文件《英国关于战争原因分析的文件，1898~1914年》以及法国随后出版的《法国外交文件，1929~1959年》。

下面我们将目光投向那些大权在握的人的回忆录。显然，这些回忆录中充斥着对自己的战争行为的辩解。那些“高级领导人”在他们的回忆录中卸下了往日的面具，约翰·弗伦奇爵士在停战协议签署一年以后出版了《1914》；伊恩·汉密尔顿爵士于1920年出版了《加利波利日记》（*Gallipoli Diary*）；6年后，威廉·罗伯逊爵士的《士兵与政客》（*Soldiers and Statesmen*）问世。在德国，鲁登道夫和提尔皮茨早在1919年就开始动笔撰写回忆录，一年后，法金汉也加入了他们的行列。与士兵相比，政客们可没那么多闲情逸致。但德意志帝国前宰相特奥巴尔德·冯·贝特曼·霍尔维格却有充足的理由尽快提笔为自己大书特书，他的《第一次世界大战反思》（*Reflections on the World War*）在1920年便被翻译成英文。德皇也不甘落后，在他的《回忆录》（*Memoirs*，1922）中，他坚持认为这场侵略战争是由协约国针对无辜的德国的预谋开始。丘吉尔也于同年完成了《世界危机》（*The World Crisis*）的第一卷；阿斯奎思于

1923 年和 1928 年分别出版了《战争的起源》（*The Genesis of the War*）和《回忆与思考》（*Memories and Reflections*）；爱德华·格雷爵士（即现在的格雷子爵）于 1925 年出版了《二十五年》（*Twenty-Five Years*）；比弗布鲁克于 1928 年出版《政客与战争》（*Politicians and the War*）。劳合·乔治后发制人，于 1933 到 1936 年陆续出版了他的 6 卷作品《战争回忆录》（*War Memoirs*）。

没有一本回忆录敢于否认战争的可怕，但几乎所有人都赞同一个观点——这种恐怖是不可避免的。实际上，英国政客们最常表达的观点是：战争是由一股巨大的历史潮流造就的产物，没有人可以阻止它。在《战争回忆录》中颇有名的一篇文章中，劳合·乔治如是写道："这些国家滑过大锅边缘，一股脑儿跌入了锅中滚烫的战争沸水中。"他用过不止一种比喻来形容这一巨大的、冷酷的推动力和强制力。这场战争是场"大灾难"，一场无法被政治家操控的"台风"。当大本钟在 8 月 4 日敲响"那最具命运性的一刻"时，它"萦绕在我们耳际，仿佛是命运之锤的声音……我就像站在一个突然偏离了轨道的星球上……高速旋转着，一头扎进了未知。"丘吉尔在他的《世界危机》中同样使用了天文学的比喻：

> 那时，人们必须去思考国家间的交流沟通问题……作为拥有巨大力量的组织……它们就像运转的星体，如果没有引力……它们将各行其道，互不干涉……如果离得太近，电闪雷鸣的现象就会发生。如果它们的距离近到突破了一个临界点，它们便会偏离轨道，相互撞击……

此外，用天气来做比喻的情况也很常见。丘吉尔就以"连空气都变成了怪脾气"来比喻战争；格雷也对天气进行了"指责"，那"惨淡的、让人浑身备感不适的怪天气"。有意思的是，一位德国老兵在他的回忆录里也使用了相似的口吻对战争做了比喻：

> 如果从孩提时代的感受来看，这样的天气颇似顽疾般难熬，而我现在却认为它正是暴风雨前的宁静……巴尔干地区正沉浸在一片灼人的闷热中，那是飓风来袭前的信号，天空中不时骤然出现一道道强光……之后发生的巴尔干战争为欧洲紧绷的神经吹来一缕清风。再后来的时日就像压在人们胸口的梦魇，让人如发烧了一般狂躁暴怒。由于对即将到来的灾难感到持续焦虑，这种躁动竟变成一种渴望：让那脱了缰的命运自由驰骋吧！一时间，一道强有力的闪电冲向地球，风暴恣肆。来自天堂的雷声中混杂着战役打响的轰鸣。

上文节选自希特勒《我的奋斗》（*Mein Kampf*）第五章的内容。

我们很容易理解某些政治家（如希特勒）为何用自然灾难来比喻战争，与其说战争造就了他们，不如说就是他们发动了战争。当战争逐渐成为现代历史上最严重的灾难时，这些大自然的比喻可以生动而顺理成章地成为政客们的托词——因为他们声称这种力量没有人可以阻止。格雷就曾明确地指出这场战争“不可避免”。事实上，早在1915年5月，他就表达了类似的观点。当时他承认，在“七月危机”期间，“他根本没有能力控制局面”，“他从来没有如此强烈地感受到这种力量”。“我曾扪心自问，”他在1918年4月称，“我问我自己，是否能通过预言或智慧来阻止它的发生，但我逐渐意识到，没有人有能力抗衡它。”贝特曼在两个月前也说过类似的话：“我一遍又一遍地问自己，是否可以让这场战争以及我的行为悬崖勒马。”不言而喻的是，他对此也根本束手无策。

一些历史学家对这些神奇的自然力量的比喻也颇为称道，并将这种手法发挥到了极致。霍布斯鲍姆就曾把战争的爆发比喻为一场大火、一场暴风雨；巴尼特把英国政府比作“一个乘坐木桶想要穿越尼亚加拉瀑布的人”；诺曼·戴维斯生动地把战争看作由于地球板块移动而造成的地震。

当然，即便不借助这些比喻，我们也不难看出这场战争是场不可避免的灾难。死脑筋的社会达尔文主义者对奥地利前总参谋长弗朗茨·康拉德·冯·赫岑多夫的观点表示赞同，认为出于“为生存而战”的“伟大原则”，“世界大战的灾难基本上是无法避免，也无法抗拒的”。德国有些历史学家在“一战”结束、“二战”尚未爆发期间成为地缘政治理论的拥护者。这种理论认为，德国“位于欧洲正中间”，被其他国家形成了包围之势。因此，德国必须在俾斯麦的“临时应急措施”和威廉时期的“防御性战争”中做出选择。除了德国，也有不少其他国家的历史学家赞成那些客观或系统的理论。美国人西德尼·费详细阐述了总统伍德罗·威尔逊关于“战争由国际体系出现的裂隙和瑕疵导致（各个盟国由于契约的签订而被绑在一起，并且之间缺少独立的仲裁机构）”的理论。还有一些人是列宁主义的忠实拥趸，他们认为，战争是帝国主义的经济敌对势力——资产阶级受利益驱使迫害欧洲工人阶级的结果，这完全颠覆了战前左派人士如卡尔·考茨基和J·A·霍布森的观点，他们认为资本主义者太过精明，以至于不会蠢到把自己送上毁灭道路的地步。这种观点仍然有一群拥戴者，并成为了德意志民主共和国史料编纂中不变的教条。

在第二次世界大战结束后，世界仿佛突然被置于一场终结一切的第三次世界大战的边缘。当A·J·P·泰勒提出“所有人都在为战争精心准备、摩拳擦掌，而不知不觉掉入深渊”的观点后，有人认为战争之所以能够沿着其“时间计划表”发展而一发不可收拾，正是参谋部与科技发展亦步亦趋使然。阿尔诺·迈耶试图以德国为例将战争的原因做如此总结：战争的爆发来自于主要参战国国内的政治压力，即上层阶级精英们为了缓和、躲避国内民主人士和社会主义者对其施加的压力，而推行、宣传浮士德契约式的激进民族主义。甚至还有人从人口统计学的角度解析战争原因。他们认为，“战争缓解了农村的人口过剩问题”。最后，还有一种纯文化角度的解读：战争是复杂的意识形态——“民族主义”、“反理性主义”、“军国主义”等交会碰撞的产物。而早在1914年8月，贝特曼就提出过这一理论：“帝国主义，民族主义和经济军国主义早已注定了每个国家的政策轮廓，并让人们孜孜不倦地追求那些只有付出大规模战争的代价才能达到的目标。”

对于一直被“战争是否可以避免”这个问题困扰着的贝特曼来说，仅有一种解释是让人满意的：所有国家都有其罪过。但他还是加了一句：“德国负主要责任。”他还说，严格来讲，这场战争之所以不可避免，是出于德国领导人的一些不当决策——这种论断也很有影响力。

许多英国政治家在他们的回忆录中申辩道，英国之所以保护中立的比利时免受德国的侵略，是出于道德考量，履行已签署的协约。1914年时，他们也确实是这样做的。阿斯奎思用在公立学校操场演讲时的口吻表示：“当一个恶魔准备攻击、蹂躏一个对它丝毫没有做出挑衅的受害者时，作为受害者的同胞，我们没有理由袖手旁观。”劳合·乔治对此表示赞同。之后，英国介入战争的原因是为了保护中立国比利时的说辞便被历史学家们接受了。

然而对于格雷和丘吉尔来说，另外一种解读显然更为重要：英国“为了自己的安全和独立，是不会允许法国被德国的侵略所击垮的”。丘吉尔说，一位“洲际暴君”正在“觊觎整个世界”。在其回忆录中，格雷也持同样的观点。“我们需要刻不容缓地团结起来，加入到战争中去，”他回忆道，“因为比利时危在旦夕。”“但依我个人的直觉，我认为我们实际的目的是要去帮助法国。”如果英国袖手旁观的话，“德国的铁骑……将会踏遍整个欧洲大陆和小亚细亚，因为土耳其人将会站在德国人那边。”“绥靖意味着被德国支配和管辖，意味着法国和俄国的沦陷，意味着被孤立，意味着要同时被希望或不希望参战的焦虑的人们所仇视，最后，意味着德国在整个欧洲的肆无忌惮。”K·M·威尔逊认为，这种以自我利益为中心的解读胜过对比利时命运关心的说法，后者之所以被政府所青睐，是因为政府需要慰藉内阁成员的良心并排除异己。而最重要的是，英国介入战争、保护法国和俄国、阻止“敌对政权攫取对整个欧洲的统治权”只是出于对自身利益的考虑。许多人都赞同这种观点，比如戴维·弗伦奇，保罗·肯尼迪在《英德对抗之缘起》中也有论述。在特雷弗·威尔逊看来，德国“正在谋求欧洲的霸主地位，英国因此就不可能独立”。

英国历史学家持有这种观点或许并非全然出乎人们的意料。那时，关于战争的最为装腔作势的解读便是如下观点：参战的目的是为了打败和击碎普鲁士军国主义和他们“尚武”的文化传统。德军在比利时的凶残行径便是铁证。这种观点不仅被自由主义者、保守主义者和社会主义者大肆宣扬，同时，它也迎合了战争本身的残酷以及人们对它的厌恶感。20 世纪 60 年代的德国学者也赞同这种观点，于是德国人一直遭到谴责。但弗里茨·菲舍尔 1916 年出版的《争雄世界》（*Griff nach der Weltmacht*）却让人觉得颇为不可思议：该书认为，德国人发动第一次世界大战的目的与希特勒发动第二次世界大战的目的不谋而合。对于其同时代的保守者来说，这种思维无疑具有强大的颠覆性。但是对英国的读者来说，它仅仅印证了那句古老的假设：德国想攫取“统治世界”的霸主地位，这是毋庸置疑的；而想要成就这一“霸业”，则必须以牺牲英国为代价。然而对于德国历史学家来说，这种“持续性理论”不仅意味着再次搬出《凡尔赛和约》中的“战争罪”，且更严重的是，它有力地支持了这样一种观点：1933~1945 年所发生的一切是由来已久的偏离美英集团准则的行为的集中爆发，从现代德国历史的角度来看并非严重的异常行为。“Alles war falsch”——一切都是错误的，甚至包括俾斯麦帝国。上述理论是菲舍尔在当时的波茨坦东德档案馆中发现的；乍看上去，西方的批评家们认为他是在拥护马列主义阵营。然而，他的调查研究却更为深刻地影响了西德那些年轻的历史学家。他们认为，这种观点为埃卡特·克尔 20 世纪 20 年代的观点进行了平反，克尔明确地指出 1914 年战斗打响前德意志帝国已弊病丛生。菲舍尔本人也在其中几位年轻作家的引导下，认为德国的扩张性外交政策与其国内政策不无关联：反动的特权阶层、东易北容克贵族以及鲁尔区反社会主义的工业主义者在政治上施加了过多的影响和干预。克尔已经识破了 1914 年以前德国外交政策的弊端——极少数当权者狭隘地着眼于经济利益；如今，用这条理论解释战争也是可以的。

一系列反对菲舍尔的观点同样也细致入微、解释合理。是否早在 1912 年 12 月，就有了战争的计划——英国的中立地位可以通过征服俄国和法国得以确保［菲舍尔在《想象中的战争》（*War of Illusions*）一书中探讨了该问题］？抑或是贝特曼在采取一项“有意的冒险”，通过在局部战争上下赌注，以保留德意志帝国的“行动自由”，至少是保全自身。再或者，他是否在一定程度上希望英国能保持中立，以便能够在欧洲战场击败法国，从而建立其在非洲的殖民帝国?

关于德国是战争“唯一的罪人”这一理论，还有其他的反驳意见。所有欧洲国家都有其各自的帝国主义支持者和军国主义中坚分子，而他们也都有其各自的目的。在过去的几十年中有一系列这方面的调查研究，内容涵盖了主要历史人物的外交和军事政策；这些解读反过来又为第一次世界大战起源的研究提供了多角度、多国资料的整合。它们受到了菲舍尔反对者的欢迎，因为这意味着人们定义战争的视角正逐步偏离“全部责任论”。

直到1965年才有人对菲舍尔的观点进行辩护。与对菲舍尔的指摘针锋相对，伊曼纽尔·盖斯关于“七月危机”的资料整理颇有影响力。这些资料援引各参战国于1920年前后出版的档案，有力地反驳了那些认为菲舍尔的理论过于聚焦德国的人。盖斯认为，尽管战争的直接原因在于德国政府怂恿奥地利对塞尔维亚进行报复性打击，但更深层的原因却在于其对英国产生威胁的“世界政策”。“德国侵略者……故意挑唆俄国参战。这促使俄国、法国和英国不得不联手反抗这位强大的野心家，但这并没有想象中那么简单。”在盖斯稍晚成书的《通往灾难的长路：1815~1914年“一战”战前历史》（*The Long Road to Catastrophe: The Prehistory of the First World War, 1815~1914*）中，他继续探讨了这个问题，认为第一次世界大战是德国在半个世纪以前成为统一国家后就已注定的结果。德国是1848年“革命与危机的重灾区”，是19世纪60年代欧洲民族主义得以“最极端体现”的国家，统一后一跃成为“欧洲大陆上最强大的力量”。盖斯还指出，正是“德国的世界政策置欧洲于战争的阴云之下……这个国家进行了一场‘世界性的政治出口’……是德国促成了最终升级为世界大战的决定性战役”。言外之意，德国外交政策最核心的错误便是对与英国“恢复邦交”的藐视，以及组建了一支“与英国势均力敌、足以向其宣战”的舰队。事到如今，许多更倾向于保守主义的历史学家坚持认为德国向英国的挑战是合乎逻辑的，但却没有人严肃地对这些挑衅行为的真实性提出过质疑。这场历史上的英德对峙便由此变成了现代历史上最为武断的事件之一。

## 这场战争可以避免吗？

建立一座座战争纪念碑，这样做有意义吗？那些埋在威斯敏斯特教堂、被当作无名英雄来歌颂的“一大批人”，真的就是为了如下的理由葬送自己生命的吗？

为了尊敬的国王和国家
为了挚爱的家园和帝国
为了公平正义这一神圣的理由
以及一个自由的世界（？）

撇开上帝、国家和学校不谈，那些在温切斯特大学纪念堂被人们缅怀的学生真是

“为了整个人类的事业而放弃生命”的吗？那些汉普顿勇士真是“为了保持一颗为国效忠的心，为了‘我们光荣的誓言’，为了自由，以及宪法赋予我们的义务”而牺牲的吗？

大多数（尽管不是全部）耸立在欧洲各大广场、学校和教堂庭院的战争纪念碑——无论是刻画理想中的勇士形象以及哀悼的妇女，还是诸如在索姆的蒂耶普瓦尔的那些纪念碑一样，仅仅在石头或青铜底座上镌刻上名字——都在试图传递一个道理：那些人的牺牲精神不会随着时间的流逝而被淡忘。“为自己的国家而死”是我在法国战争纪念馆最常见到的一句碑文，这些纪念碑可能是为了缅怀英雄、普通公民，或者专门为葬礼而设立。当我还在汉堡上大学的时候，每天路过达姆托尔纪念碑时都可以看到这样一句铭文：“德意志必会永生，就算我们必须要为它献出生命。”只有很少的纪念碑有勇气道出事实：这些所谓的“牺牲”根本毫无意义。

因此，本书试图解答一个最基本的问题，即每个来到蒂耶普瓦尔、杜奥蒙或其他祭奠死者的纪念碑前的游人都要扪心自问的问题：这些人——有900万之多——死去的意义究竟是什么？这似乎是一个非常简单的问题，但在很多情况下要解答也相当复杂。说得更确切些，英国在1914年遇到的巨大威胁，真的足以迫使其将数以百万计、来自四面八方的征召入伍的同胞推向死亡，从而达到“消耗”德国及其同盟力量的目的？德国政府发动战争的初衷到底是什么？这些问题正是本书前6章所要探讨的，我还将评估双方真正面临的（或是想象中的）“威胁”究竟有多大。

战争一经打响，这些威胁仿佛就从人们的视线中渐渐消失了。正如泰勒所言，战争开始后，那些政治家和将军们开始变得惴惴不安，只顾思考着如何赢得战争。同时，在严格的审查制度以及无意识流露出的追求轰动效应、剑拔弩张的情绪的双重作用下，报业开始倾向于打压妥协的立场，转而高歌只有取得一场彻底的胜利，才能吞并他国以及达到其他“战争目的”。本书第七章和第八章提出了一个重要问题：被历史学家们反复提及的“媒体号召人们响应、支持战争的煽动性力量（至少在战争初期）”究竟造成了多大的影响？

取得彻底的胜利为何如此困难？在一定程度上，这个问题应当从经济层面入手。战争双方都面临着资源短缺的问题：已过度消耗国家财政和物力，只为了在战役中获得暂时胜利的一方，必将在那旷日持久的冲突中吞食失败的苦果。它们已弹尽粮绝；它们的劳动力数量——特别是熟练工人的数量——大幅度锐减，罢工运动此起彼伏；它们供给士兵和平民的食物储备已所剩无几；它们已在国内外债台高筑，超出了自身的承受能力。这一切都与前线发生的事件密切相关，牵一发而动全身，因此第一次世界大战留给经济历史学家的反思内容与军事历史学家的一样丰富。然而从经济的角度来看，这场战争的结论已经或应该在预料之中了，因为与德国及其盟国相比较，英、法、俄组成的阵营拥有巨大的资源优势。第九章将探讨为什么身处如此的优势，若无美军介入，英、法、俄仍旧会败北的原因；同时对一种被广泛认同的观点提出质疑：德国的战时经济管理真是如此混乱、效率低下吗？

战略是否是结束战争的关键？本书第十章将会聚焦此问题。在某些方面，西线的胶着状态及其他战场毫无成效的“间接行动”是军事技术发展带来的必然后果。然而，人们在那些因缺少决定性的突破而导致的鏖战中采取的战略本身也弊病丛生。双方的指挥官都从那些煎熬般的对峙中总结出这样一个一般性目标：敌方被杀死的人数要大于己方损失的兵力。在此基础上，践行严格的军事条例、做出自我牺牲的行为便成了家常便饭。通过每月统计的“净阵亡人数”（一方阵亡数减去另一方阵亡数）以及其他具体的伤亡数字，战争的军事效益便得以评估。实际上，一个阵亡士兵的价值可以通过其生前理论上直接或间接造成的敌方士兵的死亡人数来衡量。因此，评估军事效益成为了一件围绕死亡主题而展开的可怕的差事（事实上，许多读者或许已经认为我的方法非常无聊）；但这种逻辑不是我的独创，而要归功于当时那些政治家和大将军。因此，很明显，同盟国在这一方面占尽了上风；但问题也随之而来：它们为何还输掉了战争？一种可能性（在第十一章中有所介绍）是，经济和军事效益需要相互结合。换句话说，真正重要的可能不是哪一方损失的人数比另一方少，而是需要衡量我方杀掉一名敌军所付出的代价。但这样也丝毫无助于解决问题，因为如果从这个方面来看，同盟国仍旧是占上风的一方。

为了揭开德国失败的原因，我们还需要做进一步分析。我们同样不能忽略那些虽然受了伤或被俘但却没有丢掉性命的士兵。在俘虏问题上我也做了一番研究。因为尽管从他们自身的角度来看，他们的命运比那些牺牲的或身受重伤的战友要幸运得多，但从他们上司的立场上来看，这一部分被俘的人却统统被归为阵亡者的名单了。在某种意义上，战俘所造成的损失甚至要更大一些：他们还活着，因此便有可能效力于敌方或成为敌方的廉价劳动力。因此在统计一方的伤亡对另一方所造成的影响时，比起伤者，我更倾向于关注被俘虏的士兵，因为许多伤者之后仍然可以重返战场。然而这样一来反倒会出现一些更基本的问题：个体的情感问题。如果堑壕中的惨烈状况与那些反战文学所描述的毫无出入，那他们为何还要继续去送死呢？这些可怜的人为何不选择逃跑、叛变、投降呢？这些问题是第十二、十三章所要探讨的。

最后，缺少了关于战后和平局面的评价，对这场战争的分析就不能算是完整的。战争的确给那些声称自己已经从中醒悟过来的人以当头棒喝，但《凡尔赛和约》——暂且不说胜者在巴黎郊区签署的其他条约——是否成为战后和平的温床中滋生的寄生虫呢？我在第十四章将做出解释。

读者会注意到，在提出上述问题时，我经常试图想象如果是另外一种情况事情将会如何发展，并指出了一些“与事实相悖”的情况。的确，阅读这本书，就像在探索和想象战争的另一个面孔和结果。假如英国1905年没有在帝国问题和之后出现的欧陆问题上向法国、俄国做出让步，会产生什么后果？假如德国1914年加强了防御能力（实际上，它完全有能力这样做）会怎么样？假如某些内阁大臣所期待的事情变成现实——英国在1914年8月没有插手战争，事情将如何发展？如果法国军队在马恩河地区没有对德军进行有效控制（考虑到法军的伤亡人数如此巨大，这样做也是可以理解的）呢？假如英国保存整支远征军的实力用来对付土耳其，能否成功占领加利波利？假如俄国人能够更加理性地行事，它会不会与德国人私下和解？再比如，如果1917年的英法军队中出现叛乱了呢？假如德国人没有卷入无休止的海战，或是没有采纳鲁登道夫1918年提出的进攻策略，会不会不至败北？假如1919年强加给德国一个更严厉的惩罚，抑或是一个更仁慈的条约，对这个国家的未来分别会有什么影响？就像我经常说的，这些与事实相悖的问题可以在两个方面帮助我们理解：一则可以重现当时决策者的优柔寡断，对于他们来说，未来仅仅代表一连串的未知的可能性；二则可以评估当时的决策是否是最佳的。总之，我的论述表明，当时的决策可能不是最好的选择。

# THE PITY OF WAR

第一章

# 军国主义的幻想

## 纷至沓来的预言

通常认为，第一次世界大战爆发的主要原因是文化因素；更准确地说，是军国主义文化。是它，挑唆人们对战争的渴望，让平民摇身一变成为蓄势待发的士兵。有些人确实预见到这场战争了，但有多少人真正期待它的发生呢？

如果说是那些为了自我满足的预言点燃了第一次世界大战的战火，那么最早的预言家之一便是黑登·希尔，其小说《怀特岛的间谍》（*The Spies of Wight*，1899）讲述了德国间谍在英国开展的阴谋行动。但这部小说仅仅是关于未来那场英德之战预言的开端，后续有一系列作品都对这场战争进行了预言。A·C·柯蒂斯的《新特拉法尔加》（*A New Trafalgar*，1902），就是其中之一，它描述了德国军舰轻而易举地在英国海峡舰队缺席的情况下对英国进行突袭。幸运的是，英国皇家海军拥有一艘强大的备用新战舰，因此最后还是赢得了战争。在厄斯金·柴德斯最著名的作品《沙岸之谜》（*The Riddle of the Sands*，1903）中，英雄卡拉瑟斯和戴维斯偶然发现了德军的惊天计划：

> 大批驳船载满了德军士兵，航行在海上。他们被分成了7支分队，在帝国海军的护卫下同时从7个浅滩出发，横渡北海，即将登陆英国的海岸。

同样的侵略行动也出现在L·詹姆斯的小说《少年传令员》（*The Boy Galloper*，1903）中。故事中的英雄——中学生杰克·蒙特莫伦西不得不离开学校，穿上他军训时的制服，去完成抵御德军的使命。但在这些关于德军入侵的虚构故事中，最著名的还要属威廉·鲁鸠于1906年在《每日邮报》连载的风靡一时的畅销书《1910年大入侵》（*The Invasion of 1910*）。书中，作者构思了4万德军精锐部队入侵英国的恐怖场景，如“罗斯顿血战”“伦敦大轰炸”。在《当雄鹰飞向大海》（*When the Eagle Flies Seaward*，1907）中侵略军的人数徒增到6万，但除此之外，两本书的故事在本质上并无差别。它们的结尾无疑都给了英国人民以慰藉，侵略者最终被打败了。在R·W·科尔的《致命陷阱》（*The Death Trap*，1907）一书中，当德国侵略者兵临城下时，日本军队前来救援。A·J·道森的作品《情报》（*The Message*）中，英国被描述成一个面临绝望深渊的国家，在这部作品中，英国人民品尝到了惨遭占领、被索赔款，以及将殖民地拱手让人等苦果。

值得注意的是，在道森的书中，“敌人”的侵略已无孔不入。当和平主义者聚集在布卢姆斯堡呼吁裁军时，一位德国作家操着浓重的日耳曼口音，对我们的英雄们说了如下的话：“我们很强大，对，我们德国人的军队很强大。”事实证明，这个德国作家以及他成千上万的移民同胞在当时确实扮演了战前情报搜集者的角色，并向人们传达了“德军对其对手的一切情况已经了如指掌”的自信。通过对德军在伦敦的情报头目“X长官”的刻画，E·菲利普斯·奥芬海姆在《缔造历史的人》（*A Maker of History*，1905）一书中有更精彩的描写：

> 在这个国家，有29万年轻同胞服过役，随时待命。他们平时是店员、侍者、理发师……每个人都身负重任。这座伟大城市的要塞和堡垒或许坚不可摧，会拒外敌于门外；但若从它的内部着手，就另当别论了。

无独有偶，瓦尔特·伍德的作品《混迹我们中间的敌人》（*The Enemy in Our Midst*，1906）中，“德军情报委员会”正悄悄地置伦敦于危难和混乱中。关于这一时期这一主题的作品数不胜数，以至于用“间谍狂热”这个词来形容也不为过。1909年，鲁鸠最有影响力的小说《帝国间谍》（*Spies of the Kaiser*）出版，作者构思了一个遍布伦敦的德国间谍情报网。此外，柯蒂斯上校的《睡梦中的英格兰》（*When England Slept*）也于同年问世。在这本书中，伦敦在一夜之间被德军占领，原因正是他们已经在这个国家进行了数周盗窃情报的活动。

这样的奇幻故事不仅仅出现在这些廉价的惊悚小说中，旅行家、诗人查尔斯·道蒂就写过关于这一主题的离奇而又仿古的诗歌，其中的代表作有《悬崖》（*The Cliffs*，1909）以及3年后写就的《云端》（*The Clouds*），后者是一部异乎寻常的作品。在查尔斯的笔下，侵略者用乔叟的口吻，将鲁鸠的观点娓娓道来。梅杰·盖伊·杜莫里埃的戏剧《一个英国人的家园》（*An Englishman's Home*，1909）将这支幻想曲搬上了舞台，男学生们又一次要奋起反抗这噩梦般的入侵。1913年12月初的《密友》杂志连载了关于这场英德大战的另一个版本的猜测。奥尔德堡寄宿中学的校刊在1909年甚至颇为讥讽地猜测孩子们在1930年会受到什么样的教育，当时英国已经沦为“条顿帝国”西海岸的一个弹丸小岛了。

甚至连萨基（原名赫克托·休·芒罗）——当时最著名的作家之一——都对这些书颇感兴趣，并尝试了同类型题材的写作。《威廉驾临：霍亨索伦统治下的英国逸事》（*When William Came: A Story of London under the Hohenzollerns*）一书中的英雄默里·约维尔——一个“要被培养成为特权阶层的人”——从黑暗的亚洲归来后，发现英国已经臣服于人，成为了“像阿尔萨斯–洛林那样，归属于霍亨索伦王朝的一个行省，只不过哺育它的不是莱茵河，而是北海”。摄政街遍布着欧陆风格的咖啡厅，只要在海德公园草坪上行走就会被当场抓住并罚款。尽管约维尔渴望推翻这些条顿人的统治，但他却发现自己已经被那些曾经同是保守阵营的同志们抛弃了。他们（与乔治五世一起）已经逃往德黑兰，这里只剩下一些可憎的“通敌者”，包括他那“毫无廉耻道德心”的妻子、她的波西米亚朋友、大量衣着光鲜的官僚主义者以及“无所不在”的犹太人。德国征服者出人意料地仁慈，甚至还有些让人着迷，至少那些颓唐堕落的英国人是如此标榜。欧内斯特·奥尔德梅多早期的作品《北海泡沫》（*North Sea Bubble*，1906）设想中的德国通过送圣诞礼物以及提供食品援助来讨好其归属地。在奥尔德梅多的笔下，这些占领者最“穷凶极恶”的行为，恐怕也只是倡导英国人吃香肠和德国泡菜，在音乐会节目单上用德文准确拼写汉德尔的名字，以及要求爱尔兰实行地方自治罢了。

德国人自己也对即将发生的战争做出了种种预言。卡尔·艾森哈特的《英格兰的报应》（*The Reckoning with England*，1900）描绘了布尔战争失利后的英国又不得不面临法国的进攻，走投无路的英国开始强行封锁航道，丝毫不顾及中立国家船只的利益，这一行为也导致了一触即发的英德大战。一种秘密武器（电力战舰）确保了德国在战争中的胜利，狂喜的德国人将丰厚的战利品——英国殖民地收入囊中，包括直布罗陀。在《世界大战——德国之梦》（*World War–German Dreams*，1904）一书中，奥古斯特·尼曼设想“德国、法国和俄国的军队和舰队携手隆隆驶向它们共同的敌人”——英国，“它息肉般的手臂正伸向整个世界”。法德海上联军击溃了英国皇家海军，击退了登陆福斯湾的侵略部队。马克斯·亨利西卡在其《德国未来100年》（*Germany's Future in 100 Years*）一书中假想出一场为争夺荷兰而发生的英德大战，并以德国的胜利入侵作为高潮。和尼曼的小说一样，德国的胜利使其获得大英帝国最重要的地盘作为殖民地。然而，并不是所有德国作家都如此自信。《沉没、燃烧与毁灭：痛击德国》（*Sink, Burn, Destroy: The Blow Against Germany*，1905）将双方的角色进行了反转，现在轮到英国海军击败德国了，英军还侵略和占领了汉堡。

通过这些现象，我们不难得出结论：第一次世界大战之所以爆发，至少有一部分原因是出于人们自身的意愿。甚至，在这些战前的预言得到证实之后，人们创作此类作品的意愿仍不减当年。鲁鸠于1914年年底匆匆写就了《德国间谍：一个现代故事》（*The German Spy: A Present-Day Story*）；高蒙曾经被禁的电影版《1910年大入侵》（*The Invasion of 1910*）也以“如果英国遭到侵略”（*If England Were Invaded*）为新名获得解禁并放映。保罗·乔治·明希的《兴登堡进军伦敦》（*Hindenburg's March on*

*London*）于 1915 年出版，书中描绘了坦能堡战役的胜利者雄赳赳气昂昂开赴英吉利海峡对岸的场景。

然而，这些幻想需要被置于一个更为广阔的时代背景中理解。并不是所有的战争先知都希望战争发生在英国和德国之间。事实上，在 1900 年之前的该类题材作品中，很少有人将德国视为敌人。一些作者甚至在 1891 年的画报《黑与白》中大胆设想由皇家暗杀行动（针对保加利亚的费迪南德王子，行刺者很显然是俄国特工）而引燃的巴尔干战争（该预言与事实惊人地相似）。当塞尔维亚抓住机会向保加利亚宣战时，奥匈帝国控制了贝尔格莱德，敦促俄国出兵保加利亚。这时，奥匈帝国背后的德国准备履行其协约的职责，调兵前往俄罗斯以支援奥匈帝国；法国也为履行自己的职责，向德国宣战以支援俄国。各股势力相互纠缠，但故事也有转折点：最初为求自保而中立的英国——中立国比利时还是遭到了德军的侵略——派出援兵登陆土耳其的特拉布宗，导致法国和俄国对其宣战。这样就促成英法海军在撒丁岛附近进行了一场主要战斗；同时，法德军队还在巴黎城外展开了一系列决定性的战役，最终以德国的胜利和法国付出沉痛代价而告终。在路易斯 · 特雷西的《最后一战》（*The Final War*, 1893）中，德国和法国密谋侵略并占领英国，但就在战争打响后 11 个小时，德国和法国却统统向英国投降了，英国取得了全面的胜利。甚至连威廉 · 鲁鸠本人也开始了这项“蛊惑人心”的事业，但不是将论调定在反德意志上，而是反法、反俄。他的作品《毒弹》（*The Poisoned Bullet*, 1893）就讲述了法俄共同进攻英国的故事。随后，他的《情报处的故事》（*The Story of the Secret Service*）一书中的法国秘密情报处长官加斯东 · 拉图什又成了反派（威胁到英国的危险人物）。

布尔战争同样成就了一批反法作品：《杜埃之战》（*The Campaign of Douai*, 1899），《伦敦的危险》（*London's Peril*, 1900），《1901 年伟大的法国战争》（*The Great French War of 1901*），《多金的新战役》（*The New Battle of Dorking*），《下一个滑铁卢》（*The Coming Waterloo*），以及马克斯 · 彭伯顿的《为了祖国》（*Pro Patria*）（皆为 1900 年出版）。其中有两部作品都描述了法国通过打通海峡隧道向英国发起进攻的故事。在路易斯 · 特雷西的作品《侵略者》（*The Invaders*）中，法国伙同德国，向英国大举进犯。这对让人闻风丧胆的搭档也在《新特拉法尔加》以及《死亡陷阱》（*The Death Trap*, 1907）中出现过，但是在当时，法国已经有了背弃其盟友德国的意图，而这一主题吸引了许多法国作家，《与英国的战争》（*La Guerre avec l'Angleterre*, 1900）的作者就是其中一位。

在德国的预测战争文学作品中，我们也可以发现类似的变化。鲁道夫 · 马丁在其科幻小说《从柏林到巴格达》（*Berlin–Baghdad*, 1907）中曾大放厥词，“在

1910~1931 年的飞船时代，德国将成为称霸世界的帝国”，但当下存在的问题和冲突是德国和经过革命洗礼后的俄国之间的矛盾。德国马上就要占领整个欧洲了，它像是恍然大悟、后知后觉似的，向英国发出了一道最后通牒。但当俄国空袭印度时，这道通牒又被抛到脑后了。

与此同时，这一时期也有很多人对这些“狂热的谣言散布者”的行为付之一笑。《泰晤士报》前驻柏林记者查尔斯·洛就曾猛烈抨击鲁鸠的《帝国间谍》。他并不是不相信德国总参谋部会派人前往英国或其他潜在的敌国搜集情报，而是认为鲁鸠等人在证据的援引上过于怠慢而没有说服力。1908 年的《潘趣》周刊对马克·洛克伍德上校——国会下议院一位聒噪的间谍狂人——彻底地进行了一番取笑。一年后，A·A·米尔恩在《战机的秘密》一文中如此讽刺鲁鸠（该文章也刊登在了《潘趣》上）：

> “告诉我一切，雷。”上将查尔斯·瓦兰斯美丽的女儿，金发可人的薇拉·瓦兰斯催促她的未婚夫。
>
> “哦，亲爱的，就这么简单。”他深情地望着她说，“上周二，有一位留着不寻常的八字须的男人出现在贝辛斯托克火车站打听一家茶室的位置。这让我坚信，有人正卑鄙地企图在我们眼皮底下搞破坏。”
>
> “就算是这样，政府还是否认德国在英国有间谍行动啊！”我愤愤地高呼。

或许这些讽刺文学中最出色的便是P·G·沃德豪斯的《俯冲！克拉伦斯拯救英国：大入侵时期的故事》（*The Swoop! How Clarence Saved England: A Tale of the Great Invasion*）。它淋漓尽致地讲述了一个“仅剩荒谬”的故事，这个国家在 8 月公假时遭到各种力量的同时渗透：德国人、俄国人、瑞士人、中国人、摩纳哥人、摩洛哥人以及“疯子毛拉”①。一时间，关于德国将要入侵的消息已经众人皆知，就连报摊海报上都写着：

**萨里**

**告急**

**德国军队已登陆英国**

在疯狂地翻阅各种新闻报道后，沃德豪斯笔下的那位英雄终于发现了隐藏在板球比分和最近几场比赛分数中、几乎无法被人发觉的决定英国命运的阴谋。希思·鲁宾逊发表于 1910 年《速写》上关于德国间谍的卡通画非常有趣：德国人装成鸟，他

① “疯子毛拉”是指穆罕默德·阿卜杜勒·哈桑，民族独立运动的先驱。——编者注

们的身影晃动在埃平森林的枝丫间，他们穿着浴衣袭击雅茅斯海滩等，他们甚至还伪装成了大英博物馆希腊罗马展厅的陈列品。

德国人自己可能也感受到了这些纷至沓来的预言是如何荒谬。1907 年，一张地图让人啼笑皆非：上面的大英帝国已经缩水到只剩下冰岛，剩下的地盘都成了德国的领土。卡尔·斯威娜的《幻想家指南》（*Guide for Fantasy Strategists*，1908）虽佶屈聱牙，但却行之有效地抨击了英吉利海峡两岸国家的战争预言。

综上所述，那些较为挑衅的战争预言基本上都出自已经敏感地感受到将要发生在欧洲大陆的血光之灾的悲观作家之手。不同于德国人鲁道夫·马丁的版本，H·G·韦尔斯的作品《悬而未决的战争》（*War in the Air*，1908）中关于空战的启示，预言了欧洲文明将被飞艇丢下的炸弹夷平，只留下“废墟和暴露在外的尸体，以及干瘪而麻木的幸存者的面庞”。所有该主题的英文作品中最具影响力的观点是，战争不会发生，因为所有人都能预料到它将带来经济上的巨大灾难，这个出现在诺曼·安杰尔的《大错觉》（*The Great Illusion*）一书中的观点正是其吸引众多读者的原因。

同样，并不是所有德国作家的战争预言中都充斥着毫不含糊的贪婪和野心。《崩溃的旧世界》（*The Collapse of the Old World*，1906）中，“海洋之星”（费迪南德·格罗特霍夫，《莱比锡快报》编辑）曾预言，英国和德国关于萨摩亚等地的殖民地争端可能会导致“冲突和破坏”以及对于“和平时期的文明”的“毁灭”。出于对这种想象中的“萨摩亚争端”的报复，英国皇家海军袭击了德国的库克斯湾，拉开了欧洲战场全面战争的序幕，而这也让双方付出了惨痛的代价。本书的结局颇有洞察力和先见之明（奇妙地借前保守党首相阿瑟·鲍尔弗之口娓娓道来）：

> 全世界的命运已经不再仅仅掌控在同属日耳曼民族的两大海上强国手中，即英国和德国了。如今，陆上霸权属于俄国，海上霸权则当属美国。俄国和美国已经超越和取代了德国和英国。

无独有偶，卡尔·布雷多在其《向英国进攻》（*Offensive Invasion against England*，1907）一书中，设想德国向英国海军基地发起猛攻（彻底颠覆了之前萦绕在德国海军指挥官想象中的“哥本哈根情结”——英国前来挑衅的场景），并付出了惨痛的代价。尽管经受了巨大的损失，德国还是没能顺利冲破英国的封锁，最终的结局再一次昭示了两败俱伤的后果。因此，“任何一场欧洲国家间的战争都能给予这个世界其他大洲的国家以可乘之机……一场英德间的海战便可能成为毁灭的开端。大英帝国全面崩溃，同样垮掉的是欧洲在亚洲和非洲的无上权力。只有这两个伟大的同属日耳曼民族的国家长期携手共进，才能拯救欧洲”。格罗特霍夫和布雷多最后都热切地呼吁整个欧洲要团结一致，这种理想极具现代风格。

很显然，一大批作家都认为有必要对这场发生在未来的战争进行猜测和预言，这也使得很多人认为战争会发生在 20 世纪 20 年代。但是上述作家中没有一位能够准确地预测出，战争就在不久后——1914~1918 年发生了。正如我们所看到的，备受青睐的情节——德国出兵侵略英国——与后来所发生的极具策略性和戏剧性的现实大相径庭。此外，90% 的战争虚构小说竟出乎意料地忽略了科技的约束力，而这正是各个参战国的陆海空三军竞争的焦点。事实上，仅有少数作者能够不同程度地预见出这场战争的真正面目。

其中一位便是马克思的志同道合的友人弗里德里希·恩格斯于 1887 年做出的设想：

> 一场具有前所未有的深度和广度的世界大战迫在眉睫。如果各国的军备开支达到一定程度，它们将会自食苦果……800 万~1 000 万的士兵将会相互杀戮，他们会比任何一群蝗虫都要凶猛，将欧洲毁灭得体无完肤。爆发于 17 世纪的“三十年战争”酿成的灾难，将被浓缩至 3~4 年之内。饥荒、瘟疫、极度的绝望使人性变得野蛮；贸易、工业和商业也将陷入一片混乱，最终面临普遍破产的局面；古老的城市随着其曾经辉煌的文明一起崩塌，皇冠被丢弃在沟渠里，却没有人顾得上拾起来；我们完全无法想象这场灾难会如何收尾，谁会在这场灾难中胜出。只有一点是明确的，它将造成普遍低迷，并成为工人阶级夺取最终胜利的时机。

3 年后，在老毛奇最后一次的国民议会报告中，这位伟大的已退休的普鲁士前总参谋长也曾预言过相似的灾难：

> 内阁战争的时代已经过去，现在我们面临的是人民的战争……先生们，如果这场战争似达摩克利斯之剑一样悬在我们头顶长达 10 多年，那么它一旦爆发，谁也无法预料究竟会持续多久。欧洲最强大的劲旅前所未有地全副武装，等待命令奔赴战场。没有一个国家会在一到两场战役失利后就彻底认输，它们不会言败，不会忍辱负重地签署协议以求和平，不会就此息事宁人。即使事情过去一年，它们还会卷土重来。先生们，这将是场长达 7 年甚至 30 年的鏖战。我为那些让欧洲点燃战火的人，尤其是首先引燃火药桶的人感到悲哀。

然而，在这场战争的预言当中，最详尽而准确地描述它的细节的人，既不是社会主义者，也不是军人，而是华沙金融家伊万·斯坦尼斯拉沃维奇·布洛赫。在他做过删减的 6 卷研究报告的英文版本《战争现在不可能吗？》（*Is War Now Impossible?*）

中，他认为有 3 个原因促成了这场在规模和破坏性上都史无前例的欧洲战争。首先，军事科技已经让轻而易举便能取得胜利的年代一去不复返了，同时也转变了战争的本质。“拼刺刀的年代已经结束”，骑兵冲锋陷阵的套路也略显陈腐。现在人们已经将视线转向了轻便快捷而又精准无比的步枪、无烟火药、穿透力更强的子弹以及射程更广、杀伤力更强大的后膛填装的大炮，从此告别了老一套的作战形式。不同于之前的面对面的杀戮，一个士兵有可能“在其他人毫不知情的情况下悄然倒下或死去”。基于这个原因，“下一场战争……将会是一场伟大的觉醒之战”。从布洛赫精细的推测来看，就算堑壕中只有 100 个人，也可以在人数有他们 4 倍之多的敌军部队试图穿越 300 码宽的“交火区”时，成功抵御并歼灭他们。其次，欧洲国家军队规模的扩大意味着任何一场战争的发生都会将 1 000 多万人卷入其中，这些人“在广袤的前线分散作战”。因此，尽管一场战役的伤亡数字已经非常惨痛（特别是军官的人数），但“下一场战役恐怕仍旧是鏖战”。最后，经济因素必然会成为“这项事业中主要和具有决定性的因素”。战争很可能意味着：

> 整个工业的错位以及资源供应的断裂……战争的未来并不是冲突，而是饥荒；不是杀戮，而是国家的破产和整个社会组织的解体。

贸易的瓦解很有可能严重影响依赖于进口谷物或其他粮食作物的国家的食物供应。管理分配的机构也有可能出现混乱。巨额的财政负担、劳动力短缺以及最严重的后果——社会动荡，都有可能出现。

与那些异想天开、只会扰乱民心的作家相比，能够预言出这些内容已经让人觉得很不可思议了。但布洛赫也在一些重要方面出现了差池。例如，他误以为未来的战争将有可能在如下的对手之间展开：一方面是俄国和法国，另一方面是德国、奥匈帝国以及意大利——尽管如果把这个错误放在 1899 年这个时代大背景中来看是可以理解的。再比如，他错误地认为“城市居民不可能像农民一样，能够在潮湿的夜晚露宿”，并且基于这个原因，同时结合俄国自身的农业方面自给自足的特点，他认为俄国在为战争提供支持方面恐怕要比更系统供应的国家容易得多。此外，布洛赫还高估了英国海军的实力。他认为，如果哪支海军力量比英国的规模还要小，那就“根本没有存在的价值了……一支不够强大的海军，只会成为精英海军的傀儡和手下败将”。他认为，英国“与其他国家相比，简直是鹤立鸡群”。从理论上来看，这似乎与布洛赫关于陆上强国的理论相悖。毕竟，一个可以建立不可动摇的海上霸权地位的国家，其在陆上的力量岂不应是相得益彰？同样，其他国家为什么无法建立与英国势均力敌的海上力量呢？尽管布洛赫正确地预感发生在欧洲的这场战争会有多恐怖，但他关于这场战争的经济和社会方面的认知恐怕过于乐观：

> 这场战争迫使若干伟大的国家武装到牙齿……然后耗尽其资源，投身到一场生与死的较量中……而这种可能性与日俱增……一场同盟国（德国、奥地利以及意大利）与法俄联盟之间的战争……已经迫在眉睫……现代军备竞赛的规模以及社会构成的方式已经大大超过了其经济能力所能承担的范围，并且……如果有人对此持怀疑态度，并准备将其付诸一次大规模的实践，那么我们必然将会目睹一场毁灭一切现有政治力量的灾难。因此这场战争一定要尽力避免，否则各国无疑是自掘坟墓。

虽然布洛赫有时会给人留下天真的理想主义者的印象，但他也曾经严肃地指出："我不否认有些国家可能会与其邻国一起投身一场足以颠覆一切文明和秩序的恶战。"（讽刺的是，该书竟然最受俄国政府欢迎；沙皇尼古拉二世就是读了这本"华沙银行家布洛赫的书"，才产生了"向其他国家统治者进行和平呼吁"的灵感，从而促进了海牙和平会议的召开。）布洛赫所犯错误的症结在于，他没能料想到这样的革命竟然能够同时在多个交战国爆发；谁能够将其社会崩溃的时间拖得越晚，谁便是胜利者。基于这个原因，如果战争爆发，那么各国之所以心甘情愿投身这场旷日持久的鏖战，便是出于对其他国家解体崩溃的期待。正如我们所看到的，这在一定程度上已被1914 年以后发生的事实证明。

## 代笔文人与间谍

那些投身于战争预言大军的人，无疑出于两种动机：向读者炒作作品（或是推广连载报刊），以及宣传个人政见。因此，鲁鸠那些近乎偏执的虚构小说对于那些像诺思克利夫勋爵（他曾经将作品中德军入侵的路线更改为《每日邮报》读者群集中的城市，以制造声势，拉动销量）以及D · C · 汤普森（他将《帝国间谍》一书连载在《每周新闻》中，广告上还宣称提供10 英镑的奖金，奖励举报"外国势力在英国开展的间谍活动"的读者）的报商来说简直是如获至宝。"报纸究竟该卖什么？"诺思克利夫手下的一位编辑曾发问。他的回答是："战争。战争不仅能制造大批新闻，同样能够带来巨大的阅读需求。战争本身的魅力以及它引发的一系列连锁效应是如此巨大……以至于报刊标语牌上只需用'一场伟大的战役'等类似的标题吸引眼球，即可增加销量。"布尔战争后，英国遭遇了战争报道的短缺与人们急切了解战争内幕需求之间的矛盾。鲁鸠等人用虚构小说缓解了媒体的燃眉之急。（因此，我们不难理解德国官员为何于 1914 年拒绝为《每日邮报》柏林特派记者签发护照，“因为他相信极可能由此引发一场战争”。）

这些唯恐天下不乱的人还在推广宣传改良军队的政治意见方面功不可没。鲁鸠的《1910 年大入侵》颇为露骨地为陆军元帅罗伯茨所坚持的兵役制度做宣传，罗伯茨为此制度甚至不惜辞掉总司令的职位。“人们都为忽略了罗伯茨勋爵 1906 年的严肃警告而懊悔不已，因为如果当时他的意见被采纳，如此可怕的后果是绝对不会发生的。”这些语句是经过反复斟酌的，实际上，正是罗伯茨本人鼓励他写这本书的。另外两个鲁鸠感兴趣的人是海军上将查尔斯 · 贝雷斯福德爵士以及他的政敌约翰 · 费希尔勋爵，前者对后者部署海峡舰队的意见颇为不满。这些希望营造紧张气氛的作家还含蓄地表达了将外国人和间谍混为一谈从而限制移民的观点，“不能让全世界的浑蛋肆意将伦敦变成他们的避难所”，奥芬海姆《缔造历史的人》一书中的英雄如是说。

如鲁鸠这样的作家对于英国现代情报机构的建立功不可没。代笔文人和军事野心家——如陆军中校詹姆斯 · 埃德蒙兹（之后他成为关于西线战事历史的官方写手）以及上尉弗农 · 凯尔（即“Major K”）——之间逐渐形成了一种不正当的联盟关系。由于他们的联手游说，作战办公室军事行动局第五处（英国军情五处的前身）的分支机构，一个全新的反间谍“特勤局”成立了。该机构的存在在很大程度上造成媒体曲解了英国战前对德搜集的情报，并诞生了一批如饥似渴的情报搜集者。

但这一切并不代表间谍活动就完全没有开展。德国海军部门的确曾派出过特工，他们的任务是向柏林传回有关英国皇家海军的情报。从 1911 年 8 月到战争爆发这段期间，军事行动局第五处逮捕了 10 名间谍嫌疑人，并对其中 6 人予以监禁。反间谍人士还识破了德古斯塔夫 · 施泰因豪尔——负责在英情报工作的德国海军军官——手下的 22 名间谍；除了其中一人，剩下所有人都于 1914 年 8 月 4 日被捕，但仅有一人获刑。正如克里斯托弗 · 安德鲁所言，凯尔和他手下的 11 人“彻底粉碎”了德国的威胁，即便这种威胁仅仅是“三等”威胁。之后，又有 31 名所谓的德国间谍在 1914 年 10 月到 1917 年 9 月之间被捕，其中 19 人被判处死刑，10 人被监禁；另外还有 354 名外国人“被驱逐出境”。德国人在其东部和西部边境处（开战后可能会部署兵力的地区）也布下了情报网。因此，当俄国在 1914 年 8 月采取军事动员时，德国政府能够及时获取信息。

另一方面，英国人也有他们自己的间谍体系。1907 年，英国陆军部开始在比利时靠近沙勒罗瓦的地区（如果对德开战，英国远征军有可能会在此地与敌人交火）开展调查。同时，埃德蒙试图建立军事行动局第五处在德国的间谍系统。指挥官曼斯菲尔德 · 史密斯–卡明（一位热衷于跑车和私人飞机的退伍海军军官）受其之托，在国外开展间谍活动，由此成立了英国秘密情报局（英国陆军情报六处的雏形）。1910~1911 年，他手下的特工马克斯·舒尔茨（一位来自南安普顿的保持中立立场的德国船商）以及 4 名德国探子在德国被捕并遭到监禁。无独有偶，两名狂热的军官在未经军事行动局第五处委任的情况下，私自决定借休假之机侦察德国的海岸防备力量，一位现为律师的伊顿公学校友试图成为一名双重间谍的愿望也成为泡影。英国的间谍足迹同样遍布鹿特丹、布鲁塞尔和圣彼得堡。可惜的是，目前关于这个海外机构的档案没有公开，因此我们很难确定当时英国针对德国开展的情报工作究竟到何种程度（如果从英国远征军 1914 年连发现敌军的方位都有困难这一情况来判断，他们的工作成绩并不太理想）。事实上，英国间谍搜集来的大多数情报似乎都聚焦在对方的潜艇和齐柏林式飞艇上，没有人愿意把功夫花在破解敌军军事行动代码上，而这无疑是个巨大的纰漏。

特别需要强调的是，英国高级军官和大臣都相当重视那些预言家的主张。在一份 1903 年给英国国防委员会的报告中，陆军情报部上校威廉·罗伯逊指出，如果英德之间发生战争，那么德国“取得卓有成效的收尾的最佳时机在于，赶在英国海军投入其全部力量进行防备、封锁敌方舰队、摧毁敌方商船贸易以及重创其部队之前，对英国的核心地区进行闪电般的进攻”。尽管罗伯逊承认“远涉重洋攻打一个国家是一件充满变数的难事，而且敌人一定会遭到警告，因为他们不可能完全不了解对方已经枕戈待旦（即使他们的航行是安全的，在登陆英国后他们也会发现自己处于孤立无援的状态）”，然而，他还是坚信德国能够顺利让一支“15 万~30 万人的大军踏上英国东海岸”：

> 侵略军一旦登陆，便没有回头路，在数周没有供给的情况下孤立无助。同时，外来者对英国密集的人口产生了道德影响并建立了信任感，即便英国不会完全降服，但至少会同德国签署一份协议，甘愿成为其海外卫星国。

1908 年，甚至连爱德华七世本人都担心他的堂弟德皇威廉二世预谋“以维多利亚女王外孙的名义，而不是敌人的身份，向英国派遣一到两个军团，把这个国家从社会主义恶徒手中解救出来”。英国外交部的高级官员也有同样的担忧，次官查尔斯·哈丁勋爵、出生在德国的外交官艾尔·克罗及外交大臣本人爱德华·格雷爵士，所有人都承认“德国人已经并一直在苦心孤诣地制造侵略的事端”。

格雷深信“一大批德国军官来到英国东部和南部海岸度假，并分散在多地……在那里，他们除了记录我们的海防设施之外，别无他事”。军政大臣理查德·霍尔丹对此也表示了赞同，但他的观点可能被陡增的地方自卫队志愿者人数所影响（那正是他的杰作，发生在杜莫里哀的《一个英国人的家园》舞台剧散场之后）。尽管前任首相公开贬损了鲁鸠的主张，1909 年，阿斯奎思还是成立了英国国防委员会的下设机构，针对他以及其他人对外国间谍活动的披露进行调查。正是在此下设机构的秘密报告的基础上，特勤局才得以建立。报告中指出，“铁证之下，本机构明确表示，德国人确实已在我国境内布下的一张广泛的间谍网。”第二次摩洛哥危机发生时，时任内政大臣的丘吉尔于 1911 年 7 月命令士兵把守伦敦附近的海军弹药库，以免“20 名记录在案的德国人……全副武装，于夜晚潜入”。但事实却并非那么耸人听闻。尽管凯尔和他的同事历尽千辛万苦搜寻形迹可疑的人，但英国根本就不存在德国军事特工。其实，鲁鸠及其手下所认为的、德国间谍千方百计想获取的大部分信息都无关紧要，是花些小钱就买得到的海军军事地图和地形测量图。战争爆发后不久，根据一份前一年 4 月便拟定好的、涉及 28 830 移民的名单，有 8 000 人被怀疑是间谍并遭到审查；但事情很快便得到澄清，这些人并没有受到外部势力的控制。甚至到 1914 年 12 月，英国国防委员会秘书莫里斯 · 汉基仍然警告世人，“2.5 万名身强力壮的德国人和奥地利人在英国境内阴魂不散”，而这可能足以导致“数名英国内阁大臣的人头同时落地”。但那些危险的秘密部队从未在真实的世界中出现过。同样，传说中德国人可能放置大围攻所需的大炮零件的密封水泥板，经搜查也不存在。

在德国，也有一些作家为了谋求政治或者商业利益而对战争进行猜测。最典型的一位便是弗里德里希 · 冯 · 贝恩哈迪将军。他的《德国与下一场战争》（*Germany and the Next War*，1912）一书着实加重了英国对德国侵略野心的焦虑。他是一位有过总参谋部档案室工作经验的骑兵将军；此外，他与奥古斯特 · 凯姆关系甚密，后者是德国陆军社团的首领。这个游说团队十分热衷于鼓吹扩军政策。作为普鲁士军国主义教科书，这本书堪称陆军社团宣传读物的典范。同时，它成功地以压倒性优势挫败了和平主义、“左翼”的反军国主义，打击了德国政府在第二次摩洛哥危机时期优柔寡断的作风。最重要的是，它使得普鲁士军队内部保守派的控制军队人数的意愿落空。

## 军国主义政治信条

不得不说，不管是在英国还是在德国，扩充军备的拥护者仅是少数派，很显然，他们还没有赢得最广泛的支持。在使英国尴尬不堪的布尔战争之后，关于提高“国家效率”的倡导无疑引起了政见不同的人们的兴趣。然而，当关于增加英国军事备战的具体提案通过后，例如招募新兵的政策，这样的倡导又被人们置若罔闻了。由乔治·希创办的“国家兵役联盟”的会员人数在1912年创下新高，有98 931名正式会员，还有218 513名“支持者”（这些人只是在经费筹措上提供少量帮助）。不到2.7%的15~49岁的男性参加了志愿军。巴登·鲍威尔组建的童子军在1913年达到15万人，但这在整个国家的男性青年中所占的比例却微乎其微。征兵征来的人形成了一个奇怪的组合，其中有退休的军官、记者，甚至还有牧师（比如一位汉普郡的牧师，他发给教区2 000多位居民名为“用宗教的眼光看待兵役”的小册子）。萨默斯也不得不承认，这些各式各样的爱国联盟实际上不符合“选举的精神”。毕竟，布尔战争中解放马弗京的庆祝不能被视为工人阶层“侵略主义”倾向的确凿证据。

在雷蒙·普恩加莱的任期（1912年1月~1913年1月）以及下任总统任期内，法国国内关于“民族觉醒”（为此，还象征性地为纪念圣女贞德设立了国家假日）的热潮不仅表现在口头上，也表现在行动上。约瑟夫·霞飞将军被晋升为总参谋长，同时获得了军队的战时最高指挥权，还有一项将兵役从2年延长为3年的法律也获得通过，教师工会由于站在反军国主义的立场而被迫解散。但即便如此，民族主义的复兴也不应被夸大宣传。实际上，相比于外交事务，人们更关心国内的选举和税制改革，特别是为平衡代表的比例，要建立一个反对激进分子的跨党派联盟（不顾激进分子的反对，该联盟于1912年7月成立）。但是没有人想撤销乔治·克列孟梭政府财政部部长约瑟夫·卡约与德国签订的贸易条约。事实上，1912年年初普恩加莱出面协调的也是意大利的小型海军分歧事件，而不是德国。泰奥菲勒·德尔卡塞的反德态势得到了扭转。其实，也只有小部分代表——654人中的200余人——可以称得上是真正意义上的民族复兴支持者。

德国激进的右翼势力被认定是国家社会主义的前身，之后，人们便对其大书特书。杰夫·埃利、罗杰·奇克林等人的作品描写了1914年以前疯狂热衷于扩充军备的激进民族主义机构的特点，它警醒世人这些民族主义者绝非保守的等闲之辈。尽管这些机构的建立（如德意志海军联盟）旨在使用特殊但合法的手段增加民众对政府政策的支持率，但后来发现慕名而来的支持者具有的军国主义素质完全超乎想象，甚至正逐渐滑向“国民皆反”的局面。埃利表示，这种现状正是动员出身小资产阶级、先前毫无政治敏感和政治兴趣的人的结果，小资产阶级联合性质的民粹派倾向正向精英统治发起挑战。他认为，这正是德国右翼势力“重建”过程的一部分，也将预示着战后的传统保守分子、激进的民族主义者、中小资产阶级以及反犹分子沆瀣一气形成了纳粹主义。然而这种“众多政治游说组织逐步融合、同质形成‘右派’的统一体”的观点并没有认识到激进民族主义的复杂性，以及其模棱两可的本质。此外，用某种特定的社会阶层——小资产阶级——来定义激进右翼分子，忽略了“有素养的资产阶级”精英在激进民族主义机构以及激进民族主义者意识形态发展过程中所起的持续的支配作用。

德国主要的激进民族主义者联盟的参与人数在其黄金期达到了 54 万，绝大多数（33.19 万）属于德意志海军联盟。然而，这一数据夸大了真实的参与度：有些狂热分子参加了不止一个联盟或协会，还有一些会员仅仅出现在花名册上，定期缴付一下微不足道的会费而已。此外，陆军社团联盟的参与者也绝非理论上的中低阶层大众。斯图加特分会执行委员会的 28 名会员中，有 8 人是陆军军官，8 人是政府高级官员，7 人是商人；在勃兰登堡、萨克森、汉萨同盟港口等地的分会也同样吸引了不少“大人物”：波森的政客、帝宾根的学者、奥伯豪森的商人……同样，泛德意志联盟有 2/3 的会员接受过大学教育。

与之相反的是，纯粹“平民化”的民族主义者联盟——退伍士兵联盟（任何服完兵役的人均可加入）——却丝毫没有发现任何激进的元素。作为德国最大的协会，它在 1912 年的成员数达到 280 万，甚至超过了欧洲最大的政党——社会民主党（SDP）的人数。然而，忠于皇室及其花车游街传统的退伍士兵联盟，在意识形态上显得格外保守。一位普鲁士内务大臣曾于 1875 年说，该联盟通过一种“让人摸不透的手段……活跃在中下阶层民众中，保持着皇室的尊严……”海因里希·曼的《稻草人》（*Man of Straw*，1918）的主角，懦弱胆小而又平凡的迪德里希·黑斯林身上，就发生了类似的事情。

人们经常忽略新教徒对威廉时代的激进民族主义的影响。1870~1914 年，新教徒关于战争主题的布道从“上帝的旨意”逐渐演变成“上帝的指引”，后者有着完全不同的意义。并非只有莱因霍尔德·泽贝格这样的正统牧师才具有军国主义情感，自由神学家如奥托·鲍姆加滕也特别倾向于激发人们的“耶稣-爱国主义”。面对对手的压力，正如他们的一位领袖所说，德国的天主教徒感到有必要表现出“没有人比我们更爱我们的君王和国家”的姿态。

这些通过宗教流露出的情感影响颇为广泛。例如在泛日耳曼联盟的宣传预言中就充斥着所谓的末世情结。作为联盟中最激进的领导人之一，海因里希·克拉斯宣称：“战争对于我们来说是神圣的，它可以在我们的人民中唤醒人性的伟大、自我牺牲的力量以及无私的行为，并让我们的自私卑鄙的灵魂得以净化。”陆军社团设立在天主教徒居多的符腾堡地区，但其成员大部分是新教徒，他们在该地形成了一块独特的新教聚集地。该联盟创始人曾因为攻击“天主教中央党”而被驱逐出海军联盟。并不是只有激进民族主义者受到新教的影响。小毛奇就通过其妻子和女儿而笃信神智学者、哲学家鲁道夫·斯坦纳的通神论（斯坦纳的理论大多来源于《启示录》），这与其前任阿尔弗雷德·冯·施利芬信仰的严肃和苦行的胡特尔派虔诚主义大相径庭。

施利芬同其他学者一样，在其签名时习惯写“格拉夫·施利芬博士”这一称呼，很多战前军国主义和激进民族主义不仅活跃在教堂里，还扎根于大学校园内。但是我们也不能将事实夸大。事实上，德国的学者离那些步调一致的“霍亨索伦王朝保镖”还相去甚远；大学的传媒课教师——如泛日耳曼主义者迪特里希·舍弗尔——在很多情况下都格外擅长抨击激进民族主义立场，即使在就职演说中，他们也直言不讳，各抒己见。但另一方面，有许多院系——并非仅局限于历史系——对激进民族主义的意识形态发展也做出了很多贡献。地缘政治学作为地理与历史两门学科相结合的衍生学科，所产生的影响也极为广泛，特别是在“德国处于被各国包围的地理位置”这一理论的推广上功不可没。哲学系的学生——如贝特曼·霍尔维格的私人秘书库尔特·里茨勒，对来自叔本华的“各个国家为了权力，彼此发生冲突”的观点深信不疑。对另一些人来说，激进的理论可以成为发动战争的正当理由。海军将领格奥尔格·冯·米勒就曾提及“拥护日耳曼民族反对斯拉夫人和罗马人的立场”，小毛奇也曾说过；大学里的日耳曼学专家们在1913年召开了一场会议，主题为“根除非日耳曼血统的人……以及向学生和民众灌输日耳曼人‘本质’上的优越性”。陆军社团的成员中不乏考古学家和眼科专家等众多领域的学者。简而言之，泛日耳曼主义者奥托·施密特–吉比兴费尔斯将战争描述成为“文化中不可缺少的因素”，他在《政治人类学评述》（*Political-Anthropological Review*）一书中提到过此观点，而他堪称是德国受良好教育的精英阶层的典范。在战争期间，陆军社团成员冯·施特兰茨道出了这个圈子的人们的共同心声：“对于我们来说，赢得或失去几块殖民地，或是我们的贸易差额达到200亿或250亿马克……这些都无所谓。我们真正要关注和讨论的是一些精神层面的东西……”托马斯·曼的杂文《一个不关心政治的人的观察》真实地反映了德国人战时的心情：德国为了捍卫自身的文化而向英国那沉闷、圆滑、物质至上的文明发起了挑战。

接受教育的中产阶级与激进民族主义者是如此不谋而合，这也解释了德国从民族自由主义过渡到激进民族主义的过程为何如此顺理成章。马克斯·韦伯在其著名的弗赖堡大学教授就职演说中呼吁开拓一种以世界政策为标准的新民族自由主义。韦伯的想法不乏支持者。例如一位对此做出杰出贡献的历史学教授，他创造了对民族自由主义者来说举足轻重的统一德国的神话：团结中欧那些威廉政府的拥护者，使之形成统一的、德国统辖之下的关税联盟，以有意识地复制普鲁士关税同盟在统一德国的历程中所起到的巨大推动作用，这也是之后德国发动战争的目标之一。总之，民族自由党与陆军社团在1912年和1913年的军费讨论中亲密地站到同一个阵营中。凯姆本人虽然宣称“勿将军事问题与党派政见混为一谈”，并设法对保守党以及民族自由党国会代表进行动员，但是这种“非政治主义”的矫饰乃是德国民族主义者的惯用手段，并且实际上他非常有希望，通过与民族自由党党魁恩斯特·巴塞曼建立合作来获得成功。而后者的名言是：“俾斯麦活在人民中，而不是政府中。”这似乎给民族自由主义的本质添上了“激进民族主义”的色彩，历史学家弗里德里希·迈内克也说过类似的话。巴登领导下的民族自由党成员埃德蒙·雷布曼于1913年2月大声疾呼，“我们拥有先进的武器，并且我们愿意使用它们发动战争”，如果有必要的话，“我们”要取得“与1870年一模一样的东西”。我们着实看不到德国激进民族主义有什么新的变化，正如1870年，它的核心一直掌控于总是以历史眼光看待问题的中上阶层手中。

诚然，那些怀有一腔革命热血的人冲破了德国旧有的自由主义的藩篱。克拉斯以其怪诞的远见辩解说，输掉战争同样是件好事，因为失败能加剧“国内现有的分裂状况，导致混乱的局面”，这样才需要通过“一位独裁者强大的意愿”进行调解。因此，陆军社团后来有人在20世纪20年代加入纳粹的行列也就不足为奇了。德皇本人也觊觎着他还未拥有的独裁统治，甚至选择了拿破仑作为自己的标杆。这样看来，旧有的观点——第一次世界大战是由保守的德国决心维持其“完美的王朝统治”与“历经现代革命与国家民主原则洗礼的自治政府”的矛盾引起的——取代了摩德利斯·艾科斯坦斯那印象主义般的论点，即认为第一次世界大战展现的是变革而现代的德国与保守的英国之间的文明冲突。这点直到1918年10月才得以证实：伍德罗·威尔逊总统表示，德国国内革命可能是签署停战协议的必要条件。然而，问题在于，1914年以前，德国的激进民族主义与其他欧洲国家相比，究竟走到了什么地步。不同于艾科斯坦斯，我们有充分的理由认为，它们之间的相似点大大超过了不同点。

## 反军国主义思潮

不可否认，公然倡导“和平主义”（该名称首次出现在1901年）是20世纪初最失败的政治举动。但是仅仅考虑那些自称和平主义者的人，着实是低估了欧洲反军国主义的广泛影响。

在英国，自由党分别于1906年、1910年1月和12月赢得选举，连任三届（第三次当选被公认为得到了工党和爱尔兰民族主义者的支持），其对手显然是更倾向于军国主义的保守统一党。新教徒的信仰、科布登主义者关于自由贸易和和平的信念、格莱斯顿的拥护者关于用国际法替代现实政治的意图，以及一些元老们对过度军费开支和庞大军队的厌恶，这些自由主义的传统暗含着和平的政治意图。这些政策不仅是一个政党能连任的大好噱头，还能分散人们对爱尔兰争端以及议会改革等棘手问题的注意力。相比之下，爱德华时期的“新自由主义理论”则对公共财政的分配问题、一些“社会性”问题以及那些很有影响力的理论甚为关注，这些理论包括J · A · 霍布森关于金融利益集团、帝国主义与战争之间的恶性关系的论证，以及H · W · 马辛厄姆关于秘密外交、平衡各势力的虚伪教条的危害的理论。这样的观念在自由主义媒体上频频曝光，尤其是《曼彻斯特卫报》、《演讲家》和《国家》等。

有些自由主义作家却不像想象中那么倾向和平主义。1914 年以前，自由主义者最为熟知、广为流传的是诺曼 · 安杰尔的小册子《大错觉》（1910 年以该书名首印）。这本书以其浅显的理论成为和平主义者为其思想辩护的工具。在书中安杰尔写到，从经济角度看，发动战争是不合理的。军备造成超支的财政负担，从战败国那里揩油、索取赔偿更是难上加难，“贸易绝不能被军事力量摧毁或控制”，殖民地也不能被视为财政来源。“究竟什么才是国家之间友好行为的保障？”安杰尔不禁发问。“其内部复杂的相互依存关系——不仅是经济领域的，还涉及方方面面——使得以不正当理由入侵他国的侵略者只能自食恶果。”此外，从社会角度看，发动战争仍旧是不合理的，因为将各个国家维系在一起的共同利益远比各个社会阶层的共同利益更加不现实：

> 真正的冲突根本没有发生在英国和俄国中间，而是所有奉公守法的人民的利益——可能是英国人或俄国人，与充满压迫、腐败堕落的无能之国的矛盾……我们可以看到在英德两国的军队或政府之间发生的任何一场冲突，其最根本的原因存在于双方国内的民主与专制的矛盾、社会主义与个人主义的矛盾，或是进步力量与反潮流倾向的矛盾。具体视每个人的社会阶层认同感的不同而定。

安杰尔还对征兵有利于提高国家的道德感这一说辞提出了质疑；他认为，相反，征兵意味着“在没有真正的德国士兵介入的情况下，将英国德意志化”。后来他成为国际联盟的忠实支持者和工党议员，并于 1933 年获得诺贝尔和平奖，所有这些都为其《大错觉》一书赢得了倡导和平主义的美誉。

然而这些赞誉是经不住推敲的。首先，安杰尔写这本书时，还忙于其他事宜。他受雇于炒作大王《每日邮报》欧洲版的编辑诺思克利夫，并且阅读了一些颠覆大众印象中天真的和平主义者形象的文章。因此在《大错觉》第一部分第二章中，他描述了“德国的侵略梦想”，并总结说，“英国部队败退后，德军进攻英国”的后果可能会导致“4 000 万人陷入饥荒”。无独有偶，第三章中他又提出质疑：“如果德国吞并了荷兰，到底是德国更受益些还是荷兰人？”他在第四章也表现出了同样的疑问：“如果一位德国入侵者抢劫了英国的银行，将会发生什么？”为了在第六章证明“英国……

并不拥有自治的殖民地”，并且这些殖民地也不是“财政收入的一个来源”，安杰尔再一次发问：“德国就能做得更好吗？这个国家竟然为如此无谓的尝试大动干戈，着实令人难以置信。”换句话说，安杰尔实际上要表达的内容是，德国对英国进行军事挑战是不理智的行为。

他还指出，在任何情况下都不要去侵犯大英帝国，这对于其他国家都一样有好处。“大英帝国，”安杰尔自豪地称，“其大部分领土是由一些实际独立的郡县组成的，它们的行动是不受帝国控制和管辖的。也正是考虑到它们的利益，帝国放弃了武力手段。”此外，英国能够保证“建立在自由意志基础上的贸易”，因此，与那些铁血暴政统治相比，“经济力量的抗衡”更被人们所提倡。他做出了如下的总结，其真正意图也随之显现了：

> 在这件事情上，全世界要将英国的实践和经验作为典范……**大英帝国对整个欧洲社会的支配原则将是这本书急切想要告诉大家的解决国际争端的方法。**依靠武力征服来推动历史进步的时代已经结束；如果没有想法和理念的支撑，社会就无法进步。特殊意义上讲，那些集团间的自由协作原则是由英国提出的，因此领导整个欧洲前进的重任就落在了英国的肩上……

换句话说，《大错觉》一书摇身一变，成了矛头直指德国的自由帝国主义的小册子。成书于英德关于海军问题和“间谍狂热”较量的白热化时期，它旨在提醒和警告德国放弃其挑战英国海军力量的想法。这本书的真正意图（从其获得的和平主义声望来看）——德国将成为英国的手下败将——被其和平主义的措辞方式所掩盖了，人们几乎察觉不到。但不是所有人都被蒙在鼓里。伊舍子爵，这位英国国防委员会要员，他的“愿景”（正如他在1911年1月所记录的）乃是“保持大英帝国海军的绝对权威”，就盛赞安杰尔的观点。海军上将菲舍尔将《大错觉》称为“天国赏赐的精神食粮……所以我们来享用安杰尔（英文与天使一词同形）的恩赐吧”。《每日邮报》首席作家、助理编辑H·W·威尔逊在向诺思克利夫轻蔑地评价这本书时也确切地指出：“他聪明至极，恐怕没有人能写出一本更出色地捍卫自己论点的书了。虽然说服不了我，但希望它能更好地愚弄那些德国佬吧。”

然而在偏向“左翼”的工党中，却存在着真正的反军国主义的和平人士。芬纳·布罗克韦1914年完成的戏剧《恶魔的生意》（*The Devil's Business*）生动地预言了发生在数月后阿斯奎思政府的参战决定，但他将内阁仅仅刻画成国际军需工业的爪牙。“兜售死亡的商人”同时也成为诺埃尔·布雷斯福德1914年出版的《钢铁与黄金的战争》（*The War of Steel and Gold*）所抨击的对象。基尔·哈迪与拉姆齐·麦克唐纳投身于英国工党运动，与其他成员一样，他们坚信声势浩大的罢工运动能够阻止一场帝国主义战争。与此同时，麦克唐纳以敌对的眼光看待沙皇专政统治下的俄国，而对德国社会民主党的领导却表示欢迎，这也使得他一直反对格雷 1914 年前对德采取的敌对外交政策。他在 1909 年称，社会民主党“从来没有为德国发展海军捐过一分钱”，并且该政党正“尽其最大努力……在德国与我们之间建立起友谊”。这一亲德思想在费边主义者中传播开来，甚至，费边主义者不但支持社会民主党，还认为英国应该模仿德国的社会保险体制。悉尼和比阿特丽斯 · 韦布正计划进行一次为期 6 个月的德国之行，研究“德国国家行为的发展，与他国的协作、贸易联盟以及专业性组织的发展”，战争便于 1914 年 8 月爆发。他们只在 7 月时大费周章地与以G · D · H · 科尔为首的仿佛宿醉未醒的牛津派“基尔特社会主义者”讨论了建立社会保险体系的优点。作为瓦格纳的疯狂崇拜者，乔治 · 萧伯纳在 1912 年“为与德国签订协约而大声疾呼”。第二年，这一主张变成了典型的萧伯纳式的反战三方联盟（英、德、法）的提议；更准确地说，这是一种双重安排：“如果法国攻打德国，我们就与德国联手挫败法国；如果德国攻打法国，我们就与法国联手挫败德国。”

亲德思想在战前的英国国内的影响力不仅局限在“左翼”人士中。德国自由主义者哈里 · 凯斯勒伯爵呼吁英国和德国的知识分子之间相互交换书信，并得到了双方学者的签名支持，英国这一边是托马斯 · 哈代和爱德华 · 埃尔加，德国一方的代表是西格弗里德 · 瓦格纳。由此可以看出，音乐在这一建议中起到了举足轻重的作用：1914 年春季，考文特花园上演了至少 17 场《帕西法尔》，瓦格纳其他的歌剧如《名歌手》、《特里斯坦与伊索尔德》以及《女武神》等也频频上演。尽管战争已经爆发，1914 年的逍遥音乐会上还是少不了德国作曲家的曲目：贝多芬、莫扎特、门德尔松、施特劳斯、李斯特和巴赫等。很多英语文学作家都有德国血统，的确，他们都拥有德文名字：西格弗里德 · 萨松，福特 · 马多克斯 · 福特（受洗礼前名为约瑟夫 · 利奥波德 · 福特 · 马多克斯 · 许弗），罗伯特 · 兰克 · 格雷夫斯（历史学家利奥波德 · 冯 · 兰克的大外甥）。

格雷夫斯在查特豪斯公学发现其母亲的国籍成为他的“社交大忌”，便下定决心“拒绝身体里的德国元素”。与此相反，在那些古老的大学中，亲德的思想和行为比比皆是。大家都对剑桥大学著名哲学家伯特兰 · 罗素的反战立场耳熟能详，但牛津大学在战前的事迹却鲜为人知。至少有 335 名德国学生在 1899~1914 年期间注册成为牛津大学的学生，在 1914 年战争爆发前还有 33 人仍旧在此学习，这其中有约 1/6 还获得了罗兹奖学金。这些德国籍的牛津学生中，有普鲁士大臣霍恩洛厄的儿子，有海军中将莫里茨 · 冯 · 黑林根的儿子以及德意志帝国前宰相贝特曼 · 霍尔维格的儿子（贝利奥尔学院，1908 届）。还有很多大学生俱乐部，如“汉诺威俱乐部”、“德国文学社”、“盎格鲁-日耳曼社会”等（这些俱乐部的会员数在 1909 年达到了 300 人），这至少证明了有一部分英国大学生属于日耳曼“精神”与牛津“文化”之间的选择性亲和势力。1914 年，在牛津获得博士学位的大多数人都是德裔学生，如理查德·施特劳斯、路德维希·米泰斯（德累斯顿的古典主义者）、利赫诺夫斯基王子、大使以及萨克斯-科堡-哥达王朝公爵，还有奥地利的国际律师海因里希·拉马施。1907 年，甚至德皇本人也获此殊荣。在经历了很长一段让他蒙羞的时间后[①]，20 世纪 80 年代，他在校活动的画像又重新以荣誉校友的名义被悬挂在考试学院的墙上。

就读于牛津的德国学生中，有高达 28%的人出身贵族。这一事实提醒人们，德国和英国的上层贵族之间的（血缘）关系是相当亲近的，特别是皇室家庭。有一半德国血统的英国维多利亚女王嫁给了她具有纯正德国血统的堂兄，即萨克斯-科堡-哥达王朝的阿尔贝特。在女王的众多女婿中，有德皇腓特烈三世，石勒苏益格-荷尔斯泰因的克里斯蒂安王子，以及巴滕贝格的亨利。另外，德皇威廉二世、普鲁士的亨利王子都是她的孙辈。类似的血缘关系也发生在一些金融精英身上，具有德国血统的银行巨头中不仅有罗斯柴尔德家族，还包括施罗德家族、胡特家族以及克莱因沃特家族；特别是罗斯柴尔德家族，至今还与其在德国的亲属保持联系。罗斯柴尔德男爵迎娶了一位在法兰克福出生的亲戚，他们的儿子查尔斯娶了一位匈牙利人作为妻子。

尽管和平主义在德国尚处于起步阶段，并且社会民主主义在“消极一体化”（面对国家的集体控诉而使之逐渐成为一体的趋势）的影响下十分脆弱，但事实告诉我们，只有一小部分德国人是军国主义者，而且这些人中也只有很少的人仇视英国。1906 年，比洛首相有效地推迟了那场可预防的战争，除非“出现能够激发全民的事由”。1912 年 12 月，在德皇所谓的“军事会议”上，所有出席会议的军事领导人都在猜测，是否塞尔维亚问题就是上面所说的那个“理由”；1914 年的一项民意调查（对象当然不是受过良好教育的中产阶级，而是普通民众）显示，在巴尔干问题上，尝试以本国利益为说辞来煽动普通民众最后还是以失败告终了。与激进民族主义联盟组成的德国并行的，还有“另外一个德国”（用杜克斯和雷马克的话说）。在这个不一样的德国，那些追求卓越和真理的大学、如雨后春笋般诞生的地方议会以及独立思考的报社编辑的数量，都堪比战争的最后一个参战国——美国。

除此之外，德国还有组织非常有序的工人阶层，他们的领导人是军国主义最激烈的批判者。我们不能忘了，社会民主党可是德国战前最受选民拥戴的政党（该政党

① 这里指德国在两次世界大战中的不光彩表现。——译者注

同样吸引了一大批中产阶级选民）。一直到 1914 年，社会民主党都坚持反对军国主义的立场；的确，它最光辉的一次胜利是在 1912 年，它激烈地抨击“为军国主义献上面包”的行为，指向用德国人民的间接收税来为与日俱增的国防开支付账（详见第五章）的行为。社会民主党在 1912 年一共赢得了 425 万张选票，占总投票数的 34.8%，第二帝国没有一个政党曾经赢得过如此高的得票率。相比之下，民族自由党——最奉行侵略性的外交政策、最支持增加军费投入的政党——其得票率只有 13.6%。

社会民主党的理论家中，卡尔·李卜克内西是反军国主义呼声最高的一位。对他来说，军国主义是一种双重现象：德国的军队曾经是获取海外资本主义利润并试图控制国内工人阶层的工具，这一目标直接通过高压政策、间接通过军国主义教化来完成：

> 军国主义……肩负着保护上层社会、保护资本主义以及镇压工人阶层为自由而发起的运动等责任……在这个由罕见的半专制主义者和封建官僚控制下的德国，普鲁士军国主义借机获得了一种特殊的发展模式。

（当李卜克内西在 1919 年 1 月试图发动一场布尔什维克式的革命时，被士兵杀害，这也似乎验证了该理论的合理性。）

尽管社会民主党反对军国主义的斗争以失败告终（它没能阻止第一次世界大战的发生），然而却为后世对该问题的学术研究提供了宝贵的资料。然而有悖常理的是，德国社会的反军国主义人士为数众多，每个人都热情高涨，以至于让我们开始相信这些关于德国军国主义的抱怨，而没有认识到他们那聒噪的抱怨反倒证明并强化了与其相反的立场。因此，市面上充斥着的关于德国军国主义的文学作品中，并不是所有作者都承认其作品根植于“左翼”政党的宣传语。根据马列主义传统进行写作的历史学家们直到 1989~1990 年还在重述李卜克内西的观点：军国主义表现了“中产阶级与容克①结成同盟的侵略性特点”，是他们“反动而危险的对抗”的写照。

但更具有影响力的是埃卡特·克尔的非马克思主义分析。作为德国的霍布森，克尔赞同战前社会民主党的观点：在威廉统治下的德国，存在着一个由平均地权者和工业实业家组成的阵营，共同推动了军国主义政策的制定。他总结出这个阵营的两个先决条件：第一，与其他实业家和反动资本家集团相比，普鲁士贵族阶层更胜一筹；第二（在这一点上他与后来的马克思主义者葛兰西相似），军国主义在一定程度上是

① “容克”是德语“Junker”一词的音译，原指无骑士称号的贵族子弟，后泛指普鲁士贵族的大地主。——编者注

由自治国家制度产生的。换句话说，他的论点为今后官僚政治和政府部门的利己主义以及阶级利益留下了余地。然而，这些条件还不能将克尔和正统的马克思主义者清楚区别开来。当他与自己最基本的理论观念——一切外交政策的制定都要服从于国内的社会、经济因素和条件——彻底分道扬镳后，才完全与同时代的马克思主义者统一了步调。

克尔的论点在他英年早逝后很快就被德国历史界所淡忘了。直到 20 世纪 60 年代，汉斯–乌尔里希 · 韦勒才给予它重生，并得到了弗里茨 · 菲舍尔的赞同。根据韦勒撰写的关于威廉德国的经典“克尔式”教科书，军国主义的诞生不仅出于经济因素（军队与工业的缔结），同样是针对社会民主的最后武器以及重振民族沙文主义的手段，以将人们的视线从帝国的“反民主”政治体系中转移到其他方面。

诚然，侵略性的外交政策能够帮助德国政府克服其自身政治危机这一观点并不是克尔（或李卜克内西）子虚乌有的臆断，而是一项真实的政府策略。当时的普鲁士财政大臣约翰内斯 · 米克尔以及宰相贝特曼 · 霍尔维格的前任比洛都致力于鼓吹战争，以期加强政党在议会中的地位（保守党以及民族自由党），正如俾斯麦之前的所作所为。1914 年时真有人相信战争可以“加强家长制的命令和心理”，并“让社会民主的发展进程偃旗息鼓”。

但这一切是需要条件限制的。“左翼”人士认为“侵略性的外交政策可以淡化国内的政治挑战”，显然这一论点并不是德国右翼分子的创新举措；从拿破仑三世的法国开始，它似乎就已经成为一种陈词滥调，并在世纪之交几乎成为帝国主义政策信手拈来的说辞。此外，有时候，在德国政客、将军、重农派和实业家之间的争论远比外界认为的要少。有个很典型的事例：至少有两位民族自由党农村候选人（帕舍和德维茨）在当地农业联盟支持者的逼迫下，被迫辞去了在陆军社团的职位，原因是农业联盟认为陆军社团关于扩大军队的建议既危险又激进。这就表明了很重要的一点：就算是在普鲁士保守主义者内部，也有反军国主义的声音。同样，我们也不能把 1914 年 7 月~8 月期间在波茨坦和柏林所做的宣战决定归咎于受到激进的“国家反对者”的影响。正如贝特曼对极端保守主义的评价，“这些白痴只会左右人们无法执行外交政策”；第二次摩洛哥危机发生时，时任外交大臣的阿尔弗雷德 · 冯 · 基德伦–韦希特尔被激进的民族主义者控制下的媒体的过度要求步步紧逼，陷入尴尬的局面。

最后，也是最重要的一点是，连续几任德国宰相都意识到，军国主义必会卷土重来，特别是如果发动战争的话。比洛曾在 1908 年对皇储说过这样的话：

现如今，除非整个民族都被战争的必要性和合理性说服，否则人们是不会相互杀戮的。一场轻而易举就被挑唆起的战争即便胜利了，也会对参战国造成负面影响；而如果是惨败而归，那么一个曾经的王国将会被毁于一旦……

1914 年 6 月，比洛的继任者贝特曼 · 霍尔维格准确地预计到“一场会带来无可计量后果的战争将在很大程度上加强社会民主主义的进步，因为这些人鼓吹和平，并支持推翻王朝统治”。他们两人都对 1905 年的俄国革命①记忆犹新。正如俄国内政大臣彼得 · 杜尔诺沃在 1914 年向尼古拉二世进谏的那样：“如果战争的情况继续恶化下去，那么一场极端的社会革命便是箭在弦上了。”

因此，第一次世界大战前夜的军国主义在欧洲政治中并不起主导作用。事实恰恰相反，它的政治影响是每况愈下的，而这不仅是民主化进程导致的直接结果。下面的表 1–1 向我们展示了 19 世纪下半叶主要国家公民选举权的发展情况，表 1–2 则说明大部分未来参战国中反军国主义的社会主义者在选举中的重要地位。

**表 1–1　1850 年和 1900 年下议院中有选举权的总人数所占比例**

| | 1850 年 | 1900 年 |
|---|---|---|
| 法国 | 20 | 29 |
| 普鲁士/德国 | 17 | 22 |
| 英国 | 4 | 18 |
| 比利时 | 2 | 23 |
| 塞尔维亚 | 0 | 23 |
| 俄国 | 0 | 15 |
| 罗马尼亚 | 0 | 16 |
| 奥地利 | 0 | 21 |
| 匈牙利 | 0 | 6 |
| 皮埃蒙特/意大利 | — | 8 |

**资料来源**：Goldstein，*Political Repression in Nineteenth Century Europe*，pp. 4f.

**注**：大学生选民大概占到总数的 40%~50%。

① 俄国 1905 年革命（亦称 1905 年失败起义），是 1905~1907 年发生在俄罗斯帝国内一连串的以反政府为目的、却没有具体目标的社会动乱事件（如恐怖袭击、罢工、农民暴动等），导致尼古拉二世政府于 1906 年制定等同于宪法的基本法，并成立国家杜马立法议会，实行多党制。——译者注

**表 1–2　战前若干欧洲国家中社会主义者选民数**

| 国家 | 年份 | 投票率 | 社会主义者席位 |
|---|---|---|---|
| 奥地利 | 1911 | 25.4 | 33 |
| 比利时 | 1912 | 22.0 | 40 |
| 法国 | 1914 | 16.8 | 103 |
| 德国 | 1912 | 34.8 | 110 |
| 意大利 | 1913 | 17.6 | 52 |
| 俄国 | 1912 | — | 24 |
| 英国 | 1910 | 6.4 | 42 |

**资料来源**：Cook and Paxton，*European Political Facts,* 1900~1996，pp. 163~267.

1914 年 4 月的法国大选中，“左翼”重新占据上风，普恩加莱不得不让社会党人勒内 · 维维亚尼当选政府总理。（人选原定为卡约，但其妻子为了阻止媒体出版其丈夫写给她的若干封信，而涉嫌杀害《费加罗报》的首席编辑，此事也影响了总理人选。）亲德派的社会党人士让 · 饶勒斯在当时红极一时。在俄国圣彼得堡的大型工厂普提洛夫举行了一场长达 3 周的大罢工，这场罢工在 18 个月后扩展到里加、莫斯科和第比利斯。130 万工人被卷入了 1914 年的总罢工中，这个数字占到了俄国工厂工人总数的 65%。就算是在社会主义者势力薄弱的地方，军国主义也占不到多数。在比利时，具有统治地位的天主教党人强烈抵制如火如荼的战备工作。然而，没有人比德国的“左翼”人士——欧洲公民民主权力最集中的体现之一——具有更强的反军国主义的精神和魄力了。然而，关于德国战前反军国主义的争执一直没有停止，我们在今天的历史教科书上仍然能够读到相关内容，但我们往往因为低估当时反军国主义的影响而得出错误的结论。其实证据很明显，欧洲人民没有打算向战争靠拢，而是选择了背弃军国主义的信条。

# THE PITY OF WAR

第二章

# 帝国主义、协约以及爱德华时期的绥靖政策

## 帝国主义：经济与实力

1907 年，在斯图加特第二国际社会党代表大会上通过了关于《军国主义和国际冲突》的决议，这正是对以马克思主义思想解释战争根源方法的经典诠释：

> 通常说来，资本主义国家间的战争是因为这些国家追逐世界市场而处于敌对状态。每个国家都试图征服、开拓新的海外市场，而不仅仅将眼光局限在巩固其自身市场上……再者，这些争端还缘起于无休止的军国主义军备竞赛……因此，战争便成为资本主义固有的本质；只有消灭资本主义经济，战争才有可能随之停止。

第一次世界大战一爆发，第二国际便陷入混乱之中，但该理论却被“左翼”社会党人奉为真理。德国社会民主党人弗里德里希·埃伯特于 1915 年 1 月进一步指出：

> 一切伟大的资本主义国家都在过去的 10 年内不断扩充自己的经济实力……对市场的争夺已经进入白热化阶段。随市场争夺而来的是对领土的争夺……因而，经济冲突变成了政治冲突，变成了军备的扩张，最后演变成了世界大战。

列宁（公开表明希望自己国家在战争中失败的少数社会主义领导者之一）指出，这场战争之所以发生是因为帝国主义从中作祟。拥有强大实力的国家迫于本国低迷而每况愈下的经济颓势的压力而发动一场争抢海外殖民地的战争，这无异于自掘坟墓；但反过来，这些冲突产生的社会影响会促成蓄势待发的国际无产阶级发动一场革命，以及列宁本人从战争伊始便强烈要求进行的反对统治阶级的“内战”。

共产主义阵营的历史学家一直沿用这一观点，1989~1991 年的一系列革命验证了列宁那些还不确定的理论。在柏林墙倒塌一年后出版的一本书中，民主德国历史学家维利巴尔德·古切依然认为，1914 年之前，除了“矿业和钢铁的垄断者，那些具有重大影响力的大银行家代表、电气工业和造船厂的大佬……也都支持以非和平手段达到目的”。他的同事齐尔希对国家银行总裁鲁道夫·哈芬施泰因在战前表现出的“含糊其词的侵略性目的”表示不满。

从表面上看，我们有足够的理由相信资本主义者会从战争中赚得盆满钵满。特别是军事工业，如果有大规模的作战，巨额订单就会像雪片般飞来。罗斯柴尔德银行英国分行被马克思主义者和反犹太主义者形容为国际资本的邪恶力量，它与著名的枪械生产商马克西姆·努登费尔特公司有贸易关系，后者生产的优质机关枪被作家希莱尔·贝洛克形容为“夺取欧洲霸权的关键”；它还帮助维克斯兄弟公司于 1897 年收购了马克西姆·努登费尔特公司。奥地利的罗斯柴尔德家族还对军工生产抱有浓厚的兴趣：其在威特科维兹的铁厂是奥地利海军最重要的钢铁供应商，后来还为奥地利军队生产子弹。再例如，海军元帅提尔皮茨的造舰计划让德国造船厂收到了纷至沓来的政府订单。1898~1913 年，86 艘战舰中有 63 艘是由私人公司委托生产的。汉堡的大型巡洋舰垄断生产商布罗姆公司，其建造的超过 1/5 的船只都销往德国海军部。

但让马克思主义者挠头的是，几乎没有证据可以表明，这些商人面对战争的到来会表现出热情高涨的情绪。在伦敦，绝大多数的银行家都心惊胆战，主要是因为一旦爆发战争，那么为国际贸易提供资金支持的主要承兑行都可能濒临破产（见第七章）。罗斯柴尔德家族试图对这场英德大战退避三舍，到头来也只是徒劳，这一担忧还被《泰晤士报》的编辑亨利·威克姆·斯蒂德指责为“为了使我们采取中立立场，德国人和犹太人之间进行了一次肮脏的国际金融合作”。“七月危机”期间，在那些对政策了如指掌的屈指可数的德国大商人中，不仅大船商阿尔贝特·巴林对开战持消极态度，大银行家马克斯·沃伯格也同样抵触战争。1914 年 6 月 21 日，在一次盛宴结束后，德皇向沃伯格分析了德国国内的“概况与大势”，这次分析可谓臭名昭著。在分析最后，他“暗示，目前恐怕不是攻打俄罗斯和法国的最好时机，还是要等待观望，伺机而动”。沃伯格“果断反驳他出兵的想法”，具体内容如下：

> 我简略地梳理了英国的国内政治现状（地方自治对他们来说并非易于掌控）；同时发现法国在推行 3 年兵役制中面临重重阻碍，金融危机对法国来说无疑是雪上加霜；俄国则面临军队很可能出现动荡和内讧的情况。总之，我强烈建议您耐心等待，再屈尊等待若干年。“我们一年比一年变得更强大，而我们的敌人已经从内部开始衰退。”

1913 年，德意志银行经理卡尔·黑尔费里希出版了一本名为“1883~1913 年德国国家财富”（*Germany's National Wealth 1883~1913*）的书，书中表达了与沃伯格相同的观点：德国的钢铁生产已经超过英国，国家收入已经远远将法国甩在了后面。然而黑尔费里希对这场即将到来的严重阻碍这种良性发展的灾难置若罔闻，他将所有精力投入到巴格达铁路建设的洽谈中了。尽管德国电气工程公司（AEG）老总瓦尔特·拉特瑙在经济动员的问题上下了一番功夫，但他还是无法说服德国军官成立“经济总参谋部”，贝特曼完全无视他反对 1914 年借奥地利问题出兵宣战的建议。相反，当国家银行总裁哈芬施泰因于1914年6月18日召集8家主要合股银行老总，要求提高准备金比率（为了降低战争可能带来的货币风险）时，他们礼貌而又坚决地回绝了。唯一能够证实资本家从战争中试图牟利的是克虏伯军工厂经理阿尔弗雷德·胡根贝格那一纸报价单，这本身毫无代表性。重工业家胡戈·施廷内斯出于对宣战的反感，甚至于1914年在唐克斯特建立了联合矿业公司，旨在将德国的技术传授并应用到英国的煤田开采中。

因此，我们似乎可以将马克思主义者关于战争起源的解释束之高阁了。然而，关于经济在1914年所起作用的另外一种解读却保留了下来。保罗·肯尼迪为了普及经济是“外交政策背后的真相”这一观点而奔走。他认为，经济是一种决定性的力量，我们可以从人口、工业产值、钢铁生产以及能源消耗等方面搞清楚这个事实。在他的观点中，政客手中握有更多筹码，因此拥有“自由意志”进行帝国主义扩张，而不必成为商业利益的附庸，但是他们本国的经济资源却成为其扩张的终极瓶颈，一旦超过某个临界点便无法继续维持。英国便是个很好的例子，1914年过分扩张版图的意图让这个强国每况愈下，而其对手德国却蒸蒸日上。肯尼迪和他的许多追随者根据经济、工业和出口增长的指标得出结论，认为这场发生在衰退中的英国和崛起中的德国之间的战争虽然不能说无法避免，但至少也是极有可能发生的。

对此，盖斯提出了一个很典型的观点，即正是德国“最强大的现代工业经济”的全速发展，才使之成为“欧陆的超级力量”：

> 由于德国拥有强大的力量，且一直不断扩张，它就像一个没有保护壳的快中子增殖反应堆……经济上的强势使得这个国家从1871年重新获得的自信逐渐膨胀，到了傲慢和自负的地步，这驱使着德意志帝国在其世界政策的影响下发动了第一次世界大战。

1870~1871年，德国统一。这给予德国“一夜间攫取霸权的能力……这个由所有或大部分日耳曼人凝聚成的统一体将昭示着欧洲最强大力量的诞生”。因此，鼓吹德国统治欧洲的观点不证自明，至少，它在理论上是正确的：“如果整个欧洲想团结起来，那么德国以及俄国以西的欧洲大陆国家必须要与逐渐崛起的经济和政治集团亦步亦趋，保持自身实力……并且这个统一的欧洲会自动由最强大的力量集团——德国来掌控。”很显然，对于大部分英国历史学家来说，这种威胁需要受到抵制和反抗。

因此，1870~1914年的欧洲历史始终是一部经济上的对抗史，主要的两个竞争对手便是英国和德国。然而，不可否认的是，这种建立在经济和实力基础上的强势仍然漏洞百出。

毋庸置疑，1890~1913年，德国出口量的增长超过了其他欧洲国家，其国内集资总数额在欧洲也是高居榜首。表 2–1 总结了肯尼迪的调查数据，通过对比可以看出德国对英国的威胁程度。此外，如果计算一下德国的人口增长率（每年 1.34%）、国民生产总值增长率（每年 2.78%）以及钢材产量增长率（每年 6.54%），人们就会对其在 1890~1914 年全面超越英国和法国的事实深信不疑了。

**表 2–1　1880 年和 1913 年英国和德国工业实力的对比**

| | 1880 年 | | 1913 年 | |
|---|---|---|---|---|
| | 英国 | 德国 | 英国 | 德国 |
| 全球制造业的相对份额（百分比） | 22.9 | 8.5 | 13.6 | 14.8 |
| 整体工业潜力（英国 1900 年为 100） | 73.3 | 27.4 | 127.2 | 137.7 |
| 人均工业化（英国 1900 年为 100） | 87.0 | 25.0 | 115.0 | 85.0 |

**资料来源**：Kennedy, *The Rise and Fall of the Great Powers*, pp. 256, 259.

然而事实上，对 20 世纪早期的世界政治最具影响力的经济因素并不在于高速增长的德国经济。相反，英国金融实力的崛起也不容小觑。

19 世纪 50 年代左右，英国的海外投资总额就已经达到了约 20 亿英镑。然而在后来的 50 年里，英国掀起了 3 场资本出口的浪潮。1861~1872 年，外国净投资占国民生产总值的比例从 1.4% 上升到 7.7%，之后在 1877 年跌至 0.8%。1890 年，这一数字又回升并保持在 7.3%，直到 1901 年再度猛跌至 1% 以下。第 3 次高涨出现在 1913 年，当时创下历史新高，达到 9.1%，这个纪录直到 20 世纪 90 年代才被打破。按绝对价值计算，这为英国积累了数目可观的外国资产，从 1860 年的 3.7 亿英镑一路飙升 10 倍，到 1913 年达到 39 亿英镑。这个数字占到了英国国家财富总量的 1/3。其他任何一个国家在对外投资方面都没有如此成功的经验。表 2–2 显示，紧随英国的法国，其国外资产额还不到英国的一半，德国也只是英国的 1/4。

**表 2–2　1913 年国外投资总额**

| | 共计（百万英镑） | 在欧洲的投资所占百分比 |
|---|---|---|
| 英国 | 793 | 5.2% |
| 法国 | 357 | 51.9% |
| 德国 | 230 | 44.0% |
| 美国 | 139 | 20.0% |
| 其他 | 282 | — |
| 共计 | 1 800 | 26.4% |

**资料来源**：Kindleberger，*Financial History of Western Europe*，p. 225.

如表中所示，第一次世界大战前的44%的欧洲投资主要来自英国。此外，英国的大部分外国投资并不在欧洲本土；相反，德国在欧洲的境外投资则更多。1910年，贝特曼·霍尔维格将英国定义为“德国经济扩张政策执行中所遇到的最重要的对手”。如果贝特曼指的是海外投资，那么他完全正确，但在出口增长方面，英国还略逊德国一筹。英国的自由贸易政策也显示，德国的出口商在英国市场已经所向披靡（在其本国市场中也是如此），这对英国的公司来说是一种莫大的挑战。实际上，外界并非对这场商业暗战毫不知晓，但由此认为由媒体发起的“抵制德货”运动将成为这场英德大战的先兆，就有些荒谬了。就像20世纪80年代，美国虽宣扬日本经济“威胁论”，但双方也没有爆发军事冲突。

有些经济历史学家认为，如此高水平的资本出口无疑会一点一滴地蚕食英国的经济，有些人认为，在很多情况下，生产高于服务、生产是收入和就业的摇篮，这些人最常提到的替罪羊便是伦敦。然而事实是，资本的出口只在一种情况下才能对英国的投资产业产生威胁，即只有出现资本短缺，工厂的现代化道路才会受阻，然而却鲜有证据可以表明这一点。尽管对外投资周期与国内固定投资之间是逆相关的关系，但资本出口并不是真正的资本“外流”，它也不能被看作是英国贸易赤字扩大的罪魁祸首。实际上，这些投资的收益远远超出新资本的出口额（如果算上那些“隐性”的收入），就像它一直远远超过贸易赤字一样。19世纪90年代，外国净投资额达到国民生产总值的3.3%，与此相比，国外财产净收入为5.6%。在接下来的10年里，两个数据分别是5.1%和5.9%。

英国的经济为何能够呈现出这样一种状态？海外投资中的相当一部分实际上是“组合投资”，而非“直接投资”。换句话说，证券交易所通过发行销售债券和股份成为其中间人，并代表了外国政府和企业。埃德尔施泰因认为，外国证券之所以能够带来“推动力”，是因为即使有相当高的风险，与国内的证券在1870~1913年的平均收益相比，它们带来的收益还是能更高一筹的（大概高出1.5%）。然而，这种平均值背后也暗藏了相当大的波动。在分析了482家企业的账目之后，戴维斯和赫腾巴克认为，国内投资的回报率有时候也高于国外投资，比如19世纪90年代。他们的研究也很好地用数字说明和衡量了英国投资者们非常重视的一点，英国投资的回报率与那些不受英国政府控制的国外投资的回报率是有天壤之别的：1884年以前，前者高出后者67%，之后却又低于后者40%。英国对外投资的不断增加是否因此成为帝国主义经济的一种不合理的产物（资本流向并不是朝向最大利润）？戴维斯和赫腾巴克指出，实际上，大英帝国资产从整体上看并不是投资的最大目标：1865~1914年，帝国的投资额仅占总额的25%；与之相比，30%的投资用于英国的经济发展，45%的投资则流向海外。这足以说明，在那些富有的英国投资人中，存在一小部分精英分子，他们以英国作为跳板，利用它来稳定国际资本市场。

英国大量的海外出口是其全球经济地位的整体体现，它是制造业的出口大国，食品以及其他原产品的进口国，此外它还是人口的“出口大国”。1900~1914 年，从大英帝国移民海外的净人口总数达到了让人吃惊的数字——240 万。英国国家银行也成为国际货币体系中最后的贷方。1868 年，英国和葡萄牙是仅有的两个实行金本位制度的国家；然而到了 1908 年，整个欧洲都实行了这种制度（但奥匈帝国、意大利、西班牙和葡萄牙的货币还不能直接兑换成黄金）。因此，在某种程度上，帝国主义是 19 世纪末期随着经济发展而诞生的政治附加物，这与 20 世纪末出现的“全球化”趋势一样。在我们所生活的现代社会中，全球化与一个超级大国——美国的出现紧密相关。与今日的美国相比，当年英国的霸权中透露出一种正式而拘谨的特征。1860 年，大英帝国的领土扩张达到 950 万平方英里①；到 1909 年，这一数字达到 1 270 万平方英里。第一次世界大战前夕，在大英帝国统治下的人口数为 4.44 亿，但仅有 10%的人生活在英国本土。这些数据还不包括大不列颠的海上霸权，它拥有世界上规模最大的海军力量（1914 年，英国战舰的吨位是德国的两倍）以及最大的商业舰队。正如J · L · 加文在 1905 年所说的，这是一种“超越自然的广博而宏伟的霸业”。从其他强国的角度来看，这似乎对它们并不公平。“在这里我们不谈侵略与掠夺，”《沙岸之谜》中的卡拉瑟斯说，“我们已经成为世界上一个杰出的国家，他们大可对我们表示羡慕和嫉妒。”

然而，在这个人员、物资和资本流动空前自由的时代，我们无法立刻搞清楚其他国家究竟如何才能撼动这个超级大国的地位。在战争前 20 年的时间里，当英国扩大其移民人数和资本出口时，德国却停止了本国居民向外移民的脚步，并减少了资本的出口。我们无法得知这种分歧是否源自于两国国内经济现状的不同，也不知道是否正是这种分歧才导致了两国的不同现状，但两者的国际实力对比还是显而易见的。正如奥弗最近所说，英国输出的大量移民使得这些人通过血缘关系紧紧团结在一起，并保证了他们对祖国统治地位足够的忠诚。与此相反，德国本土人口出生率的下降以及大量外来移民的涌入，增强了其对东欧强大人力资源的认识。诚然，德国在出口方面的成功对英国的利益构成了威胁，但德国人同样担忧出口的增长（以及其结果：对原材料进口的继续依赖）将会由于更强大的殖民国家实行地方保护主义政策而陷入困境。尽管 1914 年之前英国在帝国范围内实行自由贸易的政策，但“帝国优惠政策”以及约瑟夫 · 张伯伦灵光一现而发起的关税改革引起了一些争论，这也成为其他出口

① 1 平方英里≈2.59 平方千米。

经济体无法忽略的隐患。

总体来说，英国和法国的资本出口无疑增加了其政治影响力。泛日耳曼联盟在其早期的出版物中抱怨道：

> 我们是拥有5亿人口的泱泱大国，我们举全国之力开展兵役制度，我们每年花费超过5亿马克的财政预算用于国防事业……如果我们的军事力量无法让我们获得合理的权力，从而需要听从英国的高贵批示，那么我们所做出的血与金钱的牺牲便全都是一场空。

比洛曾痛心疾首地说："法国在国际社会中巨大的影响力……在很大程度上是其财富资本和流动性所创造的。"经济历史学家对德国银行出手投资国内工业赞不绝口，但这种投资根本无益于德国海外实力的加强。德国的国际影响力也因此大大缩水，1895年以来，德国在工业增长方面取得了重大成就，但其国际贸易地位却反而削弱了。

## 被遗弃的战争

假设存在一场由帝国主义引发的战争，那么这场战争可能发生在19世纪70年代和80年代，交战双方分别是英国和俄国，抑或发生在19世纪80年代或90年代，交战双方是英国和法国。但这3个国家从未停止过相互的敌视状态，争执不断：从君士坦丁堡到喀布尔（英俄），从苏丹到暹罗（英法）。1895年时人们根本无法想象，20年后，这3个"宿敌"能够结成联盟，携手共同抗敌。但不管怎么说，根据表2–3总结的外交行为，上述3个国家在19世纪总归还是摩擦不断的。

表2–3　1815~1917年国际联盟要览

| 时间（年） | "西部" | "中部" | "东部" |
|---|---|---|---|
| 1793~1815 | | 法国 | <英国+俄国+普鲁士+奥地利> |
| 1820~1829 | （英国） | 西班牙+葡萄牙+那不勒斯+希腊 | <俄国+普鲁士+奥地利+法国> |
| 1830~1839 | 英国+法国 | 比利时 | <俄国+普鲁士+奥地利> |
| 1840~1849 | 英国+土耳其 | 英国+皮埃蒙特+匈牙利+普鲁士 | 俄国+奥地利 |
| 1850~1858 | <英国+法国+奥地利+土耳其> | （普鲁士） | 俄国 |

（续）

| 时间（年） | “西部” | “中部” | “东部” |
|---|---|---|---|
| 1859~1867 | （英国）（俄国） | 法国+皮埃蒙特+普鲁士 | 奥地利 |
| 1867~1871 | （英国）（俄国）（奥地利） | <德国+意大利> | 法国 |
| 1871~1875 | （英国） | 法国 | <俄国+奥地利+意大利><br><德国+奥地利+意大利> |
| 1876~1878 | 英国+土耳其 | 法国<br><德国+奥地利+意大利> | 俄国 |
| 1879~1886 | 英国 | 法国 | <俄国+德国+奥地利> |
| 1887~1889 | <英国+意大利+奥地利> | 法国 | <俄国+德国><br><德国+奥地利> |
| 1890~1898 | 英国 | <法国+俄国> | <德国+奥地利+意大利> |
| 1899~1901 | 英国+德国? | <法国+俄国> | <德国+奥地利> |
| 1902~1904 | <英国+日本> | <法国+俄国> | <德国+奥地利+意大利> |
| 1905 | <英国+日本><br><英国+法国> | | 德国+俄国? |
| 1906~1914 | <英国+日本><br><英国+法国+俄国> | <法国+俄国><br>意大利 | <德国+奥地利> |
| 1914~1917 | | <英国+法国+俄国+意大利> | <德国+奥地利+土耳其> |

注：<>表示正式联盟或协约，（）表示中立。

人们很容易忘记，在19世纪80年代和90年代，英国与俄国、法国的关系究竟有多么糟糕。1882年，英国占领埃及的目的主要是为了稳定埃及的金融状况（并且也确实达到了），这不仅造福于英国的投资者，更惠及整个欧洲的投资者。然而，这件事也使英国陷入了一场旷日持久的外交窘境。1882~1922年，英国被迫向其他国家承诺其结束在埃及的占领（并且承诺了66次之多），但事情始终没有兑现。从占领埃及的那一刻起，每当英国试图阻碍另外两个帝国主义竞争对手类似的殖民扩张时，它都备感自己处于外交劣势中。

俄国在中亚和巴尔干两个地区的问题上可以理直气壮地宣称自己的占有权。无论如何，英国都无法对其进行干涉。1885年4月，在格莱斯顿首相即将为其第二个任期画上句号时，由于俄国在平狄与阿富汗军队发生冲突并取得胜利，英国决定插手干预，一场英俄大战一触即发。就在同一年，俄国政府阻止了保加利亚君主亚历山大擅作主张将保加利亚和东鲁米利亚合并的行为，于是类似的事情再一次上演。法国对英国攫取埃及的殖民权的反应更为剧烈。确实，在19世纪80年代和90年代，英法之间存在着一种相互敌对和仇视的情绪，这种情绪自然也蔓延到外交领域。1886 年，当法国的探险队抵达东京（位于亚洲东南部，非日本的东京）时，法国的罗斯柴尔德家族曾惴惴不安地向俾斯麦的儿子赫伯特暗示，“下一场欧洲战争将发生在英国和法国之间”。尽管有些观察者希望自由党人罗斯伯里伯爵在 1892 年重新任职外交大臣后能够妥善处理此事，但他们很快便发现，罗斯伯里仍然故步自封地坚持并到处宣扬其前任政府的反法政策。之后有传言说，法国企图在 1893 年 7 月湄公河流域发生的军舰冲突后占领暹罗，罗斯伯里闻后惊恐万分。次年 1 月，他向因为俄国的黑海海峡问题而焦虑万分的奥地利大使保证，“即使面对一场可能的英俄大战，我们照样会迎难而上”。

果不其然，埃及与其南面邻邦苏丹促成了英法之间的排斥和对立。双方的积怨如此之深，以至于两国在 1895 年爆发战争的可能性非常大。直到 1894 年年初，法国才显露出明显意图，欲将尼罗河上游的法绍达收入囊中。出于对法国占领法绍达将会撼动英国在埃及的地位的考虑，罗斯伯里——当年 3 月他已晋升为首相——轻率地与比利时国王草拟了一份协约：英国决定将法绍达南部的一块地区租借给比利时控制下的刚果，用来换取刚果西部地区，以期封锁法国进入法绍达的门户。法国外交部部长加布里埃尔试图在法绍达问题上妥协，双方展开协商，但最终还是以失败告终。由法国探险家马尔尚率领的一支探险队出发前去尼罗河上游进行考察，此举却被英国外交部次官爱德华 · 格雷视为“不友好的行动”。正在这紧要关头（1895 年 6 月），罗斯伯里递交了辞呈，从这个烂摊子中抽身而退，留下了一个陷入空前外交孤立状态的英国。然而就在同一时刻，意大利在阿杜瓦被阿比西尼亚军队击败，这个小插曲暂时转移了人们的注意力，给了英国以缓和之机。英国政府迅速展开行动，在一个星期之后，下达了重新征服苏丹的命令。但是，加布里埃尔的继任者德尔卡塞占领了法绍达，作为对基奇纳拿下苏丹的回应，战争的阴霾便开始聚拢。

在这里之所以要介绍法绍达争端，是因为它提醒我们那场列强间可能发生但却没有发生的战争。同理，我们也不该忘记在 1895 年和 1896 年，英国和俄国都虎视眈眈，妄图派出海军力量向黑海海峡进发，掌控君士坦丁堡。到头来，双方都对自己冒险取胜的实力信心不足。但如果有人真跨出了第一步，那么一场与 1878 年同样严重的外交危机便不可避免了。因此，这同样是一场极有可能发生的战争，只不过交战双方变成了俄国和英国。回首这些往事，当我们试图解释这 3 个国家为何能在一场真实的战争中站在同一条战线时，“帝国主义”恐怕不是我们想要的答案。

英国是幸运的，因为它的两个帝国主义竞争对手眼下的关系并非亲近到足以结盟的地步。俄国在非洲问题上绝对不会向法国伸出援手，同样，法国也不会在黑海问题上支持俄国。法国奉行共和政体，其民主制度乃欧洲之最，而俄国仍旧保留君主专制统治。然而，这两个意识形态各有千秋的国家却出于战略和经济的考量而结成伙伴关系。二者面临两位共同的敌人：夹在两国之间的德国和对两国呈包围态势的大英帝国。此外，法国身为资本出口者，着实吸引着对外贷如饥似渴的俄国。其实，早在1880年，法国的外交官和银行家就在讨论建立一个以资本关系为基础的法俄协议。同时，俾斯麦决定禁止在德国银行使用俄国有价证券作为抵押，即著名的抵押贷款禁令，这也或多或少成为俄国另选盟友的催化剂。

法俄的亲密关系并不都是由经济因素造成的。1888年，德皇威廉二世登基；2年后，俾斯麦下台；与此同时，德国的不友好姿态也与日俱增。威廉与新上任的帝国宰相列奥·冯·卡普里维都曾保证，一旦奥地利与俄国交战，德国将出手帮助奥地利；此外，德俄两国还拒绝继续遵守秘密签订的《再保险条约》。这些举措足以使经济因素变得多余，于是法国和俄国便合乎逻辑地走到了一起。然而，我们也不能忽视存在于这一联盟中的重重阻力。首先是金融障碍。巴黎交易所的周期性动荡——1882年的工会总危机一波未平，随之而来的是1889年的贴现风波和1893年的巴拿马运河危机，让人不得不质疑法国应对俄国大规模需求的基本能力。俄国方面也面临棘手问题。1894~1897年，俄国对卢布实行金本位制度，而法国债券市场仍旧对俄罗斯的债券谨小慎微；卢布在经过1886年、1888年和1891年的3次巨幅贬值后，才稳步走向回升。

1888年秋，法国的交易所完成了第一笔对俄国的主要贷款。次年，巴黎罗斯柴尔德家族同意承担俄国的两笔数额为7 700万英镑的贷款事宜，并于第二年承担一笔1 200万英镑的贷款中1/3的份额。1894年，又一笔价值为1 600万英镑的贷款顺利发放；1896年，又有一笔相同数额的贷款被发放。届时，俄国的基金已经开始发挥作用了，但第二笔贷款发放速度极慢。为此，沙皇甚至还亲临巴黎，委婉地进行督促。事情发展到这个地步，德国的银行也在德国外交部的敦促下跃跃欲试，试图在1894年和1896年成为俄国的贷方。准确地说，德国是不想让法国垄断俄国的经济。然而为时已晚，当新世纪的曙光初耀欧洲时，没有哪两个联盟国家之间的外交关系能像法国和俄国那样坚不可摧，这也是一种典型的基于信贷和债务关系的结盟。截至1914年，法国借给俄国的贷款共计30亿卢布，占后者外债总额的80%，法国近28%的海外投资以国债的形式流向俄国。

经济历史学家时常对俄国政府这种举借外债来补养国家工业的策略颇有微词，但事情的结果却并没有显示这种举动有任何不妥。毫无疑问，俄国的工业化速度在1914年之前的30年间突飞猛进。根据格雷戈里给出的数据，1885~1913年，俄国国民生产净值以平均每年3.3%的速度增长，年度投资额从占国民收入的8%增加到10%。1890~1913年，人均资本产出额增长了55%，工业生产也以每年4%~5%的速度增长。

1898~1913 年，俄国的生铁产量增长了一倍，铁路网络建设规模扩大了 57%，原棉消费也比之前高出 82%，农村经济得到了根本的发展。1860~1914 年，农业总产值以每年 2%的速度增长，甚至明显超过了人口增长率（每年 1.5%）。1900~1913 年，俄国人口增长率是 26%，但其国民总收入却是人口增长的 2 倍。通过表 2–4 我们不难发现，俄国，而不是德国，跻身成为 1914 年前经济增长速度最快的国家。

**表 2–4　国民生产净值增长百分比，1898~1913 年**

| 英国 | 意大利 | 德国 | 俄国 | 法国 | 奥地利 |
|---|---|---|---|---|---|
| 40.0 | 82.7 | 84.2 | 96.8 | 59.6 | 90.9 |

**资料来源**：Hobson，“*Wary Titan*”, p. 505.

经历过 1917 年俄国革命的历史学家谈起这段风雨飘摇的历史总喜欢从 19 世纪 90 年代说起，但经济历史学家们却很难找到灾难到来前的征兆。1913 年，俄国人均收入水平较 15 年前的情况有了极大改善：在这段时间里，这一数字上升了 56%。而人口死亡率也从 19 世纪 70 年代末的 35.7%降到 29.5%（1906~1910 年），婴儿的死亡率同样有所减少（从每千名 275 人下降到 247 人）。1897~1914 年间，教育覆盖率从 21%提升到 40%。诚然，工业化的迅猛发展定会导致俄国城镇社会生活的分化，而且农村地区（居住着 80%的人口）的无地人口数量依然居高不下，可是从另一方面来看，工业化似乎带来了一个俄国领导人翘首期盼的结果——军事力量日益壮大。俄罗斯帝国正以惊人的速度向东方和南方扩张。除了两次战役（克里米亚战争和对马海战）俄国遭受失败以外，俄国的将军们在中亚和远东赢得了无数场让人费解的胜利。直到 1914 年，俄罗斯帝国的领土已经覆盖 860 万平方英里，从喀尔巴阡山脉一直延伸到中国边境。

值得注意的是，法俄同盟从未认真地对两国共同的帝国主义敌对势力——英国展开过行动。但英国人却对这种可能性感到万分紧张，这种心理不仅仅存在于威廉·鲁鸠（见第一章）的虚构文学作品中。1888 年，出于对英国军队未来可能面临的挑战的担忧，自由党人查尔斯·迪尔克勋爵提出，英国仅有两个可能的对手，那便是“俄国和法国”。“我们和法国之间的矛盾时常发生；而我们和俄国之间，也是一场恶战在所难免。”1901 年，海军参谋长塞尔伯恩伯爵感到自己不得不向所有人发出警告，法国和俄国的联合舰队将在不久以后媲美英国皇家海军。

有关英国将对阵法俄同盟，在地中海地区、博斯普鲁斯海峡、埃及和阿富汗爆发世界大战的猜想，至今仍旧使我们唏嘘不已。但在那个年代，这样的情节不足为奇。然而，更不合乎情理的是，这 3 个国家竟然能够携手作战。这是多年来不可能发生的事，就像张伯伦所说，“这注定是徒劳的”。

## 雄狮与雄鹰

强大的经济和政治力量促使法国最终与俄国联手，但类似的事情绝不能够发生在英国和德国身上。但同时，也并不存在一股难以克服的力量能够点燃盎格鲁与日耳曼民族之间的敌视和不满，从而引发冲突。准确地说，相反的结果，即盎格鲁、日耳曼两个民族相互达成理解，可能不仅具有吸引力，还极有可能发生（即便两国的联手不是一气呵成的）。不止迪尔克一个人认为，德国“与英国不存在能引发两国争端的分歧”。

历史学家们总是认为以失败告终的外交创举十分多余，他们认为该发生的事情总归要发生。虽然第一次世界大战爆发前几年，英国和德国努力增进理解互信，但历史学家对此举动却尤为不屑。这种撮合两国缔结联盟的想法充其量也只能勉强对伦敦的银行家有些许吸引力，特别是那些有德国和犹太血统的银行家。关于这一点，反德人士总能敏锐地洞察。然而回首往事，我们不能武断地裁定英国和德国之间的关系正逐步疏远（直至战争）。在很多情况下，关于两国相互沟通理解的论点是建立在共同的国际利益之上的。先验地看，我们没有明确理由来说明为何一个“过度延展”的强国（正如英国对其自身的察觉和定义）和一个“缺乏延展”的强国（正如德国对其自身的察觉和定义）无法在外交关系中产生共鸣。如果说“两国之间采取的最基本政策相互排斥”，那也未免太草率了。这并不是对之前所谓的英德关系中“错失的良机”（这样就可以避免堑壕中那一幕幕屠杀和死亡）的重复，因为那不过是事后诸葛亮的表现罢了。我在这里仅仅想表达，与那些想象中的情况相比，两国错失订立协约的机会是一种更偶然的结局，而不是命中注定。

英德两股力量缔结的可能性是有其深刻的历史渊源和根据的。1870~1871 年，德国对法国进行了耻辱性的打击，当时英国只是一位置身事外的看客。而英国在 19 世纪 80 年代与俄国的矛盾同样间接给了与德国结好的暗示。尽管俾斯麦在 1887 年提出的英德联盟提案并没有开花结果，但索尔兹伯里首相却与意大利和奥地利签订了旨在维持地中海和黑海地区现状的秘密三方协议，而德国与上述两个国家之间也有三方联盟，因此英国与德国便有了直接联系和沟通的机会。

也正因如此，德国在 19 世纪 80 年代开始海外殖民活动时，英国并未施加阻拦。自然，德国宰相手中的非洲地图无非是欧洲地图的翻版（或许也算是德国国内政治的翻版）。然而他之所以引发德国人民征服非洲的野心，也是利用英国在埃及的统治还未站稳脚跟的时机。从 1884 年开始，俾斯麦以埃及事务为托词，在该地进行了一系列厚颜无耻的干涉，还凭借法兰西–日耳曼“中立者联盟”对英国进行恫吓，妄图攫取非洲西南部安格拉佩克的控制权，占有好望角到西非地区的主权。然而，英国对此的反应和表态，却是姑息德国获取西南非洲殖民地之举，并出让自己已占领的喀麦隆以及东非的领土。由德国大使保罗·冯·哈茨费尔特一手造成的桑给巴尔事件是这种绥靖政策的典型体现：虽然德国在桑给巴尔已经没有经济利益（实际上德国也确实在1890年用这一地区换取了北海的黑尔戈兰岛），但它却在英国已准备将其拱手让人时宣称拥有该地的主权。1890年，双方达成协议，英国用黑尔戈兰岛重新收回桑给巴尔；此外，作为交换，德国还得到了一块能够从其非洲西南部殖民地直通赞比西河的狭长地带。

在处理中国的事务中，这种英德通力合作的可能性被放大到了极致。与以往一样，它们这次合作也是扎根于金融关系的。从1874年开始，英国向清朝提供贷款。从那时起，清政府获取外资的主要途径便是设立在香港的两家英国公司：香港（上海）汇丰银行有限公司和怡和洋行。英国政府还以罗伯特·哈特勋爵的名义控制了中国的海上关税。1885年3月，德国银行家阿道夫·汉泽曼来到汇丰银行，提议英德两国将中国政府和铁路财政的掌控权以企业联合的形式进行均分；1889年2月，德意志亚洲银行（德国13多家大银行联手的合资企业）建立，标志着英德两国的合作达到高峰。

日本在1894~1895年的战争中击败中国，彰显了俄国在远东地区日益增长的盘踞势力，也因此为德英两国的通力合作再一次创造了良机。实际上，银行家们（汉泽曼和罗斯柴尔德）苦心孤诣地试图促成汇丰银行和德意志亚洲银行的伙伴关系，如果这种联手能够得到各自政府的官方支持，便可以阻止俄国在中国攫取过多的霸权。但事实上，银行家们热切的渴望与外交官和政客们心中的算盘大相径庭。德国外交部的“幕后操控手”弗里德里希·冯·荷尔斯泰因更希望德国与法俄同盟站在一起，而非英国，因为这样便能与它们一道，插手阻拦1895年4月《马关条约》规定的日本占领中国辽东半岛的行为，但事实也证明了银行家们的真知灼见。根据5月份的一项声明显示，中国支付给日本的战争赔款是通过俄国提供的贷款实现的，这无疑给了英国和德国政府当头一棒。很显然，这笔贷款不可能由俄国承担，因为俄国本身就扮演着国际债务人的身份。实际上，这笔贷款由法国人付账，最后的利润由俄法两个国家平均分配，俄国还由此将横跨西伯利亚的铁路延伸至满洲里，而法国则确保了其在华的铁路建设特许。这期间甚至还出现了新兴的俄中银行——当然，其建立少不了法国的资金支持。1896年，俄中正式缔结了联盟关系。这种情形之下，汉泽曼关于联合汇丰银行和德意志亚洲银行的提议变得更具吸引力了。1895年7月，两行之间签订了一份协议。该联盟的主要目的是，通过一个单一的国际资本家联盟接管中国的债务问题，以调停大国间在这个问题上的纷争。这种情况也曾发生在希腊和土耳其身上。在这种所谓的“国际资本联合”中，德国和英国处于主导地位。经过多次外交策略的周旋，它们的目标终于在1898年向中国发放的第二笔贷款中实现了。

毫无疑问，合作仍然困难重重。索尔兹伯里拒绝以政府担保的形式贷款，这导致了英国投资的难产。1897年11月，在德国控制下的胶州湾，汇丰银行和汉泽曼就山东的铁路特许权发生了分歧。然而，俄国在1898年3月要求租借旅顺港，并敦促英国接手威海卫作为补偿和慰藉，于是，这种不快和分歧随之立刻烟消云散了。9月初，在伦敦举行的一场由银行家和政客出席的会议全体通过了一项瓜分中国的提议，为了重新分配在华铁路建设特权，中国将被分割成若干"势力范围"：英国银行接管长江流域，山东被划分给德国，此外，天津到镇江的铁路也被分割。铁路的争端还在继续，然而一种新的合作模式却在悄然建立。1900年，中国国内爆发了义和团运动，俄国占领了满洲里。之后，德国派遣一支探险队前往中国考察，一番调查后，他们向英国保证"俄国绝不会冒险发动战争"。10月，英国和德国签订一份协议，保留了中国领土的完整，但要求中国开放贸易通商口岸，而这也让英德在中国的政治合作达到了顶峰。值得注意的是，除此之外，双方在经济上的合作在未来几年内依然继续着。1902年，在德国柏林举行的银行行长会议将之后发生的一些争端（因所谓的英国福公司突然将其业务发展到黄河流域而引发）也一一化解。

旅顺港危机爆发时，哈茨费尔特在一次盛宴后与张伯伦共同商讨了建立英德同盟的事宜。正如阿瑟·鲍尔弗回忆的那样：

> 乔是个非常冲动的人，前几日关于旅顺港的内阁讨论让他对英国的孤立和偶尔的外交困境地位备感忧虑。他确实因为坚持与德国结成联盟而受人关注。有人认为，英国议会制的政府性质决定了成立这样一个联盟势必是危险的（这种观点也同样萦绕在德国人的脑海中），乔大力驳斥了这种观点。我认为，对于两国可能采取的协商方式，应当先拟定一个大致的方案轮廓。

根据鲍尔弗的回忆，德国外交大臣比洛的回复"相当迅速"：

> 在他的电报回复中，他再一次因为议会制政府的问题而踌躇不决。但是他同样坦白了德国是怎样看待英国在欧洲大局势中的地位的。他们认为我们更适合与法国结盟，而不是与法、俄同时结盟。因为在这样的竞争中，结果是难以预料的。他们不想眼看着我们消亡，不仅是因为出于对我们的情感，而且还因为他们知道如果我们就此屈从，下一个受害者便是他们。整个对话的主旨（至少在我看来）是想在各国之间建立起一种亲密的合作关系。

这之后，张伯伦和赫尔曼·冯·艾卡德施泰因男爵在4月又进行过几次会谈。

后者是德国大使馆的首席秘书，德皇称赞他“在与英国的官方关系中始终保持情感联系，这对我们来说很有利，我们对此充满希望”。现在，艾卡德施泰因以德皇的名义建议“英国和德国建立可能的联盟……该联盟的基础是保证对方的殖民地等权益不受侵犯”。作为这场交易的一部分，他还说德国将“在埃及和德兰士瓦问题上助英国一臂之力”，并暗示，“一个直接的防御性联盟……可能会在不久后诞生”。“如此的共识”，张伯伦在给索尔兹伯里的备忘录中写道，“将带来和平的福音，并需要即刻进行商讨”。同样的事在 1901 年又以同样的形式老调重弹。

既然如此，英德合作的尝试为何最终还是以失败告终呢？一个最为直接的原因是当事人的性格使然。爱德华七世不时流露出亲法的态度，艾卡德施泰因对待此事的态度也似乎过于玩世不恭。显然，比洛和荷尔斯泰因放大了英国在贸易地位中的劣势。但两国间最严重的政治障碍（从德国人的角度来看）恐怕当属索尔兹伯里身上所缺少的最基本的激情了。张伯伦也以特别的方式为同盟的失败做出了“贡献”。私底下他如是说：“德国和英国以在中国和其他国家事务上的相互信任为基础，订立和达成长期的防守性条约或备忘。”而在公开场合，他瞬间变得高谈阔论：“条顿民族和盎格鲁–撒克逊民族中最伟大的两个分支，构成了一个崭新而伟大的三方联盟。”此外，他还相当不切实际地期许德国人民也能以如此高涨的热情予以回应。比洛在 1899 年 12 月 11 日的国民议会演讲中的措辞如下：“我们要做好准备，以互利合作为基础，与英国和平、和谐地相处。”张伯伦听闻后勃然大怒，称其“冷漠和怠慢”。当矛盾出现的时候，张伯伦再也无法抑制自己，他咬牙切齿地说，“如果他们的目光如此短浅，如果他们没有发现，一颗新星正在世界上冉冉升起，那他们就真没救了。”

然而，还有一些其他原因比领导人的性格缺陷说更具说服力。殖民地争端是影响英德友好邦交的最大阻力。德国历史学家汉斯·德尔布吕克发表于 1899 年的文章曾经红极一时。他在文章中称，“我们可以选择和英国一起执行殖民地政策，也可以选择排除英国的干扰，独自行事。与英为善，意味和平；与英为敌，必有战乱。”但实际情况却是，德国在大多数情况下都是在与英为善的基础上，开展其殖民政策的。因此，1898 年，德国与葡萄牙在非洲殖民地（特别是德拉瓜湾）的无休止的争端终于画上了句号，双方达成一致，英国和德国共同向葡萄牙提供一笔款项，以确保其殖民地利益；但私底下，英德两国却通过一项秘密条款，在葡萄牙的领地上划分出了各自的“势力范围”。在西非殖民地的利益问题上，两国同样没有产生冲突。1899 年 4 月太平洋上的萨摩亚危机也于同年年底顺利消除。它们甚至在 1902 年委内瑞拉的外债问题上通力合作（但关于此事，英国许多媒体都曾抱怨过）。

在英德的伙伴关系中，还有一个在战略上颇为重要的地区，那就是奥斯曼帝国。

在德皇1889年第一次访问君士坦丁堡之前，该地区就对德国的商业产生了巨大的吸引力。只要俄国意图出手黑海海峡问题，这一地区的英德合作就会呈现良好的势头。因此，在土耳其1897年对希腊予以重大军事打击之后，两国间的关系空前亲密；它们共同花费心思，试图从细节入手，控制雅典的金融。1899年，即德皇第二次访问博斯普鲁斯海峡的次年，土耳其君主同意了修建从奥斯曼到巴格达铁路的提议（此为德意志银行格奥尔格·冯·西门子的伟大而独特的创举，被称为“柏林-巴格达铁路”），这是两国联手的一次千载难逢的好时机。西门子和他的接班人阿瑟·冯·格温纳总是想将英国（以及法国）一同拉入这次冒险的尝试；但问题是，对方对这座城市并不怎么感兴趣，尤其对该地区的政治制度及其未来更没有信心。1903年3月，双方在将铁路线延长到巴士拉的意见上达成一致，在这件事情上，财团中的英国成员控制了25%的股份。但事实上，德国投资者却可以分得35%的收益。该消息遭到了右翼媒体（如《观察家报》、《国家评论》等）的猛烈攻击，当时已身为首相的鲍尔弗也选择退出合作。

南非问题同样成为英德可能爆发冲突的导火索。威廉二世在詹姆森偷袭失败后致电南非总统克鲁格，盛赞其击退武装匪徒的功绩，这种行为让伦敦大为光火。1899年布尔战争爆发后，德国向布尔人表达了他们的同情，使得英德之间的关系再次变得紧张。1898年，英国与德国在葡属莫桑比克问题上达成了一致，英国人是想借此阻止德国人民支持克鲁格，然而战争的爆发让人不得不对这种刻意的安排心生疑虑。德国与英国在1899年年底重新开启了建立“欧洲联盟”的讨论，但这对于两国关系的修缮帮助不大；而且，英国于1900年1月对在南非水域行驶的德国游轮进行了拦截。然而，外界对于布尔战争将大大损害两国关系的担忧总体上还是有些夸张了。战前，德国的银行毫不犹豫地申请向英国德兰士瓦提供战后贷款。虽然英国的自信遭到沉重打击，但这场战争打破了孤立的外交局面。然而，像“国家效率”这样的矫饰语言以及军事“联合会”的举措，都无法弥补战争带来的恐慌。大家担心英国是否还能担负得起维持其广袤的海外殖民地的花销，鲍尔弗还对此夸张地进行评判：“眼下，各种原因使得我们成为一个三流国家。”在这个越发显得复杂的帝国策略制度框架之外，双方达成了一种共识。对英国来说，不论是从经济角度还是从策略方法上，都无法同时顾全殖民地和自身，因此打破外交孤立势在必行。这就意味着，英国要与一个或多个帝国竞争对手达成外交上的理解和信任。的确，布尔战争进行期间（1901年上半年），在“与德国的合作以及恪守三方联盟的基础上”（以张伯伦的说法），张伯伦和新上任的外交大臣兰斯多恩爵士与德国代表重新回到了谈判桌上。

双方需要郑重讨论的是摩洛哥问题（最先由张伯伦在1899年提出）。由于后续发生了一些事件，使人们都认为英国和德国在摩洛哥问题上将不可避免地产生分歧，但在 1901 年，这种分歧仿佛自动消失了一般。实际上，法国在整个非洲西北地区的规划和构思（1900 年，法国与意大利秘密合作，将其付诸行动）看起来能够积极地促成英国和德国之间的联手。实际上，英国在当时已经因为西班牙的阿尔赫西拉斯防御工事一筹莫展了，因为这一设防将直接对地中海的重要门户——直布罗陀海峡造成威胁。法国与西班牙联手在摩洛哥展开“清算行动”已经成为现实。显然，下一步需要做的就是在摩洛哥划分出英国和德国的势力范围，于是英国获得丹吉尔，德国获得大西洋海岸。基于这种信任，5 月和 12 月双方又进行了讨论，并时断时续一直到 1902 年。实际上，德国对摩洛哥并无兴趣——比洛和德皇在 1903 年已隐晦地表达出这一点——而这种无谓的态度最终导致了双方拟订方案的流产。

## 绥靖政策的逻辑

如果需要对英德联盟计划的破产做出解释，那么个中原因并不是德国拥有强大的实力，而是因为其软弱。无论如何，是英国亲手扼杀了这个联盟的诞生。英国之所以这么做，并不是觉得德国开始对其产生威胁，正相反，是因为英国意识到德国根本不会对它构成威胁。

英国最主要的考量是要减少而不是增加其在海外卷入代价巨大的冲突的可能性。尽管德国是个偏执的国家，但实际上，拥有一个已经拥有广袤帝国的伙伴总归比与一个立志要获得一块殖民地的战友强得多。因此，法国和俄国之间能够在外交事务上结出累累硕果便不让人感到奇怪了。外交部副部长弗朗西斯 · 伯蒂 1901 年 11 月称，反对英德同盟最好的理由正是德国人自己的一小段总结：“我们应当永不与法国——这个将国土拓展到世界多个角落的欧洲邻国——建立友好、和睦的关系；同样，我们也不能跟俄国结好，它与我们有共同的边界，在亚洲的大部分地方也是一样。”索尔兹伯里和塞尔伯恩对法国和德国的优势也分别持同样的看法。因为担心激怒俄国，德国在 1901 年的中国问题上迟迟没有向英国伸出援手，仅这一点就让英国坚信了自己的想法：尽管吹得天花乱坠，德国总归是弱的那一方。

相比之下，法国却能提供一份打动人心的帝国主义议题清单，上面所列的问题都可以通过达成协议来解决。比如，法国拥有更大和更优的特许权，它能提供给英国的好处胜于德国所能给予的一切，即最终承认英国在埃及的殖民统治。经过 20 多年接连不断的摩擦和矛盾，德尔卡塞还是在外交上屈服了，这也是兰斯多恩急于将此落实到书面承诺的原因。这一协议的代价便是承认法国有权“维持摩洛哥地区的秩序，并在该国家可能的政治管理、经济、金融和军事改革中提供帮助”。这个特许让法国人欣喜不已，他们甚至认为拥有了与英国从 1881 年以来，在埃及享有的同等地位和权力。在摩洛哥争端上，德国实际上一直按道理行事，但最后英国还是选择了法国；哪怕后者破坏了法律规定，出于各种考量，英国依然会对其给予支持。

英国和法国在 1904 年 4 月 8 日签署了一系列协定，类似于殖民地交易（暹罗问题也已解决），但这些协定也暗含了两层更深的意思。第一，这使英国和德国的良好关系大打折扣，摩洛哥危机就是这种趋势的明显表现。当德皇 1905 年 3 月 31 日在丹吉尔降落并要求开展一次重新确定摩洛哥主权的国际会议时，危机就已经开始蔓延了。由于拒绝支持德国在摩洛哥问题上"门户开放"的建议，兰斯多恩担心这场危机会将德尔卡塞搞垮，促使法国节节败退。

第二，由于法国和俄国之间有着密切的联系，《英法协约》也暗示着更为友好的英俄关系。英国连续多次默认俄国在满洲里和西藏问题的态度，并且极力避免在黑海海峡、波斯甚至阿富汗（印度总督还为此颇为沮丧）问题上与俄国发生不必要的摩擦。如果俄国在日俄战争中没有被日本打败，这种友好关系的推动力很有可能让两国在未来形成正式的理解和互信，这与法国和俄国所走过的那段路程如出一辙。（但话说回来，如果英国仍然担忧俄国在东方的势力，并且假设俄国在 1904 年打败了日本，那么可能就是英德签署协定了。）但日本的出现的确给俄国侵占满洲里的野心以重重一击，这也使各方势力得到均衡。可能与英国签订协议一直让德国感到心神不安，可以想象，这将意味着德国为了英国在中国的利益，不得不在欧洲与俄国血战一场，这一点也解释了 1901 年比洛和德皇做如下保证的原因，即一旦英国和俄国在远东地区出现冲突，德国将保持中立。与此相反，日本拥有充分的理由成为某个欧洲同盟中的一员。当俄国政府拒绝在满洲里问题上让步时，日本欣然转向英国，并在 1902 年 1 月与之缔结了一个防御性联盟。而这也体现了英国政策中的一项基本原则，对强于自己的势力采取绥靖政策，该联盟也逐渐变成优先考虑处理俄国殖民地问题的保证。

在另一个例子中，同样涉及一个野心勃勃并在大西洋和太平洋都对英国造成直接威胁的国家；此外，它还享有 3 000 英里①长的边界线，坐拥所有帝国中最繁华的地区之一。这个国家就是美国。

英美这两个国家自 1812 年以来还没有发生过任何争端。我们很容易忘记是什么原因造成两国在 19 世纪 90 年代发生分歧。当时，美国就委内瑞拉和英属圭亚那之间的边界问题曾向英国提出异议，该问题一直到 1899 年还悬而未决；美国还就古巴问题与西班牙发生了战争，美国在此过程中（1898 年）还攫取了菲律宾、波多黎各

---

① 1 英里≈1.61 千米。

和关岛等殖民地；1899~1902 年，美国在菲律宾发动了血腥的殖民战争；此外，它还在 1899 年获得了萨摩亚群岛的一部分，并迫不及待地向中国伸出魔爪，妄图在经济上分得一杯羹。美国的下一步帝国主义扩张计划便是建造横贯中美洲的运河。与美国相比，德国则显得温和了许多，而英国再一次坚持了自己的原则，对强者采取绥靖政策。1901 年的《海–庞斯福特条约》将英国的异议搁置一边（反对美国控制巴拿马运河以及在该区域设防）；英国表面上放任西奥多 · 罗斯福总统占领哥伦比亚，但私下却在选定的运河地点为巴拿马人的起义提供支持。1901~1902 年，塞尔伯恩决定削减在加勒比海和大西洋地区与美军作战的英国海军的兵力，这种绥靖政策达到了它预期的结果。1904 年，美国在多米尼加共和国实行金融控制，同样的事情也于 1909 年发生在尼加拉瓜（1912 年还发生了武力冲突）。伍德罗 · 威尔逊宣称对“金钱外交”和“大棒政策”持谴责态度，但正是他本人，在 1915 年将海军派往海地并对其进行了占领；次年，同样的事也发生在多米尼加共和国；也正是他本人，赋予美军在墨西哥的军事干涉以合法地位：第一次是 1914 年，旨在取代墨西哥政府，第二次是 1916 年 3 月，目的是要惩罚突袭新墨西哥的潘乔 · 维拉，英国对此都置若罔闻。美国实力非凡，因此在美国和英国之间不会有敌意和对抗出现。

于是，1900~1906 年的英国外交政策的主题，便是对那些可能对本国形成威胁的大国采取绥靖政策，就算这要以失去与次要国家的友好关系为代价。关键是，德国落入了后者的行列，而法国、俄国和美国则跻身绥靖政策对象的行列中。

# THE PITY OF WAR

第三章

# 英国的战争错觉

## 一位彻头彻尾的垂钓者

1905 年 12 月，在鲍尔弗辞职后，自由党在选举中大获全胜。他们继承了英国传统的外交作风。需要强调的是，英国并不是注定要成为第一次世界大战中的一位参与者。当然，它也在外交政策上做出了调整，根据其他大国的优先级别对其进行了排序：法国、俄国、德国。然而，这并不代表如果德国袭击了另外两个国家中的一个或是两个，英国都要义无反顾地出面保护它们（法国优先，其次是俄国）。简而言之，不同于那些悲观主义人士（特别是罗斯伯里）的担心，英国和德国之间的正面交锋并不是不可避免的。另外，乍看之下，一个信奉自由主义的政府——特别是由亨利·坎贝尔–班纳曼领导的政府——不会像之前的政府那样，与德国决裂并与法俄结好。实际上，这个新政府正竭尽全力“降低由于前任政府的鲁莽和轻率，造成的巨额军费开销”（劳合·乔治言）。然而，没有哪个政府能像内部分裂如此严重的自由党政府那样，一手造成“出乎意料”的结局。

早在 1905 年 9 月，阿斯奎思、格雷和霍尔丹就在新政权的自由党联盟（实际上由自由帝国主义者组成）内讧中统一了战线，共同对抗有激进主义倾向的人（这种激进主义的趋势曾经让英王十分担心）。此次内部摩擦的首要成果便是任命格雷为外交大臣。

爱德华·格雷，即之后的格雷第三子爵，在历史书中常常以悲剧的人物身份出现。1908 年，《每日新闻》编辑 A·J·加德纳对他的如下评价让人回味无穷：

> 他的故步自封让未来成为一场冒险，而这种执拗和死板正来源于他的渊博、对事物敏捷的思绪以及对人类的情感。他设定了很高的目标和理想，他的个人信誉也无懈可击；但他是个死脑筋，只要是他依赖的人，他便毫不动摇地信任。而这些也很容易让他不知不觉陷入一种过程，在这个过程中，他会打开思路，运用想象和敏捷的直觉去质疑、拒绝。

1914 年，加德纳最担心的情况还是出现了，格雷也似乎顺理成章地继续被世人如此评价着。劳合·乔治去世后出版的品评格雷的作品用类似的但却更不光彩的语言对他进行了讽刺。格雷“智商很高……但他整个人散发着陈腐的气息”。他的演讲虽然

“清晰、正确、井井有条”，但“其表达和思想内容却空洞乏味”。“他对事物缺乏一定的认知……同样匮乏的还有想象力、包容性，以及一种近似于妄为的勇气。然而这些品质都是他的工作必需的。”他是个“在恐惧的作用下双手颤抖不已的飞行员，无法沉着冷静地握紧并操纵控制杆……他只是在等待公众给他一个方向，好让他沿着这个方向继续飞行”。由此，关于这位风云人物，人们给出了让人沮丧的定论：“相当悲剧……实际上他是个仁慈的人，是个爱好和平的人”，“最为高尚的道德法律倡导者”，“他只能够处理已经给出合理答案的问题，可一旦遇到那些让人费解的难题，他便会退缩”。

的确，格雷身上发生了一系列悲剧性的事件。他刚刚任职外交大臣不到两个星期，深爱的妻子便溘然长逝。他用“逐渐黯淡的光明”比喻当前的形势，这个比喻流传甚广。仿佛是一种近乎残忍的讽刺，他本人在战争期间几乎彻底失明。然而，这些不幸和痛苦却无法抹杀他在战前表现出的清晰准确的外交眼光和洞察力。在使英国的外交孤立达到顶点的法绍达危机爆发时，他任外交部副次官，该危机也成为他政治生涯的一个标志性事件。然而，尽管格雷支持布尔战争，但他离一个“充满激情的准帝国主义分子”还相去甚远。他认同激进分子关于“维持非扩军前提下的欧洲政策”的要求；在印度的殖民问题上，他也欢迎来自格莱斯顿拥趸的支持，如约翰·莫利。然而，他所做的一切都是基于他那坚定不移的信念——英国应该拧成一股绳，反对德国。这个信念早在1902年就已经萌生。1902年12月，他在一次党派合作讨论会议上公开提出了这一想法，令伯特兰·罗素很焦虑。1903年1月，他对诗人亨利·纽博尔特说：“我越来越觉得德国是我们最强的敌人和最大的威胁……我相信德国人的政策只是在利用我们，而不是帮助我们：他们的目的是让我们继续保持孤立，这样他们可以随时对我们表达‘唯一的善意’。”“如果哪个政府将我的国家拖向德国设好的陷阱”，他于1905年8月向自由党议员罗纳德·芒罗-弗格森说，“我会不惜一切代价反对它。”两个月后，在他就职前夕，他强调了自己的如下承诺：

> 我很担心那些动机不纯的人刻意传达的印象会深入人心：自由党政府出于与德国重归于好的打算，在与法国建立了解与互信上产生动摇。我将尽我自己最大的努力与这一行为抗争到底。

“如果我们仍然不对德国做出点儿什么举动的话”，两天后他向一位支持者说，“那么当下，我们与法国的良好关系无论如何都会受到损害。”

格雷的反德立场以及与法国签订协约的热情从一开始就与自由党内阁中大多数人的意见相左。按理说，这种分歧必会在最短时间内为双方惹来一身麻烦。然而，首相坎贝尔·班纳曼在外交政策的问题上采取睁一只眼闭一只眼的态度；阿斯奎思在1908年接任了班纳曼的职位，并极尽能事保全格雷的位置。在其拥护者的眼中，阿斯奎思深谙“如何平衡各个党派意见的艺术”；但在那些反对他的人眼中，评价则变成了“既拥有议会领导人所具有的无可匹敌的天分，又表现出面对困难和做出决定时彻头彻尾的无能”。可以说，他是两者兼具。若要避免打破议会政党之间平衡的尴尬局面出现，则必须降低和削弱其在外交政策制定上的认识和影响力；这种操作方式对格雷和那些外交部的高级官员来说是十分便利和有益的。1906年10月，他曾抱怨自由党议员们“掌握了发起质疑、挑起争端的技巧，在外交事务中有太多值得操心的事情，旁人最好少加干涉，以免添乱”。当内阁成员就外交事务发表意见时，格雷试图“以一些不得不让他们碰壁的说辞说服他们”。

凭借这种方式，他的政策无疑得到了反对者们无声的“支持”。我们不能忘记，1906~1914年，自由党的大部分人逐渐淡出了政治舞台。在这种情况下，其对手的影响力则与日俱增。如果保守党领袖不同意格雷的政策，他们是不会让他轻松度日的，与他们在财政政策上意见相左的劳合·乔治，以及提出他们所憎恨的爱尔兰政策的阿斯奎思就是很好的例子。但他们没有这样做。他们相信格雷会将他们的政策贯彻下去。保守党主席巴尔卡雷斯勋爵曾于1912年5月表态说，他的政党“已经在长达6年的时间里支持格雷，并且认为，他能够继续执行兰斯多恩勋爵开创、订立的英法、英俄协议”。的确，为了不冒犯其政党中的右翼分子，鲍尔弗必须要表现出对政府的无限“热爱”。事实上，格雷与反对党前排议员所达成的一致要远远超过内阁内部，更不用说自由党了。在1911年第二次摩洛哥危机期间，保守党媒体最后还是对格雷采取保护的态度，使其免受激进分子的指摘。这意味着格雷在制定政策细节时不必拘泥于议会的审查。

这样，格雷就获得了比他的回忆录中所记录的更大的主动权。必须提到的是，格雷本人是个一贯散漫的人。作为温彻斯特学院和贝利奥尔学院的“资深”差等生（他还曾因为怠惰而休学，法学成绩一塌糊涂），在格雷的一生中，最能让他投入热情的事情是钓鲑鱼。试过飞蝇钓的读者都知道，这并不是一项有助于人们果断做决定的消遣活动。1899年，他还就此出版了一本书。书中，格雷用动情的语言对这项充满未知的乐趣进行了描写。当中有一段话描写了他钓上一条重达8磅的鲑鱼的场景：

> 不幸的事情并不是由直接原因导致的……我突然有一种可怕的感受，觉得这整件事一定不会是一蹴而就的，而且最最艰难的部分一定是在结尾处，不是在钓鱼的过程中，而是在收起钓竿的时候……收竿的时候，仿佛我的每一次尝试都会

以失败的灾难告终。我始终无法处理好这件事，屡战屡败，而且每次失败都让我感到恐惧……我觉得，没什么比用一根小小的钓竿就能钓上一条个头儿惊人的鱼更让我感到激动了。

通过剖析这样一种形象的格雷——在其回忆录中他是一个蹩脚的自我辩护者，这里他是一个激动、焦虑的河边垂钓者——我们可以对英国1906~1914年的外交政策进行分析。可以说，大部分的时间——特别是“七月危机”时——格雷都把他的做事风格一以贯之。他希望可以成功地将鱼收入彀中，但又深谙其中可能发生的“灾难”。

从某种意义上说，两者的相似具有误导性。可以说，在与俄国和法国的交涉中，格雷是那条上钩的大鱼。在与俄国单独沟通后，尽管激进分子对沙皇专制统治无比厌恶，格雷还是坚持认为他已经行之有效地将他前任的缓和政策进行了贯彻。如果进一步观察，我们会发现，他明显比兰斯多恩走得更远。日俄战争的失利和1905年的国内革命使得俄国的实力大大受挫，这也为格雷开展工作提供了些许便利。在这样的情况下，他大可以寻求后座议员的支持，削减在印度修建防御工事的开支，并无视在西北边界问题上仍受俄国威胁的印度陆军部及政府。除此之外，他还得到陆军情报部上校威廉·罗伯逊的大力支持。当德国形成更为棘手的军事威胁时，这位上校则开始反对在波斯或者阿富汗的边界地区承担更多的军事义务：

几个世纪以来，我们对每一个渴望在欧陆称雄的国家都逐一造成过威胁；与此同时，我们也缔造了自己的帝国优势领域……如今，一个新生的力量正在成长，它的中心就在柏林。任何事情……只要能够帮助我们阻挠这冉冉升起的最可怕的危险势力，都是对我们极其有价值的。

对于格雷来说，这番话是敦促他在外交策略上做出具有深远意义调整的一种暗示。

1907年8月31日，英俄在西藏和波斯问题上达成协议。前者成为缓冲区，后者则被瓜分出势力范围：北部归属俄国，中部保持中立，东南部属于英国。英国外交部高官艾尔·克劳曾说，为了避免与俄国产生任何“口角”，务必要“牺牲”掉那个被虚构出来的“独立、统一的波斯”。“几个世纪以来”——如果用罗伯逊的口吻来表达，英国一直试图阻止俄国在黑海海峡以及波斯和阿富汗的扩张行为。而如今，为了与其结好，这些过节需要被搁置起来。“如果亚洲诸事能够妥善解决”，格雷对次官阿瑟·尼顾逊爵士说道，“俄国人便会向我们敞开黑海的大门。”“将他们拒之海峡之外，在列强间召开会议时让他们下不来台的旧政策”应该被“抛弃”了，但格雷拒绝透露这一具体时间。为了深化俄国作为“牵制德国的陆上砝码”的角色，格雷甚至对俄国一直觊觎巴尔干的野心表现出十分欣赏的姿态。的确，他手下的军官有一些人对沙皇的统治颇为不满。当俄国接受1909年奥地利吞并波斯尼亚和黑塞哥维那时，尼顾逊大为光火。然而，格雷则光明正大地支持俄国助长巴尔干地区的斯拉夫民族主义。在寄给驻柏林大使威廉·高慎爵士的一封信中，他写得很明确：

> 在俄国，一股强大的斯拉夫意识正在觉醒。尽管这种感情现在来看还是可控的，但奥地利和塞尔维亚之间的流血冲突恐怕会激起俄国人情感上的愤怒；有人认为，和平取决于塞尔维亚能否很好地遏制自己的情绪，但这种观点并不太让人满意。

然而，他在俄国的伙伴萨佐诺夫却显得昂扬乐观。他在1910年10月点评波斯事件时说，“那些英国人为了追求在欧洲的至关重要的政治目的，如有必要，他们会放弃在亚洲的一些利益，保证我们之间的协定不出差池；在他们眼里，与我们维持良好关系非常重要。”但伦敦的情况比他想的要复杂得多。当格雷听说俄国人和德国人针对奥斯曼帝国和波斯问题在波茨坦达成协议之后，他甚至打算将自己的位置让贤给一位亲德人士，以此来抗议俄国在波斯和土耳其的所有权。当意大利在的黎波里攻打土耳其时，俄国为了平衡双方的势力，提议为俄国战舰开放海峡通道。1911年12月2日，格雷再一次以辞职相逼……双方的关系进一步恶化。就在战争爆发前夜，俄国又一次将海峡问题升级。事实上，萨佐诺夫瞒着格雷，重拾了俄罗斯帝国攫取君士坦丁堡的霸业之梦。很明显，如果俄国有能力在战争时期完成这一梦想，格雷是不会多加干涉的，他会将此视为俄国合理的战略目标。所有的一切都标志着英国外交政策的一种转变，但值得注意的是这种转变竟然是由一位自由党外交大臣造成的，这简直是赤裸裸的绥靖作风。

比起亲俄政策，这位自由党外交大臣恐怕更倾向于亲法政策，并且正如我们所见，格雷在未上台之前便表露出了与法国结好的意图。保守党的政策再一次得到贯彻。但他自己也承认，他再一次将事情做得有些过火。特别是在英法协约中的军事协作上，他鼓励双方对此进行更深层次的挖掘。

甚至在自由党上台之前，英国的军事策划者就开始悉心盘算，一旦对德宣战，英国将如何为法国提供海上和陆上军事支持。当然，对德国进行海上封锁的计划早已敲定。然而，直到1905年9月，总参谋部才具体着手考虑，一旦法国和德国之间发生战争，英国需要派遣一支“远征军”对法国进行支援。正是在这种背景下，比利时的中立问题浮出水面。尽管那些将军们认为“在前几场战争中，比利时不会成为战场的一部分”，但他们同样承认“战争将会波及这个身处多事之秋的比利时；届时，会有参战国（更可能是德国）认为没有必要再顾及其中立立场了”。在这样的情势下，他们估计在 23 天内，将有两支军团挺进比利时。这使得英国的角色更为有效、主动，而不是仅仅“派出一支小分队，颇不受欢迎地加入法国庞大的陆军阵营”。1905 年 12 月之前，这还只是一个初步的想法，但就在几天后，新政府上台，陆军中将、军事作战指挥詹姆斯 · 格里尔森与法国的于盖少校召开会议，着手商讨远征军的具体事宜。

从这些会议安排的时间上来看，当时那些新任大臣仍然处在职位适应期。这样的时间选择自然会惹起猜忌：这些人必是在耍什么把戏。然而，那些出席过所谓的“白厅花园会议”的人（该会议也在刑事调查局同步召开）行事非常谨慎。比如，他们认为在比利时的中立地位遭到破坏时，英国拥有“干涉的权力”，而不是“必然的义务”。用外交部常务次官托马斯 · 桑德森爵士的话来说，1839 年的条约并不是“在任何条件下、不管冒多大的风险，都要用武力来维持比利时中立的积极保证”。无论如何，菲舍尔——直到 1910 年，他一直担任第一海务大臣——都不赞同军队横渡海峡的主张，并坚持为海军的战略部署辩护；他认为，至少也应当以两栖作战的方式登陆德国海岸。

正是格雷拥护并推动了派出远征军的决定。1906 年 1 月 9 日，就在摩洛哥谈判进行得如火如荼的时候，他接替了兰斯多恩的位置。他曾对德国大使康特 · 梅特涅说，如果德国在摩洛哥事件上“让法国陷入困境”，那么“英国人对法国的同情心……将会空前高涨，面对这样的局面，任何一个政府都不可能继续保持中立”。在将这段对话报告给首相时他又说：“陆军部应当对如下的问题做出回答：假设我们不得不抗击德国，假设比利时的中立被侵犯，我们该何去何从？”

格雷同样行事谨慎。他坚持认为，与法国的军事协商需要按照非官方的形式进行，以至于在最开始时都没有告知坎贝尔 · 班纳曼本人。外交部和他手下的官员都以极其隐晦的方式透露，为法国提供的“不仅仅是外交上的支持”，他们还多次重申，军事协商并不是一种“约束”；外交部高官艾尔 · 克劳甚至还荒谬地宣称，“英国答应提供的武力支持并不代表实际的责任”。但格雷对这件事情的打算是具体而微的。“有人告诉我，我们能够派到欧洲作战的武器精良的士兵只有 8 万名。”他于 1 月 15 日对伯蒂（驻巴黎大使）如是说。第二天，他在给海军部的一位勋爵特威德茅斯的信中写道：“我们还未承诺出手相助，但我们的海军和陆军当局着实应当在这个问题上进行探讨……并提前准备好问题的答案。”但这一“准备时间”很快就被修改并敲定，颇为耐人寻味。直到 1906 年 2 月，英法之间的会谈都进展得非常顺利，总参谋部应许的参军人数也上升至 10.5 万人，像罗伯逊以及约翰 · 斯潘塞 · 尤尔特（新任军事行动首领）这样的高级官员都开始认为，与德国之间的这场“武力冲突”已迫在眉睫了。格雷对此发表评论：

> 一旦法国和德国之间开战，我们也将很难明哲保身，就因为那一纸协议；何况那持续而强烈的情感流露（来自官方、海军……商界以及市政部门）……已经让法国人民充分相信，我们绝对不会袖手旁观……所有法国军官都认为这是理所当然的……如果这一期待落空，法国将永远不会原谅我们……我对当局的审视越发深入，就越感觉，如果我们从战争中抽身而退，就必定会付出身败名裂、失去朋友、难以立足的代价。

1906年6月，英帝国国防委员会的核心成员签署协议，否决了菲舍尔和“海军至上主义者”的决议，并制定了新政策：

> 1. 在海军的局势尚未明朗之前，向波罗的海派遣一支庞大的远征军是不可行的。这样的作战计划不可能生效，要等到边界地区发生大规模的战役之后。
>
> 2. 如果在战争伊始就要付诸行动，那么英国军队参加的任何一场军事合作必须以下面两种方式进行：向比利时派遣远征军，或者在法国边界直接参与防御战争。
>
> 3. 德国侵犯比利时边界时，我们要采用第一条线路。此外，有一种情况不能被忽视，即这种冒犯可能是经过比利时政府同意的。
>
> 4. 无论如何都要考虑法国的意见，因为我方的合作措施要与法方的作战计划相一致，这一点很重要。
>
> 5. 无论哪一条措施被采纳，都应先从法国西北海岸登陆，这样我们会处于优势地位。

就这样，上任后不到半年，格雷就完成了英法条约的改进和转型；从此，两者结为防御型联盟，共同致力于解决和平息欧洲的其他争端。他告知法国，英国将做好一切准备，一旦开战，便与法国同仇敌忾，抗击德国。军事计划者们现如今也已或多或少地做好了决定，确定了支持法国的准确作战计划。（之后格雷宣称，他本人对英法军事协商的具体内容概不知情，但这似乎完全不可能。）尽管菲舍尔一直对此多加阻挠，伊舍对派遣远征军的计划规模也持保留意见，但1909年，刑事调查局的下属委员会还是应帝国军事之需，敲定了大陆作战计划。

实际上，刑事调查局于1911年8月23日召开的会议（而非德皇和他的军事首领们在16个月以后召开的那次不光彩的会议）才是真正为英德军事冲突确定了方向的“战争会议”。丘吉尔曾经指出，法国军队即使没有获得英国的支持，也能够抵挡得住德军的攻击；但在会议前提交的一份备忘录上，总参谋部反驳了他的观点：

如果我们保持中立，德国就只需面对一个对手——法国。德国的军队和舰队的实力要比法国强大得多，这样一场战争的结果几乎毫无悬念……如果法军孤军奋战，那么毫无疑问，他们将惨败而归。

另一方面，如果“英国成为法国的活跃盟友”，将两方强大的海军联合起来，火速派遣一支包括 6 个步兵师和一支骑兵部队的常规军，那么他们将会反败为胜：

敌我双方在人数上的差异会越发减小。在战争开始的几场行动中，因为众多原因，敌军与我军在人数上势均力敌，导致我协约国一方能够在开始的几场关键战役中旗开得胜，而这些胜利对我们的意义是不可估量的……此外，或许人们认为这一点才是最重要的：英国的加入能够大大增强法国军队以及这个国家的整体士气，而德国人的士气可能会相应地受到打压。因此，在这场英国积极参与、支持法国的法德大战中，前几场行动的结果可能还不太明晰，但这场战争持续的时间越长，德国的压力就会越大。

对此，阿斯奎思略显怀疑地指出，“时间因素对于该方案来说是最重要的”。但军事行动指挥尤尔特的接班人亨利 · 威尔逊对总参谋部的方案进行了有力的辩护，他预言，决定战争的将是德国的先锋部队——挺进莫伯日和凡尔登中间地带的 40 个师，与法国最多 39 个师的角逐，“因此，我们提供的 6 个师的支援将很有可能成为决定胜败之举”。威尔逊“粗略地反驳”了格雷提出的建议，俄国人将有可能影响战果，并且“经过一次漫长而无果的会谈”（用威尔逊的话来说），该论断被搁置处理：“第一，我们必须支援法军；第二，我们的动员要与法军同步进行；第三，我们必须将 6 个师悉数派遣。”

无人愿意听取以第一海务大臣阿瑟 · 威尔逊以及特威德茅斯在海军部的继任者雷金纳德 · 麦克纳为代表的皇家海军对此计划的傲慢的批评。更糟糕的是，海军部关于封锁德国主河口，并派遣一个师的兵力登陆德国北部海湾的对敌作战计划被帝国总参谋部大臣、陆军元帅威廉 · 尼科尔森批得体无完肤：

事实上，这种行动方案在百年以前似乎还有些价值可言，当时的陆地通信尚不发达；但身处现在的环境，这样做无疑是自取灭亡……如果总参谋部表态称，关于调遣那一个师的军事行动是完全愚蠢的行为，海军部仍会固执己见吗?

对格雷来说，这已足够让他感到满足了。他总结说，“已经规划好的合作作战计划并不一定保证海军能够胜利，陆地上的争夺才真正具有决定意义”；阿斯奎思认为阿瑟·威尔逊的计划“天真幼稚”而又“毫无可行性”。这些政客们唯一的要求仅仅是将两个师的兵力留在国内。伊舍在其10月4日的观察中沮丧地说：“陆军部与法国总参谋部一起敲定的作战计划已经着手付诸实践，然而，事实上他们只是想让我们卷入战争而已……”

海军部最终勉强同意远征军战略计划的一个原因是，他们认为这与海军的战略考虑并不是水火不相容的，即远距离对德国实行封锁。诚然，海军中并不是每个人都笃信这一部署的正确性（阿瑟·威尔逊本人都担心，这样的封锁行动会对法德战争的结果造成影响）；就像在陆军部中，也不是所有人都认为远征军计划万无一失。值得一提的是，从另一方面来看，前一个作战计划给后者以很重要的暗示。1912年12月，在一次刑事调查局的会议上，丘吉尔和劳合·乔治两人都坚称，只要战争一发动，“荷兰和比利时想要继续保持中立是绝对不可能的……它们必须成为我们的朋友，或者是敌人。”“时不我待，我们已经没有时间进行观望了。”劳合·乔治说，

> 荷兰和比利时的地理位置决定了它们在战争中对协约国一方（英国、法国、俄国）的重大影响。如果它们保持中立，并被赋予中立国拥有的一切权力，我们就应该收起对它们的无礼和施加在它们头上的经济压力。我们这样做是非常有必要的。

比利时有可能准备对一定限度内的领土侵犯采取容忍的态度，这一点使尼科尔森的继承人——新任英国总参谋长约翰·弗伦奇爵士忧心忡忡：

> 为了在最大程度上打击德国，荷兰和比利时应当采取以下两种应对方式。要么对这个国家表现出彻底的友好——这样的话我们就可以限制其海外贸易，要么就坚决地亮出敌意——这样的话我们就可以把封锁的面积扩张到其港口。

换言之，即使德国在1914年没有触犯比利时的中立立场，英国也会取而代之的。这使得英国政府曾经鼓吹“为保卫比利时的中立而战”的道德优越感变了质。

需要强调的是，比利时人并没有被这些蒙在鼓里。1912年4月，中校布里奇斯认为，如果前一年的摩洛哥事件引燃了战火，英国军队恐怕早就登陆比利时海岸了。但比利时人认为，只有在按照1839年的条约要求给予“干涉”时，这样的干涉才是师出有名；英国人对此也持怀疑态度，不晓得对方当时会不会提出如此请求，特别是如果德国仅仅入侵列日南部的小范围内的情况下（这种可能性也是很大的）。1910年，荷兰提议在弗卢兴地区修建要塞，这一举动将有可能为其赢得斯凯尔特河河口的控制权；但英国对此惊愕不已，因为修建堡垒将对英国海军进驻安特卫普造成威胁。然而，比利时人此时并没有进行强烈谴责，他们像害怕德国一样担心英国海军会剥夺他

们的中立权。

另一个消息同样安抚了海军至上者：地中海的保卫任务应当由法国舰队负责，这是经过两国海军部私下同意的（此处未提及外交部或内阁）。的确，丘吉尔无法保证英国战舰能够顺利从地中海撤出，但是派出一艘“能够与法国的军队实力相提并论”的军舰驻扎在此也说明了一切。虽然没有公开许可，但一切进行得如此心照不宣。1914 年，他们又与俄国举行了秘密海军会谈。因此，尽管两者相去甚远，但陆军和海军的作战计划殊途同归、相得益彰，这也或多或少给 1911 年 8 月那场折磨人的唇舌之战画上了句点。

所有发生的一切使得德国对于其自身处于包围态势的“偏执和妄想”显得更为合情合理了。正如一位英国政治家之后在其回忆录中坚持认为的，当比洛在德国国民议会上谴责有些人“陷德国于四面楚歌的境地，致使其无能为力”时，他并不是在痴人说梦。与德国那些类似的会议相比，英国的军事商谈算是相对来说比较有成果的。但到底是什么致使德皇在 1912 年 12 月召集成员召开了所谓的“战争会议”？从一封由霍尔丹通过驻德大使呈上的信件中，我们可以读出如下意图：“英国不会允许德国称霸欧洲，也不想被德国统治。”德皇推论：“英国可能会伙同德国的敌人，共同向我们开火。”这是完全正确的。正如贝特曼所说，“这仅仅验证了我们早就明了的事情”。

## “拿破仑”式的侵略者

一直以来，历史学家们普遍为格雷的反德政策叫好，因为英国将德国的“世界政策”视为其在非洲、亚洲和近东利益的越来越大的威胁；更重要的是，德国的海军建设向英国的国家安全提出了巨大的挑战。但是如果我们细心观察便会发现，1914 年以前，无论是殖民地问题还是海军问题，都不至于使双方摊牌，一决雌雄。

丘吉尔事后说，“我们不是德国在扩张时期的敌人。”的确，双方即将达成一份协议，该协议将直接增强德国在非洲南部葡萄牙殖民地的影响力。1911 年，格雷声称“我们在非洲的邻居是法国还是德国，这并不要紧”。他“站在德国的立场上”，迫不及待地想看到那些“玩忽职守”的葡萄牙人的殖民地如何被“瓜分”。此事直到 1914 年才因其手下军官的反对而破产。表面上看，是因为英国不想公开背弃 16 年前对葡萄牙的承诺，实则是因为根深蒂固的仇德心理。牵涉其中的德国银行（特别是M · M · 沃伯格公司）并没有对伯蒂等人的计划表现出敌意和对立（更不用说亨利 · 威尔逊），甚至当格雷倾向于在摩洛哥地区给予法国以优先利益时，德国和英国的关系也没有因此陷入僵局。1911 年第二次摩洛哥危机爆发时，英国政府义愤填膺地警告德国，不要认为英国“在这个国际内阁中微不足道”（劳合·乔治7月21日在伦敦市长宴会上发表的一篇著名演说中如是说）。但连格雷都不得不承认“我们没必要也不可能在摩洛哥西海岸问题上毫不妥协”。在发表演讲的前一天，劳合·乔治对伯蒂说：“法国已经陷入了困境，不知所措……我们要通力合作，为他们提供外交上的支持；但我们也不能无视阿尔赫西拉斯会议的成果而发动战争，以换取法国在摩洛哥的实权。”最终，“基于在法属刚果地区的让步，法国与德国达成协议”。格雷敦促法国接受这一调和；实际上，这也反映了英国对该事件并无兴趣。

当德国政府将注意力转移到土耳其时，格雷同样对此没有予以强烈的反抗，他也没有在黑海海峡问题上为俄国提供便利。无论如何，英国对德国在巴尔干战争期间的所作所为并无太多指摘，对利曼·冯·桑德斯事件（这位德国将军被任命为土耳其陆军总检察长）也没有过多担忧和干涉。德国在回应英国关于“柏林–巴格达铁路”问题的担忧时所表现出的和解态度让双方关系得到了进一步发展。贝特曼本人于1913年1月说，“我们要携手英国共同面对未来的殖民地问题”，但葡萄牙殖民地的问题还尚无定论。

就此而论，继1913年10月之后，《法兰克福汇报》又一次刊登了关于英国和德国之间“亲密和睦”关系的新闻，而它这样做并不是没有道理的，“双方政府间达成了更深层的谅解”，这也“结束了多年来两国相互之间的不信任”。当罗斯柴尔德勋爵于1914年3月在特林会见德国大使时，他“斩钉截铁地说，据他的所见和所知，我们大可不必害怕战争，事情也不会成为一团糟”。作为英国和德国良好金融关系的另外一个表现，便是马克斯·沃伯格曾在3个不同场合来到伦敦，确认其公司在葡萄牙殖民贸易中的角色。同年夏天，英国媒体报道了英国高级海军将领出席德国基尔的赛舟会，并援引德国海军上将冯·凯斯特的评论：“英国和德国海军的关系已经出奇地亲密。”直到1914年6月27日，萨拉热窝行刺事件前夕，英国外交部依旧认为，德国政府“拥有平和的心绪……并渴望与英国建立良好关系”。沃伯格也听说了一些传闻，称“德国和英国之间爆发了炽热而疯狂的情感”。7月23日，劳合·乔治称英德关系“较若干年前，上了一个大台阶……这两个伟大的帝国开始意识到，它们可以为共同的目标携起手来，彼此之间潜在的矛盾在更为伟大、频繁和重要的合作中被抹杀掉了。”

因此，将海军竞赛视为第一次世界大战爆发的一个“原因”，完全是一个误导。英国和德国都为了能达成一项海军共识而进行了激烈的讨论。两国政府都认为，增加海军军费开支并不科学。双方关于限制军备的一致意见也曾数次被提及：1907年12月，德国向英法两国提议签订北海协定；1908年2月，德皇致信特威德茅斯勋爵，隐晦地否认了德国“挑战英国海军权威地位”的野心；6个月后，他于克龙贝格又会见了外交部常务次官查尔斯·哈丁；1909~1910年期间，贝特曼向高慎爵士提议，“达成一项海军协议……作为促进两国友好关系方案的一部分”；1911年3月，德皇倡导“政治互信，以及签署一份限制海军开支的共同协议”。1912年2月，两国间迎来了一次最著名的合作，商人欧内斯特·卡斯尔和阿尔贝特·巴林提议，邀请霍尔丹以“大学委员会事宜”为由拜访柏林。实际上，其真实来意是与贝特曼、提尔皮茨以及德皇商讨和调停海军、殖民地和互不侵犯等问题。1913年，丘吉尔提出成立“海军建军节”，第二年，由卡斯尔和巴林发起的两国之间最后一次结好的尝试以失败告终。

为何这些努力都功亏一篑？通常人们认为，德国人仅仅是想在与法国开战前，首先获得英国无条件中立的保证，然后才愿意与其谈论海军事宜。然而这种解释有失偏颇。阿斯奎思之后宣称，德国关于中立的计划可能会“在他们以任意一种借口对法国进行打击时，妨碍我们助法国一臂之力”。实际上，贝特曼在文件中是如此陈述的：

> 订立协约的双方……不希望一方出于野心而对另一方发起不正当的攻击，或是伙同其他势力对另一方进行打击……如果另一方不想以侵略者的身份卷入战争，那么它便只能保持中立了。

这项要求同样无效，因为“就目前来看，这与已经达成的一致有冲突”。格雷充其量只能提供一种承诺，用他的话说是，“我们不会发动不正当攻击，也不会伙同其他国家对德国进行不正当攻击”，但是“中立这个词……听起来好像我们的双手被反绑了起来”。这席话（如殖民地大臣刘易斯·哈考特所言）显然不能令贝特曼满意。

霍尔丹柏林之行失败的原因还有另外一种解释，就在霍尔丹即将抵达柏林之前，提尔皮茨和德皇批准增加海军军备开支的提议。因此，这项举措“永久地破坏了与英国之间的关系”。盖斯认为，“德国坚持在海上军备竞赛上增加开支违背了其之前与英国的海军协议，这将成为两国友好关系建立的障碍”。但这种解释很让人生疑。德国人企图通过海军协议，作为对英国中立立场的回应；会谈正是以这种中立为基础开展的。可以说，态度更为强硬的是英国，这并没什么奇怪的，因为这种不妥协是建立在无懈可击的实力上的。正如格雷1913年所说，“如果一国试图达到高于欧洲所有海军军力的绝对标准……那么相比之下，外交政策就要从简。”因此，他的态度也非常强硬。贝特曼似乎想通过承认“英国海军的永久性权威地位”，或是正如外交部威廉·蒂勒尔所言，用“关于我们在海上的绝对权威的信念”来换取什么东西。但英国为何还要对其已经拥有的东西讨价还价呢？我们不难想到，贝特曼的提议很快便被否决了。

更让人难以揣度的是，格雷坚信，几乎所有关于英德之间和睦相处的尝试都是不可能实现的。如果德国既没有提出殖民地要求，也没有对英国海军造成威胁，为何格雷对这个国家如此无情和憎恨？答案很简单，格雷更看重的是与法国和俄国两位盟友之间的友谊。“如果我们在与德国的关系中踌躇而无所行动，”他于1905年10月说，“那么这无论如何都会影响、损害我们现在与法国之间的友好关系。”“如果我在德国使用了彬彬有礼的措辞，”次年1月他写道，“那么法国便会将此解读为我们对待与法国的协约过于冷淡。”1910年4月，他向高慎直截了当地表达了自己的观点：“我们无法与德国达成政治谅解，因为此举可能会让我们脱离法国和俄国的大部队。”其实，当格雷提出与德国的政治谅解必须“与维护和其他国家之间现有关系和友谊相一致”时，他的言外之意已经很明显了，这种谅解的可能性已经不可能达成。因为与法国签订合约的事宜尚未明了，因此任何“与德国达成的一致势必会对此造成影响”，而这种情况是根本不能予以考虑的，这是典型的格雷思维方式。这个思路长久以来被外交部同僚们交口称赞。例如马利特就曾警告说，任何与德国的亲密举动都将会招致“与法国的疏远和不和”。尼科尔森也反对1912年与德国达成的一项协议，主要是因为该协议将“严重损害我们与法国的友好关系，而这一结果又将直接影响到我们和俄国的关系”。

如果更进一步观察，我们会发现，格雷的理论在更深的层面上存在很多瑕疵。首先，如果与法国和俄国的关系没有处理好，则可能会引发战争这一观点是荒谬的。在这个问题上，格雷所处的时代较之那些保守党前辈们已经相去甚远。格雷自己也承认，那时候，俄国如果想从日俄战争失败的阴霾以及国内革命的混乱中恢复过来，可能需要近10年的时间。同时，他也认为法国不会成为隐患。1906年他向美国总统西奥多·罗斯福说，法国“爱好和平，既没有勃勃野心，也不曾焦虑暴躁”。与法国和俄国签订协约的本意是要弥合它们的海外分歧，这些目的业已达成，英国与两国发生战争的可能性也随之远去。格雷于1912年9月曾向《曼彻斯特卫报》的编辑C·P·斯科特无比天真地表达了他的观点，“如果在一场法德间的较量中，英国没有支持法国，那么法国将被德国拿下，欧洲的其他国家也会相继重蹈法国的覆辙，到时它们都将会成为我们的敌人。”他仅有的稍微贴合实际的想法，便是对法国与俄国可能“向同盟国靠拢”的担忧。这种担忧使得外交部持续关注这些国家的动态。早在1905年，格雷就曾担心“失法且未获德，后者如果成功离间我们和法国，便会视我们如草芥”。马利特发出警告，如果英国在阿尔赫西拉斯问题上忽视法国的提议，“我们将……因为背信弃义而被法国轻视……同时也被德国所不齿”。哈丁也同样表态：“如果法国陷入尴尬的境地，那么法国、德国和俄国在不久的将来达成一致或结成联盟便不再是无稽之谈了。”尼科尔森的总结很有典型性和代表性：我们要与法国和俄国结盟，“以阻止俄国逐渐向德国靠拢……同时也防止法国投奔同盟国”。格雷和他的军官们甚至有些杞人忧天，生怕失去自己“作为朋友的价值”，落个“茕茕孑立”、“举目无友人”的境地。法国和俄国屈从于“条顿的怀抱”，从而“使得英国不得不以匹夫之力对抗欧洲其他国家统一的海军力量”，这成为一直在他们脑海中盘旋的噩梦。基于这个原因，他们乐意将德国所有的政策目标解读为“碾碎……协约国”。格雷表示：

> 如果……出于不幸和失策，我们和法国间的协约行将瓦解，法国就会向德国妥协。德国将再次抓住机会，让我们和法俄之间的关系恶化，并借机称霸欧洲。届时，一场我们和德国人之间的较量就会上演。

类似的担忧还有：“德国人将游说俄国，如果它离开协约国，德国会将奥地利也拉入伙……我们无比担心俄国会站在同盟国一边。”

格雷决心与法国保持合作，并积极做出军事承诺，旨在增强对德作战的可能性，并让这一时间越早到来越好。格雷希望英国参与一场与德国的战争，因为反正也无法避免。与法国和俄国交好的政策一度很明智，但时过境迁，当情势已发生变化时，格雷仍然固执地坚持原来的策略。

所有的辩护声中，最激烈的声音是，德国妄尊自大的野心不仅对法国形成了威胁，对英国也同样如此。这种观点在反德团体中已是广泛的共识。在艾尔·克劳1907年著名的备忘录中，他警告德国，“在现有的物质分配条件下，德国妄图在世界舞台上扮演更强大、更具主导性角色的野心”可能会促使它“削弱一切他眼中的对手的实力，通过扩张领土而加强其自身的实力，并阻挠其他国家间的合作，最终粉碎并取代大英帝国”。尼科尔森在一封1909年年初给格雷的信中写道：“毫无疑问，德国的终极目标是要攫取欧洲的统治地位，当它足够强大时，便会与我们在争夺海军霸主上一决雌雄。”高慎和蒂勒尔也持同样观点，即认为德国渴望“称霸欧洲”。1911年，格雷警告世人提防欧洲出现的“拿破仑式”威胁。如果英国“坐视法国失利，那么下一个便轮到英国自己了”。他于1912年向加拿大总理说，“德国的野心得到了恣肆的放纵。”

这种论调在外交官的话语中也并不罕见。在解释下定决心派遣远征军的原因时，总参谋部在1909年递交给刑事调查局下属委员会的备忘录中同样以拿破仑的历史作为比喻：“下意识地认为对海军的统率能对陆战直接产生必要的影响，是不正确的。特拉法尔加海战的失利并没有阻止拿破仑征服奥斯特利茨和耶拿，或者一举粉碎俄国和奥地利。”这个论点在两年后召开的刑事调查局“军事会议”上被重新提及。

> 如果德国打败了法国和俄国，荷兰和比利时将可能被德国吞并，法国也会支付一笔庞大的赔款，并丧失几块殖民地。简而言之，这样一场战争可能以德国获取统治地位告终，而这种统治并不利于我们的国家利益。

这种威胁能够“使德国的海军和陆军取得压倒性的优势，同时对英国的地位以及大英帝国的统一形成一种挑战”；从“长远的角度”来看，这将会是“致命的”。甚至连伊舍这样的海军主义者有时也会使用这样的口吻和比喻。1907 年，他写道：

> 对我们来说，德国现在的威望已经比拿破仑鼎盛时期的威慑力更为可怕。德国试图与我们在制海权上一决高下……它必须缓解巨大的人口压力，得到更多广袤的地盘让德意志民族繁衍生息。而得到这些土地意味着从别人手中争夺并压榨对方。因此，“**德国是我们的敌人**”。

丘吉尔认为，如果没有海军力量，欧洲很有可能“在一次突然的动乱之后，沦为条顿铁骑的阶下囚”。劳合·乔治还记得他曾说过这样的话：“我们的海军舰队是国家主权和独立的唯一保障力量……正如在拿破仑时期一般。”因此，罗伯逊在 1916 年 12 月写下的话语就并非是对事实的极度夸张了：“德国称霸的野心横扫欧洲、北海和波罗的海，直抵黑海和爱琴海，甚至有可能波及波斯湾和印度洋。这个阴谋早在 20 年前就被世人所熟悉了。”

如果这些都成立，那么可以说格雷选错了绥靖对象。从传统上来看，只有当法俄对大英帝国存在威胁时，与法国和俄国的协约才有意义；但如果直到 1912 年，这个威胁仍旧是德国的话，那么英国则需要认真考虑是否德国才是需要缔结协约的对象了。然而让人吃惊的事实是，那些危言耸听的人口中关于德国拿破仑式侵略的设想，与真正从德国收集来的情报大相径庭。迄今为止，这一点一直被历史学家们所忽略。诚然，1914 年的军事情报质量让人不敢恭维，然而高慎绝非等闲之辈，驻德的英国领事们发来的报告也非常让人满意。与克劳 1907 年的版本相比，丘吉尔在 1909 年 11 月做了更好的分析（几乎全部建立在那些报告的基础上），他认为，实际上德国正面临严峻的财政弱势（详见第五章）。这只是众多具有远见卓识的论断之一。那么为何格雷以及外交部的大多数高官仍旧将德国视为拿破仑般的力量集团，坚信德国对英国形成威胁呢？一个可能的原因是，他们在刻意将这种威胁论进行夸大，说他们无中生有也未尝不可，旨在证明其心心念念的对法军事承诺的合理性。换句话说，正是因为他们甘愿使英国与法俄结好，所以才要将那些虚浮的欧洲霸业安到德国头上。

## 欧陆无承诺

如果说是英国的外交手段和军事计划让这场战争势在必行，那么也是极其荒谬的。因为事实上，英国的欧陆承诺，虽在外交层面和宏大的战略层面凸显无遗，在议会政策层面却丝毫不存在。

从一开始，内阁（更别提议会了）的大多数成员的意见在与法国的商讨中一直被忽略。正如常务次官桑德森对康邦所言，对法国的军事承诺“引发了意见上的分歧”，“政府会坚决拒绝任何稍微理智和明确的进言”。更甚，连首相坎贝尔·班纳曼最初也被蒙在鼓里；当他被告知此事时，他立刻表达了自己的担忧：“施加在联合准备上的压力，使得一种光荣的承诺水到渠成。”霍尔丹也相应地向总参谋部的长官内维尔·利特尔顿陈情道：“进入磋商阶段后，我们无论如何也不能轻易许诺。”外交部在 1908 年的官方声明中坚称，“假如德国在法国煽起了敌对情绪，英国是否进行武装干预的问题只能通过内阁来决定。”霍尔丹在 1909 年 3 月的刑事调查局下属委员会会议召开前也声明以下立场：

> 我们并没有保证会在陆上对法进行支援……并且法国对军事协助的所有期待只是建立在一系列半官方的对话基础上，这些对话仅发生在法国大使馆专员和我们的总参谋部之间。

下属委员会也相应进行了如下总结：“一旦德国对法国实行军事打击，向国外派遣军队或者仅仅依靠海军力量的权宜之计，都属于只能由现任政府来决定的政策问题。”当被问及英国对法国军事承诺的本质时，格雷说：

> 不得不避开使用敏感的词语，以免议会会察觉这些年我们都达成了哪些将国民送上欧洲战场的协议。我谨慎措辞，以便向人们传达，1904 年与法国的约定在某些情况下可能会终止，并可能带来比字面上更严重的后果。

像这样对两国的陆上承诺的否认越多，格雷就越会遭到来自激进媒体和政党同僚们的质疑。在劳合·乔治 1911 年的府邸演说结束后，《经济学人》杂志编辑 F·W·赫斯特构想了之后发生的外交惨败中人们可能使用的措辞，并认为，如果一位英国大臣“要求他数以百万计的无辜平民将生命献给自己毫不知晓也并不在意的洲际争端事件”，这未免太“过分”了。《国家报》对格雷进行了指摘，认为他使英国“陷入冲突的危机边缘……但对自身又毫无益处”，并且“受到联盟的桎梏，不堪其扰”。不久后，当年 11 月由阿瑟·庞森比以及诺埃尔·巴克斯顿成立的新自由外交事务后座委员会也开始提出类似的观点。1912 年 1 月，约克自由联盟——由国会议员阿诺德·朗特里成立的联盟——致信格雷，表明希望“英国政府倾其全力加强英国和德国之间的友谊与合作”，同时谴责了“俄国在波斯的侵略性、不合理的行动”。

但格雷所遇到的最为强烈的抵抗恐怕来自于内阁。据大臣们了解（假设他们了解），军事干预的选择权仅在考量中，其逻辑后果还在探讨中。有权做出最后决定的不是格雷，而是内阁；用格雷的话来说，从整体上来看，政府是“相当自由”的。因此，在劳尔伯恩眼中，纯粹因为“一场与法国的风波”而衍生出军事干预让人难以置信，因为它只会造成一种情形（正如他向格雷所说的）——“主要由保守人士组成的绝大多数团体以及众多大臣都会将矛头指向你……也就是说，现任政府岌岌可危。”1911 年 8 月刑事调查局的“军事会议”之后，分别担任农业大臣和渔业大臣的刘易斯·哈考特以及沃尔特·朗西曼爵士认为，一旦发生战争，将英国部队派往法国的举动是“愚蠢的犯罪”。阿斯奎思则更像一个随风倒的墙头草，他提醒格雷，与法国的军事对话“是相当危险的……尤其是对其进行援助”。虽然面对重重困难，但格雷抵抗住压力，禁止了英法之间的军事谈判。1911 年 11 月初，大臣莫利子爵提出了如下问题，但被内阁以多票否决（15：5）：

> 在内阁不知情的情况下，陆军总参谋部与其他国家的总参谋部之间——比如法国——进行磋商和对话，内容涉及可能的军事协作。

阿斯奎思赶忙向莫利确认，“一切政策过去或将来必须由内阁来做决定，大臣或者海军军官以一己之偏见来干涉这样的问题是种僭越的行为”；但对格雷来说，结果却不尽如人意。阿斯奎思对内阁的结论进行了总结，并向国王做了如下汇报：

> 总参谋部与其他国家的参谋部不得直接或间接地通过沟通和谈判，将我们的国家置于陆上或海上干预事宜中……如果涉及陆上或海上的协同行动，那么在没有提前获得内阁准许的情况下，则不能够进行。

格雷不得不在下议院做出了如下让人难堪的发言：“在既定的条约和协议中已包括国会如何处理这类事情的约定（例如在一场洲际战争中进行干预）……自从我们上任以来，从来没有私下单独签署过任何不为人知的秘密协议。”在反对者的眼中，外交部在刻意“规避”，其策略也“泡汤”了。不难理解，法国驻柏林的军事官员会如此猜测：如果与德国开战，英国“对我们的帮助会是极其微弱的”。

计划的毁灭还不仅表现在此。1912 年 7 月，丘吉尔（当时任职海军部）不得不强调，法国在地中海的海军力量以及英国在本国海域内的舰队“无论如何也不会影响到两国的全部行动自由”：

> 出于双方国家各自利益的考量，海军部署是由两方独立拟定的……并非来自于任何海军协议或条约……除非在必要的时机，我们要站出来，否则任何的海上或陆上部署都不能置我们于危险之中。

10月，哈考特对《每日邮报》说，“不存在实际或名义上的同盟或协议”，英国的政策是“自由而不受羁绊的”。1913年3月24日，阿斯奎思对此进行了重申：

> 正如一再强调的那样，我们国家并没有任何为公众和议会所不知的作战义务。换言之，如果欧洲诸国开战，则不存在尚未公开的协议，用以限制或阻碍英国政府或议会决定大英帝国是否应当参战。

在这样的情形下，格雷走投无路，不得不忍痛割爱，温和地与法国和俄国政府撇清关系。萨佐诺夫被告知，尽管“如果德国的魔爪遍及欧洲，英国也脱不了干系”，但英国政府还是“决定保持自身的行动自由”（这是典型的格雷式暗示）。格雷同样简洁地对康邦表态，“没有契约能保证双方政府……在战争中合作”。英俄海军谈判同样鲜有涉及承诺问题。实际上，英国对俄国觊觎近东地区特许权的心思深表忧虑。正如格雷在1914年5月对康邦所言，“就算是出现了势在必行的机会，我们也不能与俄国达成军事合作。”1914年6月11日，就在萨拉热窝行刺时间发生的头几天，他不得不再一次向康邦保证：

> 如果欧洲诸国开战，则不存在尚未公开的协议，用以限制或阻碍英国政府或议会决定大英帝国是否应当参战。同样，也不存在正在进行的磋商，根据我的判断，将来也不会发生。

因此，对格雷的策略的唯一可行的辩护——英国会阻止德国进攻法国——也丧失了合理性。“俄国、法国和我们之间的一纸协约必须被彻底予以贯彻。”在他成为外交大臣后不久，便如是宣称。“如果有必要阻止德国，那么我们必须要付诸行动。”正基于此，他、霍尔丹，甚至英国国王在1912年对许多德国代表宣称，英国将“不会对法国的遭遇坐视不理”。在历史学家看来，德国人愚蠢至极，仍然意识不到这是一种明确的承诺。但事实上，德国政府能够意识到这个问题，它知道协约国之间的合作关系并非是“绝对的”。格雷自己的党内出现的反对欧陆承诺的声音使得他无法继续迈出与法国（或许还有俄国）缔结正式联盟的步伐，这种结好外交鹰派人士马利特、尼科尔森、克劳也都赞成。1911年8月，丘吉尔甚至还敦促结盟要尽快达成。然而，克劳在 1911 年 2 月不得不勉强承认：

> 最基本的事实是……协约国根本不算是一个联盟。它只是未雨绸缪，一种为应付某些极端紧急事件的手段，没有什么实质性内容。协约国只不过是一个理论性框架，是两国政府之间共同的政策观点，但它可能已经变得含糊不清，或者正在变得含糊其词，因此不具有任何内容。

法国人或许会如是宽慰自己："我们一旦沦陷，英国人会出于自身利益的考量伸出援手。"但从政治上来看，这只是毕业于贝利奥尔学院的垂钓者——格雷提供的私下保证："如果法国受到不公正威胁或袭击，英国政府肯定不会拒绝为其提供军事和海上援助。"事实是，只有当格雷让绝大多数内阁成员站到自己这一边时，英国才有可能进行干预，而他在 1911 年的尝试却以彻底的失败而告终。如果他无力回天，那么或许他本人，甚至整个政府都将会退出政治舞台。似乎预示着外交官们的挫败，尼科尔森于 1912 年 4 月 10 日对保罗 · 康邦说道，"这个由金融家、和平主义者、好奇者等组成的激进的社会主义内阁……不会长存，它已走到尽头，但保守主义者不一样，从他们那儿你会看到真相"——这是由国家公务人员提出的意见。

那些左右了 1906~1914 年英国外交政策的人在回忆录中，竭尽全力为这种融合了外交和战略上的承诺以及实际和政治上的非承诺的政策进行辩护。他们的论述并没有多少说服力。总之，正如施泰纳所言，因为能够助长德国采取先发制人战略的信心，英国在战争中身份的不确定性或许正是催生欧陆战争的因素之一。英国的政策并没有规定它一定要进行军事干预，相反，军事干预只是一种可能。

THE PITY OF WAR

第四章

# 军队和人力

## 军备竞赛会通向战争？

早在1914年，贝特曼·霍尔维格的秘书库尔特·里茨勒便以笔名出版了一本叫作《当代世界政策特点》（*Characteristics of Contemporary World Politics*）的书。他在书中论述，如今在欧洲大地上正进行的史无前例的军备竞赛，可能是“当下存在的最具争议、最紧迫和艰难的问题”。一向热爱解读战争、但总是贬低人力在战争中作用的爱德华·格雷爵士在不久之后也接受了这种观点。他在回忆录中写道，“正是欧洲大陆上与日俱增的军备竞赛造成的不安和恐惧使得战争一触即发。对于我来说，这是对于战争最真实的解读……是第一次世界大战起源的最真实和最终原因。”

那些苦苦探寻重大历史事件起因的历史学家们很自然地将战前的军备竞赛归咎为引发第一次世界大战的祸端。正如戴维·史蒂文森所言：“不断发展壮大的军备扩充……是最终导致灾难的重要影响因素……军备竞赛……是战争爆发的必要先决条件”。戴维·赫尔曼的理解更深一层：通过制造“赢得战争的机会之窗”已然关闭的氛围，“军备竞赛促成了第一次世界大战”。他还猜测，如果弗朗茨·斐迪南早在1904年，甚至1911年被刺，恐怕就不会发生战争了；正是“军备竞赛……以及对未来战争或势在必行、或可以阻止的种种推断”，才使得1914年那场行刺成为战争的导火索。

然而，史蒂文森和赫尔曼两人都不得不承认，历史上并没有明文记载，战争是由这些军备竞赛导致的。冷战告诉我们，军备竞赛能够使两个力量集团避免发生交火，并且能够最终在不发生冲突的情况下让一方崩溃。相反，20世纪30年代发生的事情向我们展示了“非竞赛”的危险：如果英国和法国在1933年以后效仿德国重整军备，希特勒说服其将军们将莱茵兰军事化或者出兵捷克斯洛伐克的难度便会大大增加。

1914年以前的军备竞赛的原因在于：某一方输掉了比赛，或者认为自己正走向失败。这种想法会说服该国的领导人，不如在自己大幅度落后于别人之前，在战争上赌一把。里茨勒认为“如果是考虑爆发战争的话，一个国家越把自己高度武装，其对他国就越具威慑力”，但他的想法是错误的。与此相反，对在军备竞赛中处于落后地位并试图付诸一战的一方来说，落后带来不利因素的影响范围是极其小的——或者仅仅是想象中的劣势。德国就是这样一个矛盾体，尽管它认识到自己在军备竞赛中落后于其他国家，它依然以极端的军国主义闻名于世。

## 无畏舰

除了之前章节讨论的经济和帝国敌对状态，历史学家们通常将德国海军计划视为英德关系恶化的最重要原因。然而，英国对此立刻表示，这种挑战的成功率微乎其微。的确，英国在海军军备竞赛中的领跑地位是如此明晰，让人很难认同这是挑起第一次世界大战的一个可信的原因。

1900 年，第一海军大臣塞尔伯恩伯爵沮丧地认为，"与德国结成正式联盟"是"确保英国海军实力和口碑都日益强大的必然选择"。然而，到 1902 年，他便彻底推翻了之前的观念，并相信"德国新式海军之所以成立，目的是要与我们一拼高下"。我们非常理解他为何做出如此结论。早在 1896 年，护卫舰舰长（即之后的德国海军舰队司令）乔治·冯·穆勒就将德国世界政策的目标做了总结：打破"英国的世界霸主地位，让中欧那些需要扩张的国家得到一定数量的殖民地"。

然而，提尔皮茨的海军计划并不一定意味着发动战争。该计划部分是出于防卫的目的——双方一旦发生战争，德国将受到英国海上封锁的威胁，因此这一目的并不是空穴来风。根据该计划，德国舰队的自卫能力也很有限。提尔皮茨充其量只是想把德国海军发展到能够在英德战争中对英国皇家海军形成极大震慑的规模（60 艘战舰）。1899 年提尔皮茨向德皇解释说，这将让英国"对您做出让步，通过这样的海上影响力，让您伟大的海外政策得以实施"。换句话说，就是不战而胜。

因此，德国海军只是希望能够对英国近乎垄断的海上霸权形成威胁，而想要形成威胁，就得在英国不知情的情况下达到这一目标。当德国的海军建设进行得如火如荼时，比洛这样形容：德国"即将破茧成蝶"。可惜这个"茧"实在是太透明了（就连英国业余的军事情报机构都能发现德国正在建造战舰，其中一艘还是由帝国国会授权生产的）。

1905 年，菲舍尔的初步海军改革落下帷幕，至此，英国海军情报部的指挥官也可以自豪地说，与德国相比，"英国的海上优势"呈现出"压倒性优势"。情况确实如此：1898~1905 年，虽然德国战舰从 13 艘增加到了 16 艘，然而英国战舰却从 29 艘增加到了 44 艘。这与 1889 年的情况不同，但足以证明德国算不上威胁；实际上，这反倒提醒德国，英国对它的威胁究竟有多大——因此，英国海军的先发制人在 1904~1905 年引起了德国的恐慌。提尔皮茨最初的目标是要将英德双方的海军实力比例缩小到

1.5∶1。但表 4–1 显示，他一直离该目标相去甚远。

**表 4–1　英德战舰吨位比率，1880~1914 年**

| 1880 年 | 1890 年 | 1900 年 | 1910 年 | 1914 年 |
|---|---|---|---|---|
| 7.4 | 3.6 | 3.7 | 2.3 | 2.1 |

**资料来源**：Kennedy, *Great Powers*, p. 261.

1909 年英国右翼媒体的鼓动也使德国缩小与英国海军实力的努力化为泡影。英国一些杞人忧天的人认为德国人正计划加快建造速度，以期在几年之内能够拥有比英国皇家海军数量还要多的无畏舰。实际上，1912 年，德国总共只有 9 艘，而英国已经拥有 15 艘。当战争来临时，协约国共拥有 43 艘大型战舰，而同盟国仅有 20 艘（见表 4–2）。

**表 4–2　1914 年列强的海军实力**

| 国家 | 人员数量 | 大型船只数量 | 吨位 |
|---|---|---|---|
| 俄国 | 54 000 | 4 | 328 000 |
| 法国 | 68 000 | 10 | 731 000 |
| 英国 | 209 000 | 29 | 2 205 000 |
| 合计 | 331 000 | 43 | 3 264 000 |
| | | | |
| 德国 | 79 000 | 17 | 1 019 000 |
| 奥匈帝国 | 16 000 | 3 | 249 000 |
| 合计 | 95 000 | 20 | 1 268 000 |

**资料来源**：Reichsarchiv, *Weltkrieg*, erste Reihe, vol. I, pp. 38f.

德国人知道他们无法取胜。早在 1908 年 11 月，颇具权威的《海军周报》就刊登了一篇匿名文章，其中讲道：

> 只有能永久占领英国海域的国家才能打败它。这个国家不仅要拥有与皇家海军相同规模的舰队，在大型战舰上也要占据优势。面对着法国和俄国的夹击态势，德国被迫要保持其陆军在世界上的领先地位……显然，同时再资助一支超越英国的海上舰队已经超过了德国的财力范围。

因此，在回答比洛 1909 年提出关于“我们何时能够自信地向英国宣战”的问题，提尔皮茨只能做出如下回应：“5~6 年内，这种危险会彻底终结。”小毛奇从这个蹩脚的答案中总结道，“无论如何，我们在与英国的冲突中都没有机会取胜”，因此，他呼吁与英国“达成体面的谅解”。1912 年，由德皇组织召开的所谓军事首领“战争会议”却并没有向着该方向努力。尽管小毛奇主张“越快开展越好”，提尔皮茨还是要求再给他 18 个月的时间，因为他的海军建设还没有到位。

另一方面，英国继续保持其在海上的霸主地位，这也让海军部上下心高气傲。德国担心会发生第二次哥本哈根袭击绝对不是无中生有：1905 年 4 月，菲舍尔向兰斯多恩保证，只要法国出手相助，海军“将在两个星期内拿下德国舰队、基尔运河以及石勒苏益格–荷尔斯泰因”。对于英国是否能对德国实行有效的贸易封锁这个问题，菲舍尔同样有着十足的信心。他在 1906 年 4 月曾说，“神奇的是，似乎是命中注定，英国将成为德国商业的巨大防浪堤”，“我们的海上优势能够让我们在开战后对德国的 800 艘商船实行一次性‘扫荡’。设想一下，这对于德国的贸易和金融将会造成多么大的打击。”于是，从 1907 年开始，海军界便达成了一种共识：决定战争的关键是截断德国的食品进口——正因如此，当年海牙和平会议上起草的限制使用封锁手段的正式决议会招来众多的反对声音。前海军情报处领导以及刑事调查局秘书查尔斯·奥特利爵士于 1908 年 12 月表示，海军部的意见是：

> 我们的海上力量会如同车轮一般，（在这场旷日持久的战争中）将他们“狠狠地”碾碎——汉堡的街头早晚有一天会变得荒芜凄冷，他们将面临的是物资缺乏和毁灭的废墟。

英国的领先地位如此明显，以至于那些像伊舍一样虔诚的海军至上者都难以想象德国会在海上挑起战争。提尔皮茨意识到了这种危险：1907 年 1 月，他警告德国国民，他设想战争会持续一年半时间，而在这过程中，德国可能会遭到食物短缺的威胁。

英国的政客们也拒绝承认任何国家会对其海上“绝对霸权”形成威胁。对霍尔丹来说，双强标准是神圣而不可侵犯的，而德国错就错在试图缩短与英国之间的差距，因而付出了沉重的代价。对丘吉尔来说，英国海军是英国“赖以生存”的“必需力量”。相比较而言，德国海军仅仅是“奢侈的存在”，它仅有的目的就是“对外扩张”——就英国的封锁计划而言，这是个惊人的骗局。在丘吉尔 1911 年 10 月调到海军部后，他甚至抬高了赌注，旨在保持一项新的“60% 标准……不仅针对德国，而是整个世界”。1913 年 10 月，他洋洋得意地向格雷宣称，“协约国的建设正逐渐超越同盟国”。次月，他直率地发问：“为何人们会认为我们不可能打败德国呢？一项关于舰队实力对比的研究将会给出一个让人安心的答案。”根据丘吉尔的回忆，截至 1914

年，“海军竞赛……已经不再是摩擦的缘由……但我们还是要不屈不挠地前进……我们确定我们的地位将无人能够动摇。”连阿斯奎思也随后承认，“海军经费方面的竞争本质上已经不再会引起一触即发的危险。我们要保持必要的海上优势，这是毫无疑问的，我们也能够很好地做到这一点。”劳合·乔治在1914年1月接受《每日新闻》采访时对海军竞赛做了更深入的探讨：

> 与前几年相比，我们现在与德国的关系已经友好得多了……德国目前还没有实力应付得了我们的双强标准……正因如此，即便德国有挑战我们海上霸权的想法，我也坚信，在现在这样紧急的关头，这种想法会以德国的失控收场。

英国的海军主义者对本国的海上优势非常有信心，这在他们评价德国入侵的威胁性上可见一斑——对于那些杞人忧天的人来说，德国的入侵是最“受欢迎”的噩梦。陆军上校威廉·罗伯逊1903年的警示并没能说服帝国国防委员会（见第一章），总参谋部在1906年的一份文件中也对德国入侵英国的可行性提出了质疑。刑事调查局于1907年成立下属委员会负责调查该事（作为对罗伯茨勋爵公开赞同入侵“威胁”论的回应），其报告明确地表示：“说德国能够掌控北海很长一段时间并保证运输畅通无阻都是不切实际的。”然而，当1914年人们再次提及德国入侵的可能性时，这种事情就更不可能发生了。事情确实如此：德国人早在10多年前就放弃了这一想法。

## 阖上的窗户

德国的陆上作战情况同样面临着落后的局面，尤其是需要面对法国和俄国的联盟。1870年，法国在色当战役失利后的负隅顽抗让老毛奇认识到，一旦需要同时对两个国家作战，德国便“不能希望凭借迅速的攻势，先摆平一个，再腾出手来对付另一个”。他的弟子科尔马·冯·德戈尔茨在其《武装的民族》（*The People in Arms*）一书中对该观点表示了赞同：“今后的战争必将失去许多流动性要素，而这种流动性和机动性很大程度上是过去我们所参加战役的特点。”讲求速战速决的作战方式已经一去不复返了，这个令人震惊的警示是1895年由总参谋部的一位军需军官——克普克少将提出的。根据他的预测（摘自一份秘密备忘录，原著已经丢失），两线作战的战斗一旦打响，将会现出以下情况：

> 就算是士气昂扬……我们也只能忍受那单调冗长、血腥残酷的长期战争——通过在各处采取包围战术，进行最普通的进攻，从而逐步取得胜利……我

> 们不能寄希望于速战速决。军队和国家一开始就要习惯于这种观念，以此避免战争伊始就陷入骇人的悲观主义情绪中……一般来说，在阵地战中，我们一定要在野战工事的长战线上赢得优势，打赢要塞的包围战，否则将无法取得对法作战的胜利。希望我们做好关于情报和物资的充分准备，并且在关键时刻，能够以训练有素、装备精良的姿态应战。

日俄战争中的堑壕战大体上证实了克普克的分析。大家普遍认为俄国人的防御工事要弱于法国，而且前者的动员速度相对缓慢。因此，小毛奇和瓦尔德泽决定，一旦开战便先向俄国发起攻击。

正如我们所知，施利芬在接任瓦尔德泽的职位之后，便开始试图规避战术来突破法国的防御，即以法国北部为突破口。早在1897年，他便想出了一个办法：借道卢森堡和比利时全速前进；1904~1905年，他又构想出一个侧翼大行动的主要内容，通过借道荷兰来实现；1905年12月，就在退休前，他写成了著名的《回忆录》（*Denkschrift*）一书。书中，他设想了一场大规模的进攻：2/3的德军（33个半师）全线出击，借道比利时和荷兰，直奔北法。然而，阿尔萨斯–洛林和东普鲁士地区几乎没有防御能力：只有一个师驻扎于此，以抵御俄国方面可能的进攻。如此行动的目的完全是为了在6周之内“全歼”法军，这样，今后若有敌军胆敢进犯德国领土，只会被肃清和消灭。

然而，从酝酿阶段到1914年战争爆发，该计划一直存在一个缺陷：在施利芬计划征调的师团中，有8个是不存在的。历史学家对军事建设中反对军队扩张的声音再熟悉不过了。正如斯蒂·弗尔斯特所言，实际上，德国国内存在一种“双重军国主义”。也就是说有两种军国主义的形式存在：一种是“上层阶级”中反动的“传统、保守、旧普鲁士式”军国主义，这种军国主义流行于1890~1905年；另外一种是“下层阶级”的“资产阶级”军国主义，具有“激进右翼倾向”，于1905年以后粉墨登场。在前者眼中，正如瓦尔德泽于1897年提出的，“保持军队的完整度”就是一切。简而言之，是要保持贵族出身的军官所占比例达到60%左右，且保持来自农村的军士和同等军衔的人达到同样的比例水平，这样便可以排挤那些“不适于军队的民主分子及其他人员”——这种行为之后遭到普鲁士军政大臣卡尔·冯·艾内姆的警告和反对。这样，军事保守主义者便有借口与提尔皮茨和其他支持者建立一支大型德国海军舰队了。继任的军政大臣们毫不犹豫地采取了如下措施：在增加防御开支方面，陆军要从属于海军，陆军的规模可以有节制地进行扩充。1877~1889年，德国和平时期的军队实力维持在468 400人左右。在接下来的7年里，尽管也曾两次试图实行普遍军役制度（1890 年就可以增加 150 200 人），但这一人数也只增长到了 557 430 人（见图 4–1）。或许德国军国主义局限性的最有力证明正在于德国军队自身的保守性。

然而，到 1912 年 12 月，距帝国宰相卡普里维实行普遍兵役制度失败已近 20 年，尽管保守主义者做出了一番努力，德军内部还是发生了巨大变化。将军中出身贵族的人数比例仅略微下降，高级军官在诸如冯 · 比洛和冯 · 阿尼姆这类人的管理下仍旧混乱不堪；但从军官的整体来看，出身贵族的人的比例从之前的 65% 下降到了 30%。这种变化在总参谋部表现得尤为明显：截至 1913 年，70%的人都是贵族出身，有些部门——特别是举足轻重的铁路部门——几乎是清一色的中产阶级。原来的保守基调顿时变得开放而重视技术和发展，主要矛盾也随之从内部问题转向外部敌人——简而言之，就是将视线聚焦法国和俄国对德国的威胁上来。在这些新兴的信奉军国主义的"精英领导人"中，最为活跃的是埃里希 · 鲁登道夫，他早在 1910 年 7 月便声称，"任何为其生存而战斗的国家……必须要倾其所有兵力和资源。"1912 年 11 月，他用第六次反法同盟时期的那种口吻强调实行普遍兵役制度的重要性："我们必须再一次武装我们的国家和人民。"鲁登道夫在其 1912 年 12 月的《大备忘录》中呼吁，两年内，征兵率要新增 30%（将动员率从 52% 提高到 82%，也就是达到法国现有的水平），新征人数要达到 300 000 人。就连贝特曼也被说服："我们绝不能漏掉任何一个可以戴上钢盔的人。"军务部的保守者们对鲁登道夫计划中的激进逻辑心知肚明。弗朗茨 · 冯 · 旺戴尔将军直率地反驳道："如果你继续下这样的命令，你将带领所有德国人民掀起一场革命。"1912 年 12 月，当德皇在"军事会议"上准备支持新军队法案时，军务大臣冯 · 黑林根提出了异议："鉴于现有的军队结构、指导员情况和营房建设，我们根本容不下更多新兵。"当然，黑林根在指责受到"陆军社团和泛日耳曼主义"影响的"军队部门""对我们军事实力的质疑"时有些过头了。他将鲁登道夫的计划谴责为军队"民主化"，也因此被贬谪到杜塞尔多夫当团长；同时，他本人也新拟了一份军队草案，草案中，征兵人数仅为 117 000 人。

事实证明，鲁登道夫是正确的。1912~1913 年的军事草案将德国和平时期的军事力量增加到 748 000 人。但法国和俄国的军队人数在几年之前便早已出现大幅度增长了。俄国和法国的军队在和平时期（1913~1914 年）的总人数达到 2 170 000 人，与此相比，德国和奥地利人数总和只有 1 242 000 人——双方足足差了 928 000。1912 年，差距缩小到 794 665 人；而截至 1914 年，这个数字只有 260 982 了。这意味着，从战时的军事总实力来看，德国军队总人数大抵在 215 万人，可能还会有 130 万哈布斯堡军队加入其中；然而，塞尔维亚、俄国、比利时和法国的军队总人数则达到 560 万之多（见表 4–3）。

**图 4–1　德国军队和平时期的实力，1874~1914 年**

**注**：数据不包括民兵组织和后备军。

**资料来源**：Förster, *Doppelte Militarismus*.

表 4–3　欧洲列强 1914 年军事实力

| 国家 | 和平时期实力 | 殖民地 | 战时实力 | 步兵团 | 骑兵团 |
|---|---|---|---|---|---|
| 俄国 | 1 445 000 | | 3 400 000 | 114.5 | 36 |
| 塞尔维亚 | 52 000 | | 247 000 | 11.5 | 1 |
| 黑山 | 2 000 | | | | |
| 法国 | 827 000 | 157 000 | 1 800 000 | 80 | 10 |
| 英国 | 248 000 | 190 000 | | 6 | 1 |
| 比利时 | 48 000 | | 117 000 | 6 | 1 |
| 合计 | 2 622 000 | 347 000 | 5 726 000 | 218 | 49 |
| 德国 | 761 000 | 7 000 | 2 147 000 | 87.5 | 11 |
| 奥匈帝国 | 478 000 | | 1 338 000 | 49.5 | 11 |
| 合计 | 1 239 000 | 7 000 | 3 485 000 | 137 | 22 |

**资料来源**：Reichsarchiv, *Weltkrieg*, erste Reihe, vol. I, pp. 38f.

从 1913 年到 1914 年应征入伍的人数上看，德国的劣势已然很明显：对方有 585 000 人，而德国只有 383 000 人。德国总参谋部表示，在法国，83%的合格人员履行了他们的义务，而德国只有 53%的人应征入伍（见表 4–4）。虽然俄国每年征召人数的比例只有 20%，但它巨大的人口基数也足以让德国难以望其项背。1905 年，施利芬自己也表态，“我们一直在释放巨大的人口压力……但是这些人并没有接受过正规的训练，武器装备也不完善。”“尽管德意志帝国有 6 500 万左右的居民，而法国只有 4 000 万人，”伯恩哈迪在 7 年后评论道，“但除非每年都有相当一大部分人入伍，除非在和平时期建立必要的管理机制，否则这些过剩人口只能作为呆滞资产来对待。”小毛奇 1914 年 5 月曾对霍尔岑多夫说：“我将尽我所能，但我们跟法国相比并没有什么优势可言。”

表 4–4　1914 年欧洲列强的军事潜力

| 国家 | 人口数 | 殖民地人口数 | 适龄士兵数 | 受训人数 | 受训比例（%） |
|---|---|---|---|---|---|
| 俄国 | 164 000 000 | | 17 000 000 | 6 000 000 | 35 |
| 塞尔维亚 | 4 000 000 | | 440 000 | | |
| 黑山 | 400 000 | | 60 000 | | |
| 法国 | 36 600 000 | 57 700 000 | 5 940 000 | 5 067 000 | 85 |
| 英国 | 46 000 000 | 434 000 000 | 6 430 000 | 248 000 | 4~8 |
| 比利时 | 7 500 000 | 17 500 000 | | | |

（续）

| 国家 | 人口数 | 殖民地人口数 | 适龄士兵数 | 受训人数 | 受训比例（%） |
|---|---|---|---|---|---|
| 合计 | 258 500 000 | 509 200 000 | | | |
| 德国 | 67 000 000 | 12 000 000 | 9 750 000 | 4 900 000 | 50 |
| 奥匈帝国 | 51 000 000 | | 6 120 000 | 3 000 000 | 49 |
| 合计 | 118 000 000 | 12 000 000 | | | |

**资料来源**：Reichsarchiv, *Weltkrieg*, erste Reihe, vol. I, pp. 38f.

图 4–2 将该问题做了概括，向我们展现了战争前夜法国和俄国的军队究竟比德国和奥匈帝国的军队强大多少。就师团数量而言（该方面在不同国家有不同的意义），情况看起来似乎更糟糕。

正如表 4–5 所示，从士兵占人口总数的比例上来看，战前欧洲国家中军事化最彻底的当属法国：其 2.29%的人口在陆军和海军中服役。1913 年 7 月通过的《3 年制兵役法》只是将这种长期的领先优势扩大而已。德国屈居第二（1.33%），但英国也不甘示弱（1.17%）。这些数据本身证明了诺曼 · 安杰尔关于德国仅仅“在名声上（需要说的是，这是极其不公正的）被认为是欧洲军事化最彻底的国家”的论断是正确的。

**表 4–5　五大国际力量中参军总人数（陆军与海军）与人口数比率，1890~1913/1914 年**

| | 1890 年 | 1900 年 | 1910 年 | 1913/1914 年 |
|---|---|---|---|---|
| 俄国 | 0.58 | 0.86 | 0.81 | 0.77 |
| 法国 | 1.42 | 1.84 | 1.95 | 2.29 |
| 俄国+法国 | 0.79 | 1.08 | 1.03 | 1.05 |
| 英国 | 1.12 | 1.52 | 1.27 | 1.17 |
| 俄国+法国+英国 | 0.85 | 1.16 | 1.08 | 1.07 |
| 德国 | 1.02 | 0.94 | 1.08 | 1.33 |
| 奥匈帝国 | 0.81 | 0.82 | 0.84 | 0.85 |
| 德国+奥匈帝国 | 0.93 | 0.89 | 0.97 | 1.12 |
| 意大利 | 0.95 | 0.79 | 0.94 | 0.98 |

**注**：人口数为 1913 年统计量，参军人数为 1914 年统计量。

**资料来源**：Kennedy, *Great Powers*, pp. 255, 261.

然而，数字并不能说明一切。当把其他因素（具体而言，如军官、士兵的比例，以及军备的占有率）一并考虑在内时，差异就不那么明显了。德军内部的保守派和激进派之间有很多争论，关于军事科技和人力部署的探讨同样备受关注。同样产生分歧

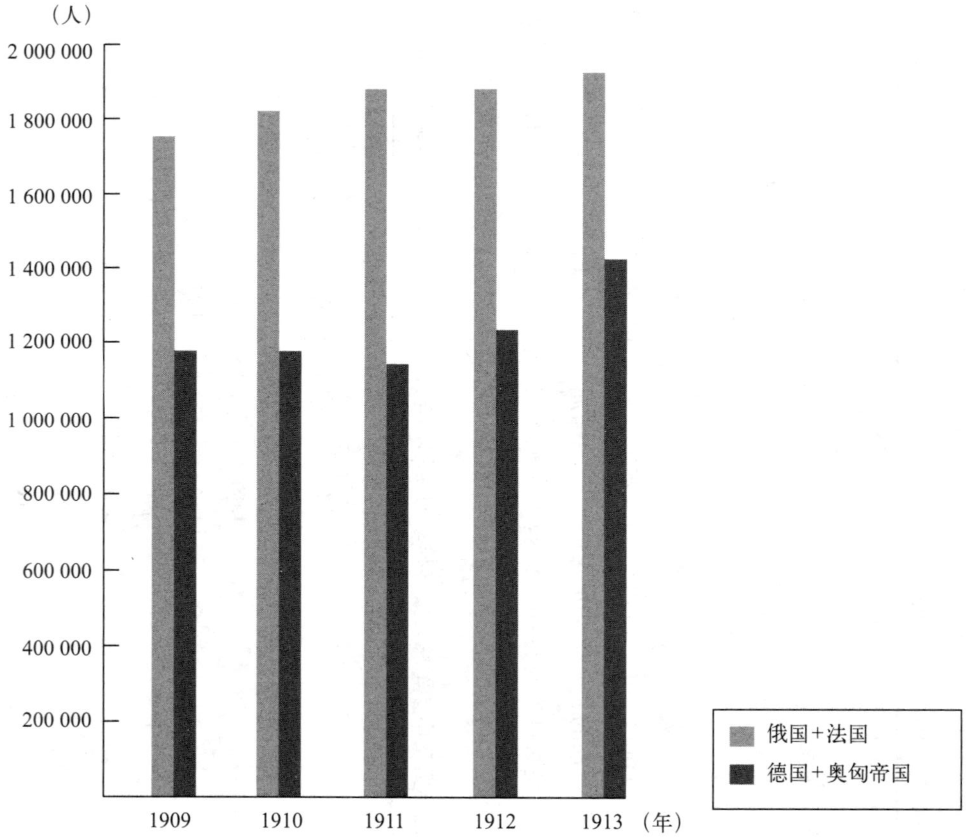


**图 4–2　欧洲主要四国军队人数，1909~1913 年**

**注**：我从另一个信息源得到了关于 1913 年奥匈帝国的数据，赫尔曼的资料并没有提供该数据。

**资料来源**：Herrmann, *Arming of Europe*, p. 234.

的问题还有骑兵继续存在的意义、如何加强野战炮兵作战能力以及用机枪武装军队的必要性。而且，总参谋部的激进分子对于铁路在战争中的地位总是很关注。

实际上，该领域也确实有了长足进步。1870 年，如果想从普鲁士调兵攻打法国，需要 27 天；1898 年，德国在帝国内的动员和调兵仍旧需要跨国 5 个时区。在接下来的几十年里，总参谋部挖空心思要改善这种状况，采取了包括军事演习、绘制地图、教授军事历史以及在乡村地区巡视等措施，但策划和完善军事运输计划仍是总参谋部的职责——它也是德国战争动员中至关重要的第 5 个步骤。在施利芬计划的另一个版本中，他将坎尼战役[①]作为未来"歼灭法国的战争"的范本；但将该计划付诸实践、让德国军队在最佳时机开赴决定性战场的任务则落到了如威廉·格勒纳等技术人员的肩上。因此，绘制铁路地图和拟定时间表的能力尤为重要。战争前夕，该军事运输计划已经被简化为一场 312 小时的演习，用 11 000 趟列车运送 200 万士兵、60 万马匹和必需品。

然而，即便是在后勤和人员物资流动方面取得了如此大的成绩，德国人丝毫没有感到满足。除了人员和大炮，俄国的铁路情况也是德国在 1914 年的苦恼来源。格勒纳 1913 年 4 月在国民议会预算委员会上证实，德国从 1870 年以来在铁路建设方面一直落后于俄国和法国，这种担忧正逐渐开始蔓延。这是毫无疑问的。1900~1914 年，从俄罗斯出发向西行驶的火车次数在一天之内从 200 次增加到了 360 次。1914 年 9 月，俄国人意图引进一种新的动员计划（第 20 号计划），该计划能够将 75 支步兵师运送到战场的时间从 30 天缩短到 18 天。

毫无疑问，德国人在某些方面高估了自己的对手。尽管俄国人在数量上很有优势，但不幸的是，其装备却非常落后。法国人虽然做出了军事承诺，但却被其疯狂的战略所阻碍，即攻打阿尔萨斯-洛林的第 17 号计划。该计划由霞飞提出，并于 1913 年 5 月通过，它是建立在以攻为守（通过骑兵部队冲锋陷阵和密集纵队的刺刀上阵）的假设基础上的。火炮专家伊波利特·朗格卢瓦 1904 年说过，法国将军们相信"稳步增加大炮的威力能够让进攻变得更容易"，这种想法让他们在战争的头几个月便浪费了大批人力，以至于差点儿将胜利拱手让人。更为缺乏远见的是，法国人并没有努力阻止经济重地布里埃地区（该地铁矿石产量占法国总量的近 75%）落入敌手。

但从另一方面来看，我们也不能说德国对其相对落后的军事力量的担忧是无中生有。越来越多的证据表明，总参谋部的知情人士已经意识到，要完全按照施利芬计划

---

① 坎尼战役是西方军事史上著名的以少胜多的战役之一。公元前 216 年，迦太基在意大利半岛东南沿海的坎尼附近，以 4 万步兵和 1 万骑兵对抗罗马的 8 万步兵和 6 000 骑兵，取得了辉煌的胜利。——译者注

实施根本不可能。为了抵挡法国可能进攻洛林的作战计划，小毛奇认为，有必要从右翼调拨部队进行支援——右翼进攻原本计划借道比利时使先头部队纵深挺进，包围巴黎，但先不对荷兰下手，再支援奥地利军队，动用第八集团军大举向俄国进攻。该计划于 1914 年制订，很显然其意图不是全歼法国部队，主要也是因为不会有哪支部队能够像第 1 支队那样行进得如此神速——月行 300 英里——且全然不顾身体的疲惫。这也许是小毛奇决定避开荷兰的原因，因为这样荷兰就能继续保持中立，同时扮演运送进口物资到德国的“要道”之角色。小毛奇在 1905 年 1 月就曾提醒德皇，这场与法国的战争“不可能通过一场决定性的战役决出胜负，而将会转入旷日持久、单调冗长的持久战；任何一方不到最后一刻是绝不会放弃的。即使我们取得了胜利，我们的人民也会被消耗殆尽。”这一席话于 1910 年 5 月被总参谋部第三部门的一份报告证实了。小毛奇和鲁登道夫甚至还在 1912 年 11 月上书军务部：

> 我们不得不做好准备，迎接由一系列艰难的鏖战构成的旷日持久的战争，直到我们将其中的一个对手制服；如果我们想在东线和西线的战役中相继取得胜利，那么我们的资源就不得不面临短缺和耗尽的局面……我们需要以弱制强，以少胜多。长期的军火供应对我们来说至关重要……

这已经是他们第二次请求囤积足够的军火了。1914 年 5 月 14 日，毛奇委婉地警示内勤秘书，“面对可能发生的双线作战，只有经济强盛的民族才有机会取胜。”

历史学家们常常对德国军事和政治首领在第一次大战之前的那些年表现出的悲观情绪表示不解。比如，1909 年，提尔皮茨担心英国海军会对德国舰队实行闪电战袭击；而业已解甲归田的施利芬在夜里仍旧会被法国、俄国、英国和意大利“针对同盟国的密集进攻”的噩梦所困扰：

> 在某一个时刻，吊桥被放下了，门户大开，一支力量强大的部队眼睁睁地看着自由散漫、丧心病狂、到处搞破坏的人穿过孚日山脉，趟过默兹河、涅曼河和布格河，他们的铁蹄甚至还踏向伊松佐河和阿尔卑斯山一带。情势已危在旦夕。

早在 1905 年，毛奇就觉察到了“战争这一蛇发妖女正向他冷笑”。“我们都生活在压力下，这种压力将我们取得的成就所带来的快乐统统抹杀。”他在日记中坦言，“我们几乎在做任何一件事情之前都会扪心自问：‘我们这是为了什么？这明明是徒劳的！’”对小毛奇来说，就算出兵的命令是他发出的，战争对他来说还是意味着“欧洲文明国家相互撕扯对方的行为”以及“未来数十年中毁灭欧洲几乎所有文明的愚蠢举动”。“战争，”1914 年 9 月，他在官场失意、隐退田园之后悲哀地说，“向我们展示文明纪元是如何生息繁衍的，以及每个国家在整个世界的发展历程中是如何扮演其注定的角色的……假设德国在这场战争中一蹶不振，那么对这个国家来说，平稳发展的生活将不复存在，而这种生活正是人类和德国的文化发展所依赖的；人类的发展也将以某种灾难性的方式倒退……”在小毛奇的奥地利战友康拉德的话语中也很容易洞悉出这种宿命论的意味。就连像伯恩哈迪这样的狂热军国主义者都不得不试图为“下一场战争”的失败辩护：“就算是失败，也能结出累累硕果。”小毛奇的继任者埃里克·冯·法金汉将军于 1914 年 8 月 4 日也说：“就算我们化为废墟，战争还是那么美丽动人。”德国的军事首领们在战争前夕表现出的是脆弱，而不是强势。

这种情绪不仅是军事首领们独有的，德帝国宰相贝特曼·霍尔维格更为强烈地感受到这种悲观情绪。1912 年，他坦言自己“为我们在战争中的相对实力感到极度忧虑。人们必须完全信任上帝；为了不至于失眠，我们必须要依靠俄国的革命并将其视为我们的盟友”。1913 年 6 月，他承认“已对战争、它的聒噪和喧嚷以及无休止的军备竞赛感到厌倦。列强们该冷静一下了……否则将会发生一场并不值得且会伤及所有人的大灾难”。民族自由党领导人巴塞曼“采用消极的宿命论论调”说：“如果我们与法国开战，那么英国就算只剩下最后一个人，也会与我们决一死战。”他的秘书库尔特·里茨勒抄录了他 1914 年 7 月 7 日日记中的一些想法：

> 宰相期望这场战争能够颠覆现存的一切，无论后果如何。现有的世界陈腐而老旧，毫无新意……人们头上笼罩着茫茫的雾。整个欧洲都是如此。未来属于俄国，它不断地成长，成为压在我们身上的一个越来越沉重的噩梦……宰相对德国的现状表现得非常悲观。

7 月 20 日，贝特曼又重新回到俄国的主题上来：“俄国的需求随着其实力的大爆发而与日俱增……如果欧洲维持现有的格局的话，它在几年内便能傲视群雄。”一周后他告诉里茨勒，他感到“徘徊在欧洲和我们的子民上空的不是人为的操纵，而是命运”。他的这种近乎绝望的情绪有时候可以归咎于文化历史学家们对于尼采、瓦格纳和叔本华等人的作品的过度宣扬，而且这种悲观绝望在 1914 年军事行动开始时尤为明显。

德国盟国军队更为糟糕的局面迫使德国对其不景气的战略计划加以分析。康拉德在 1913 年 2 月警示小毛奇：

> （如果奥匈帝国和俄国之间的“敌意”“需要通过诉诸激进的形式来解决”的话，）我们很难指望我们的斯拉夫战友（占人口总数的 47%）在与其同胞的战斗中表现出热情。如今，军队中仍然渗透着这样的情感：从历史上看，他们曾经

属于一体，有着共同的秩序认同感；但这种情感是否能够继续保持……还有待商榷。

而这也远不能让人信服。因为早在 1913 年 1 月，总参谋部就开始考虑“德国孤军奋战抵御法国、俄国和英国的可能”。事实上，真正在战争之初孤军奋战的是奥匈帝国，因为施利芬计划将德国的大部分兵力都部署在了西线，其所犯的一个典型错误就是，康拉德最初将他 12 个师团中的 4 个派往塞尔维亚，而当德国明确表态不会派遣第 8 集团军前去支援奥匈帝国抵御俄国的作战时，他又不得不把那些部队召回到加利西亚。

此外，意大利陆军和海军的无能也在 1911 年对的黎波里（叙利亚）的进攻中暴露无遗。甚至在这之前，英国外交官就曾开玩笑说，“意大利继续待在三国联盟，成为最薄弱的一环也不错。”当然，德国人也从未觉得意大利会在 1914 年参战。

面对如此积弱的军事力量，德国可以采取两种措施。一种是避免战争，并阻止其他势力对德国进行攻击。另一种就是在情况越发恶化之前先发制人。后者是德国将军们反复强调的一点。老毛奇曾经在 1875 年敦促俾斯麦再袭法国；12 年后，他又鼓励对俄国采取同样的行动。他的继任者瓦尔德泽也更倾向于先下手为强。就连施利芬也在俄国陷入日俄战争泥潭时呼吁对法开战。康拉德也是先发制人战略思想的拥戴者：他在 1907 年和 1911 年提出攻打意大利的计划，并在 1913 年敦促奥地利“让西斯拉夫人从文化和政治方面彻底与东斯拉夫人决裂，使其摆脱俄国的影响”——这也成为攻打塞尔维亚的信号。1914 年以前，政治家们曾一度试图放弃这种战略。但从 1914 年开始，它又卷土重来，再次成为无可辩驳的军事法则。1914 年 4 月，德国皇储对美国外交官约瑟夫·格鲁说，“德国可能不久后对俄宣战。”小毛奇于 1914 年 5 月 12 日在卡尔斯巴德对康拉德说：“犹豫不决意味着不断让机会缩水，但我们现有的兵力情况还无法和俄国抗衡。”8 天后，他在从波茨坦回柏林的路上向德国外交大臣戈特利布·冯·雅戈重述了这一观点：

> 俄国将在 2~3 年完成军事准备。我们的敌人拥有如此强大的军事实力，他（小毛奇）甚至对此不知所措。他认为，为了总体上能够经受住考验，除了率先发动防御性战争之外，我们别无选择。

一个月后，在一次晚宴结束后，德意志帝国皇帝威廉二世在与银行家马克斯·沃伯格的谈话中对该分析表示了赞同：

> 他对俄国的军备、铁路建设规划以及 1916 年对我方宣战的计划深表忧虑。

他抱怨我方严重缺乏通向西线抗击法国的铁路线路；并暗示我们……与其按兵不动，不如出击，这样可能会更有利。

当时恰巧离萨拉热窝行刺事件还有整整一个星期。换言之，德国早就已经坚定了先发制人发动战争的计划，之后的外交危机只不过成为其几乎完美的托词（奥匈帝国无法规避的宣战理由）。历史学家们早就意识到了这一点，但他们却时常疏忽笼罩在德国总参谋部上的愁云。很奇怪的是，反倒是一家英国媒体（《国家》杂志）在 1914 年 3 月对此做了正确的解读："说普鲁士的军队不曾妄想将其兵力积累到具有压倒性优势，是不合常理的。"次月，格雷表达了相反的意见；他质疑"德国将对俄国展开一场具有威胁性的侵略战争"，认为"即便德国取得开门红，如果从长远的角度来看，俄国凭借其强大的资源优势，也会将德国慢慢耗尽……"但布罗斯勋爵（之后他因为报道德国在比利时的暴行而赢得了盛赞）在 7 月评论道，"德国已经整装待发……并要倾其所有兵力"打击俄国，而这"将会迅速成为对整个欧洲的威胁"。

但问题仍然没有解答：德国仅仅是打算通过拆散协约国来获得 1914 年的外交胜利，还是蓄谋已久地想要发动一场欧洲战争——不管这场战争是"防御性的"，还是一场有预谋的扩张行为？在这样的背景下，我们应该注意到当时皇储向约瑟夫 · 格鲁的暗示，以及总参谋部在其战略性铁道建设上下的功夫；帝国宰相 4 月即注意到，这项工程本计划多年后完工，1915 年才开工。不管怎样，有一件事似乎是毫无疑问的，那就是德国的军事首领们并没有放弃那深入人心的"闪电战"传奇，他们在 1914 年 8 月奔赴战场，却压根儿没有打算在香榭丽舍大街过圣诞节。

## 猝不及防

对德国人来说，只有一件事情可以算是种慰藉：它潜在的敌人显然并没有对战争做好足够的准备。比如比利时军队并没有做好抵御德军的准备，那些操着法语的军官与说佛兰德斯语士兵的关系，与奥地利军官和那些"好兵帅克"①们的关系如出一辙。有数据显示，1840 年，比利时军队的规模是普鲁士的 1/9，法国的 1/5；然而到 1912 年，这两个数字却分别变成了 1/14 和 1/35。1909 年，尽管遭到了佛兰德斯天主教徒的反抗，兵役制度还是规定独子也有服兵役的义务。服兵役的时间减少到 15 个月，

① "好兵帅克"是捷克著名讽刺作家哈谢克的长篇政治讽刺小说，《好兵帅克》的主人公，小说以作者本人在奥匈帝国军队服役时的所见所闻为素材，塑造了一个与人民血肉相连的普通捷克士兵帅克的形象，同时深刻揭露了奥匈帝国的凶残专横及腐败愚昧。——译者注

军费开支却保持与原来一样。最终，在 1913 年 8 月 30 日通过了一项民兵法案，将每年的征兵人数从 15 000 提高到 33 000 人，目的是为了在开战时能够保证拥有一支人数达到 340 000 的部队。增加人数的同时，改组军队的师团编制和结构的工作也在展开。然而，这一切都太晚了：1914 年 7 月动员人数总共只有 200 000 人，而这些人只配备了 120 挺机关枪，连一门重炮也没有。

同样没有做好充分准备的还有挺身而出、公开保卫比利时中立立场的英国。尽管英国在布尔战争中就暴露了其军队的严重缺陷，但在 1914 年之前，英国的两个党派都没有什么办法和举动对此进行补救。在自由党人眼中，征兵——经过 3 次连续的官方调查所得出的结论——是令百姓极其反感的，罗伯茨勋爵关于国家兵役制度的提案是万恶之源。作为军务大臣，霍尔丹最多也只能组建一支作为预备役的地方自卫队。算上这一部分人、后备军人、海军以及印度部队的英国士兵，英国“和平时期服兵役”的人数达到将近 750 000 人。贝克特认为，加上自耕农民兵和之后的地方自卫队，英国 8%的男性曾经服过兵役；大约 2/5 的成年人在战前加入了军事性质的青年组织，如“男孩旅”和“童子军”。但是这些都不能算作是正规的后备力量，而且，仅有 7%的地方自卫队士兵有出国打仗的打算。艾埃尔·克劳向亨利·威尔逊建议，一旦发生战争，可以将地方自卫队士兵派往法国作战，威尔逊暴跳如雷：“这种认识多么愚昧！没有军官，没有交通设施，没有动员，没有上战场的欲望，没有兵法军规，没有精良的武器，没有强壮的马匹……连霍尔丹都说我们没戏了！”英国要想兑现其大陆承诺，必须依靠正规军，但就算是这支正规军，也同样相形见绌——它只有 7 个师团（包括一支骑兵队伍），而与之相比，德国有 98 支。上议院大法官劳尔伯恩于 1912 年 1 月说：“如果战争来临，我们无法阻止法国被侵略的命运。如果我们还继续恪守现有的政策，那么我们需要的不是 150 000 名士兵，而是至少 500 000 的兵力。”而且，德国大使也在 1901 年曾轻蔑地说，英国招募的皆是些“社会渣滓……道德败坏者，蠢货，五短身材的人和可怜虫”。这样的言论听起来严厉而刺耳，但不可否认的是，英国的正规军中大部分人是半文盲，或技术并不过硬、工人阶层出身的年轻人。尽管总参谋部试图改变这种状况，但放眼望去，军官团中那些“打猎好手”比比皆是。很多人对机关枪的使用有巨大的抵触心理，军火储存依然依靠在南非的作战经验。布尔战争给英国带来的经济上的教训同样没有得到关注：不顾默里委员会的警告，军务部依旧仅仅依靠“一个特定范围”内的承包商来为战争提供物资。简而言之，英国几乎没有做出任何努力去帮助法国在那场预期中的法德战争中取胜。英国对这场战争完全“没有准备好”。尽管（或者正是因为）伊舍挖空心思将之前做出的大陆承诺逐渐进行淡化处理，但英帝国国防委员会还是对不同意见充耳不闻。因此，在部门的“兵书”

中充斥着对科技实用主义的执着和妄想，而其导致的结果是，直到战争爆发，部门间的不同意见还没有妥善解决。

鉴于所有的情况，威尔逊于 1911 年 8 月在刑事调查局“军事会议”上的发言就显得不是很坦率了。与德皇一样，他其实并不相信实力如此不济的英国远征军能够在将来与德国的战争中“创造奇迹”；他其实只是希望加强陆军部的实力，以打赢与海军部的内战。

无论是 1914 年 7 月危机爆发之时还是之后，法国政府都毫不含糊地表态，相信英国对法国的早期支援足够牵制德国——这也是后来格雷的批评者们反复援引的口径，这些人包括劳合·乔治和兰斯多恩，以及最伟大的编年史家阿尔贝蒂尼。但事实仍旧是，英国的远征军队依然没有强大到能够对德国总参谋部施加压力的地步。正如 J·M·霍布森所言，只有将原有的欧陆承诺扩大——从增加正规军规模的意义上来看——才能够在战争初期帮助法国有效牵制德国。但这就牵扯到当前争论不休的征兵问题，并且正如我们所见，在自由党政府的领导下，这将被视为没有政治合理性的悖论。劳合·乔治 1910 年 8 月对鲍尔弗说（当时他们首次对联合政府的提议感兴趣），征兵是根本不可能的，“因为这将会激起强烈的成见，就算政府已经对类似的事情深思熟虑过也不行。”1914 年 8 月 25 日，丘吉尔在内阁会议呼吁“强制服役的必要性”，但也被全票否决了，否决人中包括阿斯奎思和劳合·乔治，原因是“人民是不会同意的”。因此，正如格雷所说，英国的政策变成了“在没有强大军队的情况下继续执行欧洲政策”。而认为它一定能够实现，恐怕是关于英国所有战争错觉中最严重、最离谱的了。

# THE PITY OF WAR

第五章

# 公共财政和国家安全

## 防御的负担

当英国和德国的军事专家们已经了解到执行作战计划缺少某些资源时，他们为何没有去弥补这一缺陷？答案很简单，正是出于对国内政策的考量，才使得这些国家没有可能建造埃里希 · 鲁登道夫和亨利 · 威尔逊梦想中的庞大军队。1898 年 10 月 24 日，一个关于探讨裁军并反思相关现象的会议引起了索尔兹伯里的注意：

> ……一直以来，几乎每个国家都倾向于加强其武装力量，并提高原本已经巨额的军械开支。因此，这些完美的器械开始投入使用。这些造价高昂、杀伤力和破坏力惊人的武器一旦被大规模应用，无疑会产生强大的战争威慑力。但是，这一过程会使受其影响的人产生一种对国内外的和谐平静的不安和恐惧。

但是，军备的“负担”究竟有多重？开销究竟有多“巨大”？对于爱德华 · 格雷爵士而言（正如他 1911 年 3 月在下议院所言），它们已经让人“无法忍受”了——如此不堪重负，以至于“从长远的角度来看，文明将被摧毁，战争也将不可避免”。有些历史学家对格雷表示赞同，并认为正是因为军事开支已经高到了无法承受的地步，德国才无法在与英国的海上军备竞赛以及与法俄的陆上军备竞赛中坚持到底。然而，事实上却存在这样一个亟待解答的矛盾：用于军备竞赛的开支并没有想象中的那么高。

众所周知，如果将各国的军事开支以数据的形式做对比，将会很困难，因为不同的国家对其预算有着不同的界定。举个例子，德国在 1913~1914 年的军事开支的估测数字从 16.64 亿马克到 24.06 亿马克不等，这种差异是由不同的计算方法导致的。以下使用的数据（20.95 亿马克）排除了那些非特定军事需要的项目（比如修建铁路和运河），但同时又包括了其他一些虽然不属于陆军和海军预算范围，但却与防御事宜息息相关的项目。每个国家都有类似的问题。然而，现代学者通过努力，已经让准确量化军备竞赛花销成为可能。

大概在 1890 年以前，陆军和海军建设并未受到足够的重视，甚至对像英国这样的主要帝国建造者来说也是如此。例如 1882 年由格莱斯顿派往埃及的远征军的预算也只是小手笔。与 19 世纪 70 年代早期相比，主要欧洲国家在 19 世纪 90 年代的防御预算并没有高出多少。如表 5–1 所示，在 1914 年之前的 20 年，情况发生了变化。英国、法国和俄国的总国防支出额增加了 57%；德国和奥地利的增长速度则更高，达到了约 160%。

**表 5–1　主要国家的国防开支，1890~1913 年（单位以百万英镑计）**

| | 英国 | 法国 | 俄国 | 法国+俄国 | 协约国 |
|---|---|---|---|---|---|
| 1894 年 | 33.4 | 37.6 | 85.8 | 123.4 | 156.8 |
| 1913 年 | 72.5 | 72.0 | 101.7 | 173.7 | 246.2 |
| 增长金额（英镑） | 39.1 | 34.4 | 15.9 | 50.3 | 89.4 |
| 增长率 | 117.1 | 91.5 | 18.5 | 40.8 | 57.0 |
| | **德国** | **奥地利** | **意大利** | **德国+奥地利** | **同盟国** |
| 1894 年 | 36.2 | 9.6 | 14.0 | 45.8 | 59.8 |
| 1913 年 | 93.4 | 25.0 | 39.6 | 118.4 | 158.0 |
| 增长金额（英镑） | 57.2 | 15.4 | 25.6 | 72.6 | 98.2 |
| 增长率 | 158.0 | 160.4 | 182.9 | 158.5 | 164.2 |

**资料来源**：Hobson,“Wary Titan”, pp. 464f.

正如图 5–1 所示，1914 年之前的一段时间内，德国、法国、俄国和英国的国防预算从绝对数字上看并没有相差太远（暂且不考虑布尔战争和日俄战争的影响）。1900~1907 年，德国超过法国，主要是因为与英国展开海军竞赛的缘故。1909 年之后，除了奥匈帝国，其他各国在预算增速上都有较大提高。然而从人均角度来看，德国落后于英国和法国：1913 年德国的人均国防开支是 28 马克，与此相比，法国是 31 马克，英国是 32 马克。在公共开支上，德国的比率也很低：1913 年是 29%，而英国和法国则是 43%。如果将英国、法国、俄国的预算加总，与德国、奥匈帝国和意大利的预算总和做一下对比，那么这个差异是非常让人震惊的（见图 5–2）。比如 1907~1913 年，在这段时间，协约国比同盟国平均每年要多花费 8 300 万英镑。

然而，正确衡量国防压力并不是去关注绝对开支金额——甚至是人均开支——而是需要考虑国民生产用于国防建设的花费比率。不像地理条件的“外部优势和劣势都已固定”（保守的德国历史学家们热衷于对其进行研究），这一比率并没有被限定，而是受政策影响。1894 年是各国摩擦不断的一年，英国花费了其国内生产总值的 5.3%用于国防建设；而在没有明显的外国势力对英国的安全形成威胁的当下，这一数字降到了 3.7%左右。相比之下，苏联将 15%的总产值投入到国防事业中，可能正因如此，才加速了它的解体。在过去的一个世纪中，德国的国防开支起伏较大，魏玛时期只有 1%（1991 年也只有 1.9%），但在第二次世界大战前夕，这一数字猛增到了 20%。

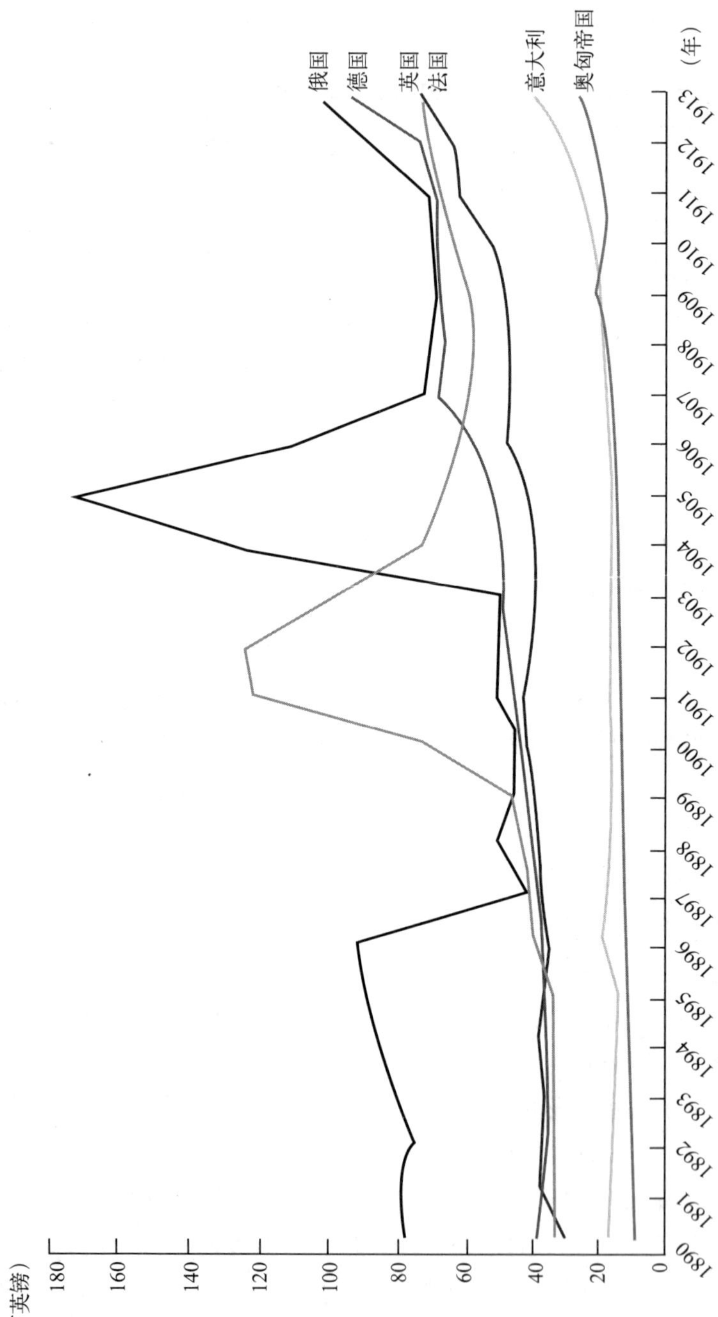


图 5-1　欧洲各国的国防支出，1890~1913 年（单位以百万英镑计）

资料来源：Hobson, "Wary Titan", pp. 464f.

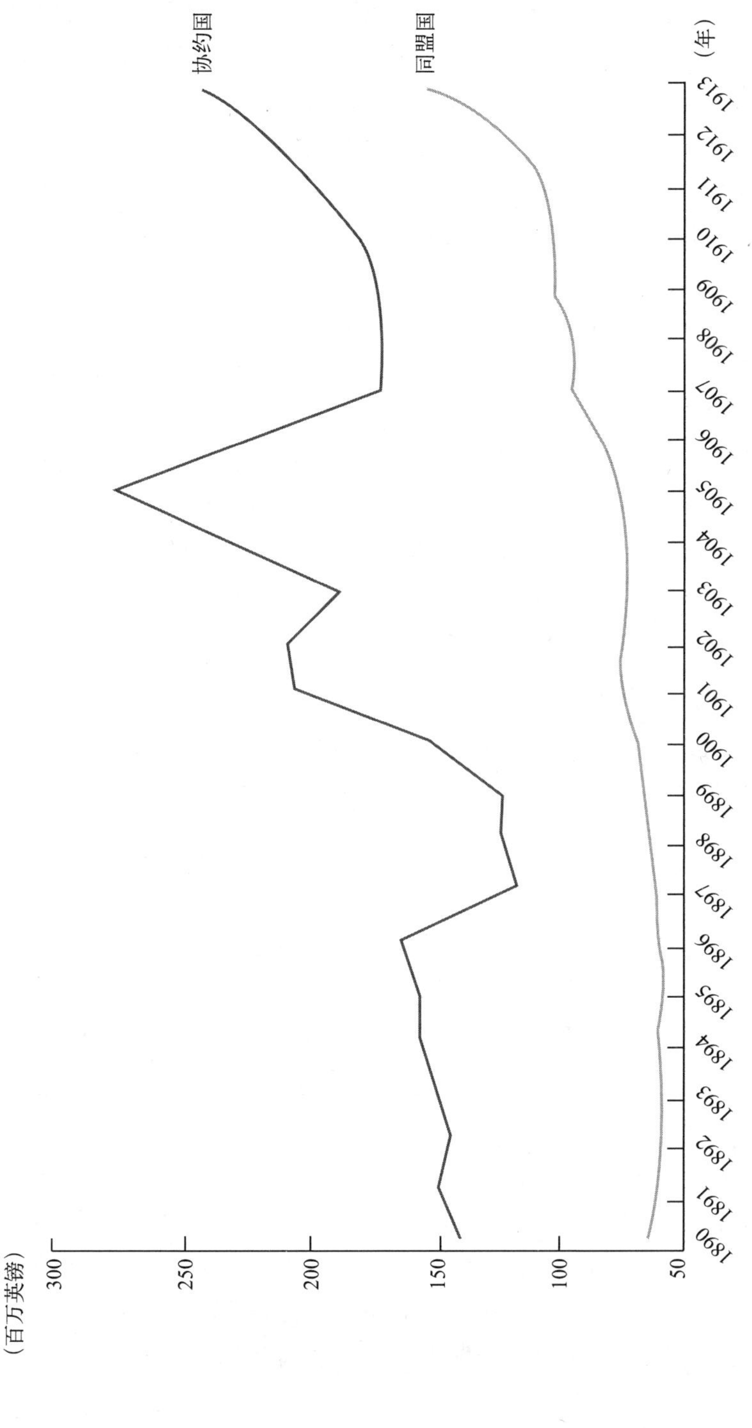


**图 5–2　欧洲两大军事集团的国防支出，1890~1913 年（单位以百万英镑计）**

资料来源：Hobson,“Wary Titan”, pp. 464f.

正如表5–2所示，1914年之前，英国、法国、俄国、德国和意大利等国的军事负担给经济带来了压力，从1893年之前占国民生产净值的2%~3%，到1913年的3%~5%。这些数字表明“大英帝国对其赋税子民施加了沉重的压力”；实际上，英国很乐意这样“经济实惠”地成为强国。霍尔丹将海军的花销估量形容为整个国家巨大商业利润之下的“并不昂贵的保险费”，这种比喻再合适不过了。有观点认为，1914年以前的军备竞赛对每个国家来说都是个“庞大”的负担，这种观点是站不住脚的。或许最让人吃惊的事实就是，德国在这些方面远远落后于法国和俄国：在通过了两个军事法案之后，1913年，德国欲花费国民生产净值的3.9%用于国防；虽然费用比其盟国奥地利以及英国（3.2%）都要高，但却明显低于法国（4.8%）和俄国（5.1%）。意大利同样承受着巨大的军事压力：战前，其开支占到了国民生产净值的5.1%。我个人关于该数据的计算结果与其大同小异：德国——3.5%，英国——3.1%，奥匈帝国——2.8%，法国——3.9%，俄国——4.6%。此外，我还以《政治家年鉴》（*The Statesman's Yearbook*）为基础，建立了一系列计算国防开支的方法，其中排除了英国的殖民地花销，同时包括了被格雷戈里忽略的日俄战争中可观的花销。1913年，各个国家国防支出占国民生产总值的比率分别为：德国——3.6%，英国——3.1%，奥匈帝国——2.0%，法国——3.7%，俄国——4.6%。由此可以看出，协约国的军事负担明显高于同盟国。

**表5–2 国防开支占国民生产净值比率，1887~1913年**

| | 英国 | 法国 | 俄国 | 德国 | 奥地利 | 意大利 |
|---|---|---|---|---|---|---|
| 1873 | 2.0 | 3.1 | | 2.4 | 4.8 | 1.9 |
| 1883 | 2.6 | 4.0 | | 2.7 | 3.6 | 3.6 |
| 1893 | 2.5 | 4.2 | 4.4 | 3.4 | 3.1 | 3.6 |
| 1903 | 5.9 | 4.0 | 4.1 | 3.2 | 2.8 | 2.9 |
| 1913 | 3.2 | 4.8 | 5.1 | 3.9 | 3.2 | 5.1 |
| 1870~1913 | 3.1 | 4.0 | — | 3.2 | 3.1 | 3.3 |

**注**：霍布森的统计仅适用于奥地利，我个人对奥匈帝国的数据统计比其要低。

**资料来源**：Hobson, “Wary Titan”, pp. 478f.

从历史上来看，这些负担并非过重。如果我们回首18世纪的英国，那么这些数字似乎根本不值得一提。然而，为这些与日俱增的支出付账仍旧是这一时期的核心政治问题。最有代表性的是，正是这些不断增加的军费开支，使伦道夫·丘吉尔1886年辞去总理职位，也使格莱斯顿在1894年3月辞去首相职位。他们成为这种新式的

"军事–财政综合体"众多政治牺牲品中的代表，这种"综合体"结束了英国作为"守夜人国家"的时代。那段 19 世纪中叶的浪漫插曲已经被画上休止符，当时，经济加速增长，国家财政紧缩。

如何支付这些与日俱增的军费开支也同样牵扯增长的政府开支问题。从 19 世纪开始，欧洲普遍存在着增加公共开支的趋势：阿道夫·瓦格纳将其称为"扩大国家开支法则"。或者是为了安抚那些政治上拥有强大力量（或是具有潜在威胁）的社会团体，或者是为了提高"国家效率"，政府开始在基础设施、教育和为病患、失业者、穷人和老年人的供给上增加开支。尽管从现代的标准看来，这些投入还微乎其微，但如果与增加的军费相结合，这些开支的扩大速度已经普遍超过了经济增长的速度，贝特曼曾向斯皮泽姆贝格男爵夫人做了耐心的解释："为了建造一支舰队，我们需要一大笔钱，而这笔钱只有富裕的国家才能够支付得起，所以德国必须要强盛起来。"正如我们所见，德国确实变得强大了。但即便德国的经济飞速增长，也无法应对增速更快的预算（见图 5–3）。

英国在其预算的构思上相对缜密，与其他政府部门相比，第一财政大臣和财政大臣一般会对此施加更为有效的控制，而在财政政策的制定上则要遵循议会的严密审查。皮尔派保守主义者们关于平衡预算、稳健的货币政策和减免赋税的教条主义解释了为何在 19 世纪大部分时期，公共开销总额在国民生产总值中所占比例出现了下降的趋势，但在 1890 年后又轻微回升的原因。然而，1870 年之后一段时期，公共开支名义上稳中有升，从大约 7 000 万英镑上升到战前的 1.8 亿英镑。1890~1913 年，公共总开支以 3.8%的速度增长，其所占国民生产总值的比例从 9.4%上升至 13.1%。这不仅仅是因为英帝国国防的花销不断升高（特别是由于布尔战争和无畏舰计划），同样也由于非军事开支的不断增加。1899 年由索尔兹伯里侯爵成立的郡议会继续承担很多项目的责任，如住房和教育、改善现有免费基础教育体系、爱尔兰土地改革（给予农民购买者一定补贴）、1907~1908 年引进的非捐助性退休金体系、国家健康和失业保险补助系统等——而这些促成了非军事用途公共开支的不断增加，特别是与之前并不被人重视的当地开支水平相比就更是如此。然而在战前，中央政府的开销仍占据总开销的 55%，国防开支也占到中央政府总开支的 43%。换言之，尽管政治上的压力导致了社会开支的增加，但这些并没有影响军事开支。

正因如此，丘吉尔在 1913 年的海军开支评估上遇到了政治难题。自由党人 1909 年背离了其选举时关于削减军费开支的承诺，这在很大程度上是因为媒体的虚张声势。然而到 1913 年，关于德国海军的威胁论调已经不再新鲜：尽管丘吉尔也意识到"自由党反对增加债务负担"，但他还是要求拨款 5 000 万英镑，并计划到 1914~1915

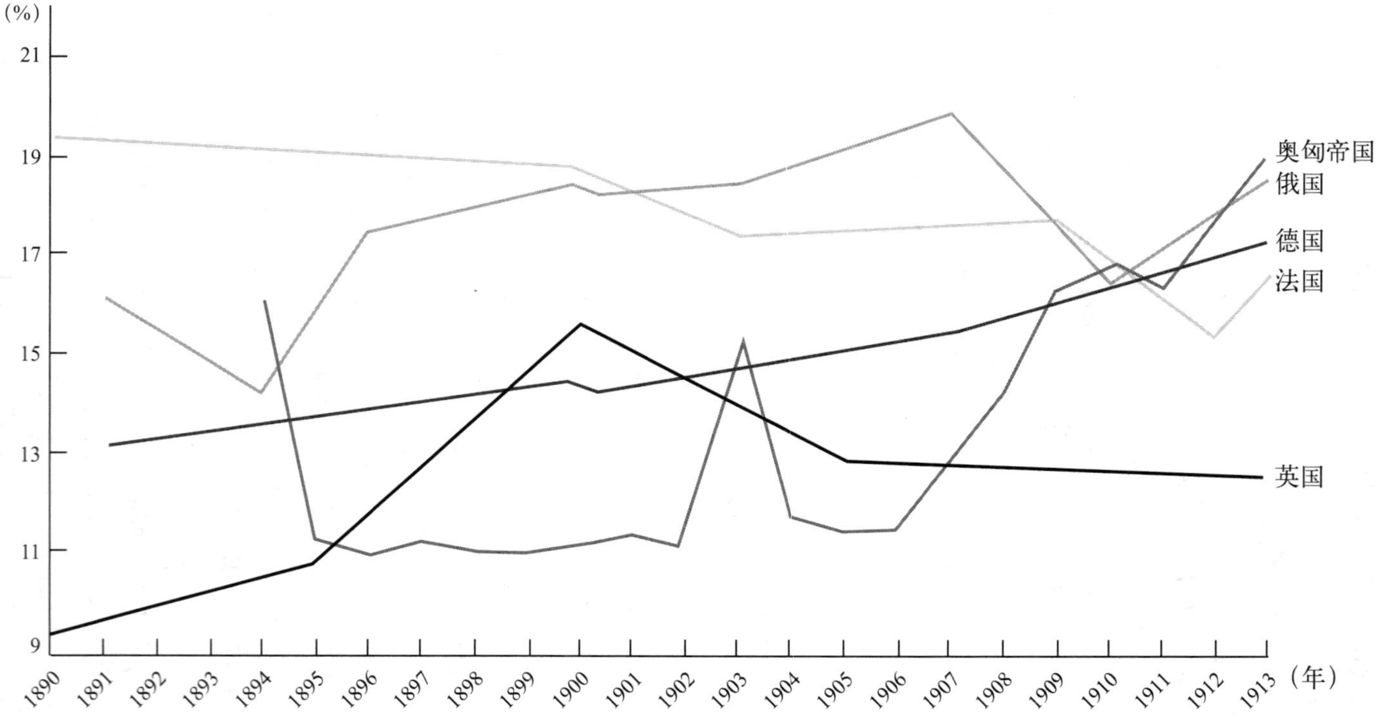


**图 5–3　五大国公共开支占国民生产总值的百分比，1890~1931 年**

**资料来源**：Ferguson, “Public Finance”, p. 159.

年生产出 4 艘大型军舰。丘吉尔宣布这个数字之后，便引起了议会党人和内阁的全面攻击。在他眼中，更高的拨款能够迫使德国达成“海军谅解”，他一直固执地坚信这一点。但是正如劳合·乔治指出的，丘吉尔的要求与那些并不是靠“新鲜的税收”供养的“教育和其他社会服务开支”产生了矛盾：丘吉尔要求建造无畏舰的钱，正是社会开支所需要的钱。用诺曼·安杰尔的话来说，若“那笔巨款花费在军备上”，便无法用于社会福利了。最后，各方均有妥协，终于达成了一致，丘吉尔承诺降低 1915 年和 1916 年的要求，可以说这个妥协并不让人放心。这场危机几乎导致他（或许还有海军军务大臣和丘吉尔的两名政务次官）或者劳合·乔治的下台。而这只是其中一个可能改写历史的转折点：因为如果丘吉尔或者劳合·乔治中有人离开其职位，正如我们所看到的，内阁则相当有可能在次年 8 月采取另外一种行动。另外一种可能就是议会解散，自由党在大选中败北。

在法国，比起军费开支本身，在支付手段上产生的分歧要大得多。在所有国家中，法国是 1890~1913 年减缓公共开支增长效果最显著的国家，其每年的增速仅有 1.9%，因此，公共部门所占国民生产总值的份额从 1890 年相对较高的 19% 成功降到 1913 年的 17%。唯一没有得到有效控制的是国防预算：1873~1913 年，其占中央政府总支出从 25% 飙升至 42%。值得注意的是，法国财政系统的管理比英国要集中，各个部门和公社的预算都需要得到政府的批准方才奏效，并且其总和要少于公共开支的 1/4。

在所有国家中，俄国的财政系统扩张最为迅速：1890~1913 年，其公共支出以每年 6.1% 的年增长率增长，名义上更是增长为原来的 4 倍——从 10 亿卢布增长到 40 亿卢布。然而，从其占国家收入的比率来看，该增长则是相对缓慢的：从大概 17% 增长到 20%，同时这也反映了俄国经济整体发展的良好势头。我们很难对其军事负担程度做出准确的量化。根据 1900~1913 年的预算额度，花费在陆军和海军的支出占 20.5%，但是这些数据并没有包括预算外的那些“额外”军费开支。实际上，33% 的中央政府支出被用于军事目的。与其他国家相比，这个数字并没有高出多少。俄国与其近邻之间最大的区别，便是财政的集中度，俄国的财政集中度甚至高于法国。本地政府的花费仅仅占中央政府开支的 13%。

由此看来，尽管程度不同，协约国的成员在财政管理上属于比较集中的国家。此外，由于英国和俄国在 1914 年之前的 15 年内都经受过战争的洗礼，因此其财力也有所浮动。对英国来说，据估算，布尔战争中花费了 2.17 亿英镑，占 1900 年国民生产总值的 12%；俄国在日俄战争中也花费了约 26 亿卢布，占 1904 年国民生产净值的 20%。

同盟国的情况则相当特殊，最重要的原因在于，德国和奥匈帝国皆为联邦体制。众所周知，俾斯麦在草拟德帝国宪法时曾尝试“不断加强各州的联合，同时在实际操作上赋予其联邦州的性质”，这使得整个帝国特别是在财政收入方面明显低于各州的总和。这些联邦州保留对某些政府活动的控制权，如教育、治安、公共卫生、税收等。正如图 5–3 所示，没有一个主权国家能像德国那样，将公共开支增长保持得如此平稳（从占国民生产总值的 13%增长至 18%）。然而，关键的一点是，非军事开支的增长反映了联邦体系下财政实力的平衡。公共企业家精神的传统让德国的联邦州甘愿在铁路以及其他基础设施建设上花费巨额财力：这笔开支甚至高达普鲁士 1913 年财政预算的一半。此外，联邦州以及公社级别的社会及教育设施开支也在稳步上升，占到了 1913 年公共总支出的 28%。与此相对，国防支出在公共总开支中占的比例实际上有所下降：从 25%降到 20%。这也明显反映出各个联邦州拥有弹性更大的税收来源。公共总税收中的直接税收和间接税收比为 57∶43，但是就整个帝国而言，仅有 14%的税收来源于直接税收，这是 1903 年引进遗产税和其他不动产税的结果，而主要的联邦州在 1913 年中 40%~75%的税收都来源于所得税。

就连德国的中央制度也存在着问题。德国财政部在控制财政方面缺乏人力物力：1880 年，该部门仅有 55 名员工，他们仅负责公共总开支的 30%，在国防部门的权力也很有限。更具争议的是，人们对德国议会下议院和德国国会在预算过程中究竟能够施加多少影响含糊不清。历史学家对此产生了巨大分歧：有人认为德国国会的力量极其有限——这些人属于“伪宪政主义者”，另一些人在 1914 年以前提倡渐进的议会化——但没有引入英国议会的内阁责任制。的确，俾斯麦之所以能够被德皇威廉一世任命，就是因为后者试图在 19 世纪 60 年代扩充军备，并在普鲁士议会中排除“任何限制军队实力的影响”。因此，如果俾斯麦在 19 世纪 70 年代继续将军费开支掌控权全部让步给国会，事情可能会变得很奇怪。但是历史学家们经常将俾斯麦能够限制帝国国会预算权力的有效性进行夸大。的确，《宪法》第 63 条规定，“和平时期军事力量以及军队的结构和部署”应由德皇决定。然而，谁来为他的决定负担费用却很复杂。1867~1874 年，该问题被搁置，只是通过临时法规规定军队规模要占到德国人口的 1%，但是《宪法》第 62 条又明确规定，军费预算的变更需要经过立法机构的批准。最终的决定与普鲁士君王理想中的“永久”国防预算相去甚远——“永久”国防预算变成了 7 年军费预算（后来是 5 年），并将国防开支从年度预算中移除，但保留德国国会对其施加的控制。因此，德国国会拥有修改政府财政法案的权力，事实上它也这样做了；尽管有时会有不满的反对声音或威胁，但通常也只是呼吁进行普选作为回应（如 1906 年 12 月）。因此，实际上，如果政府想提高国防开支或者其他民事开支，则都需要经过德国国会的同意；如果超支，则需要其批准经费的来源。

德国国会是德意志帝国代表大会中最民主的集会形式，而不同的联邦州则仍然保留多种形式的有限特许权，这两点事实形成了一个奇怪的僵局。民主议会的出发点是影响间接税收的水平，并支付主要的军费开支；而另外那些专门议会则为了百姓的福祉，要提高所得税和财产税。为了削弱自由主义的影响，俾斯麦决定在国民议会选举中引入男性普选权制度，因为通常假定"选举资格线下 9/10 的人皆是保守主义者"，但实际上该决定有利于信奉天主教和社会主义的党派。他们通过批评德国财政政策——如要求特殊对待南德农民和小本生意人，痛斥针对工薪阶级消费者的重复课税——来不断积累政治资本。因此，政府本意是希望增加国防开支，但却发现最后隐入一种两难的境地：一边是迎合公众的国家政府带来的灾难，一边是国会最受欢迎的政党——天主教中央党和社会民主党。俾斯麦和其继任者们在削弱"反帝国"势力、加强"支持国家"的保守党和民族自由党影响力的策略设计上别出心裁。即便假设"国家行动"能够唤醒爱国主义情感并转移对经济的不满情绪，但这也意味着要支持海军建设和殖民地扩张，就要直接加入选举砝码（如税收回扣、社会保险），这也就需要更多的财力支持。随之而来的关于扩大支出的讨论并没有巩固政府的地位，反而突出了中央党在国民议会中的关键地位，并以此证明社会民主党竞选口号的可靠性，而增加税收的决策则分裂而不是统一了"政府"政党。这便是所谓"政治大联合"所带来的矛盾。

奥匈帝国的双轨制体系也被同样的问题所困扰。本质上，1867 年奥地利和匈牙利之间通过协议在外交和防御政策上达成了共识：实际上，这已经是双方所能达成的所有合作了，因为军费预算已经达到共同预算总额的 96%。奥地利和匈牙利两国的国家总开支（单独和普通花销总和）占国民生产总值的比例呈上升趋势：从约 11%（1895~1902 年）上升到 19%（1913 年）——按照平均每年 3.2% 的增速平稳增长。然而，比起"联合"开支，两国各自开支的增速则要快得多：1868~1913 年，两国的联合预算增长了 4.3 倍；但匈牙利的预算增幅是 7.9 倍，奥地利则是 10.6 倍。结果就是，作为联合预算中最为重要的军事开支受到了压制：如我们所见，尽管海军建设以及吞并波斯尼亚和黑塞哥维那需要花费大量资金，但在 1913 年，军事开支占联合国民生产总值的比率也只有 2.8%。奥地利的国防预算从占国家开支的 24%（1870 年）跌至 16%（1910 年），然而铁路建设开支却从 4% 攀升至 27%。匈牙利预算中仅有 12% 用于国防。1914 年 5 月，经过粗略计算，奥地利社会主义报刊《工人报》做了针锋相对的抨击：

> 我们花在军备上的钱是德国的一半，然而我们的净产值仅仅是德国的 1/6。换言之，从比例上看，我们比德国在军备上多花了 3 倍的钱。我们必须以贫穷和饥饿为代价，来维持大国的角色吗？

然而，奥匈帝国确实在设法跻身强国的行列。正如奥地利作家罗伯特·穆齐尔在其《没有个性的人》（*The Man without Qualities*）一书中描述的："即便已在军队建设上花费巨额款项，也仅仅能确保自己在强国中不是最差的。"

## 税　收

有两种方式可以满足不断增长的开支，这两种方式都具有深远的政治意义。其中一种方式是通过提高税收来增加公共收益。但问题是，到底该提高间接税收（主要形式为面包、啤酒等的消费税）还是直接税收（针对高收入和财产所征收的税）呢?

早在1846年，英国就与贸易保护主义决裂，并且比其他国家坚持的时间都要长。1906年，尽管张伯伦及其同僚为此寻找了一些帝国主义根据，但向进口食品课税的提案再一次被全体选民否决了。因此，富人阶层义不容辞地担当起了责任，但问题是直接税究竟要以什么样的方式和税率来征收——统一征收、分别征收还是渐进式征收?与欧洲其他国家不同，19世纪末的英国已经建立了完善的所得税征收制度，这要归功于小皮特在对法国的战争中对融资手段的创新，该方法后来在1842年被皮尔改造成为税收的来源。经济学家古斯塔夫·施莫勒认为，如果德国人"也能够对一种创收的途径适应得如此之好"，他们将"无比雀跃"。他这样说并不是在开玩笑。然而，在1892年以后，所得税的征收开始下降，思想传统的自由主义老古董们（如年迈的格莱斯顿）仍旧梦想着有一天这种税收会消失。为了弥补1899年以来大部分用于海军国防建设的190万英镑赤字，高慎没有选择提高所得税，而是规定资产总额高于1万英镑的应当缴纳1%的税。威廉·哈考特爵士1894年也通过征收合理的遗产税使得"死亡税"合法化。

然而，布尔战争出人意料的高花销，却促成了英国战前直接税收最大幅度的提高。例如1907年，阿斯奎思对"不劳而获"的收入（如投资）每磅征收1先令（12便士）税收，而"通过努力赚得"的收入则只征收9便士。两年后，劳合·乔治提出"人民预算"，包括对资产5 000英镑以上的收入阶层征收"超级税"、对"不劳而获"的收入每英镑多征收2便士、实行土地收益税政策，旨在将收益提高8%。通过1907年和1909~1910年的预算，中央政府收入占直接税收的份额增长到了39%。截至1913年，直接税收、关税以及消费税几乎与政府总收入的份额持平，所得税每年也能带来超过4 000万英镑的收益。但劳合·乔治在战前的最后一次预算中设想和展望了更多的收益增长，在所得税中每英镑再额外征收2便士，实行一项针对收入超过3 000英镑群体的"新超级税"——每英镑的加价逐步攀升，直到达到2先令8便士，针对超过 100 万英镑的遗产征收最多 20% 的死亡税等。战前，自由党人似乎构思出了一种政策，该政策将枪炮（以无畏舰的形式）与黄油（以更为渐进的税收和某些社会开支等形式）独特地联系在了一起。

霍布森认为，单从财政方面来看，英国本能够通过提高税收，组建一支人数在 100 万到 200 万的军队。然而，这种观点忽略了自由主义财政政策对此施加的巨大政治影响。众所周知，自由党人承诺削减军队开支，并且不会顾及后座议员和激进媒体而轻易增加海军预算。尽管渐进的税收制度广为流行，但劳合 · 乔治的预算也将富有的选民拉回了保守人士的阵营，而且并非只有这些“老爷们”对“人民预算”表示反感。1910 年 12 月，在战前的最后一次普选中，自由党和托利党都分别赢得了 272 个席位，因此政府为了获得多数票，不得不依靠 42 位工党国会议员。保守党在接下来的 20 场替补选举中胜出了 16 场，到 1914 年，该胜利场数降到了 12 场，80 多位爱尔兰民族主义者的影响力获得提高。正因如此，1914 年预算不得不以终止辩论直接表决的方式决定（22 名自由党人弃权，1 票反对），另一税收法案因措施不当也未通过。劳合 · 乔治认为“所得税的增加应当按照比率拨给当地政府以补偿利率变动的损失”，但遭到了众人的强烈抗议。因此，英国的情况是，由日益增长的军备开支造成的政治分歧并不如欧陆上其他国家激烈，而且也没有证据表明，国内的政治危机是英国政府在 1914 年选择付诸一战的原因。

与此相反，法国的税收情况严重恶化，这种局面一直持续到战争爆发的前夕。这在一定程度上反映了其革命传统：国家通过严格审查保护公民的收入和财产，而只在客观评估平均支付能力的基础上，征收所谓的款项；同时还要提倡平等原则，因此排除了递增税收比率的可能性。因此，“四位老妇人”——地价税、营业税、可变动的不动产税以及门窗税——逐渐与真实收入和财富积累相脱离。1872 年引入了一项新的安全税，这着实是罕见的创新，因为 19 世纪大部分时期，法国资产阶级的课税普遍很低。战争前夕，关税（于 1872 年，即实行自由贸易 12 年之后，该赋税被重新启用）占政府税务“收入”的 18%，消费税（主要是酒水、盐和烟草等政府垄断的行业）则占到 1/3。另外一个收入来源是小笔合法交易中的各种形式的印花税（占 1913 年税收的 1/4）。1913 年，直接赋税只占一般总税收的 14%。1896 年、1907 年和 1911 年，由于议会的反对，引进现代所得税屡次受挫。直到战争爆发前夜，这种反对的声音才被压制。1914 年 3 月，国家对旧有的财政税收进行了改革；1914 年 7 月，引入了针对年收入在 7 000 法郎以上收入群体的普遍综合所得税。尽管该税率标准为 2%，但实际上它属于累退税。除此之外，还实行了 5 项不完全所得税，其效果与英国税收体系计划大同小异（例如针对不同的收入阶层实行不同的税率）。这项改革的实施得益于普恩加莱引进的比例代表制，它也削弱了激进党的力量，还与衰退的国际形势有关。然而，由于战争的爆发，这项税收直到1916年1月才开始征收。

俄国的体制使其更为严重地依赖间接税收所得，它的收益中仅有很小一部分（1900~1913年仅有7%）来源于直接税收。来自杜马的商业阻力使得所得税无法执行。因此，政府的收入来源主要来自国有企业（1913年，铁路工程的净收入为2.7亿卢布）以及针对基本消费品（如煤油、火柴、糖以及伏特加等）的课税。毫无疑问，这些消费税中最重要的是售卖伏特加的赋税，俄国在19世纪90年代对此领域形成了垄断。伏特加垄断得来的净收益是国有铁路收益的2.5倍，而其总获利（1913年为9亿卢布）更是超过国家总收入的1/4。正如经济历史学家亚历山大·格申克龙所说，税收总负担从1860年占国家人均收入的12.4%增加至1913年的16.9%，但他错就错在认为这影响了人们的生活水平，使其质量下降。

德国的情况再一次因为其联邦体制而变得复杂。联邦州在直接税收方面享受垄断，俾斯麦试图打破这种平衡使其倾向于国家利益，但屡屡受挫。实际上，19世纪90年代，从国家到联邦州的净额转移为平均每年3.5亿马克。因此，当联邦州（以及本地公社）可以通过引入所得税来更新其财政系统时，德国政府在19世纪90年代则几乎完全依赖旧有的消费和进口税收。与俾斯麦颇有共鸣的比洛说，它仍似“一位潦倒的旅人，顽固地敲着每个联邦州的大门，这位不速之客仅仅是在苟延残喘”。因此，德国（包括陆军和海军）有限的财政来源主要是靠间接税。所以，军费开支增长的同时，关税也在增长；但是由于社会民主党成功地利用了人民对于“亲爱的面包”和“军国主义”相结合政策的普遍不满，政府不久便被迫考虑在国家层次上引入财产税。与许多德国右翼势力的设想相反，在陆军和海军方面增加开支实际上有利于德国社会民主党，该党的支持者都受累退税制的波及。而对右翼而言，经济利益与政党路线相违背，而且在此基础上的联合也因情况而变，以至于那些1912年拥护直接税收的商业集团（如工业者联盟）次年便谴责其落差过大。更重要的是，同样的争论出现在宪法的改革上：不仅存在于特殊主义者和集权问题的拥护者之间，还存在于皇家特权的保卫者以及增强议会力量的支持者之间。在这场争辩中，为了强调宪法的意义，经济利益常常被夸大。最终，这场辩论以妥协各个政党的基本历史立场——中央党的反普鲁士主义立场、德国社会民主党的反军国主义立场、民族自由党的反社会主义立场以及保守党的支持政府主义立场——而告终。

因此，1912年前的德国国内政治大多呈现出预算僵局：各联邦州拒绝德国政府享有直接税收收益份额；财政部企图核对竞争部门的开支，但也无果；政府被迫与德国国会在财政问题上争执不休，德国国会的各党派之间也在税收问题上合不来。社会民主党在1912年选举中大获全胜，其实行的旨在为《1913年军事法案》提供资金的两项直接税收新措施常被历史学家解读为僵局的高潮事件；但他们对帝国是处在“转折点”，扎进了“死胡同”，还是面临“潜在的危机”意见并不一致。的确，1912年的选举改变了这种气氛，一位德国社会民主党代表颇有见地，将其描述为“人民为了反抗间接税收的扩大而进行的伟大示威”。在这次意义非凡的改组中，国家自由党人与中央党、“左翼”自由进步党、德国社会民主党一道呼吁，到1913年4月，建立一个帝国层面的“普遍财产税”制度（即所谓的《巴塞曼–埃莎贝格尔决议》，该决议以民族自由党领袖以及中央党领袖的名字命名）。的确，国家自由党人甚至声称新税收政策应当年年更新，并决心重拾累退糖税；此外，他们还为1909年遗产税的延期法案奔走呼告，这些都旨在对德国社会民主党的决议提供支持。另一个显著变化，是中央党和社会民主党在支持军费开支扩大化这一事宜上达成了共同意愿。对于中央党来说，这反映了埃莎贝格尔从反对殖民地花销到支持海军开支的转变；而对社会民主党人来说，正如其1912年那份措辞严谨的声明中所言，“我们社会民主党人一贯不会为军国主义贡献一个人、一分钱。但是……如果我们要承担起使直接税收代替间接税收的责任，那么我们愿意投票赞成直接税收。”1913年发生的事件也可以被视为德国政府扭转对联邦州的财政劣势的关键点。诚然，贝特曼坚信《巴塞曼–埃莎贝格尔决议》煽动起了很高的政治赌注。联邦州面临着两种选择：一是接受由政府提出的帝国资本增值税，二是“推动帝国（此外还有联邦州）的政策转变，在资产阶级政党之间造成无法弥补的分裂；并且如果施加在政府和其政策上的影响向激进方向转变——可能与德国政治传统以及独立联邦州相决裂——其所造成的结果就会是积极的”。

对此，普鲁士财政大臣在与保守党领导人一番商讨后反驳道：若将联邦州在直接税收上的垄断权收回，这可能会成为“迈向议会制政府的灾难性一步”，关键是“普鲁士仍然要做它自己”。对此更为坚定不移的是萨克森君主弗雷德里克·奥古斯塔斯，他将德国资本增值税视为“保持整体性”的工具。德国联邦参议院最终否决了萨克森的措施，并在国民议会上通过了民族自由党以及社会民主党的表决，但这引起了更强烈的反抗。保守党人韦斯塔普表示，德国正在朝“民主统治下的统一国家”这一方向演变。

过去，人们常常认为，正是国内的政治危机，才让德国统治阶层认为发动战争是有必要的：“向前飞”，以从日益高涨的社会民主浪潮中抽身而退。众所周知，贝特曼并没有考虑到这个因素。然而，这并不能说1908~1914年的财政分歧与战争爆发的原因毫无关系。如果进一步来看，财政真正的重要性似乎就在于它微不足道的地位，因为在这一方面基本没有取得什么实质性的成就。军事法案曾计划一次性支付9.96亿马克并以每年1.94亿马克的速度增加，但1913年预算的额外负担就已达到5.12亿马克。政府最初的预算也曾设想通过以下措施筹措资金：公司许可和保险凭证的印花税（每年增长2 200万马克到6 400万马克不等）、扩大国有永久管业（每年增长500万马克到1 500万马克）、一次性国防军税（资产超过1万马克征收0.5%的税，收入超过5万马克征收2%，通过三笔款项来实现，第一批次3.74亿马克，其他两次均为3.245亿马克）、在10个不同资产范围内增加资本增值税（例如对收益在2.5万马克~5万马克之间的征收0.6%的资本增值税，或对100万马克以上收益征收1.5%，计划内收益可达每年8 200万马克）。但这些豪言壮语和实际实施情况，距离一场德国财政革命还相去甚远。预算委员会的讨论主要集中在不同商业集团的区别对待上，而不是收入和支出的绝对水平。此外，讨论结果也是根据政治需要而捏造出来的。国防和财政法案的通过并不代表针对反对力量成立发展联盟的最终胜利，反而揭示了党内的分裂程度。总之，以通过直接税收（考虑到国防捐款在理论上可能会重复进行，因此更准确地说是3项帝国直接税收）为特征的极其微弱的政治突破很有可能会引发重组保守党成员的反对，但这种重新编制的重要性有时会被历史学家们放大。因此，克尔认为德国国家收益在1912~1913年期间稳步增长是错误的，他也认为，即便帝国国会中那些“鼓吹军国主义”和“鼓吹封建制度”的成员得知此事，鲁登道夫的《大备忘录》计划也难以实施。政府也不可能获得议会中多数人的支持，从而获得更高的税收。

奥匈帝国在收益方面与德意志帝国有着类似的问题。共同预算（主要是国防预算）来源于不同王国的关税和其他捐款等综合收益，而政府的其他职能则通过不同的王国或其下属州县的税收来实现。通常认为，匈牙利人支付联合费用的份额有失公允。这种观点只是部分正确。开始，奥地利各州和王国支付70%的费用，而匈牙利各州只付30%；但是根据1907年达成的一项新协议，奥地利的份额跌至63.6%，匈牙利的份额相应上升到36.4%。该比例与两国的相对人口数也基本相当（匈牙利人口占奥匈帝国总人口的40%）。然而，当前普遍认为奥地利负担过重。根据一项统计，1900年，奥地利的国家预算中有14.6%作为共同财产，而匈牙利只有9.5%。更为重要的一点是，双方的收益不管是独立的还是共同的，都依赖间接税收。共同收益的主要来源是关税，它占到1913年共同总收入的25%。奥匈帝国上下只有13%的公共总税收来自直接税收。

换言之，欧洲大陆所有国家都经受着缺乏新式所得税制度的考验，因此，它们在本质上不得不依赖于累退税制，来为其军备和其他开支付账。然而，在德国和奥匈帝国，特有的政治体制使得改善税制的工作遭到重重阻碍，特别是造成了联邦体制下中央和地方之间的紧张关系。

## 债　务

第二种为与日俱增的国内和国外政策付账的方法，便是债款。如表 5–3 所示，在某些国家，这种选择尤为盛行。1887 年后的一段时间，德国和俄国都曾大肆举借外债；然而，在俄国实行金本位、适应卢布增值时，俄国的债务负担却在 1890~1913 年提高了 2/3，德国的债务更是增加了两倍。如果按照绝对价值计算，法国的借款额度也很高，而且其负债起点比德国还要高（因此增速相对较低）。1887~1913 年，与其他强国相比，英国在降低国债水平的手段上相当特殊。考虑到布尔战争的开支使得政府抬高了债款——1900~1903 年，总共增加了 1.32 亿英镑——这项成就就愈加让人印象深刻。

**表 5–3　各国负债情况（单位以该国货币单位以及英镑为准，1887~1913 年）**

| | 法国（法郎） | 英国（英镑） | 德国（马克） | 俄国（卢布） |
|---|---|---|---|---|
| 1887 年 | 23 723 | 655 | 8 566 | 4 418 |
| | （941 英镑） | | （419 英镑） | （395 英镑） |
| 1913 年 | 32 976 | 625 | 21 679 | 8 858 |
| | （1 308 英镑） | | （1 061 英镑） | （937 英镑） |
| 增长比率 * | 39 | –5 | 153 | 137 |

* 增长比率以英镑为准。

**注**：德国 = 帝国 + 各联邦州。

**资料来源**：Schremmer, "Public Finance", p. 398; Mitchell and Deane, *British Historical Statistics*, pp. 402f; Hoffmann et al., *Das Wachstum der deutschen Wirtschaft*, pp. 789f; Apostol, Bernatzky and Michelson, *Russian Public Finances*, pp. 234, 239.

在经济空前增长的时刻，这些负债都是可以承担的。的确，4 个国家的负债所占国民生产净值的比例都有所下降，正如表 5–4 所示。

**表 5–4　国家负债占国民生产净值的百分比，1887~1913 年**

| | 法国 | 英国 | 德国 | 俄国 |
|---|---|---|---|---|
| 1887 年 | 119.3 | 55.3 | 50.0 | 65.0 |
| 1913 年 | 86.5 | 27.6 | 44.4 | 47.3 |

**注**：德国 = 帝国 + 各联邦州

**资料来源**：同表 5–3; Hobson,"Wary Titan", pp. 505f.

英国政府的公共借债史能够回溯到 18 世纪，这一点可谓无可匹敌。不同于其他主要欧陆国家，虽然英国经历了一系列炮火的洗礼（直到滑铁卢战争才算告终），但是却没有失信于债券持有人，也没有通过通货膨胀的手段投机取巧（这体现了回归1819年引入的金本位制度的重要性）。因此，在19世纪的大部分时间里（实际上直到1873年），英国国债比其他欧陆国家都要高，是公共税收的10倍多；而1818~1855年，债务费用则占总支出的50%左右。这使得英国的政客们极其担心再添新债：当这一天真正到来时（正如布尔战争期间），他们着实感到不安。正如财政部要员爱德华·汉密尔顿在1907年对阿斯奎思所言，“国家不能不明不白地增加集资量。所有人在布尔战争期间都是这么认为的，但是我们现在明白了，我们在那场战争中的借债对我们的信贷造成了极大的物质损害。”

然而事实是，“统一公债”（由英国政府于1751年开始发行的长期债券，19世纪的“金边证券”）的市场从19世纪20年代开始直到当时都鲜有扩大。维多利亚时期的政客在限制公共借债方面如此成功，以至于债款的总值从1815年的8亿英镑下降到100年后的6亿英镑，这书写了19世纪财政史中独特的一笔。作为国家收入的一部分，英国的公共负债比在第一次世界大战爆发前达到历史新低——只有28%，远远少于其他国家的相应数据；债款总额仅是总税收的3倍，还款额度也只占总开支的10%。此外，英国拥有世界上最庞大、最复杂的资金市场，由英格兰银行以及私营和股份制银行组成的非正式集团所管理，因此短期借款相对容易。

如果用现代标准来衡量，法国的公共借债额尤其高。1913年，该额度达到了国家收入的86%左右，比1887年上升了将近40%。这也是所有强国中的最高水平，因此其偿债额占中央政府开支比例也最高。这也反映了法国保持预算赤字的趋势（不管政治形势何其复杂）；20世纪，法国仅有若干年能够保持预算收支平衡，因此，与1815年相比，当时的债务不断累积，势不可当。大量的公共负债也正合那些待救济者的胃口，他们对永久年金（法国政府债券的基准；正如其名，它是无法依靠偿还而终止的）的依赖性甚至比英国那些鳏寡孤独者对统一公债的依赖性还要强。税额的削减产生了这样一种传统，从政府那里长期借钱，以获得虽然低但却稳定的利息回报。经济学家们仍旧是那些靠投资来生活的食利者，这并非偶然，这类人在19世纪的法国非常常见。

19世纪下半叶，俄国的公共负债总额也急剧攀升。1886~1913年，该数字翻了一番，从44亿卢布增长到88亿卢布。卡亨认为，国家为了给重工业扩张融资而大举借债，会导致“排挤”私营产业投资的现象——然而，与之相反的是，这种负担并非那么严重。由于俄国经济的高速增长，其负债从占国家收入的65%下降到战前的仅47%，此外，俄国的债款总额与税收的比率为2.6：1，比法国（6.5：1）和英国（3.3：1）都要低。1900~1913年，偿债额在中央政府开支中占13%，略低于英国。因此，“排挤”的观点不攻自破：俄国资本市场债券占政府国债的比例从1893年的88%下降到1914年的78%。不管怎样，在国家负债中，有相当大比例的债款是向一些并没有准备对俄国的私营企业投资的外国人借入的。

德国的财政学遵循着一条基本原则：不论是额外开支（诸如军费）还是“有所回报”的开支（如国有企业投资），都更多地依赖借债，而非当期收入。有人认为，在和平时期建造海军力量需要“支付利息”，因此，提尔皮茨海军战略的资金筹措便有了正当的理由。1891~1895年的5年内，海军军费每年为8 600万马克；而1901~1905年这5年，海军军费一跃增长到2.28亿马克。军费的开支也拉动了德国负债的增长：从11亿马克上升到23亿马克。1901~1907年，德国总收益平均有15%来自借债；1905年，这一收入来源则超过了1/5。偿债的费用占德国总支出的份额成比例地增长，这也导致了许多人对政策的不满：“为了国家债权人的利益，百姓变成了息奴。”此外，德国的长期赤字导致了短期债务的增长，从占总债款的4%上升到9%。

德国的情况之所以复杂，是因为国家债务与政府的另外两个层级——州和城市的债款同步上升。实际上，这3个层级在资本市场上是相互竞争的关系。1890年，国家总债款为13亿马克，仅略高于城市级别的债款（10亿马克）。联邦州的综合借债额为92亿，是普鲁士的2/3。因此，排挤现象有可能会随之产生。1896~1913年，私营机构债券发行量增加了166%；1901年后，私营机构债券发行平均占到所有股市债券票面价值的45%~50%。截至1913年，公共机构债务总额上升至328亿马克，其中一半以上是国债，16%由国家发行，剩下的则归属城市。不同于英法两国，为了给公共机构借债融资，德国需要国外的支持。1913年的公共总债款中，几乎20%来自于国外投资者。

虽然情况极其复杂，但我们也非常有必要将德国的债务负担弄清楚。战争前夕，公共债务总额差不多占到国民生产总值的60%。1913年，逐渐上升的还债压力已经占到了公共开支总额的11%。如果将协约国中央政府的负债情况与德国国家和各州的综合情况加以对比（如表5–4所示），我们会发现，后者实际上比俄国和法国的还要低。

奥匈帝国同样对逐渐逼近的财政灾难深感忧虑。正如荷尔斯泰因19世纪80年代末向德国呈交的一份报告中写的，“尽管施行了一系列新税收政策，预算的平衡仍旧只是个‘虔诚的愿望’。与此同时，他们还在乐此不疲地继续借钱……”经济学家E·伯姆–巴维尔克坚称，双君主立宪制“已入不敷出”。不用说，奥地利人对匈牙利人支付债务的方式一直心怀戚戚：匈牙利每年偿债的数额都按照统一的额度——290万荷兰盾，而其西边的奥地利人则要为任何可能的新借债而劳神。然而，这些暂时性的焦虑再一次显得有些过头了。实际上，1913年，公共借债的总额还不及国家收入的40%。

与1867年前相比，这在财政上已经算是相当节制了。1907年，奥地利的还债额仅是其支出的14%，而19世纪50年代和60年代，这一数字高达33%。

总而言之，军备竞赛对于公共借债的影响并不重要：有时，尽管军费确实增加了，但债务负担却下降了。然而，有些人还是为政府债务的绝对增长一筹莫展。造成这种现象的一个重要原因就是政府借债金额的增长，这一点可以通过政府债券的价格（或获利）来衡量。

在19世纪，国际债券市场已经演变成对资本主义经济和政治动向格外敏感的晴雨表。1900年年初，投资基金（大部分是西方世界有产阶层的存款）的流动性巨大，虽然与其当时的政治影响力仍不成比例，但其巨大的波动起伏值得历史学家对此更多关注。这是个相对而言有效率的市场，购买和售出的个人和机构在1914年为数众多，而交易成本也相对较低。此外，由于国际沟通方面的重大突破——特别是电报的使用——使得该市场能够及时获取政策信息。1890年左右，债券价格的下降——或者是获利的增加——被广泛认为是财政“过度膨胀”的象征（如表5–5所示）。

**表5–5　欧洲主要债券价格，1896~1914年**

| | 最高价格 | 日期 | 低谷价格 | 日期 | 比率变动 |
|---|---|---|---|---|---|
| 英国统一公债（2.75%） | 113.50 | 1896年7月 | 78.96 | 1913年12月 | –30.4 |
| 法国统一公债（3%） | 105.00 | 1897年8月 | 80.00 | 1914年7月 | –23.8 |
| 俄国公债（4%） | 105.00 | 1898年8月 | 71.50 | 1906年8月 | –31.9 |
| 德意志帝国公债（3%） | 99.38 | 1896年9月 | 73.00 | 1913年7月 | –26.5 |

**资料来源**：*Economist*（每周收盘价格）.

实际上，造成债券价格下降的一个重要原因是通货膨胀：由黄金产量的增加，以及造成纸币及非现金交易方式（特别是跨行结算）增加的银行业务的飞速发展而引起的货币现象；然而，也有人将债券获利的增长诠释为市场对懒散的财政政策的抵制现象。只有当公共机构的债券发行通过在资本市场上与私营机构的债权相竞争，全面推动借款成本上升时，这种说法才成立——正如发生在德国的情况。然而，许多国家的政府（甚至英国也是其中之一）通过对“左翼”和右翼的批评，来平息对无节制财政的谴责。表5–6告诉我们，债券收益上升是普遍存在的现象；然而，更重要的是，不同国家的债券获利存在明显的不同和“差距”。这些获利差距不仅真实地展现了关于财政政策的市场评估，更表现了稳定政局和外交政策方面的市场评估，毕竟改革、战争和破产之间一直存在共通的危险性。或许在经历了1904~1905年的战争，以及经济、政治上更为普遍的“滞后”问题后，俄国会不出所料地被认为是所有强国中信贷风险等级最高的国家。更让人吃惊的是，尽管存在着巨大的差别，德国与英法两国的债券获利却出奇地相似。这种现象不能被简单解释为德国的私营部门在柏林的资本市场上有更大的需求（并且无论如何，投资者们一般会在不同政府的债券间做选择，而非选择工业证券或债券），伦敦也是一样。简而言之，投资者们认为威廉德国在经济上的实力不及其西方对手。

**表 5–6　主要国家的债券获利，1911~1914 年**

| | 英国统一公债 | 法国统一公债 | 德国公债（3%） | 俄国公债（4%） | 德国–英国获利差 | 俄国–英国获利差 |
|---|---|---|---|---|---|---|
| 1911 年 3 月 | 3.08 | 3.13 | 3.56 | 4.21 | 0.48 | 1.13 |
| 1914 年 7 月 | 3.34 | 3.81 | 4.06 | 4.66 | 0.72 | 1.32 |
| 平均值 | 3.29 | 3.36 | 3.84 | 4.36 | 0.55 | 1.07 |

**资料来源**：*Economist*（英国每月平均价格）.

《经济学人》等金融杂志更为直观地向我们提供了一周和一月时间内债券价格的走向。出于一些历史原因，不同国家的债券的名义利息不同：19 世纪大部分时间里，英国的统一国债支付 3%的利息，但在 1888 年和 1903 年，这一比率分别下降到 2.75%和 2.5%。截至 19 世纪 90 年代，英国和法国的债券支付 3%的利息，但俄国则为 4%，其在 1905 年后发行的新债券更是达到了 5%。当然，当时的投资者普遍对债券的获利更感兴趣，出价根据每个国家各自的还债能力也或高或低。为了便于比较，我假设每个国家的付息率皆为 3%，并从获利比率和债券价格方面对其进行重新计算。图 5–4 揭示了 1900~1914 年经过重新计算的英国统一公债每月平均价格；图 5–5 则是同时期法国、德国和俄国债券的每周收盘价格，其中对俄国的价格做了类似的重新计算。

德国的债券比英国和法国的债券价格低很多，平均大概低 10%。尽管技术层面的困难是造成这种局面的原因之一，但从根本上看，债券价格差距反映了德国债券较英国相比，具有更高的可感知的风险。德国与俄国之间的债券价格差异也同样明显：在日俄战争及后续发生的革命期间，这种差异迅速扩大，这不足为奇；但截至 1910 年，两国间的落差又缩小到甚至比法国和德国之间的差距还要小。不止英国和法国拥有优于德国的信贷风险，就在比洛下台后不久，德国的 4%帝国债券价格跌至比意大利的 3.5%债券还要低。

当时的人们并非没有注意到这一点。1909~1910 年，德国和普鲁士共计发行 12.8 亿债券，这使得许多观察家，包括财政部政务次长阿道夫 · 韦穆特，做出了如下总结：德国的“财政武装”无法与其“军事武装”相媲美。德国提高获利的问题尤其让诸如沃伯格这样的国际银行家挠头。1903 年，在比洛的教唆下，沃伯格试图在用餐后

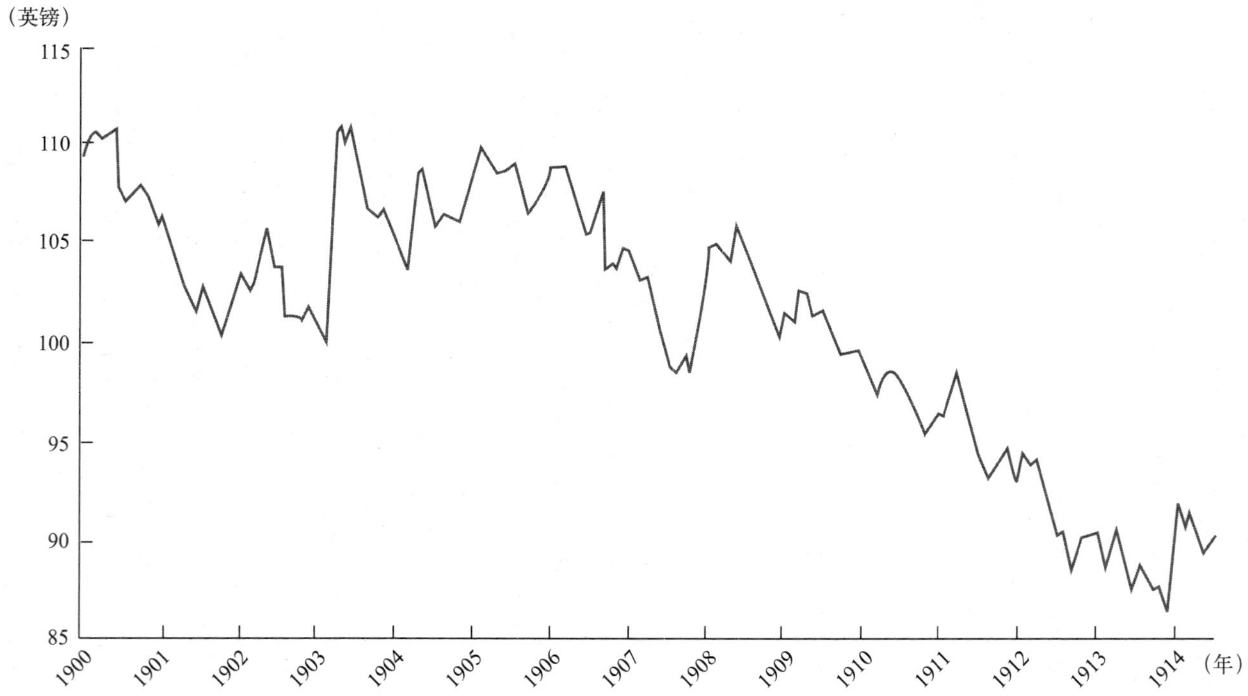


图 5–4　英国统一公债每月平均价格，以 3% 的息票计算，1900~1914 年

**资料来源**：*Accounts and Papers of the House of Commons*，vols. li, xxi.

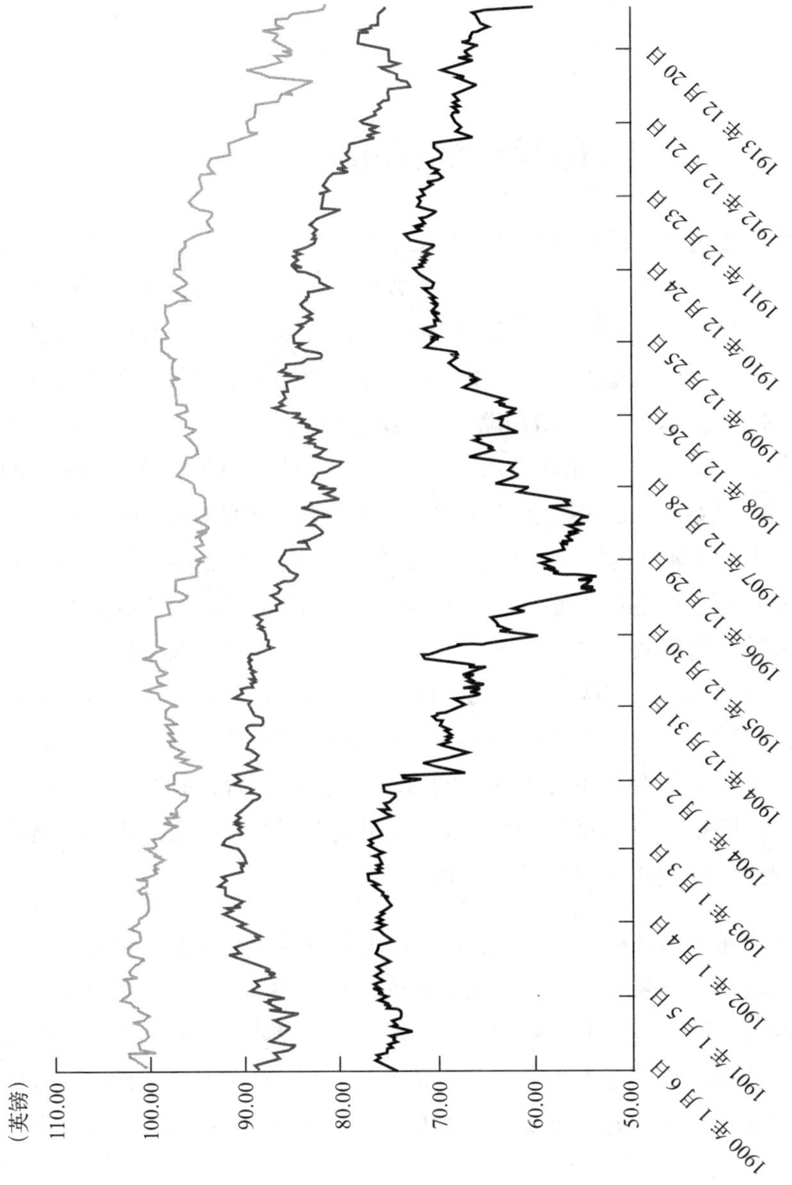


**图 5–5　法国（上）、德国（中）和俄国（下）每周债券收盘价格，皆以 3% 的息票计算，1900~1914 年**

资料来源：*Economist.*

与德皇进行一次交谈，但却被后者一句自信的保证打发了："最先破产完蛋的肯定是俄国人。"1912年，沃伯格上书全体德国银行家代表大会，名为《适合我们与不适合我们的提高国债的方法》；次年，经济学家奥托·施瓦茨反驳了德皇早期的言论，并断言德国现在的财政情况要落后于俄国。1908年德国一项新的高利润贷款也遭到一些人的质疑，被戏称为"战争贷款"。

## 从财政僵局到战略困境

德国和奥匈帝国在财政上的相对弱势具有深远的历史影响力，因为这是之后大量军事开支的前奏和暗示。众所周知，受军务部中普鲁士保守势力的影响，德国军队的扩张速度受到限制。但即便鲁登道夫放开手脚施行近似普遍兵役制，德国是否能将这项工作负担得起还有待商榷。德国的国防预算也同样受到约束：联邦体系中反对加强财政集中制的声音此起彼伏，议会对增加税收的不满也与日俱增，而且如果不扩大德国与其西方对手们的债券获利差异，借债活动便无法开展。因为无法降低联邦州占有的巨大份额和本地政府的总收益，无法像英国那样增加直接税收，无法像俄国那样增加间接税收，也无法像英法那样廉价地借债，所以德国似乎注定要丢掉这场财政军备竞赛。

人们也逐渐意识到了问题的严重性。"如果我们被财政掣肘，即使我们的军队蓄势待发、我们的海军严密备战，这些都还有什么意义呢？"德国财政系统上层官员威廉·格洛夫如此发问。而比洛却认为有必要"说服德国人民，金融改革在道义上和物质上都是**事关生死**的"。陆军社团内刊《国防》赞同道："如果想要和平的生活，人们必须承受累累负债并交税：如果不经受这样的考验，是达不到目的的。"这的确也是伯恩哈迪的作品《德国和下一场战争》的底线；如果稍做研究，便会发现该书是在针对1912年的政治大讨论，适时地呼吁施行财政改革：

> 如果不考虑军事和战略的立场，将战争的大部分准备建立在暂时可行的财政手段上，那么这将是个致命而愚蠢的政治举动。"无保障不开支"，成为这一政策矫饰自己的原则。只有当开支决定保障，一切才是合理的。在一个高度文明的国家，正是那些需要被履行的责任……才能够决定开支；如果财政大臣通过遏制国家实力来寻求国家财政平衡，并放弃政治上必不可少的花销，他将不是一个合格的财政大臣……

赞同这一点的不仅是军人。国家银行总裁哈芬施泰因也毫不掩饰地谈及了德国财政基础的不足，他在1914年6月18日宣称，"只有当我们的财政实力与军事实力并驾齐驱，我们才能够维系和平的局面。”这句话不能被解读为德国已经为战争做好了准备，恰恰相反，哈芬施泰因的观点旨在揭示德国并不景气的财政局面。

然而，政治上的缺陷仿佛是不可逾越的。“我们拥有人力和财力，”陆军社团首领凯姆忧心忡忡地说，“我们所缺少的只是让两者皆贡献祖国。”社会民主党人丹尼尔·斯杜克兰也对该问题深表忧虑：“有些人要求增建战舰，另一些人吵着要增兵。如果可以成立一些专门为这些需求筹措资金的机构就好了。”政府面临的难题并不复杂。“当前的财政负担已对经济造成了巨大影响，”一位普鲁士军务部军官在1913年说道，“如果再继续煽动，对社会民主党来说无疑是雪上加霜。”当沃伯格在1908年发出如下警告时，他一定也持有一致的想法：“如果我们继续执行原来的财政政策……那么有一天将发现，我们所做的只能是为可能的牺牲付账——有可能还支付不起。”次年，他的朋友阿尔贝特·巴林担心地说，“一项新的财政改革”可能会导致国内政局的“关键转向”。然而讽刺的是，致使税收瘫痪的罪魁祸首正是普鲁士保守党：奥托马尔男爵一方面提倡普遍军役制度，而另一方面却反对军官队伍资产阶级化，也反对向东易北河地区征税。

财政僵局让战略部署同样面临重重困难。1912年，东德意志印刷出版公司出版了一个小册子，标题甚为露骨——“德国限制扩军是否因为其财政困境？”答案是肯定的。“我们只是无力负担建造无畏舰的费用，因而无法与更富有的英国相抗衡。”1909年，德皇也承认，“资金的紧张无情地限制了我们的发展……因此那些旨在建设‘前线’的合理需求都被搁浅了。”甚至连小毛奇都看透了问题的实质，于是他在1912年12月说道：“我们的敌人武装得比我们到位，就是因为我们资金匮乏。”当月，德皇声称，“德国人民做好了牺牲一切的准备……一场失败的战争要比这样那样的赋税付出的代价更多，对此他们非常清醒。”他对“人民出于军事理想而甘愿牺牲一切”的信念坚信不疑。尽管从表面上看德国人最痴迷于军国主义文化，但威廉时期的一个最根本的悖论就是，他的信念并不成立。

德国的财政弱势也不是什么秘密了。尽管1914年以前英国的主流媒体时不时对德国的工商业崛起感到焦虑，知情人士却对德国并不理想的财政实力心知肚明。1909年11月，时任贸易大臣的丘吉尔认为，“集资所面临的越来越多的困难与阻止德国海军扩张越发亦步亦趋。”他的备忘录对德国国内的窘境做了相当准确的评估，因此值得长篇引用：

> 德意志帝国的过度开支侵蚀并威胁着维系德国社会和政局统一的大堤。商业条款在很大程度上使关税居高不下……对粮食的沉重课税使其成为关税中增长

幅度最大的一个，也在农民和企业家之间造成了很深的隔阂，企业家认为自己通过精密仪器生产出高价粮食，却并没有得到合理的补偿。国有铁路的庞大资产一直被人们认为仅仅是税收工具，因此也面临压力。直接税收领域大部分已被联邦州和地方系统占据，而议会加入这一枯竭领域将使得有产阶级团结在一起，既包括帝国主义者，也有州权主义者。他们都有共同的担忧，政府对此也没有无动于衷。另一方面，以各种普遍优惠形式新增的税收助力党派中的“左翼”人士——他们本身反对军费开支，有力地加强了自身的影响力。

与此同时，德意志帝国的负债在过去连续13年的和平时期中翻了一番……为了满足日常年度开支而进行的周期性借债让国外投资赚得盆满钵满，同时也打破了柏林替代伦敦成为世界借贷中心的幻想。德意志帝国的信用级别已经降至与意大利平齐。

这一切都表明，德国国内正面临一场严重的财政危机。

丘吉尔并不是觉察到德国财政弱势的唯一一人。早在1908年4月，格雷本人就曾“指出财政可能会在今后几年中成为德国面临的一个严峻的挑战，德国也会因此受到束缚”。次年，正是通过德国驻伦敦大使梅特涅，格雷格外关注德国国内对海军开支的“抵制”。而英国驻柏林大使高慎也在1911年对这些关于海军开支的“怨言”发表了意见，并且在德皇试图驳斥“德国财力虚空的普遍观点”时表达了自己的质疑。《1913年军事法案》通过时，他写道，“每个阶层都乐于见到财政负担没有压在自己的肩膀上。”1914年3月，尼科尔森颇有远见地预言，“只有德国做好了继续为其军事目的而牺牲的准备，它称霸欧洲才指日可待”。

那些身在伦敦却对德国的财政内幕了如指掌的人也有着同样的思考。罗斯柴尔德对德国实力的局限性的体察非常敏锐：他于1906年4月说道，“德国政府很拮据。”当时又有一笔帝国贷款被投放到市场上。此外他也并没有低估德国银行在1907年国际金融危机时所面临的困难。德国所承担的压力从许多方面来看比英国严重得多，并且由于短期公共部门的借款而逐渐恶化。罗斯柴尔德对德国向外国资本市场兜售债券印象深刻，这并非英国和法国在和平时期的权宜之计。德国的财政穷途还通过1908年4月大规模发行普鲁士债券和德国预算赤字得到了充分体现。不难想象，正如汉堡的沃伯格家族一样，罗斯柴尔德同样期待德国政府寻求在限制海军建设问题上达成一致。1911年第二次摩洛哥危机时，外国资本的撤离将柏林市场的脆弱性暴露无遗。在银行家眼里，德国是虚弱的，实力并不强大。

美国外交官约翰·利什曼同样对《1913年军事法案》做出了自己的分析：

> 尽管许多人认为，德国的行为并不是被那些发动战争的潜在意图和声音教唆引起的——因为1/4的人认为即使赢了战争，德国的经济发展也会倒退50年——德皇的行为还是在其他国家中造成了猜测和困惑。随着德国军事力量的增强，法国和俄国的军队也有相应的发展，但人们很难理解德国政府为何会指望以剧增的累累负债来获得与之相匹配的优势；更让人不解的是，被横征暴敛的广大德国百姓如何能够温顺地向这迅猛增长的负债卑躬屈膝。
>
> 德国处于被各军事大国包围之势，必然被迫要保持自己的军事实力，这是很正常的，但是德国的国防事业，或者所谓的“思危”意识，如不以严重的经济骚动为代价，是不会有长足进展的……

然而，利什曼担心“一个实力强盛的军事政党”可能会“不顾政府的和平努力，将这个国家拖入战争的泥淖；在一些场合下，如果君主没有现任德皇这样有能力且又缺乏远见，就会发现自己可能无法抵挡战争派施加的压力……”1914年2月，当时的美国大使沃尔特·佩奇告诫美国国务院，“有的政府（很可能暗指德国）将会面临破产的厄运，而转嫁这一厄运的最容易的办法便是战争；战前的破产是不光彩的，但战后，一切都将被冠以‘荣誉’的名义。”他的目光被《柏林邮报》的一篇文章所吸引，该文章“敦促尽快开战，因为比起不久之后，德国目前的状况要更合时宜”。

事在人为。丘吉尔认为其危险性在于，比起“缓和国内局面”，德国政府可能会“通过对外的冒险来规避现实”。罗斯柴尔德也同样认为，财政局限可能会诱使德国政府寻求侵略性质的外交政策，甚至不惜冒“大规模增加新的陆军和海军开支”的风险。社会民主党首领奥古斯特·倍倍儿在其1911年12月那场难忘的国会演讲中表达了一样的观点：

> 所有国家会一直备战，直到某一天战争爆发：与其说这是无尽的恐怖，不如说其结局是恐怖的……他们会说：听着，如果我们继续等下去，我们便不会成为强者，而只会身处弱势……中产阶级世界众神降临的日子指日可待了。

该分析非常敏锐。小毛奇于1913年3月称，“人们越来越倾向于将战争视为缓解大规模军备、财政负担和政治紧张局面的出路。”

诚然，对第一次世界大战的国内因素的分析已成老调重弹。然而，我们必须从另一个角度（除了国内的政治因素之外）重新审视战争的国内诱因：因为德国的财力限制了其军事实力，而这也或许是德国总参谋部在1914年所要思考的关键问题。

## 鲁登道夫的悖论

德国能否缓解在财力方面的“吃紧”现象？两项统计显示，如果不是因为政治僵局，在经济上还是能够实现的。《1913 年军事法案》设想 5 年中增兵 11.7 万人，支出 19 亿马克，包括 1913 年预算中的 5.12 亿马克的额外负担。相应地，鲁登道夫在其《大备忘录》中的最终计划是在 5 年内增兵 30 万人，支出 49 亿马克；这就是说，1913~1914 年，军事开支又额外增加了 8.64 亿马克。而这将会导致德国的国防预算在绝对值上超过俄国约 33%；但是相对来看，不管是占国民生产总值的比例（这一数字可能会上升到 5.1%）还是占公共总开支的份额上，德国的开支额度并非明显高于其他国家。

要为这些开销付账也并不是没有办法。即便这些增长的额度仅通过借债来偿还，德国的债款仍然只占国民生产总值的一小部分，低于法国和俄国；偿债额也仅是非地方支出的一小部分，同样低于法国和英国。如果国防费用从 9.96 亿马克增至 25.54 亿马克，并且资本增值税的年度收益从 1 亿马克升至 4.69 亿马克——或者如果设法创造额外的直接税收——单是直接税收便可足够偿还债款。而这将能够使德国的直接税收占国民生产总值的比例达到英国的水准（3.3%），并继续降低其在公共开支中的比重。换言之，尽管政治上具有不可变更性，鲁登道夫备忘录中暗含的增加军费开支的意图却是在经济所允许的范围之内进行考量的，正如德国的对手们的预算所限定的那样。在此还需要强调一点，即在短时间内，德国国家银行的扩张性货币政策也能够缓解新增军费开支的负担。在经济低迷时期，国家银行曾一度囤积黄金；它本可以在不损及其最低准备比率的情况下，相当容易地购买到大量国债，但它没有这样做。

历史学家们并非普遍认为以上这些与实际相悖的假设都是合理的。然而，我们可以通过 1914 年 7 月之后发生的事实来验证这一点。正如我们所见，战争一爆发，国防支出的财政和货币限制迅速实现突破，显示了德国未雨绸缪的能力。1917 年，公共总开支上升至国民生产总值的 70%，德国迅速扩大其收益和开支份额，同时国家银行也在战时通过政府提供高级别的短期贷款进行支援。此时，产量的减少和日益严重的通货膨胀自然开始将德国经济实力的有限性暴露出来。但事实上，德国在 3 年的时间里能够均衡维持 3 条战线的开支，这表明德国本可以用更少的代价避免战争。然而，如果没有由战争而产生的国家凝聚力，这在政治上是不可能实现的，这一事实也证实了威廉德国备受争议的军国主义的弱点。由此我们可以得出一个自相矛盾的结论：1914 年 7 月之前，德国的高额军费——换言之，其更深厚的军国主义特质——不会使这个国家成为战争的始作俑者，反而将有可能阻止战争的发生。

# THE PITY OF WAR

第六章

# 人类的末日——1914 年 6 月 28 日~8 月 4 日

## 为何是波斯尼亚?

对外交历史学家来说，政治家和研究者最关注的难题的所有答案，都在1914年集中爆发了："东方问题"——旨在将奥斯曼帝国逐出欧洲的旷日持久的作战，将各国的相互对抗和巴尔干民族主义一并卷入。而问题是，哪个国家将步土耳其的后尘呢？在这场占据了19世纪大多数时间的战争中，俄国是最雄心勃勃的国家，与它纠葛不断、最为棘手的对手是奥地利，而英法两国则是伺机而动，与俄国针锋相对。"近东"（与"中东""远东"相区分，不应混淆）地区的确是海战的便利场所——没有哪里能够让英国舰队如此轻易地从直布罗陀海峡隆隆挺进达达尼尔海峡——但这里并不宜屯兵，正如人们在1854~1855年的塞瓦斯托波尔以及60年后的加利波利所遭遇的一样。俄国人在1877年也遇到了相同的问题，他们开赴君士坦丁堡的先头部队止步普列文，因此避免了第二次克里米亚战争的发生。

纵观19世纪的历史舞台，我们会发现鲜有奥地利和德国的身影。俾斯麦明智地保存了其波美拉尼亚核心精锐部队的实力，以备北境之战的不时之需。然而在世纪之交，各国之间发生了一次关系重组。随着俄国海军渐渐淡出黑海，英国也逐渐丧失了控制黑海海峡的兴趣。而另一方面，德国则对土耳其在政治和经济方面产生了兴趣，规划的柏林-巴格达铁路正是这一重心倾斜的象征。抑或更为重要的是，19世纪从奥斯曼帝国统治下夺取（或被给予）独立主权的巴尔干国家，开始寻求更为进取和自主的政策。1886年，当保加利亚国王试图实行自己的政策时（即便这个缔造"大保加利亚"的政策与俄国自己的政策如出一辙），俄国完全可能对其进行惩治。塞尔维亚政府同样没有对俄国政府言听计从。塞尔维亚人于20世纪初期试图在巴尔干地区达成的伟业，与19世纪20年代希腊在伯罗奔尼撒半岛、19世纪30年代比利时在佛兰德斯地区、19世纪50年代皮埃蒙特在意大利以及19世纪60年代普鲁士在德国的所作所为如出一辙，都打着"南斯拉夫"民族主义的旗帜，实则旨在扩张自己的领土。

弹丸小国获取独立或扩张领土的成败，在很大程度上取决于强国政策的喜怒哀乐。德国历史学家利奥波德·冯·兰克提出了"五国联合"的概念，而正是这些强国之间的平衡或失衡，直接决定了小国的命运。因此，希腊人和塞尔维亚人在19世纪20年代（在一定程度上）成功打击了土耳其人的事实，实际上也是在按照诸强国的意愿行事。按照1830年达成的国际共识，希腊摇身一变成为德国国王手下温驯的君主国，这也是新兴国家诞生的典型案例。19世纪30年代，类似的事件再次上演，保加利亚人脱离了荷兰的统治。直到1839年，各国在利益纷争上终于趋同，标志这一和谐立场的重大事件便是在新兴国家的中立化上达成的一致。1856年，罗马尼亚脱离摩尔达维亚和瓦拉几亚各省实现独立，为克里米亚纷争画上了句号。

相比较之下，皮埃蒙特和普鲁士却是从国际上的争端和各国丝毫不感兴趣的事情中渔翁得利。正是由于拿破仑三世出手相助，加富尔伯爵才将其北意大利联盟收入囊中；在这之后，获得教皇国、那不勒斯和西西里地区也只是极少数真正的民族主义者——加里波第千人军团——屈指可数的一个胜利。普鲁士能够通过在局部地区击败丹麦、奥地利和法国而建立德意志帝国，正是由于英国和俄国对此事睁一只眼闭一只眼。保加利亚的独立是俄国在面临英国干预的威胁下精心策划而成的，包括之后鲁里坦尼亚王国式的短命小国东鲁米利亚以及奥斯曼帝国在马其顿的持续统治也是如此。其后，挪威悄无声息地脱离了瑞典，获得独立。这也从侧面反映了民族主义革命潜力的局限性，即所有新兴国家皆为君主政体。在欧洲，只有两个国家是以共和国的面貌出现的，即1870年的法国和1910年的葡萄牙，而这两个国家同样得到了长久的发展。

然而，这些新兴国家中没有一个能够保持其种族的单一性，它们同样也不是马志尼[①]幻想中的民族国家。比利时就像是各种语言汇聚一堂的大熔炉；罗马尼亚境外同样居住着数量可观的罗马尼亚人；在意大利，也很少有人在语言或者认同感方面觉得自己是一名意大利人（尤其是南意大利地区，因为那里已经变成了皮埃蒙特殖民地）；近1 000万德国人居住在德国边界线之外（正如那些在外杂居的波兰人和丹麦人一样），因此，只能说明德国仅是一个联邦，它还不能算是一个民族统一的国家。此外，在众多成功的建国案例中，只有一个失败的例子：爱尔兰甚至没有办法赢回自己的议会（即所谓的“地方自治”），但在战争爆发时这个目标几近实现。波兰人民的英雄式渴望始终被俄国和普鲁士所打压，具体可分为4次：1772年，1793年，1795年和1815年；1830年和1863年，波兰曾经两度争取主权，但却遭到沙皇军队的无情打压，最终失败。对于不得不忍受匈牙利人那丝毫不容妥协的民族沙文主义的克罗地亚人、罗马尼亚人和德国人来说，自治政府简直就是天方夜谭。其他一些少数民族更是

① 朱塞佩·马志尼，意大利革命家，民族解放运动领袖。历史学家曾评论道，意大利的统一归功于马志尼的思想、加里波第的刀剑和加富尔的外交；列宁也把他归为马克思主义诞生以前的非无产阶级社会主义的代表人物。——译者注

被俄国的魔爪牢牢束缚着，包括芬兰人、爱沙尼亚人、拉脱维亚人、立陶宛人、乌克兰人等。大西洋彼岸，美利坚合众国正如新星般冉冉升起，但其南部联邦最终还是没能赢回自己的独立主权。

当然，也有一些少数民族在 1914 年并不期许本国的独立，但有一些之后还是成功地建立了自己的国家，例如奥匈帝国的捷克斯洛伐克以及在那里生存的犹太人（少数拥护犹太复国主义者除外）。在其他多民族王国中，苏格兰人是典型代表。很显然，他们中的大多数人从联合王国和帝国谋得不少物质利益，甚至连捷克人都把他们看作是可悲的缺乏民族自豪感的人。在一场斯拉维和阿伯丁之间的球赛结束后的招待会上（《好兵帅克》的作者哈谢克对此的描写让人难忘），捷克作为主人，试图与其苏格兰客人进行文化交流，因此向他们介绍了“捷克人民觉醒”的历史，介绍了如胡斯、哈夫利切克和约翰 · 内波穆克等捷克民族英雄，并演奏捷克国歌。然而这些苏格兰人，似乎对金钱利益之外的国家利益丝毫不感兴趣，他们还以为哈夫利切克是斯拉维的前国脚，并放开嗓门高歌“一首关于士兵美丽情人的庸俗歌曲”。

最后，我们也不该忘记那些一直存在的非同寻常的国家，以及以实际行动定义民族主义基本原则的小国家，如作为多语言联邦的瑞士，以及享有与比利时相同国际地位、面积甚小却独立自主的直辖领地卢森堡。对于波斯尼亚和黑塞哥维那这个宗教上并不统一的国家来说，民族主义并不是维持其生存的决定性因素。起先，它从属于奥斯曼帝国；1878 年柏林议会将其划至奥匈帝国的统辖范围；1908 年，它正式归属于哈布斯堡王朝（作为奥匈帝国财政部“共同”控制的王室领地）。

大批奥地利的士兵和官僚蜂拥至波斯尼亚，他们控制了境内盗贼的猖獗行为；他们建造了 200 所小学、1 000 千米的铁路和长达 2 000 千米的公路；他们在提高农业生产方面也有所尝试，但以失败告终（出于增产目的，他们曾经给村庄派送公猪，但很不幸的是它们却成为圣诞节晚宴的菜肴）。1910 年，他们成立了波斯尼亚议会。他们甚至试图劝说境内的三股宗教势力形成合力以及统一的“波斯尼亚人”认同感，但最后也是徒劳。东正教、天主教和伊斯兰教的唯一的共同点，是它们都对奥地利的统治不屑一顾；的确，每个宗教团体中都有成员加入学生恐怖集团“青年波斯尼亚”组织。奥地利人对他们的钳制越发严格，这些年轻的恐怖分子的反抗意识就越发强烈。当弗朗西斯 · 斐迪南大公决定于 7 月 28 日携其妻索菲访问萨拉热窝时（不仅时值维迪丹国家节日，还是科索沃战役的周年纪念日），该组织的成员们就已经密谋对其进行暗杀了。在第二次行动中，在这条历史上最为著名的大街拐角处，“青年波斯尼亚”组织中的一员——身患肺结核病、面色苍白的塞尔维亚学生加夫里洛 · 普林西普得手了。这场暗杀并非塞尔维亚政府所为，然而普林西普和他的同伴无疑接受了来自泛塞尔维亚组织——“黑手”的援助，而该组织与塞尔维亚军情处首领阿皮斯上校也有所关联。阿皮斯的上司们深知，通过与军事上更胜一筹的奥匈帝国开战而将波斯尼亚和黑塞哥维那划入自己领土的概率微乎其微。而另一方面，他们同样认为，一场欧陆大战会助他们一臂之力。一位塞尔维亚记者于 1898 年（第一次海牙和平会议前夕）在贝尔格莱德向一位英国大臣说：

> 裁军的决定并没有在任何程度上让我们的同胞平息下来。塞尔维亚民族已经被七八个外国政府弄得四分五裂，只要这种情形持续下去，我们绝不会满足于现状。我们希望能够在这场混乱中谋求属于我们自己的东西，不管需要多长时间。

塞尔维亚的外交政策实则为列宁那句名言“越糟糕越好”的民族主义版本。“是的，”塞尔维亚外交大臣说，“如果奥匈帝国在驱逐土耳其人的同一时间分崩离析，那么解决问题的难度将大大降低。”然而要做到这一点，奥地利必须有所行动，最起码俄国也要有所反应。

1908 年以前，各强国并没有在巴尔干地区的动荡问题上产生过严重的分歧；从 1897 年开始，奥地利和俄国表示在该地区问题上达成共识。的确，奥地利外交大臣艾伦塔尔男爵在着手吞并波斯尼亚之前曾征求过其俄国同僚亚历山大·伊兹瓦斯基的意见。事实上，伊兹瓦斯基之后才意识到，他所期待的作为回报的海峡特权并非奥地利所有，因此 1908~1909 年时，他要求的吞并事宜还是通过国际会议的准许为好。而在巴尔干问题上观战已久的德国，此时则跳出来举双手赞成奥地利（自从威廉二世执政，施行卡普里维“新路线”外交政策短短一段时间以来，还是头一次出现这种情况）。小毛奇向康拉德保证，“只要俄国开始动员，德国也会紧随其后，并且是倾全军之力进行动员。”然而，德国进行干预的直接后果并非增加了战争的风险，而是降低了开战的可能：在经历了对日作战的失败之后，俄国尚未为下一场战争做好充分准备；当发现法国和英国对此也没有给予同情后，俄国更是选择了打退堂鼓。1912 年秋也发生过类似的事件，随后，塞尔维亚和保加利亚在黑山与希腊的帮助下，在第一次巴尔干战争中成功将土耳其人、马其顿人和新帕扎尔的桑扎尔人逐出科索沃。尽管普恩加莱明确表示，“如果俄国发动战争，法国也将奉陪”，基德伦也向奥地利保证将给予“无条件支持”，但事实却是，俄国和奥地利都无心恋战。当埃伦塔尔的继任者贝希托尔德伯爵申明其立场后——要求阿尔巴尼亚独立（这对阿尔巴尼亚人来说是个惊喜），并禁止塞尔维亚人在亚德里亚海修建港口——萨佐诺夫向塞尔维亚人确认，如果他们照做，那么将不会得到俄国的支持。（我们应当注意到，俄国没有义务在战争期间必须支援塞尔维亚。）诚然，俄国人继续征用在年底即将服役期满的士兵，来抬高在军备竞赛中的赌注，但这仅是条件反射而已。他们真正担心的是保加利亚人——一个很久没有受他们控制的民族——可能会收回所有通往君士坦丁堡的道路权，从而对俄国进行敲诈。“我认为，”贝特曼于1913年2月对贝希托尔德说，“在形式对我们有利的情况下，当存在着哪怕一丝解决冲突的可能时，如果我们还要诉诸武力解决问题，那么将造成无尽的恶果。”当保加利亚于1913年7月加入作战，企图从塞尔维亚手中夺取马其顿（以及从希腊手中夺取萨罗尼加）时——结局却是惨败而归——德国宰相表达了其愿景：“维也纳不能任由大塞尔维亚的‘梦魇’将和平打破。”贝希托尔德最希望的便是将塞族人赶出阿尔巴尼亚地区。

究竟是什么影响了1914年所发生的一切？在一定程度上是由于德国对土耳其的直接兴趣，其标志便是由里曼·冯·桑德斯将军领导的夺取君士坦丁堡的军事任务。这可吓坏了俄国，因为其财政很大程度依赖经过黑海海峡出口的粮食；其黑海舰队积贫积弱，而土耳其在巴尔干战争后更是一蹶不振，对付德国就是以卵击石。正因如此，1914年1月法俄双方在修建铁路方面进行了合作，6个月后杜马通过了作战计划。在一定程度上，1914年的历史同样是被斐迪南大公所改写的。但主要还是因为德国愿意提供帮助的决定，怂恿了奥地利军队为了抵御“南部斯拉夫人”的威胁而向塞尔维亚宣战。用弗朗西斯·约瑟夫的话说就是，“出于政治因素而将斯拉夫人排除在巴尔干地区之外”。德皇和贝特曼两人都给予了哈布斯堡大使以及贝希托尔德特派的霍约斯伯爵以明确的保证：“就算奥地利和俄国之间要通过战争来解决问题……德国也会站在我们这一边。”而令历史学家百思不得其解的问题就是，既然有充足的证据证明，这样必然会导致在欧陆燃起战火，那么为何德国政府还坚持去冒这个险呢？

## 赌　徒

整个7月，德国的决策者们重复着他们的希冀：战争仅仅是局部的——换言之，奥地利将在俄国不干涉的情况下一举击败塞尔维亚。然而，这丝毫不能平息那些被传得沸沸扬扬的暗示——这可能是一场全面的冲突。比如1913年2月，贝特曼曾驳回这样一种言论：这场对抗塞尔维亚的保卫战争“将被俄国插手……并演变成一场同盟国与协约国之间的较量，且德国会成为抗击英法联军的绝对主力”。当德皇向沃伯格提到这场保卫战争时，后者当即意识到，德皇所指的是要与俄国、法国和英国为敌，但他自己曾试图在殖民地问题上与英国恢复友好关系。德国人有足够的理由担心，如果自己协助奥地利出兵塞尔维亚，则将会引爆一场燃遍欧陆的战火。萨佐诺夫对奥地利下最后通牒时坚决表示俄国不会坐视不管；1914年7月25日和29日，格雷也重申了英国 1912 年 12 月的立场：一旦“法国的大国地位”受到威胁，英国不会袖手旁观。在得知战事绝不会草草收场时，德国有足够的理由放弃战争的念头。然而，英国维持和平的初衷却没有得到德国的支持。德国人继续催促奥地利人先发制人，7 月 26 日之后，它公然拒绝使用任何外交手段解决问题。事发后第 11 个小时，它终于将内心的狂躁释放了出来。首先是德皇，其次是贝特曼——在得知格雷向德国大使发出警告后，他暴跳如雷，当即催促奥地利人采取行动。贝希托尔德试图进行沟通，但为时已晚，德国军队已经整装待发，在经过了信念与蔑视、动员令、最后通牒、宣战之后，冲突爆发了。

自然，俄国关于动员的决定也或多或少地为战争的爆发埋下了伏笔。然而俄国人自己却申辩道，他们的动员不同于德国，也不是毛奇和贝特曼默认战争的标志。正如米勒所言，很明显，7 月 27 日德国人最关心的是“将俄国推向风口浪尖，使其无法逃避战争”。换言之，是要将俄国动员的事实演绎成发动对德攻击的证据。德国军事情报处第一次成功的间谍行动，便是对俄国动员证据的获取。27 日星期一的早晨，柏林收到第一个指示——7 月 25 日夜里关于“战争初级阶段”的声明，但前一天下午贝特曼已经在对利赫诺夫斯基的急电中，从“可信的源头”援引了这个“还未证实的新闻”。柏林于 7 月 30 日傍晚收到了早些时候关于沙皇下令进行全面动员的报道，但小毛奇到次日清晨才相信；即便这样，他还是督促对一幅红色的俄国动员海报进行宣传，并在电话里大声将其朗读出来。一小时后，德国人正式对外宣布了“迫在眉睫的战争危险”。

德国人为何会做出上述反应？外交历史学家们所能给出的最佳答案与欧洲的联盟结构有关，在世纪之交，这种结构明显向德国偏移。俄国、法国和英国都可以在某些事宜上达成共识，但德国已经一而再再而三地爽约（或者说它是故意的）。德国人甚至对它自己现有的结盟国家也满腹牢骚：奥地利已日薄西山，意大利又靠不住。因此有人认为，德国人将巴尔干地区的冲突视为维系自己一方脆弱的联盟的手段，如果可能的话，同时建立一个反俄的巴尔干联盟，甚至对协约国进行分裂破坏。但这些算计无论如何都是不现实的。事实上，我们有充分的理由来质疑同盟国的可靠性，它们确实不堪一击，特别是在涉及英国的问题上。甚至在“七月危机”发生之前，由伍德罗·威尔逊派往欧洲的使节豪斯上校就察觉到，“德国真正的目的在于将英国从协约国中分裂出去。”尽管法国大使莫里斯·帕莱奥洛格和霞飞元帅都曾兴致高昂地表达了法国对俄支援的兴趣，但这种兴趣似乎在 7 月 30 日和 8 月 1 日发生了些许动摇。因此，尽管在比利时问题上，德国对对方的战争暗示已心知肚明，但贝特曼和雅戈很有可能通过足够的证据已辨别出协约国中的纠纷，并且继续寄希望于英国的中立。他们深知比利时问题的风险性：1913 年 4 月 28 日，雅戈本人曾拒绝向国民议会预算委员会保证比利时的中立立场，因为这将会暗示法国“在哪里迎击我们”，类似的公然否认是他独特的专长。但是他和贝特曼还是选择为了外交胜利的目标赌一把。

然而，这都没有得出让人满意的结论。为何德国的将军们铁了心要付诸一战，并且在协约国掌握局面的情况下紧咬不放？正是他们在外交赌注失败后迫切要求动员，因此这个问题是相当关键的。在这一点上，军事历史学家给出了一个答案，该答案基于德国总参谋部关于欧洲各支军队的现状和未来实力的悲观设想，在此基础上，诞生了所谓先发制人的战争或是名义上的保卫战。这个观点在过去曾经被多次否决。但是在 1914 年夏天，正如我们所知，当小毛奇为了说服德皇、德国当局和奥地利人等着手实施作战计划时，它又重新回到了议事日程。法国和俄国的新军备项目所导致的后果，将是数年内对德国的随意支配。副总参谋部长格奥尔格·瓦尔德泽伯爵在 7 月 3 日指出，“对我们来说这是最好的时机”，他指的是俄国对战争准备的缺乏；3 天后，德皇再次强调，“眼下，俄国无论在军事上还是财政上都完全不在战争状态。”7 月 6 日 ~7 日，里茨勒记录了从军事情报处那里得来的“让人震惊的消息”：只要“俄国人在波兰修建的为战略服务的铁路一竣工，我们的地位就岌岌可危了……协约国明白，到时我们会被吓坏的。”哈布斯堡使节记录了 7 月 12 日德国人的观点：“如果沙皇俄国决定一战，那么从军事方面来看，这个国家并没有做好万全的准备；无论如何，几年之内它不会变得如想象中那么强盛。”雅戈也在 7 月 18 日将这一观点适时地传达给了身在伦敦的利赫诺夫斯基：“俄国当下没有做好打仗的准备……但据所有可靠的观察，几年之内它还是能够完成准备工作的。到时候，这个国家将利用其人数优势将我们击垮；同时，它将拥有自己的波罗的海舰队以及军用铁路线。”7 月 25 日，雅戈告诉一位名叫西奥多·沃尔夫的记者，尽管“目前法国和俄国都不想开战……俄国人在军备上也没有准备充分，但这只是时间早晚的问题；如果我们坐视不理，两年后我们面临的危险要大大超过现在。”“无论如何，战争都要到来。”雅戈向沃尔夫坚定地保证，但现在的情况“对我们非常有利”。因此，当小毛奇次日重返柏林时，舆论已经为他的论点铺下了坚实的基础。他强调：“法国和俄国的军队扩充还在进行中，此时我们不出击，更待何时？”贝特曼最终也被说服了：“如果注定要发生一场战争，比起一两年之后，我们的敌人都兵精粮足之时，还不如现在就开始。”在接下来的几天，每当他的思想稍微有所动摇，小毛奇便会在一旁提醒他，坚定他的意志：“如今的军事形势对我们来说一天比一天消极，如果我们任由对手肆意壮大实力，那么这对我们来说无疑是致命的错误。”因此，“不要等到一两年后才开战”的观点逐渐演变成了“不要等到明天才动员”的行动。

德国人这种先发制人的考量已不是什么秘密。格雷本人在 1914 年 7 月两次从德国的角度评价了其在军事平衡逐渐打破和恶化之前先下手为强的逻辑：

> 事实上，无论德国政府之前有多么大的野心……现在，它对一切都惴惴不安：俄国境内的军事备战、它的军队人数的壮大，特别是其有意而为的建设、其坚强的后盾法国以及法国的财政支持，还有覆盖德国边界的军用铁路线……但德国并不惧怕，因为它坚信自己的军队无坚不摧，但是它担心这种自信在几年后会消磨殆尽……它唯一惧怕的是未来。

他犯了一个错误，那就是他天真地以为德国政府“信心满满”。7 月 30 日，德国外交官卡尼茨对美国大使说，“既然德国做好了准备，那么它应当拉开战争的序幕，而不是等俄国将其军队壮大到 240 万常规编制的规模之后。”豪斯上校在 8 月 1 日向伍德罗·威尔逊的报告中称，德国深知“其最好的机会就是迅猛出击”，它可能“以保卫国家安全的名义付诸行动”。

当然，德皇在 7 月 30 日的裁决偏离了事实：“英国、俄国和法国之间已经达成一致……它们将借着奥地利和塞尔维亚的冲突为由，趁机向我们开战，并妄图将我们的民族灭绝……关于德国被危险包围的由来已久的担忧终于彻底变成了事实……我们正被罗网包围着，苦苦挣扎。”他并不是唯一察觉德国脆弱地理位置的人。美国的豪斯上校在其 5 月 29 日致威尔逊总统的一封信中表达了其著名的“发狂的沙文主义”理论：

> 当前的局势非同寻常，这是个沙文主义肆虐的时代。除非有人能够大声疾呼，制止这个局面，否则可怕的灾难将会降临。但是举目欧洲，没有人能够做到，这里已经积攒了太多仇恨和嫉妒。只要英国一声令下，法国和俄国将会一拥而上，包围德国和奥地利。

之后，豪斯对英国“为比利时而战”的宣言则表示不以为然。英国之所以与法国和俄国并肩作战，“主要是因为德国坚持打造优势部队和优势海军，而这正是大英帝国所不能容忍的对其自身安全的威胁。”同样，他也不是亲德派：拜访柏林之后，他声称自己“从未见过如此高涨的战争热情，从未见过有人如此将战争视为无上荣耀……他们唯一的希望就是发展工业，为国争光”。此外，豪斯还支持这样一种新理论：德国之所以参加战争，部分原因是出于身处统治阶层的“一群军国主义者和金融家们”的“私利”。但是他的分析没有完全否认德国国家安全的确遭到威胁。

因此，我们没必要假定业已存在的德国战争计划旨在对中欧和非洲产生影响，或者摧毁法国，将俄国西部收入囊中。相反，更让人信服的一点应是，德国在其军事地位恶化之前抢先设计了“闪击”行动，以期带来惊天逆转。一旦成功，德国将在欧洲建立自己的霸业。而实际问题是，这样的战略是否配得上那个为其进行辩护的名字——“保卫战”。如果德国的决策者们将其定义为不合理的挑衅行为，那么这对他们来说是种侮辱。因此，发动战争变成了“合理释放愤怒”，人们是为了自古以来的荣誉感而战。德国人不怕丢失“颜面”，他们真正害怕的是输掉军备竞赛。

我们不必夸大德国恶意蓄谋的程度。因为那些战争的规划者，总参谋部的高官们在1914年7月表现出了惊人的淡定。当德皇授予奥地利“自由行动”的权力时，小毛奇、瓦尔德泽、格勒纳、铁路局长，以及情报处核心首领尼古拉全部都在度假（但需要强调的是，他们都身处不同的地方），提尔皮茨和海军上将冯·波尔两人也不例外。直到7月16日才有人建议尼古拉的继任者，海军上校库尔特·诺伊霍夫加强对俄国军事活动的监督。当瓦尔德泽7月23日从梅克伦堡度假归来时，他甚至都没有足够重视这件事，而尼古拉更是在两天后才重返工作。即便是这样，他下达给那些所谓的“紧张的旅人”——比如在俄国和法国的德国间谍——的命令，也仅仅是确认一下“法国和俄国国内是否在备战”。

## 将电话砸碎

时过境迁，如果从现在来看，1914年最大的问题——对战争起决定性作用的问题——是英国的下一步行动。然而在当时，对欧陆的核心决策者来说，这似乎并不重要。尽管有时贝特曼也在做着英国能够中立的美梦，但其他德国将军却对此不屑一顾：他们质疑并否认像英国这样的弱旅怎么可能影响战争的走向。法国的将军们也是如此。自信心膨胀的霞飞深信法国在没有支援的情况下同样能够赢得西线的战争。

萨拉热窝事件之后，当英国意识到奥地利政府意欲谋求“被塞尔维亚羞辱之后的补偿”时，格雷首先想到的是俄国会采取何种行动。在意识到奥地利和俄国之间可能发生冲突之后，他试图通过德国向双方间接施加压力，以此平息奥地利复仇的念头，同时希望能够重演当年他在处理巴尔干问题时成功的外交手段。驻维也纳的俄国大使早在7月8日便明确表态，如果奥地利“故意挑衅”，“俄国将被迫拿起武器，保卫塞尔维亚”。起初，格雷敦促奥地利和俄国“重返谈判桌”，希望双方都能在塞尔维亚的问题上达成共识，但这种幻想被当时正巧访问圣彼得堡的普恩加莱打破了。由于他还不确定自己能否成功安抚俄国，并且怀疑德国政府很有可能背地里“撺掇”奥地利人（该怀疑最终被奥地利人向塞尔维亚人发出的最后通牒所证实），格雷便改弦易辙，向德国大使利赫诺夫斯基发出警告，称俄国可能会向塞尔维亚提供支援，并建议其他诸国在奥地利和俄国之间进行斡旋和调停。

自始至终，在英国如何面对和处理这个逐步升级的冲突问题上，格雷都极度保留自己的意见。他知道，如果奥地利在德国的帮助下向贝尔格莱德提出过分要求，那么法国也将摩拳擦掌地加入这场混战，而这正是法俄协约以及德国军事策略的实质所在。将法俄协约变成近似同盟关系的尝试是格雷策略的一部分，而想要做到这一点，就要阻止德国开战。然而，他又担心这个支持法俄的行为会成为向俄国发出鼓励开战的强烈信号。格雷发现自己处在一种进退两难的境地，因此，他于 7 月 24 日向利赫诺夫斯基极其委婉地做了如下陈述：

> 我们和法俄之间并没有联盟关系……从另一个方面来看，英国政府只能支持其中一方，但我们不会这样做，这样只会深化欧洲两股势力之间的矛盾和问题；与此相反，我们希望能够避免让双方产生敌意的问题……我们将永远不会采取侵略的政策。如果一场欧洲战争爆发，并且我们需要参与其中的话，我们也不会站在侵略者的一边，因为民意不允许我们那样做。

利赫诺夫斯基将其解读为这样的告诫：“法国一旦参战，英国不敢坐视不管。”这也是格雷的真实意图。随着危机的升级，他也越发焦虑地重申该问题。但是贝特曼和雅戈很明确地总结说，如果德国对四国调停表现出支持的态度，那么这对于格雷来说已经足够了。英国国王在 7 月 26 日与德国皇储见面时也对此发表了含糊其词的言论：

> 我不知道我们该怎么做，我们与别国并没有过节，我希望我们能够保持中立。但是如果德国向俄国宣战，法国向俄国提供支援的话，恐怕我们也无法明哲保身。但请您相信，我和我的政府将尽全力阻止这场欧洲战争的爆发。

由此，海因里希王子认为，“一开始”英国将保持中立，但他认为“从长远来看，它将很难保持这一立场……因为它与法国的关系很微妙”。然而，如果德国军队能够在欧陆建立并巩固自己的军事地位，那么即便是短期的中立，对德国政府来说也是有必要的。简而言之，英国的政策非常模棱两可，以至于或多或少被解读为依个人品位而行动。7 月 26 日星期六，法国人认为自己可以指望英国了，而德国人还“信誓旦旦”地认为英国会保持中立。正如雅戈向康邦所言：“您对此有自己的理解，而我们也一样。”不幸的是，英国的表态对双方来说结果都一样。德国政府继续不为所动，表面上装作对格雷关于调停的提议感兴趣，实则对此置之不理。

上天对格雷还是公平的，他那考究的含糊其词的策略即将有所回报。塞尔维亚政府开始觉得自己过于冲动，以至于它差一点儿就接受了奥地利的最后通牒，而这无疑是下下策。此外，让贝特曼和毛奇（两人皆劝说奥地利人不要把格雷的调停提议当真）气馁的是，德皇将塞尔维亚的举动视为一场外交上的胜利。他只是敦促维也纳“在贝尔格莱德停下前进的脚步”，因为他坚信“到现在为止，所有的战争理由都已废止”。换言之，就是要暂时占领塞尔维亚首都，正如普鲁士在1870年占领法国那样，“保证执行并兑现诺言”。这与雅戈的摇摆不定不谋而合，雅戈曾声称，如果俄国仅在其南部进行动员（也就意味着只针对奥地利而不针对德国），那么德国将不会随之采取行动。就在同一时间，在关于奥地利和俄国双方协商的可能性问题上，萨佐诺夫出人意料地改变了主意。而得知德国政府并非真心支持他的四国调停计划后，格雷也重新回到了谈判的问题上。尼科尔森曾做出不满的评价：“跟萨佐诺夫先生相处，人们永远不知道他要干什么。”（与德国人相处也是同样的情况。现在雅戈又认为，四国调停干涉将“无异于法庭仲裁”，将奥地利和塞尔维亚一概而论；同时，贝特曼也故意没有向利赫诺夫斯基提到萨佐诺夫关于双边会谈的提议，因为这位大使“与格雷无话不谈”。）一时间，双方似乎准备从剑拔弩张的气势中鸣锣收场。诚然，萨佐诺夫并不会接受奥地利占领贝尔格莱德，因为这在他眼里无异于破坏俄国在巴尔干地区的影响力。但是他又称，“如果奥地利……能够删去其最后通牒中对塞尔维亚领土主权有所侵犯和违背的条款”，他还是很乐意将动员终止的。贝特曼利用其越发强烈的意愿作为谈判的基础，奥地利政府实际上也接受了萨佐诺夫于7月30日制定的谈判提议。

然而让人沮丧的是，军事准备开始逐渐取代外交斡旋。就在奥地利空袭贝尔格莱德之前，萨佐诺夫和他的军事同僚们先是下令进行局部动员，但是随后他们被告知，德国人在俄国局部动员的情况下仍旧一意孤行，同样也进行了动员，以至于这种局部动员疯狂地演变成了全面动员。实际上，俄国人最开始进行动员的地区仅限其南部地区，如7月29日在敖德萨、基辅、莫斯科、喀山等地的动员。据沙皇所言，该行动是4天前决定的。这也间接向德国保证，该行动“不包含战争意图”。但当普塔莱斯告知他们，德国将义无反顾地“也进行动员，以便迅速从防守转向进攻”时，俄国人才明白，局部动员远远不足以息事宁人，更有可能妨碍全面动员的开展。接下来，萨佐诺夫及其同僚们通过潮水般疯狂的会议和电话恳谈，试图说服优柔寡断的沙皇进行全面动员。沙皇终于在7月30日下午2点同意了，于是动员于次日开始。（而在柏林，至高无上的君权在该决定面前，似乎也败下阵来。）这正是德国进行其动员的借口，借此，它不仅企图将俄国打败，还要摧毁法国。在这场奇怪的“大逆转”情势下，奥俄谈判被抛到了九霄云外。为了安抚国内舆论，德国想尽一切办法让俄国先行动员。这场欧陆大战势在必行了。贝特曼最终得知英国在法国遭到攻击后会立刻干预，于是他甚至试图敦促奥地利人重返谈判桌，但他们也拒绝停下军事行动的脚步。俄国王室请求停止动员，结果同样是徒劳，正如俄国总参谋部长官尼古拉将军对萨佐诺夫所言，他甚至下定决心“将电话砸碎，并想办法采取其他措施阻止别人（如沙皇）提相反要求、将我们的动员再次终结”。如果俄国继续动员，德国人也将坚持如下观点：自己除了也进行动员，别无选择。而这又意味着对比利时和法国的入侵。简而言之，“时间日程上的战争”从俄国决定全面动员的那一刻便开始了，而这也是一场四大欧陆强国之间的较量（也包括塞尔维亚和比利时）。然而，还剩下一件有待商榷的事情，那就是英国是否打算加入这场混战（就此而论，还有意大利和土耳其）。

## 英国为何参战

毫无疑问，正是基于这一点，法国和俄国政府才开始正式强迫格雷表态。法国人认为，如果格雷打算“在将来可能的德法冲突中……向法国提供支援，那么战争就不会发生了”。数日以来，格雷都在盘算着向利赫诺夫斯基告知此事，但他深知仅凭一己之力是无法向法国做出承诺的。诚然，在他的背后，有众多外交部的鹰派人物撑腰，比如认为“道德上的团结”已经通过协约“锻造而成”的克劳，以及认为“我们应当立即下令，让部队进行动员”的尼科尔森。正如自从 1911 年以来其一再重申的立场，格雷无法在缺少内阁同僚和党派支持的情况下一意孤行，更别提那看不见摸不着但又常常被激发和唤起的存在——“公众舆论”。他是否可以倚仗它们中的任意力量来支持自己向法国的军事承诺，这仍旧是个未知数。因此一切都是悬而未决的，“如果双方都不知道将要做什么，那么大家都会谨慎行事的。”格雷能做的无非是再一次私下告知利赫诺夫斯基，“如果德国和法国卷入这场战争，那么……英国政府也将被迫迅速做出决定。那样的话，袖手旁观和伺机而动都将是不可行的。”贝特曼对此印象深刻，因为格雷之前的陈述中都没有表露出英国会为保卫法国而迅速行动的意图，这还是头一次。同样给英国人留下深刻印象的是贝特曼提出了英国中立的愿望——就在贝特曼得知格雷向利赫诺夫斯基发出警示之前——主要是因为这样使得德国悍然攻打法国的意图过于明显地表露了出来。尽管这个愿望被断然拒绝了，但即便是这样，也没能使英国做出干涉战争的承诺；丘吉尔在 7 月 28 日 ~29 日所做的有限的海军准备显然不像欧洲陆军部队动员令那么有价值。与此相反的是，在发出私人警示之后，格雷向德国军官们说话的口气明显温和了许多，他这是在为四国调停争取最后的机会。的确，7 月 31 日，格雷是这样向利赫诺夫斯基表态的：

如果德国能够提出任何合理的建议，表明德国和奥地利仍然在为保持欧洲的和平而努力，那么俄国和法国还拒绝这一建议，则它们的行为就是不合理的。我赞成这样的提议……甚至说，即便俄国和法国不接受的话，那么您也完全不用为可能的后果承担任何责任。

格雷脑海中的“合理提议”是，“如果俄国和德国之间发生战争，法国保持中立（或并未向境外派出军队）的话，德国将不会攻击法国”。听完这一席话，就连悲观主义者利赫诺夫斯基也开始思忖，“一旦开战，英国将采取观望态度”。与此同时，法国的反应更阴郁而无望。8 月 1 日傍晚，格雷坦率地向康邦说道：

如果法国无法利用这次机会（即合理提议），那就是因为它被联盟思想束缚了手脚，这不是政党间的合作，对于它的期限我们也一无所知……因此，此时此刻，法国必须自己做决定，不要再考虑我们的支援，何况在这种情况下我们根本无法向你们承诺此事……我们不能向议会提出此时向大陆派遣一支远征军的申请……除非我们自身的利益和责任被深深地、无情地卷入其中。

正如格雷向康邦所言，他私下向利赫诺夫斯基发出的警示并非“像对法国的约定那般”。格雷甚至没有做好给予比利时大使“如果德国侵犯比利时的中立地位，我们将义无反顾地帮助比利时”的保证。但这之后，英国政府还是重视并履行了其这一合法义务。

格雷在这危急关头的行动同样也要尊重国内的政治意见。众所周知，英国国内有大批强烈反对对法承诺的自由党政治家和记者。7 月 30 日，22 位外交事务委员会后座自由党议员通过阿瑟 · 庞森比表达了他们的观点：“任何支持加入欧洲战争的决定，不仅会遇到最为强大的阻力，而且其获得的来自政府的支持也将大打折扣。”据阿斯奎思的估计，他的议会政党中有 2/3 的人支持“不惜任何代价彻底不干涉的观点”。这种情况同样反映在内阁中，仅有很少一部分人支持欧陆承诺。7 月 31 日碰面的 19 个人明显属于 3 个势力不均的意见群体：有些人持党派中大部分人的意见，包括莫利、西蒙、约翰 · 伯恩斯、比彻姆伯爵以及霍布豪斯；有些支持英国进行干预，这其中只有格雷和丘吉尔两人；还有一些人对此没有发表任何看法，包括麦克纳、霍尔丹、塞缪尔斯、哈考特、教友派信徒约瑟夫 · 皮斯以及克鲁侯爵的长子，但我们也可以把劳合 · 乔治，当然还有阿斯奎思本人也算在里面。莫利激烈地驳斥以俄国盟友的身份进行干预的行为，看上去绝大多数人都持这种观点。然而，格雷同样坚称一旦“一项不折不扣的不干预政策”出台，他就恕不奉陪了。因此，这种分歧让局面一直僵持不下。内阁称，“英国国内的声音使得我们不能向法国提供支援……我们只能在承担该义务的事情上保持沉默。”

8 月 1 日夜，丘吉尔得知德国对俄宣战，于是他成功说服阿斯奎思，得到了动员海军的权力。但即便是这样，也没能打破意见不同导致的僵局。这一事件同时促成了次日的会议上莫利和西蒙以辞职相威胁，以及多数派再一次联袂反对格雷直截了当地宣示承诺。在这气氛严肃的一周时间内，第一个有可能达成一致的议题是，“如果德国舰队取道海峡，或穿过北海，对法国的海岸或船只进行恶意攻击，英国舰队将倾力对其进行保护。”尽管这并不是开战的信号，而且德国海军不太可能做出这样的行为，但对于贸易大臣约翰 · 伯恩斯来说，这还是难以接受的，于是他选择了辞职。塞缪尔斯曾记载，“这件事情的后果将是，阿斯奎思站在格雷那边……另外 3 个人继续坚持己见。我认为剩下的人都可以辞职了。”当日，在比彻姆家举行的午宴上，包括劳合 · 乔治在内的 7 位大臣，表达了对有限的海军行动的保留意见。事后莫利认为，如果劳合 · 乔治在这群犹豫不决的人中带头进行表率的话，“毫无疑问，内阁将在当晚垮台”；然而，哈考特呼吁劳合 · 乔治“代表我们发言”的希望也同时落空了。如果他们意识到，格雷已经暗中“放弃”了向利赫诺夫斯基提议在俄德战争中让法国保持中立，后者还在阿斯奎思的早餐桌旁不禁流泪，他们可能就会按照保留意见行事了。的确，莫利、西蒙和比彻姆也步了伯恩斯的后尘，递交了辞职申请。原因是当天下午，格雷一边提出辞职的威胁，一边向比利时做出了承诺（这也是他仅能付诸行动的承诺）。一位叫查尔斯 · 特里维廉的政务次官也因此递交了辞呈。

但为什么在如此巨大的分歧下，英国政府还没有垮台？正如阿斯奎思在其日记中记录的，最直接的原因是劳合 · 乔治、塞缪尔斯和皮斯对那些辞职者进行了有效的安抚：“少安毋躁，先不要离开，至少也要先观望一段时间。”因此，那些冲动的人们“同意当日之内不再有任何表态，重回自己的岗位”。但是，为何最后离开的人只有莫利、伯恩斯和特里维廉？一直以来，人们认为原因可以用一个词来概括：比利时。

的确，外交部向来认为，“如果德国的铁蹄……破坏了比利时的中立”，那么英国完全有必要代表法国加以干涉。之后，劳合 · 乔治等人将破坏比利时中立的行为作为说服自己的同事——以及“公共舆论”——的最重要的论据。乍看之下，这一点似乎无可辩驳。1914 年 8 月 6 日，英国以法律和荣耀的名义保护比利时中立的“义不容辞的国际义务”，以及“维护小国家的原则”，成为阿斯奎思在下议院演讲《我们为何而战》的两个中心主题。这同样也是劳合 · 乔治在威尔士招募新兵的主要噱头。

然而，这种说辞同样有许多质疑。我们知道，1905 年，外交部一致认为，1893 年的条约并没有强制英国“在任何情况下，不惜任何代价”也要保卫比利时的中立。当问题在 1912 年出现时，只是劳合 · 乔治道出了这种忧虑：如果发生战争，英国的封锁战略会因为保护比利时的中立而受到影响。值得注意的是，当内阁于 7 月 29 日提出该议题时，它决定将英国对德国侵犯比利时中立的行为所采取行动的基本立场由“职责”变为“政策”。因此，政府的口径变为间接警告德国，侵犯比利时的行为将会被英国国内舆论推向风口浪尖。因此，格雷对德国在该问题上的搪塞做出相应的回应，他以婉转的内阁式口吻告诫德国人，“如果比利时的中立地位被侵犯……那么我们将无法阻止国内舆论的讨伐。”但是他始终没有透露政府的意见。这不足以为奇，因为比起比利时问题，多数官员还是热衷于继续逃避现实。

劳合 · 乔治就是他们中的一员。据比弗布鲁克回忆，他试图说明德国人“只会在其南部稍稍越界”，而这只意味着“对中立的微弱损害”。“瞧，”他会指着地图解释，“就这么一点点的地方，德国会处理好它造成的影响和损害。”人们普遍认为（当然这种想法是错误的），无论如何，比利时人都不需要英国的支援；在德军借道阿登时，他们将简单地组织一场正式的抗议，仅此而已。7 月 29 日，德国呼吁英国保持中立，这已然成为入侵比利时的明确信号；甚至到 8 月 2 日，雅戈果断采取打破比利时中立立场的措施之后，劳合 · 乔治、哈考特、比彻姆、西蒙和皮斯才勉强同意，只有在“比利时遭到全面侵入”的情况下，英国才考虑开战。查尔斯 · 特里维廉也持此观点。因此，克鲁向国王传达了当天傍晚内阁言辞谨慎的解决方案：“对比利时中立的**实质性**侵犯将我们置于格莱斯顿先生 1870 年所提出的那种情况之下：冲突和干扰让我们被迫采取行动了。”

因此，当阿斯奎思于 8 月 3 日早晨收到德国向比利时发出的最后通牒时，他着实松了口气。小毛奇关于比利时**全境**通道彻底开放的要求，以及阿尔伯特国王后来发出的呼吁……都证明，比利时要对侵犯其中立的行为进行反抗。毫无疑问，德国次日的入侵“将事情简单化了”，用阿斯奎思的话说，是因为它迫使西蒙和比彻姆将辞呈收回。小毛奇和利赫诺夫斯基在最后时刻所保证的比利时在战后的统一也因此破产，正如德国人宣扬的法国入侵比利时的恶意谎言一样无效。当贝特曼向高慎惋惜地表达“为了那‘一纸合约’，英国应当为比利时的中立而采取行动”时，他并没有将问题看清楚。正是入侵比利时全境的“施利芬计划”，才保住了英国摇摇欲坠的自由党政府。

然而，比起使内阁分歧不断的比利时威胁，德国对英国的威胁更为巨大。格雷和外交部的鹰派人士已经多次重申，如果法国沦陷，那么英国也无法幸免于难。这一点可以从阿斯奎思 8 月 2 日写给情人维尼夏 · 斯坦利的信件中推测出来。其中，他列举了 6 项指导原则：只有第 6 条提及英国“帮助比利时避免被德国利用和吞并的责任”。第 4 和第 5 条最为重要：虽然英国无义务对法国提供援助，“但是如果法国作为一支劲旅而败在德国人的手下，那么这也是对英国本身利益的威胁”，并且“我们不能允许德国把海峡变为其邪恶的基地”。同样，格雷 8 月 3 日的著名下议院演讲——在德国向比利时发出最后通牒之前——的主要论点是，“如果法国在经历生死存亡后沦陷……我不相信……我们能够毅然决然地拿起武器……让我们对面的西欧大陆免遭落入侵略者魔爪中的厄运。”不干涉行为——对对方的孤立和不友好——所冒的战略风险，要远远大于武力干涉。正如格雷次日在一次私人谈话中所言，“比利时并不是唯一的问题。问题将接踵而至，先是荷兰，然后是丹麦……如果德国因此成功统治欧洲，那么英国的地位也将不保。”他告诉内阁，德国人的目的，是要“成为像拿破仑那样的欧洲征服者”。很明显，这个论点说服了哈考特这样犹豫不决的人。他 8 月 5 日也说：

> 我从来不依据什么职责义务和条约条款行动，因为那些都是不存在的……我不能忽略的是以下 3 条超越一切的国家利益：
>
> 1. 在我们保持中立的情况下，德国的舰队不得占领北海及英吉利海峡；
>
> 2. 不得攻击并占领与英国隔海相望的法国西北部；
>
> 3. 不得侵犯比利时的独立主权，不得占领安特卫普，从而对我们形成持久的威胁。

这正是皮特攻打法国的论点：这种观点的假设根植于海上力量是英国国土安全的重中之重。（第一次齐普林突袭又揭示了其过时的陈腐。）因此，当莫利称比利时已经提出“希望英国能够代表法国加以干涉的请求”时，他并非错得离谱。劳合·乔治的情人弗朗西丝·史蒂文森也持同样的观点，8 月 2 日与劳合·乔治共进晚餐的拉姆齐·麦克唐纳也是如此。

然而，英国于 1914 年 8 月 4 日晚 11 时开赴前线有着另外一个、同时也是更重要的原因。纵观 7 月 31 日到 8 月 3 日的这些日子，最能够使内阁保持团结的原因，即是对保守统一党乘虚而入的担心。值得一提的是，直到 1914 年，这两大主要政党之间的关系仍十分紧张。在关于劳合·乔治的预算问题及上议院权力的争执过后，自由党对爱尔兰实行地方自治的决定再次触动了保守党的神经。白金汉宫的会议上，让北爱尔兰暂时独立的尝试流产了。北爱尔兰新教徒发生暴乱，抗议强加给自己的“地方自治”政策。他们集结了 10 万大军，武器装备中至少有 3.7 万支步枪。由此，一场内战迫在眉睫。而保守党领袖们，更不用说军队中的高级军官，都对这场抗议表示理解。然而正如阿斯奎思所言，突如其来的欧洲外交危机平息了这场爱尔兰风暴（并且成为“这场恼人的战争中唯一可圈可点之处”）；但同时，它也给予保守党一次扳倒政府的绝佳机会。因为长久以来，保守党领导人明显要比自由党领袖更为严肃地看待德国的威胁。例如 1912 年，鲍尔弗就英德关系发表了一篇文章，其中明确地将德国政府描述成发动一场旨在复兴神圣罗马帝国并扩张领土的不义之战的始作俑者：

> 而英国则在这些妄图统治欧洲的侵略者暴虐的行为下痛苦度日；我们深知所面临的危险，但是一旦成功，我们将在这些恶行面前无所畏惧。

正如我们所见，格雷在保守党眼中是个能够顶住来自其“相当不可靠”的同僚们的压力、尽自己最大努力执行政策的“可靠的人”。但是自1911年以来，这位外交大臣不是在妥协，便是处在防御状态，踟蹰不前。诸如弗雷德里克·奥利弗这样的保守主义者一想到重大外交政策的决定权竟在“一个如此胡闹、如此不了解国内情况的政府”手中，便胆战心惊。回首1914年12月的危机，以奥斯丁·张伯伦为代表，保守党表达了对于自由党的危机处理能力的最普遍反响：

> 在官方的演讲和出版物中，从来没有任何信息告知我们的人民，他们需要做好承担责任和保卫应有利益的准备。我们所看到的只有沉默，我们所需要的指引都被忽略带过，在公共事务上，我们的民主和它决定性的声音仿佛是无本之木，无源之水，被搁置一边。它本可以由那些能够合理领导它的人们来指引，可事实上却被一些自认为有权这样做的人误导着。

他的兄弟内维尔同样感到十分沮丧。他于8月声称：“一想到我们差一点儿就造成了永久的耻辱，就让人倒吸一口凉气。”

保守党计划采取的行动可以从8月2日那几场前途未卜的内阁会议中得到暗示。当日早晨，在鲍尔弗、兰斯多恩和沃尔特·兰的倡导下，博纳·劳致信阿斯奎思，阐明了保守党的观点：“在支援法国和俄国的事情上，任何犹豫都将对联合王国的荣誉和未来的安全造成毁灭性的打击。”博纳·劳打算为“英国加入战争所需要的所有办法”提供“联合支持”，其潜台词便是，如果政府不同意这些办法，那么保守党将打算篡夺自由党的领导权。在经过保守党多年带有挑衅意味的批评后，这是唯一对阿斯奎思的决定的支持。他告诉内阁，在这样一个四分五裂的政府中，递交辞呈已经是司空见惯的事情。但是，他继续说道，“我们国家当下面临的情况十分特殊，但我也无法说服自己，另外一个政党中有一群有能力应对这个局面的人。”塞缪尔斯和皮斯立即抓住这一点，向伯恩斯汇报：“内阁中大部分成员的离职意味着我们先要打赢内阁这场战争，而这是我们最不想看到的。”正如皮斯所言，“备用政府一定不会比我们渴望和平。”3天后，他向特里维廉表达了同样的观点；当时，西蒙和朗西曼也对此老调重弹。阿斯奎思之妻玛戈·阿斯奎思之后评价说，“自由党1914年的执政对这个国家来说是幸运的，因为在一个信奉侵略主义的政府的统治下，对如此之糟糕的决策的默许会招致人们的怀疑。”

可能不为其他内阁成员所知的是，如果中立的意见获胜，那么他们中的一位成员会随时准备离开。早在 7 月 31 日，辞职人数将要突破 8 个时，丘吉尔就暗中通过 F · E · 史密斯向博纳 · 劳打听，“在野党是否会通过联合执政、填补空缺职位的方式……力挽狂澜。”博纳 · 劳谢绝了 8 月 2 日丘吉尔请他一起和格雷共赴晚宴的邀请，但是劳在致内阁的一封信中表明了自己的立场。联合执政的设想并非第一次由阿斯奎思政府成员提出。而正是劳合 · 乔治，在 1910 年将该设想首次提出。

乍看之下，保守党比自由党更渴望战争，这似乎注定了英国不可避免地将进行军事干涉。如果阿斯奎思下台，那么博纳 · 劳也同样会让英国走向战场。但两者会以相同的方式进行干涉吗？让我们先假设劳合 · 乔治在其金融法案流产、被财政恐慌所困扰，并受《卫报》和《英国周刊》等媒体围攻、质问的情况下，于 8 月 2 日那场至关重要的内阁会议上放弃了格雷的立场，并将领导权交至反对参与战争的领导人手中，这样会造成何等后果？格雷必会辞职，丘吉尔也将立刻投奔博纳 · 劳。阿斯奎思还能坚持下去吗？几乎是不可能的。但在多短的时间内才能组建一个保守党政府？上一次的政府更迭已经是拖泥带水了：早在 1903 年的关税改革问题上，鲍尔弗的保守党政府的施政陷入分裂的隐患便初现端倪。1905 年 7 月 20 日，他被下议院击败；11 月，政府重臣张伯伦对其失去信心；次月，鲍尔弗终于结束了他的职务。然而，自由党在大选中的绝对胜利直到 1906 年 2 月 7 日才被最终敲定。因此我们可以想象，如果阿斯奎思于 1914 年 8 月初被迫下台，那么事情应当能够进行得更为迅速。丘吉尔关于联合执政的设想确实能够将拖延的时间大大缩短。然而，在普选之前如此混乱的情况下，对德国宣战的可能性还有多大？国王对此有很大的发言权。正如他在柏林和圣彼得堡的表兄们那样，他一想到未来所面临的万丈深渊，就对战争失去了热情。不难设想，政府的改组能够将派遣远征军的时间至少延迟一个星期。

无论如何，即便这种改组没有发生，派遣远征军也并非是提前敲定好的计划；事实上，根据与法国总参部的协商结果，该计划并不需要执行。原因很简单：正如我们所见，英国从来没有在大陆承诺上明确表态过，因此，当战争爆发后，所有反对的陈词滥调再度卷土重来。海军主义者认为——正如其一贯坚持的那样——仅凭海上力量便能够决定战争胜负；截至 8 月 5 日，大部分大臣都接受了这种观点。的确，伯蒂在巴黎向英国报告，没有必要派遣远征军；法国总参谋部副部长德卡斯泰尔诺向其保证，“即使法国的情况不容乐观，它仍旧会是最终的胜者，前提是英国需要在海上提供支援，封锁德军的必由之路。”他们同样倾向于将部分或全部英国远征部队留在本土，虽然这并不是这支部队的任务初衷，但是维护社会稳定的责任仍然在他们身上

（当时，战争所带来的经济后果的确已经初露端倪了）。8 月 5 日，在阿斯奎思称为由“成分趋于混杂”的将军和大臣出席的战争委员会会议上，乱象丛生，在与一位法国总参谋部代表人商议过后，会议仍毫无结果。次日，内阁决定仅向亚眠派遣 4 支步兵师和 1 支骑兵部队，而亨利·威尔逊则早就决定向莫伯日输送所有 7 支步兵师支援法国。仅 6 天后，基奇纳被从埃及紧急召回，直接出任陆军大臣，调至莫伯日；直到 9 月 3 日，内阁才同意将最后的剩余部队派遣到法国。

是否如其支持者和辩护者所称，该计划对战争的结果有决定性的意义？奥利万特少校于 8 月 1 日在致劳合·乔治的备忘录中写道，“英国军队的到场或缺席……将在很大程度上决定法国的命运。”但事情真是如此吗？众所周知，施利芬计划很有可能在英国远征军不参与的情况下以失败告终。或许法国可以在孤军奋战的情况下遏制德国的攻势——只要他们不是一味试图发起自杀式进攻，而是专注于防守——但是它没有进行有效的防守。德国也同样犯下了错误，在蒙斯不得不进行大撤退，在奥斯坦德的佯攻也以失败告终，英国军队 8 月 26 日在勒卡托以及 9 月 6 日~9 日在马恩河地区的出现似乎在很大程度上削弱了德国的实力。不幸的是，他们最终还是没有击败德国。继安特卫普沦陷和第一次伊普尔战役（10 月 20 日~11 月 22 日）之后，双方陷入一种血腥的胶着状态，这种状态在西线持续了 3 年半。如果当初的中立政策或海军战略占了上风，并且英国没有派遣远征军——抑或是其出发时间因为政府的改组而被推迟——那么毫无疑问，德国战胜法国的概率将会增加。

## 德皇的欧洲联盟

英国人本能够在这场欧陆战争中隔岸观火，这点被历史学家们几乎忽视。甚至连那些对战争的残酷唏嘘不已的人都普遍忽视了这种与事实相违的情况。然而，我们需要了解的是，这种可能性几乎一度成真。阿斯奎思和格雷本人也在各自的回忆录中谈到了这一点。两人都强调，英国并没有任何协约义务为法国提供帮助。用阿斯奎思的话来说，“当事情发生时，我们有权力决定我们应不应该参战。”格雷也并不否认，其所处的政党于 7 月阻止他向法国做出承诺。尽管他在别处大肆宣扬这不可逆转的历史洪流，但他承认这归根结底还是一个选择的问题。

但是，格雷自然坚持内阁的选择是正确的。但是他又是如何对中立的立场进行抨击的呢？他在回忆录中写道：

如果我们决意加入，那么庆幸我们的当机立断吧。与其先试图明哲保身……

之后被迫加入，不如现在这样，这是最好的选择，有利于我们的好名声，有利于达到一个让人满意的结局……如果我们偏安一隅，就会被孤立，我们便会在这个世界上找不到任何朋友，没有人对我们有所希冀，或惧怕我们，或认为不值得与我们建立友谊。我们将会遭到羞辱……被唾弃，因为这些不光彩的行为。我们将被世人所不齿。

因此，对于格雷来说，战争事关“荣耀”，即对比利时的合法承诺，甚至还包括对法国的道义上的承诺。然而，不能够落个“背信弃义的阿尔比恩（英格兰雅称）”的名声只是个幌子，在这之后充满了各种战略考量。格雷最经典的论断是，英格兰不能冒险让德国人得手，因为如果德国人成为胜者，那么它将成为“力压欧陆和小亚细亚的绝对权威”。

但德国人真的会以此为目的吗？德皇真的会成为拿破仑那样的人物吗？当然，这些问题的答案取决于人们在 1914 年对德国真正的“战争目的”的研究。弗里茨·菲舍尔及其弟子称，德国人非常激进，这正是英国的反德人士害怕的。德国的战争目的是通过吞并法国、比利时（可能还包括俄国的土地），“实现德国的政治野心；若把这种野心做个总结，便是攫取欧洲霸权”。同时，要在中欧建立关税同盟，成立波兰和巴尔干新国家，直接或间接受德国统治。此外，德国还意欲在非洲抢占新地盘，以此巩固其在非洲腹地的殖民势力。同样，他们还努力煽动敌国进行内部改革，打破大英帝国和俄国的神话。

然而，菲舍尔的分析中有一个很基本的缺陷，多数历史学家都没有注意到这一点，即“德国在战后声明的战争目的与战前的相同”的假设。因此，贝特曼的“九月计划”—— 若德国能够迅速取得西线战争的胜利，则与法国实现各自和平的“阶段性政策”——通常被认为是战前首次对战争目的的公开声明。若其属实，那么认为战争可以避免的观点便不攻自破；因为英国政府必然不会接受“九月计划”所提及的关于法国和比利时的领土和政治条款，这些条款会赋予德国比利时海岸的控制权，所以这样一来，“拿破仑梦魇”便会付诸现实。但不可否认的事实是，菲舍尔及其弟子并没有找到任何证据能够证明这些意图在英国参加战争之前便已存在。理论上存在一种可能，即之前并没有书面记载，或者相关文件已被损毁或丢失，因此所有的相关人员事后都选择撒谎，不承认侵犯了《凡尔赛和约》中的战争罪条款。但实际上，这不太可能发生。菲舍尔的分析仅能证实战前那些屈指可数的泛日耳曼主义者以及商人们的白日梦，而这些人大都没有一官半职；或是证实德皇口中时不时冒出的野心家言论，而他个人在政治上的影响力与其自以为是的想象有所出入。德皇经常幻想“拿破仑式的统治”确有其事，并且在他 7 月 30 日得知英国将出兵干预的事实后，表达了最为狂妄的征服世界的设想：

> 我们在土耳其和印度的领事和机构等，必须在伊斯兰世界煽动起针对这个可憎的、满口谎言的、无耻的商人国家的激烈反抗；因为如果我们失败了，至少英国会失去印度。

小毛奇也曾设想，“如果英国敢跟我们对着干，那么就在印度挑起一场暴动。埃及同样是被挑唆的目标，南非也不例外。”虽然约翰 · 巴肯将其写成一部战时小说《绿斗篷》，但这些天马行空的想象实际上不能被严肃地认为是德国真正的战争目的。战前，德皇仅倾向于提醒英国外交大臣：“百年前，我们曾并肩作战。我要我们两国再一次同时站在滑铁卢的比利时纪念碑下。”这必然不是拿破仑的口吻。另外一件有趣的事情是，早在 7 月 30 日，德皇就预期会有一场与英国的大战，最终“榨干德国”。的确，当他将自己和拿破仑做比较时，也会同时将他本人的终极命运考虑进去。他于 1913 年宣布，“要么让德国的旗帜高扬在博斯普鲁斯海峡的防线上，要么我将遭受到如同拿破仑被流放圣赫勒拿岛一样的悲惨命运。”

问题是，如果英国没有立即干预战争，那么德国的战争目的将与“九月计划”中的大相径庭。贝特曼在 1914 年 7 月 29 日向高慎的声明中表明，他准备以向法国和比利时（还有荷兰）保证其各自的领土完整，来换取英国的中立。小毛奇 8 月 2 日提出的“军事—政治性质的建议”也有此意：“只要德国可无条件、以最有约束力的形式获得对法国的胜利，它就会有所收敛……”同时德国也会保证比利时的中立不受损害。如果英国采取旁观的姿态，而德国仍旧我行我素，背信弃义，那么这将是愚蠢的。因此德国的战争目标几乎不包括“九月计划”提到的领土变更（除非可能与卢森堡有关，因为英国与其没有利益牵扯），也不包括德国控制比利时海岸的内容，因为英国政府不会容忍这样的行为。因此，它们最有可能包括以下几个目标：

> 1. **法国**……以分期付款方式支付战争赔偿，数额必须足够大，使法国没有能力在 15~20 年后向军备事业投入大量金钱。此外，可以签订一项贸易协定，将法国的经济与德国紧密联系在一起，巩固法国作为德国的出口国的地位……该协定必须保证德国在法国的财政和工业领域自由行动的权利，在法国的德国企业也将不再受到区别待遇。
>
> 2.……我们必须通过共同关税条约成立一个**中欧经济联盟**，将法国、比利时、荷兰、丹麦、奥匈帝国、波兰，或许还有意大利、瑞典和挪威包括在内。该联盟

不受共同宪法权威的约束，其所有成员一律平等，但在实践上要遵循德国的领导，并以巩固德国在中欧地区的经济统治地位为重。

3. **获取殖民地的问题**将在之后被考虑进去，在该问题上，我们的首要目的是建立贯穿中非的殖民帝国，第二个目的是要直面俄国这一对手……

4. 对于**荷兰**，需要考虑的是，以何种方式和手段，让荷兰成为德意志帝国的亲密伙伴。根据荷兰人的性格特点，这种更为亲密的关系必须建立在保证其不受任何强迫、不对其生活方式进行任何改变以及不赋予其任何军事义务的基础上。因此，必须要保证荷兰的对外独立，但要使其在内部依靠德国。可能的解决方案便是成立一个攻击和防御联盟，以此覆盖殖民地；必须要成立的是密切的关税同盟……

这些方面——无非是排除了吞并法国和比利时的"九月计划"的翻版——还应当添加一些之后起草的计划细节，即"在德国东部边界，从腹背深入挺进俄国，并打破俄国在其附属国的统治地位"。这宣告了一个新波兰的建立以及对巴尔干省份的割让(它们要么保持独立，加入新波兰，要么被德国吞并)。就连这个"九月计划"的翻版或许也夸大了德国领导人在战前的目标。诚然，比洛已不再是宰相，但其 1908 年向皇储发表的一番言论与贝特曼的意见仍旧不谋而合，即战争将加强"左翼"分子的力量，从内部削弱帝国实力：

欧洲从来没有一场战争能够让人收获颇丰。征服斯拉夫民族或是法国人的地盘对我们来说不会有任何好处。如果我们凭借强大的帝国，大肆吞并小国，得到巩固的只有离心力，这不是我们想要的……每一场伟大的战争之后，都会持续一段时间的自由主义思想，因为这个民族要对因为战争而造成的牺牲和奋斗进行补偿。

上述那些有限的战争目的是否会对英国的利益造成直接威胁呢？它们是否属于拿破仑式的策略呢？几乎不是。"九月计划"中所有的经济条款所暗示的都是德国统治下的欧洲关税同盟（可以说，80 年后它确实实现了）。的确，在此问题上的许多官方声明都保持一致口径，如汉斯 · 德尔布吕克所言："欧洲只有形成一个独立的关税同盟，才有足够的能力与大洋彼岸的富饶资源相匹配。"此外，古斯塔夫 · 米勒热情高涨地呼吁建立"包括瑞士、荷兰、斯堪的纳维亚半岛、比利时、法国，甚至西班牙、葡萄牙、奥匈帝国、罗马尼亚、保加利亚和土耳其"在内的"欧洲合众国"。路德维希 · 冯 · 法尔肯豪森男爵也是一腔热情：

为了与美利坚合众国、大英帝国、俄罗斯帝国这些伟大、无人匹敌的经济体相抗衡，我们要建立一个代表欧洲所有国家的稳固经济体……在德国的领导下，

> 我们要达成以下两个目标：
>
> 1. 保障该共同体内的所有成员的利益，特别是欧洲市场的统治者——德国；
>
> 2. 德国要领导欧洲统一的联合经济力量加入到与世界强国竞争的行列中，在内部要保持各国家间的市场准入。

甚至德国战前的那些“谣言散布者”也对此议论纷纷。《旧世界的崩溃》（*The Collapse of the Old World*）中的“西斯特恩”就曾预言：“欧洲人民的联合将赢回无可匹敌的政治力量和一度丢失的海上霸权。如今，世界政治中心在华盛顿、圣彼得堡和东京。”卡尔·布莱布特罗伊的《入侵英国》（*Offensive Invasion against England*）总结道：“欧洲只有和平地团结起来，才能保全自己，与新兴的其他民族以及美国的经济霸权相抗衡。团结！团结！团结！”

实际上，贝特曼与其心腹库尔特·里茨勒认为，“日耳曼民族的中欧帝国”仅仅是“我们称霸野心的掩饰”。里茨勒于1917年3月记录下了贝特曼的真实目的：

> 以领导普鲁士领地的方式带领德意志帝国……建立欧洲自己的帝国主义，并心照不宣地以我们为领导，由内向外（奥地利、波兰、比利时）地管理大陆上的其他国家。

如今的德国政客早已在口径上改弦易辙。话虽这么说，但英国还是对德国的欧洲计划感同身受。

当然，事实是，德国请求英国中立的愿望被拒绝了。然而，德国历史学家在驳回贝特曼提议（认为这是狂妄的失算）的事情上反应也过于迅速，他们甚至认为德国自己都不希望英国保持中立立场。但事实却相反。与之相对，贝特曼的考量并非荒谬至极。他万万没有想到，在最后一刻，格雷和丘吉尔的意见会压倒数量上占多数的持不干涉政见者，并且议会的大多数成员都接受了这一事后被证明是外交部最具误导性的论断：“如果我们加入战争，我们会经受挫折，但如果袖手旁观，结局会更悲惨。”

# THE PITY OF WAR

第七章

# 战争狂热肆虐的八月

## 两位志愿兵

编年史学界曾一度流传着这样的格言：欧洲人民怀着狂躁的爱国热情，拥抱着战争的到来。下面一段文字是对该论断的经典证明：

> 1914 年的斗争并非强加在人民头上的。不，这正是生命之神，正是人民自己所期盼的。
>
> 人们终于挥别了一切未知和不安。因此，我们不难理解，200 万的德国青年和孩子为何会争先恐后地要为这场最艰难的战争冲锋陷阵，准备为守护心中神圣的旗帜流尽最后一滴血。
>
> 对我来说，这些日子就像是在释放青年时代的痛苦感受。时至今日，我仍会怀揣着如暴风雨般的激情，毫无愧色地跪立在地，衷心地感谢上苍让我有幸生活在这个急风暴雨的时代。
>
> 自由之战已经打响，威力空前……这个民族的绝大多数人早已厌倦了无休止的未知与迷惘……我就是这百万同胞中的一员……与他们一样，我的心洋溢着骄傲的喜悦……
>
> 对我来说……我生命中一段最伟大、最难忘的时光开始了。与此相比，之前发生的一切都退回到浅薄的虚无中，毫无价值可言……现在唯一折磨我，还有许多像我一样的人的是：这时上前线是不是已经晚了？

然而我们很难相信，阿道夫·希特勒的所感所言能够代表普遍情况。通过我们对希特勒在巴伐利亚军队当兵经历仅有的一点儿了解，可以证明他的思想并不能代表其他志愿军的想法；他在巴伐利亚步兵团的战友都认为他是个怪胎，毫无幽默感可言，具有一丝不苟的爱国情操，还对 1914~1915 年的非官方“圣诞节休战”表现出了严厉的苛责和不满。

与希特勒对志愿军的服役生活如此怀旧的描写不同，英国园艺师哈里·芬奇在日记中做了如下记载：

1915 年 1 月 12 日，星期二：

早晨，我去了黑斯廷斯哈夫洛克大街的征兵办公室，应征入伍，加入了基奇纳的部队。我通过了体检，被分到第 12 集团军 1 连，隶属皇家苏克塞斯军团（第二南岗地区）。

1 月 18 日，星期一：

在贝克斯希尔丘陵训练。钢丝床垫和稻草床让我不得不铺了 3 层毯子。给我留下最深印象的是营房室友们轻松的谈话带来了些许温暖。我的床似乎更硬一些，这让我彻夜难眠。当然，作为新兵，我只能用破床。

通过对比这种差异，我们显然不是要寻找不同国家人民性格的不同之处，但文化历史学家曾多次分析德国人和英国人对战争所持的不同态度的原因。以下所要讲述的便是所有参战国对这场战争分别采取的态度。希特勒和芬奇的不同——顺便提一句，后者的军旅生涯比希特勒的更为成功，还被提拔为军士——仅是个人性格的不同，而不代表国家性格。

## 疯狂集会与无能为力

当然，有些地方也见证了迸发的战争热情。我们可能对希特勒的阐述表示怀疑，但是其他人同样有令人信服的亲历和描写。1945 年，伟大的自由主义历史学家弗里德里希·迈内克写下了与希特勒的回忆类似的话："对于那些经历过的人来说，1914 年 8 月出现的狂热状态无疑是段最难忘的记忆……德国人民之间所有的分歧……在共同面临危险的时刻霎时消融……"迈内克甚至在当时匆匆写就了一本关于"德国的战争狂热"的书。

高涨的热情需要通过集会的形式来表达。希特勒在《我的奋斗》中的难忘瞬间被摄影师用镜头捕捉和定格：慕尼黑广场上人头攒动，从中还可以找到他本人的面孔。在维也纳，当置身于爱国群众之中时，著名作家斯特凡·茨威格热血澎湃；当看到工人们于 7 月 26 日走上街头，请愿支持对抗塞尔维亚的战争时，约瑟夫·雷德利希也同样印象深刻。前天晚上，在柏林举行了第一次民族主义者游行；26 日，游行再一次发生。在汉堡，从 7 月 25 日起，也举行了类似的聚会活动。这种情绪笼罩着战争的头几个月，运送士兵开赴前线的火车上装饰着鲜花，大批人群聚集在证券交易所门口，庆祝坦能堡战役的胜利。在《沙勒罗瓦喜剧》（*The Comedy of Charleroi*）中，德里欧·拉罗舍尔的英雄讲述了亲身经历置身巴黎集会人群中的美好体验："我陶醉在其中……在一片陌生人中欢呼雀跃。”17岁的银行职员E·C·鲍威尔回忆，8月3日他从银行休假旅行回到伦敦后，发现“整个城市兴奋得不正常”。“庞大的队伍从四面八方涌来，堵塞了街道，每个人手中都挥舞着旗子，引吭高歌爱国歌曲。他们就这样从我们面前呼啸着走过……我们也被卷入了这场歇斯底里的狂欢。”劳合·乔治也回忆说，“这是最近一段时间内少见的热烈场景。”

就连那些不曾亲历这激动人心场面的人，都对这种现象做出了评价（劳合·乔治本人很不情愿随“兴奋的人群”振臂高呼，因为他们让他的脑海中浮现出了马弗京解放时狂欢的景象）。卡尔·克劳斯对维也纳集会的描写十分讽刺——他描绘了一位报社记者如何将一群醉醺醺的狭隘的排外者变成爱国者——但他没有否认集会的真实性。就连社会民主党党首弗里德里希·埃伯特都承认，他亲眼见到动员后争先恐后挤进火车的“自信”的后备军人，那些向他们挥别的人群同样“情绪高涨”。根据伯特兰·罗素的观察，“特拉法尔加广场上人声鼎沸”，“我很荣幸看到男男女女为了战争而容光焕发”。威廉·贝弗里奇同样目睹了欢乐的人群，“他们挤在轨道上，议会大厦对面的栏杆上已座无虚席，纳尔逊纪念柱的基座也是一样”。

“七月危机”期间，政客们——尤其是英国的政客们——常常挂在嘴边的词是“民意”。1914年7月25日，爱德华·格雷男爵告知英国驻俄国大使，“民意不会允许和支持我们在塞尔维亚问题上动武”，弗朗西斯·伯蒂在巴黎也持同样的立场。6天后，皮斯在其日记中记录，尽管“侵犯比利时的行为可能会改变人们的看法”，内阁还是表示，“民意显示，公众不希望我们支援法国”；格雷也曾向德国大使利赫诺夫斯基庄严地宣告了这一结果。康邦向巴黎汇报，“英国的公众舆论在事态的发展中起到了重要作用”，因此应当尽力避免先于德国进行战争动员。之后在1915年，格雷又说，他对去年7月和8月发生的事件“最深的感触之一”是，“仅凭他的一己之力根本无法制定政策，他只是英国的传话筒而已”。如果公众舆论像无数作品中描述的集结的人群那般激情洋溢，那么对于我们在上一章所提到的关于战争的五花八门的意见来说，这无疑是雪上加霜。

然而，对于公众的集体失控，有越来越多的证据对其进行了解释（如果不是全盘否定的话）。当时的确有很多人参与其中，但是简单将其定义为“亢奋”或“陶醉其中”的行为，恐怕有失偏颇。在那种情况下，战争的爆发所引发的群体效应堪比焦虑感、痛苦，甚至宗教狂热情绪导致的效果。

让人惊讶的是，那些发动战争的政客和将军并没享受到这份战争带来的激动心情。我们已经了解贝特曼和毛奇两人的悲观情绪，更别提德皇了。的确，即便德国的攻势已经展开后，毛奇仍处于神经崩溃的边缘。当德国外交大臣雅戈收到英国于8月

4 日正式宣战的消息时，据一位在场人员的回忆，“他的脸上……流露出一丝苦恼和郁闷”。头天傍晚，格雷对战争做了一个著名的比喻——“光亮四散，将点燃整个欧洲”，并告诉他的朋友，“在我们的有生之年，绝不能再让它重新亮起了。”这也成为一个时代的墓志铭。当日下午的早些时候，当阿斯奎思和他的妻子单独待在下议院的办公室时，他向她简单地说了句：“这下完蛋了。”但丘吉尔是个例外。他于 1915 年 2 月 22 日向维奥莉特 · 阿斯奎思说：“我认为我应当被诅咒，因为我着实喜欢这场战争。我知道它每时每刻都在摧残着成千上万的生命，但是，我欲罢不能，我享受它的每一秒钟。”

但平心而论，丘吉尔是个无可救药的乐观主义者，他一直相信自己能够轻易打赢这场战争。他的妻子显然无法接受这种狂热。

毫无疑问，庞大的社会主义者和和平主义者组织对战争的爆发感到恐慌，考虑到第一章中所述，社会主义者在 1914 年前获得的选举胜利，显然不是小事。诚然，欧洲的社会主义政党和工会在阻止战争发生的尝试中明显是失败的：在所有的争吵和解决方案之后，第二国际中的大多数政党在战争来临之际纷纷投身国家事务中去了。面对支持战争的呼吁（各个参战国政府都将其描述为防御之战），那些向军国主义发起总罢工的人明显处于下风。德国社会民主党的例子众所周知，但英国工党的作为与此大致相同。

7 月的大部分时间里，德国社会民主党的主要媒体《前进报》就奥地利对塞尔维亚的政策表达了严肃的保留意见，并敦促政府与法国和英国达成“互信”。该党领导人觉得这种表态如此露骨，出于对政府不予采纳政党意见的担心，其中两位——埃伯特和奥托 · 布劳恩于 7 月 30 日离开德国前往瑞士躲避风头。然而事情发生的头一天，埃伯特极其党内同僚还向政府保证，“不用担心我们会采取什么行动（全面或局部罢工，消极怠工等）或者酝酿什么破坏计划。”8 月 4 日，德国社会民主党的一位代表——修正主义者爱德华 · 戴维——甚至被视为赞同并支持贝特曼的国会演讲。110 位社会民主党代表中，只有 14 人反对议会党对战争贷款的决议（其中包括那位最为不屈不挠的反军国主义战士卡尔 · 李卜克内西；仅两周前，他用法语向近万名法国社会主义者做了一次深受好评的演讲）。9 天后，埃伯特在其日记中写到，法国和意大利早在 7 月 23 日便开始了针对德国的动员（实际上这是政府发布的虚假声明）。与大多数德国社会民主党的领导人一样，他接受了政府的意见：为了抵挡独裁专制的沙皇俄国对德国的进攻，战争势在必行；同时，他接过了贝特曼伸出的“国内和平”的橄榄枝（后者旨在促进非官方改革议程）。英国工党领袖阿瑟 · 亨德森的行为与此大同小异。1914 年，他与基尔 · 哈迪共同编了一本热情洋溢的反战书籍《向工人阶级的呼吁》(*Appeal to the Working Class*);1915 年 5 月，他却以教育大臣的身份加入了阿斯奎思政府，同时还有两名工党议员接受了政府提供的官职。

然而，那些将国家统一的借口置若罔闻，一心反对战争的左派人士并非只是个不起眼的小团体。很难让人相信的是，7 月 29 日柏林的“数千名工人挤满了会议现场，上街参加反战游行，呼吁和平”，但在一周后这些人竟然消失得无影无踪，他们是 7 月底在德国参加反战示威游行的近 50 万人中的一部分。1 万名巴黎社会主义者在 7 月 13 日听取了李卜克内西的演讲后也采取了行动。那些在 8 月与政府意见相左的德国社会主义者也并不是孤家寡人，但面对官方的压迫和困扰，他们表现出了惊人的适应力和恢复力。李卜克内西和他的助手们于 1915 年创建了名为《国际报》的反战报纸，其销量达到 5 000 份，但之后政府出面干预，查抄了剩下的 4 000 份。在英国，独立工党同样拥有一股忠实的支持力量，特别是在苏格兰地区，诸如詹姆斯·马克斯顿这样的领导人似乎都乐于与权威做对，但这样可能会坐牢。马克斯顿将其立场浓缩进了他写的一首反战歌曲中：

> 啊，我是亨利·杜布
> 我不想踏上从征之路
> 因为我还不清楚
> 他们这样做是何苦
>
> 去他的德皇
> 去他的沙皇
> 去他的德比勋爵
> 还有那个叫 GR① 的人物

幽默自然是“左翼”人士更为明智的筹码。早在 1914 年 7 月 30 日，社会主义报刊《先驱报》就刊登了J·C·斯夸尔的短篇故事。故事中，作者想象一位历史学家在 1920 年将会如何描绘这场即将发生的战争：

> 英国的海外部队惨遭屠戮，最后仅剩下一人生还……成百上千的德国人在克拉科附近落入圈套，只有 1/10 的人存活，幸运地获得了向后人讲述这残酷一幕的机会……每个国家的食物供应都已消耗殆尽……数以百万计的生灵在饥荒、折磨和炮火中化为乌有……每个国家的首都都发生了此起彼伏的暴乱，黑死病……又

---

① GR是拉丁文“Georgius Rex”的缩写，即乔治国王的意思，一般见于硬币上。——编者注

一次从东向西横扫欧洲。

为了将这一点表达得更加明确，该报当日的头条这样写道：“战争万岁！……让我们为涌出的鲜血和肠子、为子弹射穿的肺、为恸哭的母亲和失去父亲的孩子、为战死他乡的孤魂野鬼和断壁残垣欢呼吧……”

在工党内部，拉姆齐·麦克唐纳是继格雷8月3日的演讲之后，在国会下议院公开而明确地表示反战立场的人之一。他声称，外交部“并没有说服我”，“我们的国家正处在危险之中”。他同样对格雷关于国家荣耀的说辞嗤之以鼻：“如果不是打着民族荣誉的幌子，这些政治家便不会得逞。我们参加克里米亚战争是为了国家荣誉，我们开赴南非也是为了国家荣誉。”麦克唐纳同样不赞成英国因为比利时问题而参战（但他在这个问题的表达上着实婉转）：

> 如果哪位绅士阁下能够以清醒的头脑告诉我们，诸如比利时这样的欧洲弹丸小国正在遭受危险，并且向我们保证他要阻止发生的冲突，那么我们会支持他。但是如果连你自己都深陷一场欧洲大战了……又何言为比利时提供帮助呢？

麦克唐纳同样对格雷的协约政策做了有效的驳斥：

> 这位绅士阁下刻意回避俄国的问题，但我们要知道真相。我们试图了解当一切都尘埃落定，俄国身上会发生什么事情……提到法国，我们很遗憾，但是很明确地说，这位绅士阁下所描述的两国之间的所谓情谊，根本不可能成为以下事情的初衷：一国以另一国的名义加入战争。

在8月5日对德宣战之后，麦克唐纳甚至试图让工党的全国执行委员会通过一项决议，以此谴责格雷的行径，并声明工党此举旨在“确保初期的和平”。尽管他没能说服议会党——后者当天便投票赞成了格雷的战争贷款——但他对格雷的攻击得到了独立工党的认可。

非社会主义者阵营的反战者同样值得我们关注。在德国，1914年秋成立的“新祖国联盟”接过了衰落的“和平主义者社会组织”的接力棒。德国的和平主义者同样参与了位于中立地区的泛欧罗巴中心组织，呼吁持久和平。在英国，1914年7月，新成立了两个反对英国参与战争的集团：由诺曼·安杰尔等人组织的英国中立联盟，以及成员中包括J·A·霍布森的英国中立委员会。后者于8月3日公开了一封信，该信将德国描述成“处于敌对的环境中，拥有高度文明”，与英国“同宗同族”。之后，“停战委员会”和“非征兵集团”相继诞生。众所周知，乔治·萧伯纳以其独特的方式呼吁反战的原因，与这些（广义上说的）激进组织所宣传的内容大同小异。

在反战方式上有所区别的，是那些稍显自负的被称为“布卢姆斯伯里”的知识分子小团体。利顿·斯特雷奇、邓肯·格兰特、戴维·加尼特、杰拉尔德·肖夫、E·M·福斯特以及弗吉尼娅·伍尔夫的兄弟阿德里安·斯蒂芬——几乎所有的布卢姆斯伯里名人都是认真负责的反对者（但只有肖夫一人是真正的和平主义者）。或许他们自命不凡的文学观点能够在格兰特写给其父亲的信中得到最佳总结：

> 我从来没有设想过一场伟大的欧洲战争。对一个开化文明的民族来说，那样做简直是彻底丢失理智的表现……我开始意识到，真正的敌人不是大批大批的外国人，而是暗藏于国内和国外的小股势力；我们的朋友是那些拥有真实想法的人，不管他们从哪里来。我仍旧在思考，并且认为发动战争完全是疯狂和愚蠢的行为。

在克莱夫·贝尔和奥托兰·莫雷尔眼中，战争是“文明的终结”，它能够将“我们的余生变成一团糟粕”：贝尔的文章《即刻平静》简明（却相当精辟）地指出，战争将使人们的幸福感降低：“我们用劳动换来的却是糟糕的食物、更短的假期、狭小的房间、缩水的愉悦。简而言之，我们获得的幸福和安康与之前相比，大打折扣。”

在欧洲的一些大学中，我们可以听到一些不同的反战论点。在维也纳，大众的爱国情绪在经历了一段时间的疯长之后，西格蒙德·弗罗伊德向这种“因为允许自己做出如此暴力的动作和罪行，而让每个参与其中的个体蒙羞”的“敌对状态”发起猛攻。在柏林，阿尔伯特·爱因斯坦与《战争生物学》（*The Biology of War*）的作者、内科医师格奥尔格·弗里德里希·尼古拉都曾签署了《告全体欧洲人民宣言》，该宣言是对93名学者联名签署的夸大战争的标语“致文明的世界”的有力还击（见第八章）。马尔堡法学教授沃尔特·许金是德国卓越的和平主义者之一，他自始至终都认为，国际关系体系需要建立在法律和仲裁的基础上，而非军事冲突。在巴黎，音乐理论家罗曼·罗兰谴责战争为“人类文明的崩坏……史无前例的大灾难……对人类手足情谊的美好愿望的践踏”。剑桥大学哲学家伯特兰·罗素加入了民主力量联盟和非征兵集团，他认为，格雷是个不折不扣的“战争贩子”，这场战争就是由实行绥靖政策失败所引发的。罗素因此在剑桥受到孤立，他加入民主力量联盟的行为也使得三一学院将他拒之门外。但从另一方面来看，战争狂热并非是主流情感。J·J·汤姆森教授是1914年公开指摘英国介入战争的人之一，历史学家F·J·福克斯-杰克逊也签署了8月1日的学者抗议声明。另外一位公开反对“英国加入欧洲的罪行”的历史学家（但已不在剑桥供职）是G·M·特里维廉。有些导师从心底里便是激进的反德主义者，如三一学院的亨利·杰克逊。约翰·梅纳德·凯恩斯的父亲内维尔或许是剑桥人更为典型的代表，他痛苦地打着高尔夫球，来转移自己对这场“可怕的战争”的恐惧。伦敦经济学院的格雷厄姆·沃拉斯是英国中立委员会的会员。但是，很多早期反对介入战争的人——包括沃拉斯和乔治·特里维廉——在 8 月 4 日之后都变了主意。在 8 月 13 日的一封信中，特里维廉接受了这样的观点，即“当下一切痛苦的努力都是为了从德国容克手中拯救英国、比利时和法国，让我们精致的岛国文化不至于就此瓦解”。但这离拥有一腔战争热情还相差甚远，它只是表现出其对比利时问题的呼吁，对象则是针对持有 19 世纪传统自由观点的人。

相比较而言，更为保守的牛津大学所表达的反战情感则不如以上的人物和事件那么知名。两位曾经签署过《反对对德作战的学者声明》的导师在 8 月 1 日的《泰晤士报》上刊登了一封信，信中说：

> 我们将德国视为一个引领艺术和科学潮流的国家，我们从德国学者那里汲取营养。因为塞尔维亚和俄国的利益而让战争降临到这个国度，着实是反文明的罪过……我们强烈抗议自己也卷入这个旋涡，也抗议与一个跟我们在种族血缘和文化认同上都如此相近的国家反目成仇。

牛津大学基督教会学院副院长 T·B·斯特朗对该观点也非常同意。他在 1914 年第一学期初发表的演讲中，将德国描述成“欧洲国家中与我们有着最为密切关系的国家”。《牛津杂志》向在战争中死去的德裔牛津校友表示哀悼；1915 年 1 月，该杂志还刊发了库尔特·汉恩——他毕业于牛津大学基督教会学院——的一封信，指责格雷的战争外交政策。事实上，牛津历史学家在反德宣传（见下章）中扮演着领头羊的角色，学生杂志《校队》中也出现了越发激进的反德论调。过百人联名签署了一封信，信中抨击了该杂志为德语教授 H·G·菲德勒带来的烦恼（特别是号召联合抵制德语考试的行为）。副校长于 1916 年宣称，牛津大学从今以后“将走属于我们自己的路，而不再尝试向体系中引进德国教学方法和其刻板的模式……”，但他的发言却成为一种讽刺。实际上，正是战争期间，哲学博士学位才被引入牛津大学，这正是对德国研究生系统的刻意效仿。直到 1916 年 3 月，罗兹奖学金的代理人一直没有屈服压力而终止向德国学生颁发奖学金。三一学院研究员 H·斯图尔特·琼斯在其发表在某北方报纸上的一封信中，极佳地演绎了这种“比起愤怒，更多是哀叹”的心情：

> 我的反战立场，既不趋同于诺曼·安杰尔，也不参与到其他人的行列；安杰尔告诉我们，德国因为担心阿尔萨斯-洛林地区会出现麻烦，所以在之前的危机

中对激起敌对状态的行为加以限制，并预计如果攫取了鹿特丹、安特卫普和敦刻尔克，它将从进攻中抽身而退，因为它将在管理其征服国家的人口上遇到困难，我们对这样愚蠢的说辞真是哭笑不得。

同样需要强调的是，许多对战争期间所做出的努力予以支持的“左倾”自由党人并没有走向狂热，而是表现出与此相反的状态。威廉·贝弗里奇和约翰·梅纳德·凯恩斯自始至终都在为英国的战时经济殚精竭虑；但是私下里，两人都认为战争是个错误。贝弗里奇于8月3日告知其老母：

尽管看起来有必要尽到我们的义务……但是与法国和俄国一起向德国开战，完全与我的个人意志相背。如果我们非要加入这场战争，我只能希望，我们要理解，德国人也要理解，我们之间并非存在深仇大恨，我们总归是希望这一切早点儿结束，早日恢复和平。

两周后他又绝望地写道：“我憎恶我的工作……在接下来的10年里，我所做的一切都将陷入军国主义的泥淖。”

凯恩斯曾试图劝阻其兄弟杰弗里及其匈牙利朋友费伦茨不要参军，但未果。当得知他的朋友弗雷迪·哈德曼于1914年10月底战死沙场时，他给邓肯·格兰特写了一封信：“我痛苦万分，无论如何，战争早就该以最快的速度结束了。他的死讯让我无法承受。”后来，他的另一位剑桥好友鲁珀特·布鲁克以及费伦茨也相继离世，这更使他悲痛欲绝。1916年2月，由于他在财政部“担任国家要职”，本可以自动免除战争兵役，但他还是以强烈反对战争兵役为由，正式提交了豁免申请。1月4日，他对奥托兰·莫雷尔说，他希望能够发生“全面罢工和一场真正的起义……给那些激怒并羞辱我们的嗜血成性的人以教训”。1917年12月，他又对邓肯·格兰特说：“我为一个我深感鄙夷的政府工作，这无疑是在犯罪。”

就连那些曾经志愿奔赴前线、保家卫国的人，都开始对战争政策加以批判。那位传奇的战争狂热者，曾身为布道者、中学教师和诗人的鲁珀特·布鲁克于8月3日悲叹道：“一切都在朝着错误的方向进行着。我一心想让德国把俄国碾成碎片，然后法国再将德国拿下……但仿佛事与愿违，我担心德国会先击垮法国，然后被俄国横扫……普鲁士简直是魔鬼撒旦。但是俄国则更象征着欧洲和文明的末日。我认为将来的世界必是‘斯拉夫’的天下，举目尽是暴虐和专制的荒唐和疯狂。”政府的官员们同样对英国东部这位邻居持有矛盾心理。“我竭力反对继续这场拖垮德国、让俄国渔翁得利的战争。”劳合·乔治在8月11日寄给其妻子的信中写道，“我们只是要教训一下容克贵族，而不是德国人民。我可不想出于这个目的，让我的子民去送死。”

人们可能会认为，以上观点只是出于人数上占少数、受过良好教育的精英阶层的观点。然而，从 1914 年英国报纸上搜集的证据来看（特别是信件专栏），有许多头脑冷静的人也持类似的观点。1914 年 8 月 3 日，一位名叫A · 辛普森的先生在《约克郡邮报》写道：

> 看看现在的英国和德国。我们两国之间不应该发生战争，我们的商业、思想和宗教上的联系既紧密又真实，以至于不允许此类事情的发生……德国人天资聪颖、道德约束力强、实力雄厚。欧洲即使团结起来，也无法阻止德国成为更加强大的国家。纵使它在今年或者明年（抑或任何时间）被英国、俄国和法国打败了，它同样会卧薪尝胆、厚积薄发、意志坚定……直到东山再起；而欧洲的将来，将属于德国人……俄国则代表了蛮力，让它来掌管欧洲霸权实为一种人类理想的逆行。

纽马基特圣玛丽教区的一位牧师同样拥有这种“恐俄症”，他说道，“俄国政府是世界上最为恐怖可憎和野蛮残暴的政府。”8 月 5 日，《卫报》刊登了C · R · 巴克斯顿的一封信。该信鼓励“自由党人拿出他们的原则和尊严来，保守党媒体正试图让我们陷入战争的泥潭，尽管我们对这场战争并不关心”，但一切为时已晚。

究竟应该多么严肃地处理这些反对战争的声音呢（无疑，这只是一个渺小的群体）？实际上，政府已经很严肃地在看待这个问题了。在普鲁士政权的统治下，1851 年的戒严令（该法令适用于除巴伐利亚以外的德国全境，从战争伊始便开始生效）使德国许多独立的社会主义者和和平主义者都有计划地受到了迫害。战前和平团体的内刊被封杀，其领袖路德维希 · 克维德也被禁止参与“今后一切劝诱改宗的活动”。新祖国联盟也在 1915 年受到来自审查制度的控制，并于 1916 年被彻底认定为非法组织。许金的言论也被有效钳制，当局不允许他口头或书面表达自己的观点。在英国，那些在战前负责反间谍活动的人忙得不亦乐乎，其职责范围被扩大，将国内的反战者也包括在内。邮政体系的检察制度最初被引入是为了鉴别德国间谍的身份，现在也开始搜集那些可能与敌人相勾结的英国公民，它列出的名单上包括多达 3.5 万个名字；之后又有 3.8 万人“因有可疑行为或与敌对组织有联系而成为嫌疑对象”，5 246 人因有“和平主义，反军国主义等”倾向而受到注意。除了独立工党以外，反战争委员会和非征兵集团都受到官方调查。领土防御法（DORA）的设置不仅使诸如马克斯顿的独立工党领袖遭到囚禁，还让一些在伦理和宗教、而非政治上对战争表示质疑的人锒铛入狱。例如 1915 年 12 月，两名男子因为印刷传单（上面含有基于《登山训众》的基督教战争教条）而遭到6个月的监禁。伯特兰·罗素于1916年6月被起诉，原因是散发反征兵的小册子，他在1918年因为“侮辱我们的一个同盟国”而最终入狱。整个战争最让人震惊的一幕是，34名英国人因为拒服兵役而被移送法国，当庭审讯后被判处死刑，后来在罗素等人的抗议声中，死刑改成了苦役。这种事情从来不会发生在德国和奥匈帝国，唯一的原因是，它们根本没有拒服兵役的制度。

## 恐　慌

然而，并非只有对政治情势一清二楚的人，才会对战争惊慌失措。在那些百姓们认为敌军可能进犯的地区，同样笼罩着一种近似恐慌的气氛。特别是巴黎，那里正在经历着一场大逃亡。这场逃亡甚至在第一次空袭（1914年8月30日）之前就开始了，1870年的围城让居民们仍旧记忆犹新。9月，大约70万平民逃离巴黎，其中22万人年龄不到15岁；成年人中不乏政府工作人员和机关公务员，他们出于人身安全的考虑逃往波尔多。东部边境同样出现了大批难民。1914年出生在布科维纳的德国人格雷戈尔·冯·雷佐里的父母后来告诉他，“有人称自己见到人群中出现了俄国人的低顶圆帽——但他搞错了，实际那顶土灰色无舌帽是我们的德国战友的，然而这已经在人群中造成了恐慌。”他的母亲也加入了逃亡的队伍；最后，她和她的两个孩子在的里雅斯特安顿了下来。

让-雅克·贝克尔最富有开创性的作品淋漓尽致地展现了1914年巴黎人民的矛盾心情，就连那些不受战争威胁地区的居民都同样担惊受怕。对历史学家来说十分幸运的是，法国教育部部长阿尔贝·萨罗向指定地区的中学教师发放了调查问卷，其中包括如下内容：“动员，进行得如何？公众的情绪，您听得最多的词语。”贝克尔对6个不同地区的中学教师的问卷结果进行了分析，并发现狂热情绪并不是普通法国民众对战争的普遍反应。在战争的消息传来之前，芒勒的一位教师就曾写道，“大家都认为，不会有人丧心病狂到折磨、蹂躏他人的地步。”在夏朗德省进行的对动员消息的调查中，人们对此的普遍反应是“惊讶”，而后是“麻木”；在总结描述公众情绪的具体词语时，贝克尔发现57%的用词是消极的，20%的人表现出“沉着冷静”，只有23%的人表现出爱国热情。最让人感到悲哀的是人们对动员的看法，最常提到的是“恸哭”和“凄凉”，这类词出现了至少92次，而对此表现出“热情”的人只有29个。

也就是说，在动员进行时，人们并没有表现出抵抗心理（在俄国也是同样的情况）；无疑，人们在军队出发之前的情绪是积极的，当时提到“热情”的指数是71。但即使是这样，这个激情也是有限的。“那些人怒吼和颂扬的歌声，”一位欧布泰尔的教师写道，“在我听起来是那么虚伪，他们似乎是在用醉态来振奋自己的勇气，同时掩盖自己的害怕。”人们同样没有过多地提及历史学家们常常挂在嘴边的战争动机：为1870~1871年的失败复仇，收复阿尔萨斯–洛林地区。战争的基本性质是防御性的，但所有国家都认为自己是在防御。一篇关于民众情绪的典型报告中写道，“法国不欢迎战争；只是当它受到外部势力的入侵时，我们才会尽到自己的责任。”此外，对其他5个地区的调查结果显示，夏朗德省的战争热情程度似乎超过了平均水平。但在北部沿海，70%左右的人对动员表现出消极情绪。在英国，因为缺乏相应的调查资料而无法进行对比分析；然而，对英格兰北部的一次媒介调查显示，在卡莱尔和斯卡伯勒曾召开过几次反战会议。在德国，也有一些分析和证据表明了人们对于战争的复杂情感。

贝克尔的调查大部分局限在法国农村，当然，对趣闻逸事的搜罗似乎更倾向于关注1914年出现在城市的爱国人群和狂热现象。然而，这一点同样值得怀疑。暂且不说别的，只是战争的爆发对城市经济的最直接影响，便是极具破坏性的。在柏林，工会成员失业率在1914年7月是6%，而8月份则一跃达到19%，并在9月达到顶点——29%。在伦敦，国家保险覆盖的工人失业率从7%上升到10%（见图7–1）。这些数字几乎只是对失业率的保守估计，因为临时工人（没有加入工会或没有上保险的人）更容易被解雇。影响最严重的是巴黎，因为众多失业人群纷纷逃至首都。8月份，巴黎地区的总雇用率下降了71%之多。尽管由于众多员工参军入伍，造成了雇用率一落千丈的局面，但仍旧有至少30万巴黎人在10月是失业状态：大约是这座城市总劳动力的14%。

当然，失业率仅仅表现在工人阶级中，但从影像资料和其他证据中可以看出，1914年，在街头游行的爱国者中大多数是中产阶级。在慕尼黑的集会人群中，我们在希特勒的周围丝毫找不到戴无边帽的无产阶级，占多数的是稻草帽和巴拿马圆冠阔边帽。柏林也是同样的情况，据《前进报》报道，7月26日和27日占领街道的人群主要是“衣着最新潮、最时髦的年轻人、德国的民族主义学生和职员”。根据英国报纸的报道，8月3日集结在白金汉宫和白厅附近的人——《每日邮报》估计其规模达到了6万人，但可能比实际情况多出了2万——大部分是住在郊区的中产阶级。这个星期一是银行休假日，这座城市的“普特尔们”①走上大街，颇有当年布尔战争的气势，

① 小职员普特尔是乔治·格罗史密斯和他的弟弟威登·格罗史密斯共同完成的小说《小人物日记》（*Diary of Nobody*）中的主角，该书以虚构的日记形式讲述了小人物的小市民生活。该书问世百余年，普特尔的名字进入了日常英语，用来指住在郊区的古板守旧的中产阶级人士。——译者注

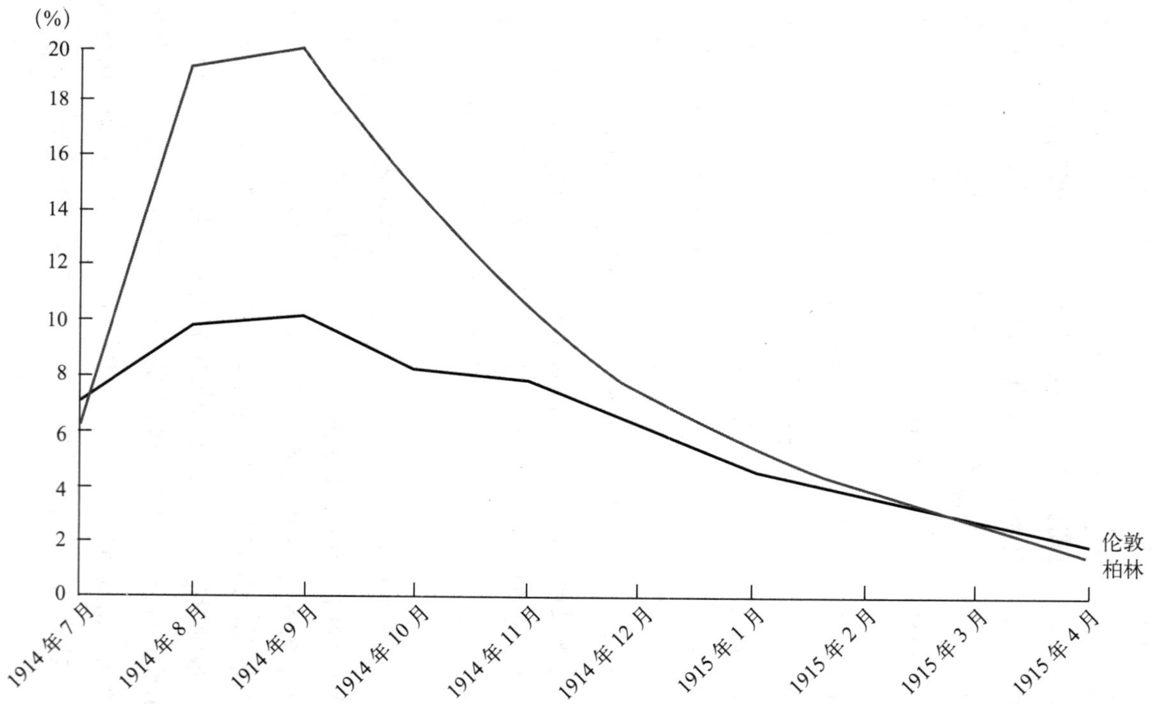


图 7–1　柏林和伦敦的失业率，1914 年 7 月~1915 年 4 月

资料来源：Lawrence *et al.*, “Outbreak of War”，p.188.

只不过一些报道中称，比起布尔战争，他们已经平静和节制了许多。

无论如何，1914 年 8 月，民族主义情绪在南方的银行职员中泛滥，而雇用他们的金融市场却明显缺乏战争热情。

在 1914 年以前，诸如伊凡 · 布洛赫和诺曼 · 安杰尔这样的作家都认为，一场欧洲大战造成的金融上的后果将会严重到无法对其进行补偿。布洛赫对 5 个参战国一天之内的花销做了估测，约每天 400 万英镑；此外，他还计算了每年需要花费的军人津贴，大概是 10.46 亿英镑。

> "但是他们就不能借债并发行纸币吗？"他的英国编辑如是问。"所言极是，"布洛赫先生说，"毫无疑问，他们也曾尝试过这样做，但是战争带来的直接影响是债券全面下跌 25%~50%，在这种市场颓势下，浮动贷款也变得相当困难。人们逐渐面临强制性贷款和无法兑换的纸币……物价也将高不可攀。"

对那些部分依赖外国人筹措战前贷款的国家来说，情况尤为严重。正如安杰尔所言，"受信贷影响而发生的巨大改变"以及"国际金融市场之间微妙的相互作用"意味着战争在一定程度上是不会发生的，"在贷款的压力面前，任何蛮力都黯然失色。"如果一艘外国战舰胆敢行驶在泰晤士河上，那么倒霉的不是英国，而是来犯国的经济，因为投资者会抛掉侵略者所有的债券。法国社会主义者让 · 饶勒斯说"国际资本的流动是唯一的世界和平保卫者"，这也是在重申安杰尔的观点。

并非只有政治上的"左翼"人士认为战争会带来经济的局限性，几乎所有人都赞成。施利芬在规划其方案的时候曾准确地设想了可能的情况：

> 数以千计的轮子推动着经济实体的运动和发展，数以百万的人们从中获利，但经济这架机器不可能一成不变。同理，12 天的战役，人们不能拖泥带水地将其延续至 1~2 年，不能等到参战国都彻底虚脱，极度渴望和平，并甘于接受现状。

在他 1910 年发表的文章中，他再一次重复了这个观点："一个经济和工业处在持续上升期的国家不可能发生持久性战争……如果能明白为了几百万的军事开支，要用几十亿的经济损失来维持，那么消耗战的战略将不会奏效。"7 月，这种观点被普遍认可。一位德国外交官员早在 7 月 22 日便被警告说，"德国的股东们"将会"用自己的债券为奥地利政治家的决策付账"。第二天，爱德华 · 格雷爵士做出预言（在与奥地利大使的对话中），称战争"必须投入数额巨大的开支，并且会对贸易造成极大干扰，以至于同时发生或伴随而来的将是欧洲信贷和工业的彻底垮塌"。24 日，他对利赫诺夫斯基说，一场欧陆大战将造成"完全无法估计的后果"："资源的全面枯竭和普遍贫穷；工业和贸易被摧毁，资本也丧失了力量。诸如1848年的革命暴动会因为工业活动的崩溃而卷土重来。”（这并不是在夸大其词，8月初，因为“初期食物恐慌”，伦敦笼罩着不安，这种消息一旦“传到众多的劳动人民耳中”，将会产生“严重的后果”。）7月31日，格雷进一步指出——正如保罗·康邦向巴黎发出的报告，这种论调将成为支持英国不参与战争的有力说辞：

> 有人认为，即将发生的冲突将使欧洲的财政陷入困难，英国正面临着空前的经济和财政危机，它的中立立场将是避免欧洲信贷业全面崩溃的唯一出路。

尽管在战争中期所发生的事实似乎并不是这样，但这些预言无论从短期还是长期来看，都是正确的。维也纳证券交易所的行情早在7月13日就开始走下坡路了。20日，汉堡主要的大银行不得不采取措施，应对证券交易所造成的恐慌。危机提前波及汉堡，可能是因为一系列“战争逼近”的官方暗示。7月18日，德皇告知船商阿尔贝特·巴林可能要进行动员的消息；3天后，德国总理府致信参议院，出于对战争的未雨绸缪，要求地方职业介绍所将劳动力进行合理分配；7月23日，外交部派官员来到汉堡，带来了奥地利向塞尔维亚发出的最后通牒。7月28日傍晚，当德国政府拒绝格雷关于在伦敦召开各国外交部部长级会议的提议传到汉堡后，汉堡的证券交易所人心惶惶，以至于沃伯格被迫与威廉街的当局取得联系。他得到指示，并向众人宣布，尽管德国政府没有认同该会议的“可行性”，然而“内阁与内阁间的双边协商已经取得最大限度的成功，并会继续进行下去”。尽管这种虚伪的表态得到了赞赏，但当天傍晚，证券交易所还是没能重新开张。

直到7月27日——奥地利向塞尔维亚宣战的头一天，英国才感受到了危机的气氛，德国的银行也开始撤出存款并停止营业。第二天，当罗斯柴尔德勋爵身在巴黎的堂兄弟们向他发出加密电报，请求“向法国政府和储蓄银行出售巨大数额的统一公债”时，他才着意识到事态发展的严重性。很显然，昨天所发生的一切仅仅是个开始。但是他拒绝了这个请求，从单纯的技术层面来看，“根据当前市场的实际情况，做任何事都是不可能的”。接着，他又加了一条更为政治化的论点：“如果我们出于增强某国实力的考虑，向欧洲的一个强国输送大量金钱，那么将造成糟糕的影响，特别是在当前人心惶惶，随处都能听到‘战争’字眼的非常时期。”尽管他向法国的罗斯柴尔德家族成员保证，他们的电报都是被严格保密的，但罗斯柴尔德还是立即向阿斯奎思告知了事情的发生。阿斯奎思稳健而颇有保留地向维尼夏·斯坦利报告了这个“不祥的征兆”。他在日记中所记录的似乎更坦诚一些：“这座城市……正处于萧条和麻痹的可怕状态……它的前途一片黑暗。”

这次危机开始的首个象征，便是债券价格的巨幅下跌——这也是国际危机开始时最普遍的象征。7 月 29 日，国债从高于 74%跌至 69.5%，并且当市场重新开放时继续保持颓势，国债往往是投资者在遇到危机时，除了黄金之外的最终手段。根据《经济学人》杂志，8 月 1 日，其跌速达到了 5 个百分点——这是前所未有的；与此同时，与历史上 1/8 的平均水平相比，买卖方报价（即卖方出价和买方出价之间的差）扩大至 1：1 的程度。其他国家出现了更为严重的债券下跌情况。简而言之，布洛赫关于债券价格下跌 20%~50%的预言正逐渐变为现实。债券价格的暴跌同样影响到了股价，甚至影响到非欧盟企业的股价。6 月 28 日，在假设俄国和德国不“参与”这场奥地利和塞尔维亚之间的战争的情况下，凯恩斯“大胆地”购买了里奥廷托和加拿大太平洋的股份。现在，他也成为那些经受巨额损失的投资者中的一员了。

图 7–2 除了能够让我们感受到这次危机的严重性，还让我们能够对伦敦金融城的未来前景做出评估。正如我们所见，8 月 3 日之前，最为不确定的事情便是英国是否参战。因此，从 8 月 1 日的价格中我们可以推断，伦敦金融城在这场纯粹的欧洲冲突中究竟在期待什么。7 月 18 日到 8 月 1 日这段时间里，主要国家的债券价格都有不同程度的下跌：俄国公债（4%）下跌了 8.7%，法国公债（3%）下跌了 7.8%，德国公债（3%）仅下跌了 4%。如果英国不对战争进行干预，伦敦商界便会在毛奇身上下赌注，正如 1870 年那样。然而，英国支持法国而使天平倾斜的决定让一切变得复杂起来，因为这就意味着战争不会草草收场，并且其规模会是一场世界大战。如果欧洲股票市场在 8 月 1 日之后保持开市，证券价格就会继续走低；的确，我们有足够的证据证明，在过去的 100 年间，国家崩溃一直是笼罩在经济危机上空的阴云，1848 年的情况亦然。

因此，正如饶勒斯等人所预言的，银行家们在 1914 年尽最大努力避免战争的爆发：比起政治家们，他们更加清楚地看到这场大战将会带来的金融混乱。罗斯柴尔德勋爵 7 月 27 日告诉他的表兄弟们，“伦敦商界无人不思考和谈及欧洲当下的形式，以及如果没有采取措施阻止它的发生，这场欧洲大战将会造成何等后果。”他于 7 月 30 日写道，“虽然奥地利的行为可能很粗鄙，但如果百万生灵牺牲在战场只是为了使战争的理论神圣化，那么这将会是种极端的犯罪行为，凶手就是塞尔维亚人。”第二天，他敦促在法国的堂兄弟们说服普恩加莱“向俄国政府表明事态的严重性”：

> 1. 就算一个国家的盟友实力再强，战争的结果还是无法预料的；但是不管结局如何，因其造成的流血牺牲和惨痛状况都会是巨大而惊人的。这场灾难将比人类之前所经历过、听说过的更加骇人听闻。

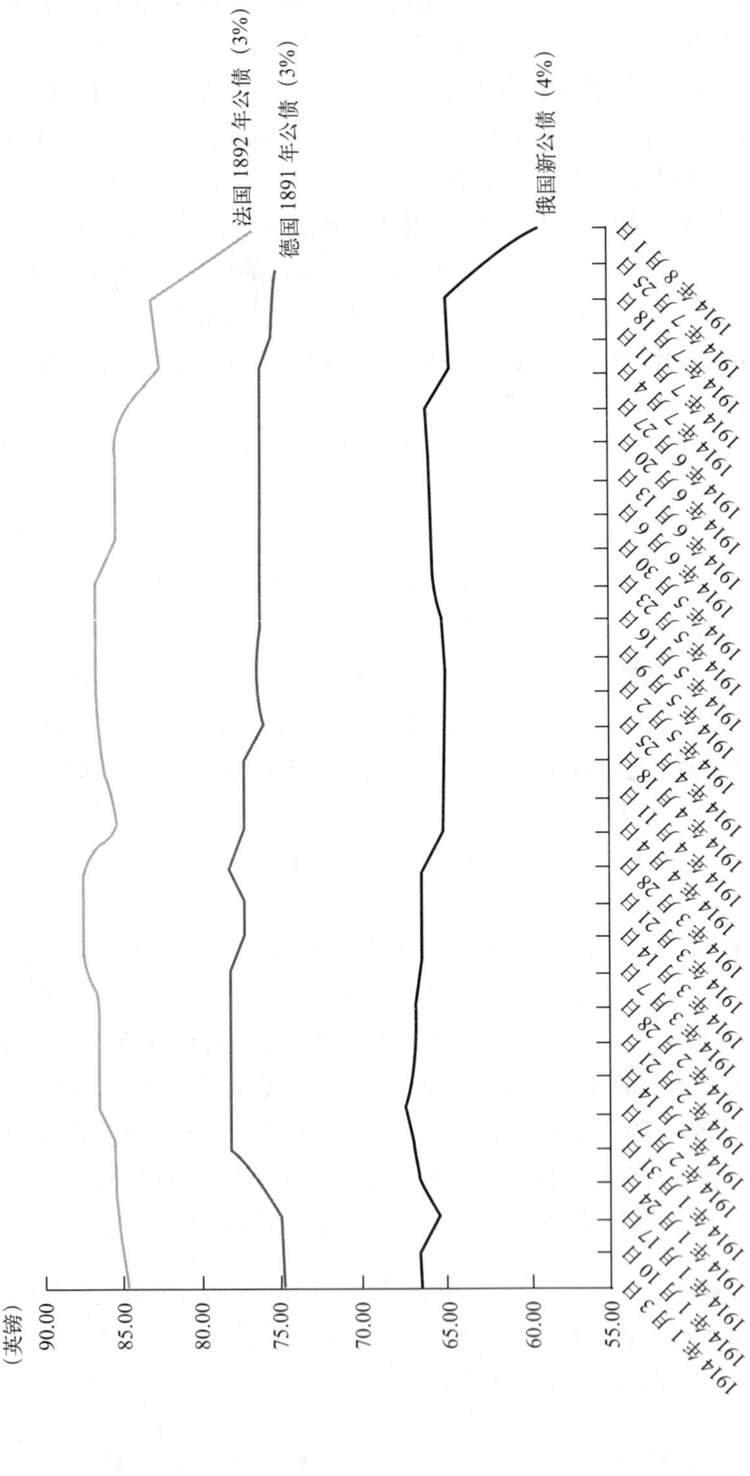


**图 7–2　欧洲各国政府债券在伦敦的每周收盘价格，1914 年**

资料来源：*Economist.*

2. 法国是俄国的最大债权人，实际上，两国的财政和经济状况紧密地联系在一起。我们希望你们能够尽最大努力用你们的影响力去说服政客，来阻止这场可憎、可怕的战争，不达目的，绝不罢休。

7月31日，罗斯柴尔德恳请《泰晤士报》对其头条新闻“被逼向战争的国家”进行更为含蓄的修改；但外国编辑亨利·威克姆·斯蒂德和该报的老板诺思克利夫勋爵却都将此行为解读为“相互勾结的罪恶的德国–犹太国际金融集团试图恫吓我们保持中立”，并认为，“对此最合理的回击应当是更为直接的头条”。于是，周日的头条新闻着实直截了当、颇有气势：“我们不会袖手旁观，我们最大的目的便是自保原则”。罗斯柴尔德发疯似的试图通过保罗·施瓦巴赫确保他与柏林的沟通渠道畅通无阻，他甚至私下向德皇发出和平呼吁。阿斯奎思对维尼夏·斯坦利说，“英国商界的反响剧烈……他们呼吁不惜一切代价明哲保身。”与威克姆·斯蒂德的观点如出一辙，康邦向法国那边通报说：

商界人士竭尽其所能……阻止政府对德作战。伦敦街的那些金融家、英格兰银行的管理层都或多或少受那些有德国血统的银行家的控制，他们正在从事一项非常危险的活动。

然而，那些银行家们显然对此无力回天；正相反，银行无法让战争停止，但战争却可以让银行关门。英国的参战使它与欧洲其他地方的贸易陷入瘫痪。从有效终止贸易的推断上看，我们足以见出英国的战争计划（正如一个世纪以前所经历的事件同样让我们了解了英国的计划和目的一样）：不再有满载货物的商船从英国开往德国，或者从德国开往伦敦。然而因为商业汇票的原因，仍然需要对这些永远不会出航的商船费用提前进行支付。于是，那些通过贴现承兑而负责向该贸易提供经费的承兑行因此陷入了困境，未支付的金额达到3.5亿英镑，并且其中有一定比例的金额可能完全失去信誉保证。表7–1向我们展示了问题的严重性。

**表7–1　伦敦承兑市场：年底承兑债务统计，1912~1914年（单位以百万英镑计）**

| | 巴林 | 克莱沃特 | 施罗德 | 汉布罗 | 罗斯柴尔德 | 吉布 | 布兰茨 | 共计 | 总承兑 |
|---|---|---|---|---|---|---|---|---|---|
| 1913年 | 6.64 | 14.21 | 11.66 | 4.57 | 3.19 | 2.04 | 3.33 | 45.64 | 140 |
| 1914年 | 3.72 | 8.54 | 5.82 | 1.34 | 1.31 | 1.17 | 0.72 | 22.62 | 69 |

**资料来源**：Chapman，*Merchant Banking*, p. 209.

凯恩斯指出，这从整体上暗示了银行系统的内部运营：“清算银行……都依赖于承兑所和贴现公司，贴现公司依赖于承兑所，而承兑所又依赖于无力付款的国外客户。”因此将会出现这样一种可能性：由于承兑所这一环节而引发的严重清偿危机，将威胁整个英国财政体系。到 7 月 30 日，英格兰银行预支给贴现市场和银行各 1 400 万英镑，但却被迫通过将银行利率从 3%提高到 4%的手段来保护自己的储备金（其占负债的比率从 51%暴跌至 14.5%）。7 月 27 日，俄国中央银行就已经被迫终止黄金兑换。当英格兰银行 7 月 31 日试图通过将基本利率翻倍至 8%来免受相同的命运时，次日该数字又涨了 2%，直接导致市场瘫痪。为了避免造成彻底内爆，证券交易所不得不于 31 日停业，柏林和巴黎也出现了相同的情况。关闭证券交易所的事情之前巴黎也发生过（比如 1848 年），但就算是面临 19 世纪最严重的危机，伦敦也没有采取过如此过激的措施。第二天（与 1847 年、1857 年和 1866 年所发生的情况类似），劳合 · 乔治递交给银行管理层一封信，称如果需要的话，他们可以打破银行特许条例中对通货发行的限制。8 月 1 日是周六，而下周周一则是银行休假日；在剩下的几周内，通过延长假期的手段，人们获得了更多喘息的余地。在“进一步的指示”下达之前，证券交易所都关门大吉。在巴黎，债款的支付同样被延期（而柏林则成功地避免了这种情况）。

可以想象银行家们的黯然神伤。在汉堡，英国加入战争的消息使巴林陷入绝望的境地，连沃伯格本人都十分错愕。然而到了 9 月，他也同样放弃了速战速决的希望。当罗斯柴尔德得知英国要参战的明确消息后，他于 8 月 3 日向其身在巴黎的表兄弟们写了封信，信中称，“从来没有一个政府，面临着像现在这样严重又棘手的任务。”他“一想到在远方若隐若现地逼近我们的一幕幕战争和良知尽毁的惨烈场景，便不寒而栗”。当然，在 1914 年，也有一些人由衷地相信战争会轻易并成功地在短时间内结束。但这些人中并不包括银行家，同样被排除在外的还有德国总参谋部的人，他们的悲观和沮丧我们之前已经见识过了。

## 入 伍

当然，战争狂热最好的体现，便是人们的主动请缨。战争爆发伊始，那些正在服兵役或最近刚刚结束兵役的人又迅速被动员起来。值得注意的是，动员过程并没有遇到什么抵抗，而且有些地方的人们以沉默的热情接受了它（如法国的某些地方）。只有在俄国，一些农民因为憎恶军事当局在收庄稼前夕入侵他们的地盘而进行了暴力抵抗，但这种情况也只是偶然发生。此外，就连在那些已经实行强制性兵役的国家，也有大批在和平时期并没有“服役”的人此时志愿参军入伍。阿道夫 · 希特勒就是他们中的一员（通过移居慕尼黑，他躲过了奥地利的兵役，但却心急火燎地于 1914 年 8

月志愿加入巴伐利亚的部队）。恩斯特·云格尔同样自告奋勇加入了部队，但据他回忆，“老兵们对他的行为大为费解。普通士兵认为我们这样做是种冒失的妄为。”与其他地方一样，汉堡的中产阶级自告奋勇，迫不及待想要穿上军装：比如像出身于汉萨商业大家庭的珀西·施拉姆这样的15岁左右的男孩以及法兰克福犹太人赫伯特·祖尔茨巴赫，早在1914年7月14日祖尔茨巴赫便调侃说，“与其去汉堡参加商务培训，不如去服兵役”；在些许犹豫之后，他于8月1日成为了一名志愿兵。

与此相反的是，直到1916年年初，英国才在本土及其帝国范围内才开始实行征兵制度。因此，在此之前参军的人都属于志愿入伍。而参军人数给人留下了深刻的印象。1914年8月25日，基奇纳称其征募的目标是达到30个师的人数，但是这个目标数字不断在攀升，次年竟然达到70个师之多。他在头一个月招募的人数为20万，但实际征募人数至少有30万（见图7–3）。在一周之内（8月30日~9月5日）便有17.5万新兵入伍。8月25日当天新增人数1万人，这个数字在9月3日达到顶峰——3.3万人。一共有250万人主动请缨，代表英国出征，符合条件者占到了25%。他们之中有29%的人参加了前8个星期的战事。在征兵制度实行之后，新招募的士兵人数与之前的自愿者相差无几；实际上，根据年度统计，尽管实行了征兵制度，但招募的总人数反而略有下降。为了缓解早期人们蜂拥而至的现象，陆军部于9月11日将新兵的最低身高要求增加了6厘米，但10月底又将其下调，11月14日降至原来的水平。此外，许多超过征兵年龄的人也以志愿者或者治安官的身份加入了部队。因此，在索姆河战役之前，大部分英国人都是自愿参战，而非被迫。

然而，我们同样需要对兵源质量做出分析，并不是所有的英国人都同样积极。战后所称的“所有社会阶层……都对战争做出了同样多的贡献”，显然不是事实。战争开始以前，新的队伍“以正常的招募流程，从每个阶层平均招募士兵”的说辞同样是不真实的。实际上，包括最杰出的招聘士官德比勋爵在内，有许多中产阶级人士——他们的确是加官晋爵的对象——因为迫切要求参加战斗而被当作士兵招募进队伍。“他们之中有律师、推销员、银行职员、高级技师等。”一位曾加入伯明翰军团的人回忆道，队伍里面同样混杂着大量出身工人阶层的贫穷的人；在这些工人中，纺织工人比例较低，但矿工的比例却相当高（从战时经济的角度便可解释这一现象）：战争开始的头一个月，就有11.5万名矿工志愿从军，占矿工联盟会员人数的近15%；截至1915年6月，这一人数达到23万。而一些矿业城镇几乎丧失了所有年轻劳动力。但更让人吃惊的是，从事服务行业的人在数量上力压工人，造成部队人员构成的严重不平衡：截至1916年2月，从事金融职业和从商的人占40%，与此相比，工人的比例只有28%。造成这种情况的部分原因是，政府采取措施，留住了重要的工业领域的

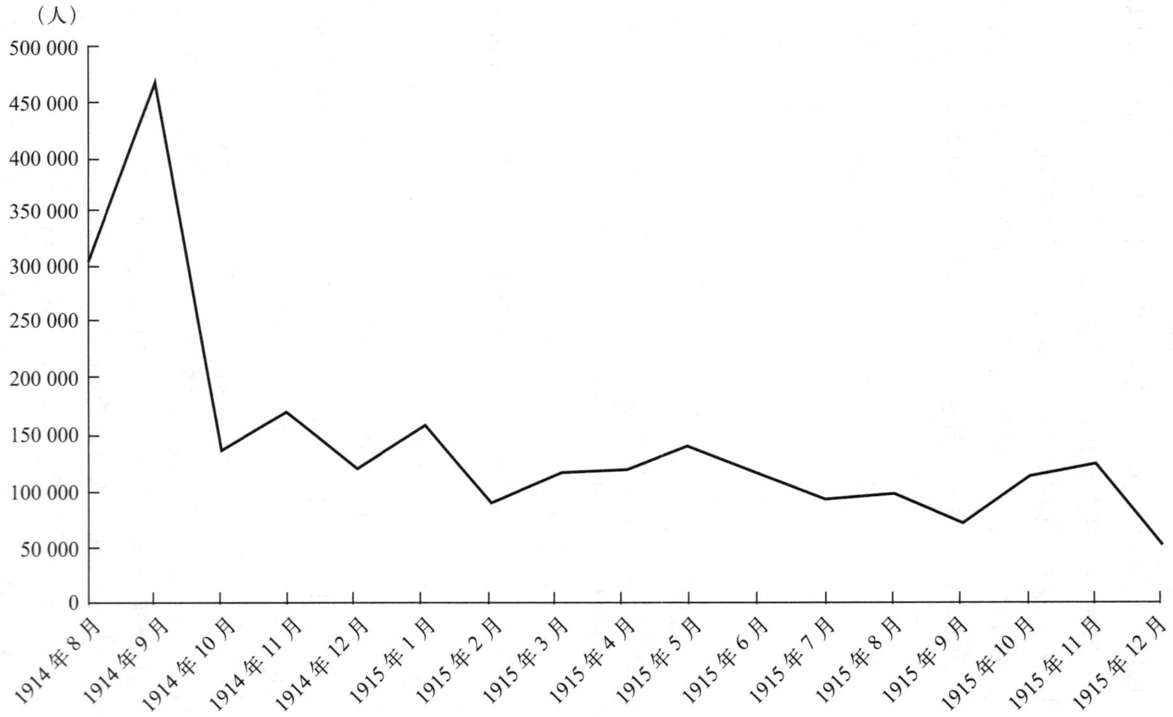


**图 7–3　1914 年 8 月 ~1915 年 12 月英国常规军及地方部队征兵情况**

资料来源：Lawrence *et al.*, “Outbreak of War”, p. 188.

工人，让其坚守岗位；但更重要的是，中产阶级相对来说对战争更为积极。

或许更让人吃惊的是发生在英国本土和其帝国范围内的变化。战前，虽然苏格兰人占士兵人数比例相对较低，但他们是对战争最富有热情的志愿者。截至 1915 年 12 月，15~49 岁的苏格兰志愿者人数仅占 29%。澳大利亚人的参与也同样积极：他们是帝国唯一不需要诉诸征兵手段就可以招募到的志愿者。与此相反，爱尔兰人对此的热情相对低一些：入伍士兵中，只有 11%的人出于自愿，但他们之中同样存在一些地域问题与差异；1916 年之后，南方人的抵触情绪明显更强烈。类似的政治因素也影响了加拿大的征兵工作——该国是殖民地中输送兵源最多的国家（64 万人）。但其中只有 5%是讲法语的加拿大人，他们占到加拿大总人口的 40%。

人们为何而战？绝大多数情况下当然不是为了践行 1839 年的条约中保卫比利时中立立场的规定（更不是因为萨拉热窝行刺事件而保护塞尔维亚免遭奥地利的报复）。实际上，许多战士在有影响力的回忆录中提到过比利时问题。格雷夫斯回忆自己曾经“被德国人随意践踏比利时中立立场的行为激怒了”；萨松读报的时候，曾看到“德国士兵折磨比利时婴儿”的消息。威廉·利弗爵士向一位流亡国外的比利时政府官员保证，新军的“所有士兵”都“满怀一腔激情开赴前线，要对德军在比利时犯下的种种罪行复仇”。然而，这种情绪是否普遍存在还有待商榷，特别是在“普通士兵”中间。赫伯特·里德的经典作品《普通士兵的家书》（*Other Ranks' Letter Home*）的结尾处写道，“好吧，他们说这都是为了小小的比利时，那么就打起精神来吧，让我来搞定小小的比利时。”当时甚至还发生了一件逸事——尽管该事可能是虚构的——在英国军队登船横渡海峡时，他们放声唱着“我们要去痛扁比利时”。

另外一个稍显含糊的原因是“对国家的热爱”，这通常被认为是志愿者的典型动机。人们认为，充满爱国情感的“1914 精神”是多年来国民教化的产物——遍布中学、大学、民族主义联盟和欧洲国家的军队中间。《西线无战事》中的大恶棍是一位教师，这也不无道理。人民群众——至少中产阶级民众——长期受到爱国音乐、爱国诗歌、爱国艺术、爱国遗址，当然，还有爱国主义历史教育的熏陶。就连那些最具有“现代主义风格”的文化风气都在助长战争狂热的气焰，它将战争描述成精神革命的力量。当我们稍微关注英国公立学校教育中使用的战争语言，这种论点就显得极具说服力。在这一时代大背景下，亨利·纽博尔特爵士的《生命的火炬》（*Torch of Life*, 1898）经常被拿来引用：在那遥远荒凉的沙场上，“学生们的叫喊声回荡在队列中：‘加油！加油！打败他们！’”因此，英国公立学校对学生进行的是明确的战争教育：“事关忠诚、荣耀、骑士精神、基督精神、爱国精神、体育精神和领袖精神。”伊顿、温彻斯特、哈罗、什鲁斯伯里这些名校在 1914~1915 年变成了通向堑壕的大门（就像时至今日，它们被誉为为蹲监狱做准备的理想地方一般)。1909~1915 年，539 名温彻斯特公学男毕业生中有 8 人志愿入伍。《伊顿公学记事》(*Eton Chronicle*) 中详细记载，“他们正是在那里获得了能够让他们承受人们正在经历的那种严酷考验的意志。”德国的中学教育也是如出一辙，在那里，学生们对体育课充满热爱；而比起八人划船，德国的大学更推崇的是决斗组织，其尚武的文化很显然已经超过了牛津大学和剑桥大学。作为必修课的一部分，法国的学校也在孜孜不倦地向学生灌输爱国主义思想。年轻的法国男孩与其他欧洲青年一样尚武好斗。

毫无疑问，1914~1915 年的主动请缨者的爱国狂热，与他们受到的学校教育有很大关系。肯尼思·克肖将 1915 年 6 月参加戈登高地作战的经历描述为，“这无疑是我一生中最快乐的时光。我最终被选中，要为国奉献，这是我这一辈子所有的、唯一的野心和追求。”但让人吃惊的是，这种爱国情愫是如此虚无缥缈和模糊不清：在比利时和法国北部的作战究竟与“为英国而战”有什么关系？对许多公立学校的志愿兵来说，他们受教育的作用就是不让他们追问战争的原因。约翰·弗伦奇爵士理想中的新一代军官——“习惯打猎、马球和户外运动的男子”——倾向于将这场战争视为“一场最伟大的游戏”。用萨松的话说就是，“风和日丽的一天，骑马去远足、野餐。”对于像弗朗西斯·格伦费尔这样的人来说，德国士兵就是某种狐狸或野猪，专门供人打猎消遣。

不管怎样，那些“普通人”——未受过公立学校的教育的人——他们的想法如何呢？曾经有一个人，志愿加入军队，原因是他认为英国远征军的目的是要阻止德国入侵英国：

> 我们并不是为了国王和国家而战，因为我们从来没见过国王。我认为我们之所以这样做是因为，战争来了，每个人都觉得自己需要做点儿什么。那是一支与我们为敌的军队，我们不能让他们得逞，让他们入侵英国，而将他们拒之门外的最佳方式就是让他们留在该出现的地方——法国。

尽管听起来有道理，但这种观点是错误的。正如我们所见，德国并没有入侵英国的打算。然而，这种自卫性动机还是可以理解的，毕竟征兵的高峰时期或多或少与英国远征军的命运陷入低谷的时间（蒙斯大撤退）相吻合，而德国当时似乎是剑指巴黎。

但是其他这种社会阶层出身的人就没那么深谋远虑了。当乔治·科珀德 8 月 27 日志愿参军时，这位只受过小学教育的 16 岁克罗伊登男孩对即将在法国发生的事情“一无所知”。1915 年 1 月，哈里·芬奇甚至都懒得提及他决定参军的原因；他的哥哥在战争之前就入伍了，因此即便是和平年代，他依然可能会随之入伍。

如果说英国的士兵中那些文化程度较高的人都不清楚他们到底为何而战，那么这种惶惑恐怕会更多地出现在东线。哈谢克的《好兵帅克》的开头写到，愚笨的捷克英雄第一次听到弗朗西斯·斐迪南大公遇刺身亡的消息，是从当地酒吧一位女服务员口中得知——“我们的斐迪南被杀害了”。当她刚要开口解释她指的是哪位斐迪南时，帅克分析了这场刺杀行动所暗示的内容，实在让人大跌眼镜。“我希望是土耳其人干的，”他若有所思地说，“你们都知道，我们就不该从他们手中夺取波斯尼亚和黑塞哥维那。”旁边的一位便衣警察无意中听到了他的发言，于是纠正帅克，这场刺杀的主谋是“塞尔维亚人”。

> “你们都错了，”帅克回应道，“就是土耳其人，因为是波斯尼亚和黑塞哥维那的问题。”之后，帅克详细解释了奥地利在巴尔干地区的外交政策。1912 年，土耳其人在与塞尔维亚、保加利亚和希腊的战争中落败。他们想寻求奥地利的帮助，但因为求助没有得到回应，他们就射杀了斐迪南……“你真认为尊敬的陛下会容忍这种事情的发生？如果你真那么认为，那么你根本就不了解他。他们是不得不与土耳其付诸一战的。‘你杀了我的叔叔，我要给你一拳。’战争是肯定会发生的。塞尔维亚和俄国会帮助我们的。我们不会有事的。”
>
> 在一片先知的光环中，帅克显得容光焕发。他一脸天真朴实，笑容就像一轮盈月，闪耀着激情的光芒。他无所不知。
>
> “事情可能是这样，”他继续对奥地利的未来指点江山，“如果我们与土耳其人之间发生战争，德国人就会攻打我们，因为他们和土耳其是一伙的。世界上没有比他们更无耻的人了。但是我们可以与法国人结盟，因为自 1871 年以来，他们就对德国人怀恨在心。双方的气焰从此被点燃，战争就这样开始了。对此我只能说这么多了。”

在一番夸夸其谈后，倒霉的帅克被逮捕了，最后被征召入伍。

当然，这只是一出喜剧。然而比起那些在大公遇刺身亡 5 周之内就像帅克一样穿上军装、开赴前线的百万士兵来说，帅克是否显得更加无知还有待商榷。的确，根据阿列克谢·勃鲁西洛夫将军的回忆，俄国招募的士兵中几乎没有人知道战争的真相：

> 我曾一再询问我那些在战壕中的士兵们，我们为什么要在这里战斗；我一定会听到一个毫无意识的答案是，某位大公和他的妻子被害身亡，然后奥地利人要对塞尔维亚人进行羞辱。实际上，没有人知道这些塞尔维亚人是谁；同样，他们

对斯拉夫人的概念也充满疑虑。没有人知道为什么那些德国人会因为塞尔维亚人和我们开战……他们对德国的野心不曾耳闻，有人甚至根本不知道这个国家的存在。

一位来自斯摩棱斯克的农场代理人记录下了战争头几个星期农夫出身的士兵们的议论：“如果德国人想要赔偿，那么就一人 10 卢布赔给他们吧，何必要杀人呢？”英国驻圣彼得堡的军事随员曾如此记录俄国农民对 1914 年动员的反响：“起初，有大批的俄国士兵情愿去打仗，这主要是因为他们根本不知道战争意味着什么。他们……对他们为之牺牲的东西丝毫没有概念……”

成功躲避奥地利兵役的阿道夫 · 希特勒对行刺事件的第一反应是：

> 我充满焦虑，因为这些子弹可能是从德国学生的手枪中射出的，他们可能是出于对这位法定继承人总是与斯拉夫人相勾结的愤慨，试图将德国人民从这位内部敌人的手中解放……但不久之后，当我听说了刺客嫌疑人的名字，知道他们是塞族人时，我感到一阵强烈的战栗，复仇情绪充斥着我的全身，但命运和前途还是一片茫然。
>
> 这位斯拉夫人最伟大的友人，倒在了斯拉夫极端分子的子弹下。

T · E · 劳伦斯描述了阿拉伯人和土耳其人因在中东地区的一系列口水仗招致麻烦的事实：“在最为恶劣的语言攻击之后，事情走向极端。土耳其人疯狂地称阿拉伯人为‘英国人’，而阿拉伯人则冲他们喊‘德国人’。当然，这里没有德国人，之前也没有英国人，我是来到这里的第一批英国人。”很明显，阿拉伯人并不是为比利时而战的（实际上，劳伦斯在劝说阿拉伯人为自己的独立而战时都非常困难）。

究竟是什么原因使大批英国人志愿参军？以下 5 点可以说明：

**1. 成功的征募技巧。** 议会征兵委员会在征募中起了重要作用。它建立起拥有 2 000 名志愿者的组织，该组织成功地举行了 1.2 万场动员会，超过 2 万人次发表演讲；同时，发出 800 万封招募信件，分发了至少 5 400 万张海报、传单以及其他形式的印刷品。另一方面，议会征兵委员会直到 8 月 27 日才成立；8 月 31 日，它才举办了第一场动员会，并且在第一次征兵热潮之后，它才真正有所行动。从回忆录中我们可以获悉，战争初期，从克罗伊登到兰开夏郡，征兵办公室门外的军乐队演奏着振奋人心的乐曲，这比任何一场当地显贵的演讲效果都要好。报纸在这其中也起到了一定作用，《纽卡斯尔每日纪事》9 月 1 日报道，“我们英国必须拥有更多士兵——我们的盟友已经竭力贡献出自己的全部人力了”，这也受到广大读者的欢迎。

**2.女性压力。**没有穿军装的男人被赠予象征懦弱的白色羽毛，这样的事例比比皆是。政府更是抓住这一点大做宣传。议会征兵委员会的海报目的很明确（它们极其聪明地暗示着妇女们，她们的丈夫和儿子不管怎样都会活下来）："当战争结束之后，有人询问您的丈夫和儿子，他们为第一次世界大战做出过怎样的贡献时，他会羞愧难当，只因为您当时没有让他参军。"更为粗鲁但或许也更有效的宣传是，如果一个男人不愿意参军，那么他的灵魂可能在其他方面堕落了："你的男孩穿着军装吗？……如果他现在对国王和国家的职责不屑一顾，那么他将来也会弃你于不顾。""为什么这里的小伙子看到一个块头比自己大两倍的家伙恃强凌弱、欺负儿童，都不会予以还击呢？"一位F·博厄斯太太在征兵委员会的小册子上如是发问。甚至连诸如埃米琳和克丽丝特布尔·潘克赫斯特这样的妇女参政权论者也对此深表赞同，认为德国是个"男人的国度"，它的胜利将会对"妇女运动造成最具破坏性的打击"；因此她们迫切呼吁男人参军入伍，并欢迎大批女工到军工厂参加工作。难怪英国军人诗人威尔弗雷德·欧文对《使命》(*The Call*)的作者杰西·波普一直心存芥蒂："谁要去堑壕作战？不是你吗，小伙子？"

**3.同龄人压力。**我们同样不能忽视那些所谓的"伙伴军团"的重要性（朋友、邻居和同事结伴共同参军）。早期的"伙伴军团"，如皇家燧发枪手团的股票经纪人军队（8月21日成立）、格洛斯特编队中的"商人和专家"军团以及利物浦的3个职员军团，不仅表明了地方和区域的爱国忠心，更体现了不同的公民职业结构（可能还有社会阶层结构）对军队生活的影响。军队中甚至出现了足球运动员军团和拳击手连队，这也成为对英国战争主题"战争即游戏"的诠释。一开始，这些小团体可能具有排斥性，有些军团甚至要求加入者支付最多5英镑的入会费。然而到了1915年春，严重的人员伤亡摧毁了这些"伙伴军团"的等级制度，人们不得不与陌生人并肩作战，而这些陌生人大多来自不同的社会阶层和区域。而现在，"同伴"的概念在征兵委员会的宣传中少了一些自发性，而更多是强迫性的论调："你会为你的军中同伴感到骄傲，这是当然的！但你的伙伴们对你怎么看？"刚开始的时候，这种想法根本无须清楚地表达出来。1914年8月，就连威廉·贝弗里奇这样温和的人都对加入这样的军团感到"无比嫉妒"。

**4.经济动机。**有些历史学家曾对影响征兵的经济因素表示怀疑。1917年12月，一家加拿大军报指出，"那些为了得到一把折叠刀和一把刮胡刀而参军的人肯定是积极而热衷于此的。"杜威发现，在低薪和征兵之间不存在任何联系。然而不可否认的是，英国的征兵高峰恰恰与8月的财政和商业危机造成的失业高峰相吻合。在布里斯托尔，战争开始的头一个月中，有90%的失业工人加入了军队；在那些商业恢复迅速的地区，征兵率明显比其他地区要低。因此，1914 年的人们并没有完全失去理智。A · J · 道森在小册子《如何帮助基奇纳勋爵》（*How to Help Lord Kitchener*）中挖空心思想也是要表达“对许多工人们来说……当兵自然不会让钱财蒙受损失”，但在他选择的案例中，该观点显然不可能成立——一个有家室、养育 3 个孩子的男人在战争中牺牲，或是落下了永久性残疾。加的夫铁路公司为其入伍员工提供工作保障、家属补贴和养老金，由于反响过于强烈，这些保证最后不得不被撤回。

老板们也开始向员工施加压力。9 月 3 日，西约克郡煤厂主协会通过了一项关于在其员工之间组建军团的决议，纽卡斯尔商业议院也做出了同样的决定。当日，福斯特和布雷思韦特股票经纪公司也告知其员工，“公司希望所有年龄在 35 岁以下的单身男员工……以及那些结了婚但是同样符合条件的人，能够立刻加入基奇纳伯爵的部队。”格拉斯哥有轨电车集团经理詹姆斯 · 达尔林普尔也用相同的方式，在数小时内就组建了高原轻步兵团第 15 集团军。

**5. 冲动**。最后，诚如阿夫纳 · 奥弗所说，还有一些人是出于冲动而自愿参军，他们从未设想过将来可能发生在自己身上的事情，也丝毫不了解战争的原因。

## 天启

没有任何一种普遍概念和总结能够涵盖 1914 年所有的入伍动机。1914 年 8 月 7 日，已加入奥地利军队的哲学家路德维希 · 维特根施泰因在日记中写道，“现在我终于有机会做一个正直的人了，因为我正直面死亡……或许与死亡的近距离接触能够为我的生命带来光明。主与我同在。”他需要的是“一种宗教体验……让他成为一个脱胎换骨的人”。维特根施泰因参军入伍并非出于激情，而是深刻的悲观主义。早在 10 月 25 日，他就曾私下里表达过自己的忧虑：“看看我们——德意志民族——现在的状况。英国人——世界上最优秀的种族——乃常胜者，而我们则必定败北，不在今年，便在明年。我们注定失败的想法让我无比沮丧。”战争初期，他被同在维斯图拉河战舰上服役的粗鄙战友们所排斥，曾一度想自杀。

乍看上去，维特根施泰因——这位才华横溢的出身剑桥高等学府的哲学泰斗、备受心灵煎熬的犹太人——好像只是一个极端的例外，但他并不是唯一一位将战争视为宗教救赎的人。对几乎所有的交战国来说，战争的爆发同样掀起了宗教仪式的高潮。开战当周，柏林帝国国会前举办了一场包括各派系的宗教仪式，集会人员同时高唱新教和天主教圣歌。就连在汉堡——或许那里是当时德国最不受宗教影响的城市——人们也被宗教情绪感染，珀西·施拉姆的姐姐露丝欢欣鼓舞地说道，“我们的人民正张开双臂迎接上帝。”在法国，虽然反教权主义者在政治上的势力节节攀升（在战时也是如此），但天主教堂仍然高呼“上帝回到百姓和战士身边”。圣心教堂的宗教仪式曾一度活跃，在卢尔德、蓬曼和拉萨莱特朝圣的人数大增，络绎不绝。

众所周知，“战争是神圣的”，这是许多牧师和神父都拥护的荒诞可笑的观点。在德国，并不是只有莱茵霍尔德·泽贝格这样保守的牧师才如此认为；像奥托·鲍姆加滕这样的自由主义神学家同样在呼吁“耶稣–爱国主义”；战争爆发后，马丁·拉德的《天主教世界》（*Christliche Welt*）成为主祷文的奇怪翻版（“让每一天都有敌人死去……”）。在《人类的最后时光》一书中，通过想象中的在“西奈前线”的作战，卡尔·克劳斯讽刺了新教牧师们挑唆性的布道。实际上，严格来说，这些场景还不算讽刺：当克劳斯谈及整部戏剧时，他认为“最荒诞的是那些虚构的引经据典”，我们有充分的理由相信“（战时的）杀戮是基督教徒的职责，是真正的礼拜”。法国的教士们也迫不及待地向其信徒们保证，法国正在进行一场正义之战——尽管这有些为战争辩护的意味。英国激进的教士中最典型的例子，是1915年伦敦主教A·F·温宁顿–英格拉姆关于战争的布道：

> 这是一场伟大的斗争，其任务是屠杀德国人，我们无法否认这个事实：我们不是为了杀戮而杀戮，而是为了拯救这个世界；不论好人坏人，一律杀掉；无论年轻人还是老年人，一律杀掉；无论是那些对我们的伤者无比仁慈的人，还是迫害加拿大军官的恶魔、亚美尼亚大屠杀的背后指使者、使路西塔尼亚沉没的人、将枪口瞄准平民的侵略者，统统杀掉，否则世界文明将会被这些人摧毁。

实际上，温宁顿–英格拉姆试图通过一种更为粗鄙的方式，来证明战争是“几千年来，世界上最为卑劣的激情的爆发”；然而，他仍然坚持英国是“为纯洁、自由、国际荣耀和基督教精神原则而战……为其献身的每一个人都是殉道者”。这与霍雷肖·博顿利的名言“人皆圣徒”有异曲同工之处。温宁顿–英格拉姆向《卫报》表示：

> 首先，教堂能够最为有效地帮助一个国家，让其子民相信，这是一场圣战……基督的死是为了自由、荣耀和骑士精神，而我们的同胞也是如此……如果您要我用一句话总结教堂在其中的作用，那么我的回答是，“动员整个国家参与圣战。”

桂冠诗人罗伯特·布里奇斯同样认为这场战争“本质上是神圣的”。尽管教堂中有人谴责这种特殊情感，但其他人——包括比勒陀利亚主教迈克尔·弗斯在内——发自内心地赞同。弗斯认为，德国人是“上帝的敌人”。在美国，这种现象更是比比皆是。比利·森迪的众议院祷告仪式是这样开始的：“全能的主啊，世界上没有更臭名昭著、卑鄙恶劣、贪得无厌、狂躁激进、嗜血如命的国家了，它让历史蒙羞。”此外他还无端地加了一句：“如果您把地狱倒过来看一看，您将会发现它的底部上赫然写着‘德国制造’。”

此外，将军和政客们同样热衷于给战争披上宗教的外衣。作为一个出生在19世纪的人，丘吉尔认为，“天意”的操控注定了“死亡和毁灭的方式极度专制和任意”：“它与一个人活着还是死去毫无关系，正是这种绝对的无序状态，才使人怀疑这种状态是否是别处一种更为强大的力量使然。”人们很难理解黑格的古板严肃的性格，但如果告诉你他是苏格兰长老会成员，一切就豁然开朗了。“我感觉，我的计划的每一步都在尊奉着神的旨意”，索姆河战役前夜，他对他的妻子如是说。新教教义似乎在引导着一批人走向巨大的伤亡：造成法国士兵巨大伤亡的罗伯特·内维尔，正是占法国人口1.5%的新教徒之一。如我们所见，造成同样毁灭性后果的施利芬计划也出自一位虔信派教徒之手（尽管执行该计划的小毛奇是神智学者）。因此对很多人来说，尽管没有发生直接的教派冲突，第一次世界大战在某种意义上来说也算是一场宗教战争、宗教改革。甚至在最为惨烈的西线，交战双方中不乏新教徒、犹太教徒和天主教徒，人们被要求相信神与他们同在。有宗教分歧的地方，似乎就会出现政治分歧，而其造成的结果往往更为可怕，最显著的例子莫过于土耳其人对亚美尼亚族的屠杀。

宣扬被大炮所祝福的基督教精神的温宁顿-英格拉姆，和对千年至福感到悲观绝望的小毛奇之间存在着巨大的区别。然而事实证明，后者才是1914年的典型宗教氛围的代表人。珀西·施拉姆的伯母艾美对战争的爆发给予了这样的评价：“一切总归要发生的，因为《圣经》早就预言了这一天的到来，我们只能感谢神，如果撒旦的统治能在旦夕间便被摧毁的话。之后，真正的和平帝国将降临于世，我们的耶稣将成为统治者！”克劳斯·冯东认为，1914年的德国曾出现了末世特征，而这种特征不仅出现在德国。“正如我这一代人中的大多数，”H·G·韦尔斯1906年写道，“我们都相信新千年的假想……届时，喇叭声、呼喊声相互交融，天象有变，善恶决战和末日审判将要到来。”1914年8月4日，圣玛丽的教区牧师纽马基特向他的信徒们警示道：

> 战争从没有这样恐怖过……自然科学所有可资利用的资源全部用于优化武器、摧毁人类。今天，英国不再像往常一样被孤立了……飞艇队伍随时都有可能光临其上空，英国没有一座村庄是安全的。夜间，它们可能变为一片火海和坍塌

的废墟，生活在那里的居民们也都成了一具具焦黑的尸体。

这样悲观的讲道比比皆是。8 月 3 日，诺威奇的一位牧师告诫他的信徒，“想想欧洲的军国主义，想想那如地狱一般的战场，想想伤者经受的苦难，想想惨死的农民，这场欧洲大战无异于一场浩劫。”就连女权主义者也陷入了这种末世情结中。夏洛特·珀金斯·吉尔曼在其 1915 年出版的《女儿国》（*Herland*）一书中，设想了全体人类在经受一次毁灭性的灾难后，女性为主导的理想国应运而生。或许《圣经》记载的善恶决战的意识在力量和影响上要胜过其他所有的“1914 年观念”。

这场审判之战，是这样被描述和证明的：

呐喊四起，电闪雷鸣；轰鸣的地震力量如此强大，仿佛将地球上的生灵视若蝼蚁。

大城市被劈成三截，各个国家的城市开始陷落：在接过象征上帝的愤怒的酒杯后，伟大的巴比伦不复存在。岛屿四散飘走，高山夷为平地。冰雹从天堂落入人间……这冰雹让人们开始咒骂上帝，因为它造成的破坏实在是太猛烈了。

# THE PITY OF WAR

第八章

# 媒体之战

## 文字之战

战争结束后不久，法国诗人、小说家让 · 科克托在巴黎买了一份《费加罗报》，却发现自己支付了标价的双倍价钱，报纸的内容也已经过期了两年之久。当他忍不住开始抱怨时，摊主发话了："尊敬的先生，让我来告诉您原因：这个领域的战争还没结束呢。"

第一次世界大战同样是第一场媒介大战。当然，之前的报纸也报道过战争。有时，媒体的报道能够引领战争的走向，如克里米亚战争和布尔战争：人们还记得《泰晤士报》对将军们 1854 年 12 月包围塞瓦斯托波尔的指摘，自由党媒体对南非战争的批评，以及德国天主教媒体对比洛处理西南非洲赫勒娄人起义方式的不满。但直到 1914 年，大众媒体才真正成为战争的武器，它们本身也是造成战争爆发的另一个原因。实际上，关于第一次世界大战的最为大胆的假设认为，是媒体引发了战争，因为有了它们，政府的宣传渠道才得以打通。

在这方面，并非所有政府都处在同一水平线上。有人认为，协约国出色的宣传是导致同盟国失败的决定性因素。"如今，言论即战场。"鲁登道夫称，"言论得当，便奠定胜局；言论不当，则丢掉战争。"在他和兴登堡的回忆录中，两人都将宣传视为造成其军队在 1918 年"士气低落"的根本原因。"我们如同被蟒蛇催眠的兔子一般神情恍惚。"鲁登道夫写道，"在那些中立国家作战时，我们的士气像遭到封锁一样陷入了困境。"德国的战后分析特别关注了诺思克利夫勋爵所起的作用：这位哈姆斯沃斯家族中的长兄，于 1914 年建立起了英国最大的报业集团。战前，诺思克利夫就已经被自由党人所不齿；而在战争的最后阶段，他又因为针对德国士兵的宣传从而招致了德国人的厌恶。一封 1912 年写给他的公开信中说道：

> 从本质上来看，德国的宣传是学者、知情议员和教授们的宣传。然而这些坦率而不谙世事的人们该如何应对那些像您一样的新闻界的魔鬼、麻痹大众的行家呢？德国的宣传，且不说它的好与坏，至少是讲道理、有智慧、凭良心的……这些摆事实讲道理的枯燥的东西如何与那些俗丽的逸事、宣扬仇恨的魅力，还有您为我们呈现的那些粗浅的感性认识相媲美……德国人踏踏实实，我行我素，不肯

屈尊流于您的层次。

和平主义者诺曼·安杰尔对该观点表示赞同：他认为英国战时的报纸“更像受到卑鄙的人操纵的工具，就连俾斯麦都不会这样做”。但是对希特勒来说，诺思克利夫的战争宣传反而是“出自最让人受启发的天才之手”。“我个人从敌人的宣传手段中受益匪浅。”他在《我的奋斗》一书中称。纳粹宣传家欧根·哈达莫夫斯基在其《宣传与国家实力》（*Propaganda and National Power*，1913）一书中一针见血地指出，“德国人民并非是在战场上被击垮的，它败就败在文字战。”第三帝国进行了数项研究，以更充实的细节发展了该论点，并试图找出意大利是如何在宣传力量的影响下选择支持协约国的。研究发现，德国的宣传是失败的，犹太或社会主义媒体正在系统地暗中破坏和削弱德国的士气：早期利用媒介放“暗箭”的人是阿尔弗雷德·罗森堡，他曾对《柏林日报》进行攻击。

毫无疑问，那些热衷于联合宣传的人对媒体甚是欢迎。“如果人们知道真相，”劳合·乔治于1917年12月的困难时期向《曼彻斯特卫报》的C·P·斯科特说，“那么战争明天就会结束。但是他们其实并不知道——也不会知道。驻外记者不会报道真相，审查制度也不会容许真相被公之于世。”在英国的宣传中起到突出作用的小说家约翰·巴肯非常赞同。“考虑到英国目前的情况，”他于1917年说，“如果没有报纸，那么战争将不会超过一个月。”比弗布鲁克声称，他在任职情报大臣时制作的那些新闻短片是“1918年夏最黑暗的时日里，维持士兵士气的决定性因素”。诺思克利夫甚至进一步强调，“优秀的宣传可能使战争缩短一年，这意味着节省百万英镑，至少能挽救百万条生命。”实际上，这位宣传家的愿望并非那么高尚。用A·R·布坎南的话来说，“那些悲观的犬儒主义者可能会说，当爱国者在前线作战并为国捐躯时，其他人却蜷缩在安全的后方，将实情隐瞒或杜撰。”但是那些在战争时期经营着英国媒体的人所做出的无私牺牲，则继续被广泛认为是值得的（或至少是有效果的）。

那些报刊经营者中，有许多人在战时被授予了官职。1917年5月，受到劳合·乔治的委托，诺思克利夫来到美国完成一项特殊任务；1918年2月，他担任敌国宣传主管一职。他的弟弟1916年被任命为皇家陆军服装部总理事，一年后，又成为交通大臣。加拿大商人兼保守党议员马克斯·艾特肯爵士于1916年12月接管并控制了《每日快报》，同时管理兰开斯特公爵领地；1918年2月，他又担任了情报大臣一职。而这些加官晋爵的方式都大同小异，这些纷至沓来的荣誉也都似乎有着相同的目的。诺思克利夫1905年获得了贵族地位，1917年成为子爵；他的兄弟哈罗德1914年的身份是男爵，1919年成为罗瑟米尔子爵；1916年12月，艾特肯成为比弗布鲁克勋爵：他

1911年被授以爵位，1916年1月已是准男爵；《观察家报》的所有者沃尔多夫·阿斯特1917年成为子爵；《世界新闻》的经营者乔治·里德尔1918年获得贵族头衔，同样的事情也发生在联合报业的亨利·达尔齐尔以及《星期日泰晤士报》和《金融时报》的拥有者W·E·贝里身上。1916年，《每日纪事报》的编辑罗伯特·唐纳德被授予从男爵爵位，但是他最终还是拒绝了这一爵位。至少20家报刊的大佬获得爵士爵位。这正是劳合·乔治向这些"媒介贵族"忠实的付出表示感谢的方式。

当然，关于新闻界缺乏责任心、恣意滥用职权的观念并非始自第一次世界大战。但战争似乎极大地增强了每个国家的媒介影响力。维也纳讽刺作家卡尔·克劳斯的主要观点是：新闻媒体是战争最大的受益人，它们甚至可能是战争的始作俑者。据说，就连威尔逊总统著名的《14点和平原则》也是应一位埃德加·西森先生之请起草的，而这位先生正是美国在圣彼得堡的公共信息委员会委员。

## 不谐之声

然而，虽然关于双方的宣传技巧存在悬殊差异的观点为战争结果的非军事解释提供了便利，但它始终是经不起推敲的。正如乔治·韦尔所言，"每一个参战国家都在暗示自己，本国政府忽略了宣传的作用；而敌人的宣传……却更为有效。"没有哪个国家的媒体是彻底受限的，但它们的影响力也参差不齐；但是所有国家在设立审查和新闻管理机构上，效率皆不理想。最开始的宣传主要是针对中立国家，而非本国舆论。当人们试图借此来影响"大后方"时，他们的主要目的并不那么光彩：压制异议。而主要的积极目的则是推动战争债券的销量（大英帝国内）或是推动征兵活动顺利开展。对大部分战争来说，基本上没有针对战士本身的宣传，然而毕竟正是这些人才决定了战争结果。

需要强调的是，从战争开始的那一刻起，欧洲大陆的媒介舆论就呈现出绝对多样化的特点。1914年6月30日，维也纳自由主义舆论的堡垒《新自由报》称，虽然需要惩治萨拉热窝的凶手，但"君主制度政策的基本目的"仍然是"荣耀的和平、毫不示弱、保卫自身利益"；7月2日，又增加了一条："近日，一场复仇之战势在必行。"2周后，其对于国际问题仍然持有镇定而沉着的观点。"那些为了大塞尔维亚的利益……下令点燃战火的人不应出现"，它声称，并于7月16日重申了"皇室的和平态度"。甚至在它开始对塞尔维亚使用一种挑战性语调时，它仍然坚称"局部冲突不应该扩大到世界性战争的局面（7月18日）"。

在德国，自由主义报刊《柏林日报》将"大塞尔维亚问题"视为"最具威胁性、最让人担忧，并涉及我们所有人的问题之一”，这种观点独树一帜。但在7月30日，它却仍然坚称，“德国人民绝对爱好和平”，并且不会在收到俄国动员的官方消息后以倡导“边界安全”为由采取进一步的行动。西德的《法兰克福汇报》也不热衷于战争，天主教报刊也同样没有好战的倾向：《日耳曼报》一贯认为德国民众“对和平的愿望压倒一切”，但《科隆报》确实在战争开始后表现出极端的“高亢的爱国主义”情绪。保守主义报刊《北德意志汇报》（传统上的官报）坚持拥护奥地利和塞尔维亚之间的冲突的局部化，甚至对《柏林日报》8月1日关于战争势在必行的消极警示表示了反驳。诚然，正是德国政府的不择手段导致了这种舆论局面，当局试图利用和平的社论来粉饰其好战的行为。然而，这种手段显然已经落伍，这可能是被外交和军事事务搞得焦头烂额的政府无暇顾及，对此无法给出明确指导的结果。

英国是个独特的例外，其新闻界最初对战争毫无兴趣，甚至颇有些嫌恶。《曼彻斯特卫报》在1914年7月自信地称，“英国没有深陷（奥地利和塞尔维亚之间的）冲突的危险，因为它并没有与任何联盟签署协约。”8月1日，该报编辑C·P·斯科特认为，英国对战争的干预将是“对人民做出的承诺的亵渎——我们承诺要提供和平的生活环境、保护弱势群体、节约利用国家资源、推动和平进程的发展”。当战争真正来临时，报刊纷纷表达了抗议，认为“在秘密合约下，英国暗地里正在做出招致毁灭的疯狂举动——加入两大军事同盟之间那场暴力的赌博”。最终它们得到了一个让人沮丧的结论，正如《卫报》的严肃警告：“前线已经集结完毕，这将是一场我们冒着所有危险并终将一无所获的战争……总有一天我们会后悔的。”

《每日新闻》对此表现出更为强烈的厌恶：“牺牲英国人的性命……只是为了帮助俄国实现称霸斯拉夫世界的目标吗？”8月1日，A·G·加德纳发表了一篇名为《为何我们不该参战》的文章。“我们的利益在世界某个角落与德国人发生冲突了吗？”加德纳如此发问，他接着反驳说，“我找不到这样一个地方。”“如果我们与德国人惨烈厮杀，只是为了让俄国成为欧洲和亚洲的独裁者，那这对西方文化和文明来说将是场前所未有的灾难。”3日，该报声称，“这个国家没有主战派”，因为“人们都能想象得到战争将会多么可怕”。尽管该报最终还是勉强承认英国不得不打赢这场战争，但就在4日，它仍旧对“这场可怕的战争”和格雷“失误的外交政策”进行了谴责。当《周日世界新闻》的老板乔治·里德尔爵士向劳合·乔治表达了自己“对政府着手参战的决定深恶痛绝”时，他道出了大部分自由主义新闻人的心声。

地方的自由主义报刊同样反对战争。《约克郡晚报》在7月29日仍坚持“出于对英国国家利益的考量，我们着实应该抽身而退”。《北方每日邮报》进一步指出，英国“能够并且应该在战争全程保持中立”。8月4日，《卡莱尔日报》声称，“最糟糕的事情已然发生，毫无疑问，大部分被卷入战争的英国人对战争的感受都是惊骇与恐惧”。直到 8 月 8 日，诸如《兰开斯特卫报》和《巴罗新闻》等报刊才被说服，认识到战争的必要性在于“拯救那些虽然弱小，但依然坚强的独立国家逃离德国的魔爪”。

整个欧洲只有一家主要报刊坚决拥护发生在各国之间的战争，那就是《泰晤士报》。早在 7 月 22 日，它便预测到了这场欧洲大战；5 天后，它呼吁英国加入其中，并在 7 月 29 日和 30 日的要闻部分重申了这一观点。前面我们已经提到过，诺思克利夫和他的外国编辑斯蒂德是如何断然拒绝罗斯柴尔德家族对文章标题的修改的。因此，前任自由党大臣菲茨莫里斯于 7 月 31 日表示，诺思克利夫新闻集团正在进行一场“将英国推入战争的活动”。（据说，当《费加罗报》驻伦敦记者对英国政府深表绝望时，他曾大声疾呼：“诺思克利夫和他的报纸就不能做点儿什么吗？”）

然而，就连诺思克利夫本人都不清楚他究竟希望英国在战争中扮演何种角色。他在迟疑到底要不要对 7 月发生的巴尔干危机的意义表示欢迎。战争爆发后，他手下的各大报纸并没有尝试将战争的悲惨轻描淡写地一笔带过。就连《泰晤士报》都于 8 月 3 日预言道，“罗马帝国沦陷后……欧洲历史上最可怕的战争就要到来了。生灵涂炭，几代人积攒下的财富化为乌有……这种惨烈简直无法想象。”8 月 5 日，诺思克利夫突然跳出来强烈反对派遣英国远征军的决定，这让他的高级管理层大为震惊。“我没听错吧，难道英国远征军要被派往法国？”他当即对编辑托马斯·马洛说：

> 简直不可理喻。一个士兵都不能离开他的国家。我们拥有上乘的舰队，它们能够提供任何帮助，但是我绝不支持士兵们跨出国界作战。要是侵略者来了怎么办？我们自己的国家该怎么办？把这些都写在头条里。你听到了吗？不经过我的准许，一名士兵都不能出发。在明天的报纸里就这么写。

他甚至亲自编发了一条类似口吻的社论，但最终付印的还是马洛的另外一个版本——在一场激烈的争辩之后，其立场变为支持远征军的派遣。

1914 年 11 月底，《泰晤士报》已没有任何理由对前线发生的情况进行隐瞒了。“关于崇高战争的幻想化为泡影，不复存在”，其驻外记者严肃地进行了如下报道：

> 堑壕，又是堑壕……日复一日，陌生人被另一个未曾谋面的人屠戮……战争开始变得愚蠢……陆军伤亡惨烈，而这种情况好似没有尽头……以牺牲上千人的生命为代价，或许可以获得区区几百码的土地，但这种情况确实非常少见，哪怕是最有力的进攻……在巨大威猛并随时可能会造成严重破坏的炮火的掩护下，生力军冲锋陷阵……但是如果鏖战继续下去，将产生更巨大的伤亡和损失。

英国士兵将在柏林庆祝圣诞节的希望已经遥不可及了。

这并非唯一出现在保守党报刊中的“不协调的声音”。7月底，《约克郡邮报》编发了如下社论：

> 如果俄国和法国真打算一举打败德国和奥地利，那么到时候这个国家所面临的情况会不会比相反的结果更为理想还不得而知；无论如何，我们相信现有的状况对我们极度不利。因此，我们不认为英国政府应当心急火燎地加入这场欧洲战争，替某一方的利益而战。

8月1日，《帕尔马尔日报》将这场战争称为“命运的惨痛一击，它让英国和德国不得不在彼此的仇视呈现缓和的时刻针锋相对”：

> 我们相信威廉帝国的人们热切地为和平而努力着。在既成的现实面前，如果有股不受人为控制的阻力使人们的付出都成为泡影，我们为何还要恶语相向？我们不会的。如果这一切都是命中注定，我们会带着沉重的心情拔出利剑而战……我们将像绅士那样去战斗，做一位可敬、英武的对手。

霍雷肖·博顿利8月底发表在《英国人》报刊的一篇社论见解十分独到。“让塞尔维亚见鬼去吧，”它如是开头，“**塞尔维亚应当被彻底毁灭**。把这个国家从欧洲的版图上清理出去。”这种论调堪比奥地利那些尖酸讽刺的要闻作者。然而，博顿利进一步指出，英国政府应当：

> 尽快从危机中调整自己，即刻排除德国人带来的一切威胁……既然我们的条顿对手们在计划中不肯做出让人满意的妥协保证，那么但凡具有长远眼界的政治家都会认为，我们应当先下手将德国的舰队歼灭……
>
> 再一次高呼——“让塞尔维亚见鬼去吧！”
>
> 天佑吾王。

这种奇怪的言论极好地证明，对于战争的爆发，各家报纸的反响五花八门，毫无一致性可言。

各政府之间在论调上同样缺少一致性；的确，它们是否这样做还有待商榷。首先，除了设立检察制度来防止公开对敌人有利的信息之外，基本上没有进行别的尝试。在这一点上总有不少先例。英国向来都在这些领域设立检察制度，该权力掌握在大法官手中；各家报纸同样已经接受由1912年成立的联合常务委员会负责的对军事事件报道进行的自我审查。于8月8日通过的《领土防御法》（之后经过6次修改）彻底在该问题上增强了国家干预的力量。第 27 条规定明文禁止任何“试图或可能”破坏人们对国王的忠诚、征兵事宜以及当下士气的“口头、书面或见报、刊登在杂志或其他出版物”的报道和言论。1914 年 9 月 26 日，检察员同样不允许公开关于军事动态，甚至仅仅对下一步动作的推测的消息。次年 3 月，各大媒体皆被告诫，禁止将英国的胜利夸大其词，但其实（正如一位报刊持有者所反驳的那样）这种过火的乐观主义是约翰 · 弗伦奇爵士本人的拿手好戏。1915 年 5 月之前，伤亡者名单不准许公布。尽管人们在 1915 年秋天成功地抵制了强加于媒体的更为严格的审查活动，但自始至终，媒体都受到了严格的管控。在大英帝国的其他地方的媒体同样实行审查制度。尽管 40 家出版机构的编辑们都从“国防机密通知”（D–Notices）那里知晓不少机密的战争信息，但它们不允许被公之于众；同样的情况也发生在《泰晤士报》的战地通讯记者、掌握大量内部消息的雷平顿（他本人曾任陆军上校）身上；媒体知悉 3/4 以上的机密。

《领土防御法》之于英国的作家们，类似于“安纳斯塔西”之于法国作家——这是对战争时期的审查制度的拟人化称呼。该制度基于 1849 年及 1878 年的围攻法令，当时它授予军事机构禁止危害公共秩序的任何出版物的权力。8 月 3 日，军务部为此成立了新闻局。2 天后，一项新通过的法令进一步对除政府特别说明的相关军事行动的信息加以审查。截至 9 月，军政大臣亚历山大 · 米勒兰再一次将规定严格化，禁止公开伤亡者的姓名。

德国与法国一样，其 1851 年的围攻法令在战争初期重新登场，将“通过文字、印刷物和图片，自由表达观点的权力”悬搁停止，并赋予区域军事司令员以审查和禁止出版的权力。为了进一步防止“不可靠消息”的传播，德国大臣理向媒体列出 26 项明令禁止的传播内容。1915 年，军务部新增了审查建议，将伤亡人数列入禁止公开的内容（就连荣誉名册都不允许使用连贯的编号）。截至 1916 年年底，当局共出台了 2 000 余项类似的审查规定。由于军事指挥官在执行规定上出现了不一致的情况，1915 年 2 月还成立了中央审查办公室，7 个月后，该机构变成了战时新闻办公室。意大利在加入战争之前也做了类似的机构调整。

而检察制度却随着其惩罚力度而越发僵化。1915 年，《泰晤士报》和《工党领袖报》皆因触犯检察制度条例而遭到罚款。8 月 14 日，《费加罗报》也因一篇关于摩洛哥的报道而被惩罚。克里孟梭的《自由人报》甚至被勒令停业，原因是其出版了一篇关于运送伤员的故事，故事中写到，由于运输的环境过于肮脏，许多受伤的士兵感染了破伤风；该报再次以一个新名字重新运营后，也还是被封口。1914 年 9 月 27 日，阿尔弗雷德 · 卡皮说道：

> 只要一个人在其作品中对当局、政府、政策，对银行、伤员、德国的暴行和邮政服务只字不提，那么在2~3位审查员的允许下，他就可以自由地对其他事情发表意见。

无名小报《西里西亚和波兹南每日评论》就是因披露军事信息遭到审查或查封的德国报刊之一。

然而，所有国家的行为逐渐超越了军事情报的审查制度，它们逐渐运用其战时权力通过更为公开的政治方式进行管理。在英国，战时曾一度被取缔的报刊或杂志包括《爱尔兰工人报》、《爱尔兰志愿兵报》、《爱尔兰自由报》、《爱尔兰新芬党报》、《国家报》以及宣扬和平主义的《法庭报》。为了防止向国外传播那些潜在的损害"国家战争努力"的消息，当局对此进行了严密的控制。违法的文学作品以清单的形式详细记录在案：它们不仅包括爱尔兰民族主义、和平主义和社会主义群体的报纸杂志，还有那些一不小心将老校友在前线的动态详细公之于众的校园杂志，以及涉及预测英国运输系统敏感信息的铁路公报。老海德堡人协会杂志同样遭到了取缔。《领土防御法》接手大法官的职责，成为国家的"文字管家"。芬纳·布罗克韦的戏剧《魔鬼代言人》图书版本于1914年遭禁。4年后，罗丝·阿拉提妮匿名出版的小说《被蔑视与厌弃的》(*Despised and Rejected*)被起诉，小说围绕一位富有责任心的同性恋反抗者展开；该书的出版社被查封，书籍也被销毁。由此可见，战时的英国逐渐变成了一个警察国家。仅在1916年，新闻局在情报部门的协助下就审查了3.8万篇文章、2.5万张图片以及至少30万封私人电报。梅特涅一定对此结果嫉妒不已。正如《国家报》1916年5月发出的感叹，现在的情形无异于"战争引发的国家悲剧，这个为自由而战的国家却逐渐丢失了本国的自由，那个曾经将公众舆论视为得力助手的政府，现在正开始变得惧怕它，并剥夺了它的权利"。

类似的事件俯拾即是。1917年，一家法国法院在1914年关于禁止出版非官方的军事情报的法令的基础上，增加了一项禁止公开传播"失败主义情绪"的内容。受此影响，1916年5月到1917年7月这段时间，宣扬和平主义的《红帽子报》被审查了1 076遍。

1914年9月27~30日，德国的《前进报》遭到查封，并被告知只有在规避关于"阶级仇恨和阶级斗争"内容后，才可以重新营业；1918年2月，当该报公开支持全面罢工时，也遭到了相同性质的取缔。战争伊始，外国电影就被禁止播放，现有的电影审查体系已经改头换面，因此只有那些"鼓舞士气、提升爱国主义情感"的电影才能通过。1915年年初，记者被警告"切莫质疑任何一个德国人的国家情感和决定"；

有趣的是，他们同样被勒令停止“传播关于战争野蛮行径以及灭绝其他种族的令人厌恶的内容”。随之而来的是 1915 年 11 月的一项禁止公开谈论德国战争目的的禁令。从 1916 年开始，战时新闻局将一切将军访谈、德美关系的讨论以及涉及德皇的一切信息扼杀在摇篮中。此外，地区军事领导还因地制宜地设置了其各自的法令。当《柏林日报》因为为贝特曼辩护，保护其不受合并论者的攻击而被临时查封时，它成为马克区内因审查制度而造成的政治偏见的牺牲品！

然而在所有欧洲国家，审查制度并没有达到高度集权的程度。比如法国的审查官们就允许新成立的、颇有恶作剧之嫌的《工作报》（其口号为“蠢货不要阅读《工作报》”）连载巴比塞的《火》（*Le Feu*）。检察官们同样没有限制莫里斯 · 马雷夏尔及其朋友于 1915 年 9 月创办的讽刺杂志《鸭鸣报》。德国媒体关于战争目的的争论尺度（1916 年 11 月，当局禁止对此进行讨论）要远远大于法国媒体所允许的范围。更值得注意的是，德国的检察官从不对其报刊中公开的联合军事公报进行禁止。

但若与美国所采取的严酷措施相比，欧洲——甚至还有英国——的作为立刻相形见绌：毫无疑问，这是美国国内以多元文化和种族构成为特点的人群中爱国主义程度的不确定性造成的。（1914 年，1 亿美国人中有 1 450 万人出生在海外，第一代或者第二代德国移民有 800 万。）1918 年 5 月的《反叛乱法案》替代 1917 年《反间谍法》后，甚至在公寓里对战争品头论足都算作违法。根据该法令，有 2 500 多名美国人受到指控，其中 100 人被判处 10~20 年不等的监禁。一个名为《拯救未来》的爱国主义电影的导演被判处 15 年监禁，理由是该电影含有反英内容。就连英国都没有在战争期间对言论自由进行如此严厉的打压，这是对联盟国家为自由而战的宣言的公然蔑视和嘲讽。

对新闻的密切控制需要建立相应的管理体系（特别是对中立国家的战争报道而言）。英国最早的军事公报只是在闭门会议中由大臣向影子内阁成员大声朗读；直到 9 月，陆军上校厄恩斯特 · 斯温顿才接到向媒体传达新闻报道的任务，这些新闻以“目击者”的不署名方式合理出版（马克斯 · 阿特肯在加拿大的军队中扮演着类似的角色）。对于更多的细节性消息，报刊持有者联盟的乔治 · 里德尔爵士作为新闻界代表，从中充当权力的传声筒，在周会上向他的报业所有者同事以及众编辑们传递他从阿斯奎思、丘吉尔等人那里获得的消息。该制度流程从 1915 年 3 月起正式运行。1915 年 11 月，授权委派战地通讯记者的体系开始实行，而他们发回的报道却仍处于严密的审查和控制中。

当兰开斯特公爵领地大臣查尔斯 · 马斯特曼将一支名声显赫的小说类和纪实类文学作家群体邀请到白金汉门的惠灵顿楼（国家保险委员会办公室所在地）时，英国便迈开了积极进行对外宣传合作的第一步。1914 年年底，面向中立国家的 20 余部出版物被翻译并出版；到 1915 年，250 万册图书被委托出版。此外，他们还向 360 多家美国报刊发送时事通讯，并且资助了一系列电影的拍摄，其中大部分是纪录片。此外，1914 年 8 月，匆忙之中成立的议会战争目标委员会设立了新闻局，并任命保守党的 F · E · 史密斯担任领导者。

然而在 1916 年，劳合 · 乔治请求《每日纪事》的编辑罗伯特 · 唐纳德对惠灵顿楼的行动进行监督，并且接受了他的批评，成立了一个新的情报机构。2 个月后，在 1917 年的 2 月，管理者的职位又被授予著名小说家、律师以及英国临时行政人员约翰 · 巴肯。当该机构于 1917 年 7 月发展为独立部门时，巴肯则在名义上从属于乌尔斯特保守党领导人爱德华 · 卡森爵士；但是后者对此缺乏兴趣，这使得新闻咨询委员会以辞职表达不满，劳合 · 乔治又不得不成立一个由比弗布鲁克接手的情报部门（1918 年 2 月）。这刺激了外交大臣鲍尔弗进行持续的干涉阻挠，试图保留对英国海外宣传的控制权。同步进行的国内宣传被 1917 年 7 月成立的跨党派的国家战争目的委员会掌控，从 1917 年 9 月到 1918 年 3 月，该机构组织召开了 1 244 场公开会议；截至 1919 年春，共出版了 1 亿多本读物，并为 650 多家报刊配备了标准的具有亲政府倾向的领导人。

此类机构在欧洲各国的发展并非如想象中那么各具形态。1914 年 10 月，法国军队在其军事情报部门之下设立了情报室，起初其职责很简单——每天发布 3 次军事公报，但之后它还需要为各个报刊提供或多或少能够起到缓和作用的前线生活报道。内维尔将军其后还让该情报室为军队提供情报服务，并首次允许授权记者（而不是军官）从前线发回报道。同时，外交部成立了自己的新闻和情报办公室，但直到 1916 年 1 月才建立境外宣传机构。

在德国，从 8 月 3 日开始，每天（上午 11 点）总参谋部办公室都会发给记者简报，简报汇总会整理发给沃尔夫电报局；1915 年 9 月，新成立的战时新闻办公室新增了一次晚间简报，并且同样保持 3 篇军事新闻报告的数量。与英国一样，在不予发表的情况下，情报的保密有时并不严格。起初这些机构具有双重特质。外交部拥有其自己的新闻部门，它负责在中立国家进行宣传。然而到了 1917 年，最高统帅部成立了一个分工更为明细的新闻办公室，即德国战时通讯社，该部门隶属于鲁登道夫集权政府的一部分。尽管新任大臣乔治 · 米凯利斯通过在 1917 年夏末任命一位新的新闻长官，试图为公民争取控制舆论宣传的机会，但控制权自始至终还是保留在将军的手中。

奥地利同样成立了战时新闻办公室，提供国内外情况的官方公示。在加入战争之后，美国也是如此，于 1917 年 4 月成立了公共情报委员会，在战争结束时创作并发行了不少于 7 500 万份支持战争的出版物。

除了试图对国外舆论环境造成影响，所有活动的另外一个主要目标是加强并稳定国内舆论。因此，筹措资金变得相当重要。英国电影《你！》以及《为帝国而战》（由面向小投资者的军事贷款委员会委托制作）都旨在刺激观众投资战争债券。德国甚至更为依赖其本国公民的意愿，让其心甘情愿借钱给政府；相应地，当局制作了一大批海报鼓励公众购买战争债券。卢西恩·伯恩哈德 1917 年制作的海报描述了一位海军军官在望着敌舰沉没时对其士兵所说的话："金钱就是这样帮助你作战的。它们变成了潜水艇，因此敌人对你退避三舍。那么，快行动起来进行捐款吧！"在美国，第一次自由贷款运动时张贴了 200 万张海报，第三次贷款活动时，这一数字飙升到 900 万。

与此相反的是，除了强调传统的服从命令的精神之外，对士兵们的其他引导和教化极为有限。直到战争快结束，媒体才开始重视对敌国士兵情绪和意志的影响。1917 年 7 月，法国特工秘密将一批伪造的德国报纸（如《法兰克福汇报》）运送至德国。英国情报机构也采用了类似的手段，但直到诺思克利夫到情报部任职，该手段才受到公众的关注，从 1918 年 7 月开始的 6 个月内，将近 2 000 万份名为"你好家乡"的传单飘落在撤退的德国部队中，传单上涉及德国部队的具体伤亡情况以及德国与其盟国关系的断裂等实情。

同盟国倒是没有做出相应的尝试。德国人还是更倾向于通过名誉负责人投资的形式进行贿赂，对中立国家的和平主义报刊进行渗透。法国类似案件的主角为《新闻报》，该家报纸收取了德国方面约 1 000 万法郎的好处；《国家报》，这家于 1917 年新成立的报纸将约瑟夫·卡约与德国协商和解的愿望发扬光大；《红帽子报》，其出版商和编辑统统被捕，并于 1917 年被判处叛国罪（有一位在狱中自杀身亡，另外一人则被处决）。

## 独立宣传

由此可见，所谓的宣传其实仅局限在政府宣传。但事实上，许多战时宣传并非出自政府机构，而是一些匿名的组织或个人。因此在很多情况下，上述机构并非全权负责并垄断该领域。这种情况在电影院——由于被视为是最昂贵的媒体，因而大多数电影也被认为由政府控制并主导——的案例中可以很好地体现出来。议会征兵委员会确实属于政府机构吗？这个设想还有待商榷——因为该机构工作的开展是基于诸位国会议员及其他公共人物的基础之上。然而，正是这样一个组织（而非陆军部），于 1915 年授权制作了征募电影《你！》。诚然，陆军部在战争开始之前便已经着手利用电影院来吸引兵源了，并授权制作了《英国军队电影》（1914），但其结果无外乎使得英国战争电影专题委员会更为活跃——该委员会为独立的制作公司组成的联合企业，向陆军部购买在前线拍电影的权限，之后将拍摄的片子卖给政府做宣传使用。第一部以该形式拍摄的纪录片——《整装待发的英国》——于1915年12月搬上荧屏。随后，《索姆河战役》（1916年8月）与《德国的撤退与阿拉斯战役》（1917年6月）两部纪录片相继问世。在对影片的纪实风格施加影响方面，陆军部表现出冷淡的态度，对此毫无作为。除了遵从从1917年5月开始实行的两周制作一个新闻短片的规定，英国的制片人在1915~1918年期间共制作了大约240部电影。但政府部门直接参与制作的比例非常小——当时的英国电影制片人总是巴望着国家能给予补助。

在德国，那些所谓的“灰色领域”电影，如《马克斯如何赢得铁十字勋章》、《荣誉之地》以及《遍地德国》等，皆由私人机构拍摄。对此，当局的激励和促进微乎其微。对外国电影的禁播与陆军部的秘密授权（1916年开始）起到了一定的作用，但在本质上，德国战争电影的拍摄还是属于自发性质的。电影制作人奥斯卡·迈斯特抓住机遇，向军事当局提议获得在战场进行拍摄的权利。由于迈斯特本人控制着在前线拍摄的许可权，“迈斯特每周新闻影片”一时间获得了几乎垄断的地位，这也让竞争者捶胸顿足。最高统帅部很久以后才开始对电影进行官方管理——1916年10月成立了军事电影与摄影部门，该机构于1917年1月发展成为摄影与电影局。当鲁登道夫于1917年下半年试图通过“爱国教育”计划加快电影宣传时，一家新兴的电影公司得到了该项授权——乌法集团（Ufa），该公司由国家和私人联合出资。战后，它一跃成为欧洲最大的私人电影公司。

对政府干预尤其没有兴趣的是美国电影业。好莱坞自发建立了美国国家电影工业联盟，并制作了一些鼓舞人心的电影，如《战争如何降临美国》以及《德国的战争实践》。

此外，还涌现了一批成本较低的“宣传”，它们没有任何政府参与的成分，而是由诸如弗朗西斯·扬哈斯本爵士的争取权力运动、忠实的英国子民委员会、维多利亚联盟、大英帝国联盟以及国家爱国组织中央委员会等机构完成的。德国也出现了同样的情况，其泛日耳曼联盟和新祖国联盟扮演着独立的角色。在美国，搜查“内部敌人”的工作不是由司法部门完成的，而是落到了诸如美国爱国联盟、自由骑士等义务警员团体身上。这类组织在战争年代对上百件法律之外的“罪行”进行了打击，包括对那些向敌人表现出同情的嫌疑人处以私刑等。

这场媒体大战同样是一场学术权威的媒体大战。1914年10月4日，为响应海军部的号召，93位德国知名学者、艺术家和知识分子在德国媒体上公开了一份名为《致文化的世界！》的宣言，其中包括科学家马克斯·普朗克和弗里茨·哈伯，戏剧作家格哈特·豪普特曼以及经济学家卢约·布伦塔诺和古斯塔夫·施莫勒。该宣言为德国在比利时的行动进行了辩护（包括火烧卢汶），并谴责英国不应站在“野蛮”、“拥有一半亚洲血统”的俄国一边对战争进行干预。8 月底，知名学者埃内斯特·哈克尔和鲁道夫·奥伊肯也在一份类似的声明中表明了立场：“战争之所以扩大成为世界大战，要归咎于英国。”此后，德国学者文化联盟以及历史学家弗里德里希·迈内克与赫尔曼·昂肯的《我们为何而战》（*Why We Are at War*）一书中都表达了类似的观点。

英国的作家往往能够在出现问题时更为快速地行动起来。众所周知，1914 年 9 月 18 日，《泰晤士报》公开了由 52 名“文学界名人”签署的反战争宣言，这是 9 月 2 日在惠灵顿楼由马斯特曼组织召开的一次会议的成果。但这些签字人并不是被鼓舞再三才做此决定的，大多数人早就对此事摩拳擦掌了。这些前来惠灵顿楼和签署了《泰晤士报》作家声明的人包括G·K·切斯特顿、阿瑟·柯南·道尔、约翰·梅斯菲尔德、拉迪亚德·吉卜林，以及《潘趣》编辑欧文·西曼——一位爱国名人。同样用文字表明自己心声的还有H·G·韦尔斯（这位预言家关于战争的预言灵验了）以及托马斯·哈代。更让人意想不到的是，小说家阿诺德·本涅特、约翰·高尔斯华绥，古典学者吉尔伯特·默里以及历史学家G·M·特里维廉等名人都签名反对战争宣言，他们中无一人对战争的爆发持支持态度。

牛津历史系学者的自我动员行动是一个尤其让人震惊的案例。以超乎寻常的速度——或许是校史中前所未有的，由H·W·C·戴维斯和欧内斯特·巴克带领的 5 位牛津历史学家写成《我们为何而战：英国卷》（*Why We Are At War: Great Britain's Case*）一书，该书又名《红书》，早在 9 月 14 日就被该校出版社出版（收到稿件后两个星期内）。不久后，牛津大学又相继编发了面向“智力工作者”的小册子。各个地方大学的历史学家们纷纷加入进来，包括来自格拉斯哥的D·J·梅德利和来自曼彻斯特的拉姆齐·缪尔。各大城市相继开展讲座活动，对“大多数工人可能持有的观念（如果德国获胜，他们的生活也不会比现在差到哪儿去）”进行反驳和修正。其他院系的教授同样做出了自己的贡献。除了签署学者宣言，吉尔伯特·默里写了《战争为何永远是正确的？》（*How Can War Ever Be Right?*）以及《爱德华·格雷爵士的外交政策，1906~1915》（*Foreign Policy of Sir Edward Grey 1906~1915*）两部作品，并于 1915 年出版，这些作品都为战争进行略带歉意的阐释；但拉姆齐·麦克唐纳中肯地将其评价为“粉饰和跟风的上乘之作”。

值得注意的是，上述作家很少有人接受了其战时作品的稿费：尽管他们的著作经纪人已经有所提醒，高尔斯华绥和韦尔斯还是坚持无偿地撰写多篇文章。直到战争尾期，诸如阿诺德·本涅特那样笔耕不辍的作家才被吸纳为比弗布鲁克情报部门的政府官员。类似的事在法国也曾经发生过。

诗人也同样进行了自我动员。根据《泰晤士报》的统计，1914 年 8 月的某一天共收到约 100 首诗歌，绝大部分都是关于爱国和浪漫主义题材。根据一项统计，在德国，当月平均每天创作的诗歌数量不少于 5 万首。英国的战争诗歌参考书目（大多数都是爱国诗歌）可以列出 3 000 册之多；据保守估计，德国相应的书目也能达到 350 本——或者说，德国的“思想家”的数量远远超过“诗人”。实际上，政府十分鼓励许多蹩脚诗人进行创作：如记者恩斯特·利绍尔，因《仇恨的赞美诗》（*Hymn of Hate*）获颁铁十字勋章。但这首诗是他自发创作的。剧作家也同样在没有外力推动的情况下为电影院潦草写作爱国剧本。

对社会的每个阶层来说，战争宣传不需要政府来进行，它自身已经无处不在了。学者、记者、业余诗人以及普通人都在主动地推动这项事业的发展。这种影响同样体现在商业贸易中。没有什么比儿童玩具和漫画更能体现这一点了——这在所有的交战国中都是习以为常的事。在英国，人们生产出玩具坦克（坦克第一次在战场上使用之后的短短 6 个月内，其玩具模型就问世了）；在法国，只有军方才有皇家游轮路西塔尼亚号拼图的专卖权；在德国，还有以发射豆子炮弹的小型“火炮”。

由于出现了太多不受政府控制的宣传活动，所以它们往往各自发展，五花八门。民族主义游说集团中，暗中对贝特曼·霍尔维格进行抨击的典型代表便是沃尔夫冈·卡普的短文《民族主义党派与总理大人》（1916 年），而这只是连续进行的旨在取消对潜艇战限制的活动之一（不可否认，海军部对此的态度是默许的）。更好的例子是诺思克利夫接二连三地以相当出人意料的方式对英国政府进行骚扰和打击。战争期间，雷平顿经常提到“政府新闻”，专指那些为政府服务的新闻媒体；但有时候，英国似乎在朝着“新闻政府”的方向发展。诺思克利夫以报刊为武器发起反抗，他 1914 年反对霍尔丹，1915 年反对基奇纳，1916 年是阿斯奎思，战争结束后又是劳合·乔治和米尔纳。他的报刊发起了一系列的运动，旨在加强英国为战争付出的努力：更确切地说，是为了排除异己，为了军需部，为了对全国合格的入伍候选人进行登记，为了一个特殊的战争委员会，为了更多的机枪，当然，还有征兵制度。这些干预是如此让人头疼，以至于罗斯伯里伯爵建议将《泰晤士报》国有化，但最终没有成功。阿斯奎思对此后悔不已。尽管诺思克利夫并不是唯一一位致使他被摘掉首相乌纱帽的人——比弗布鲁克对他的垮台也同样脱不了干系——但毫无疑问，这些媒介大佬们确实对他的下台负有不可推卸的责任。

诺思克利夫的典型手段之一，体现在他 1916 年 12 月对《每日邮报》编辑汤姆·克拉克的嘱咐中：“照一张劳合·乔治面带微笑的照片，并在下面加上标题‘即刻行动’；再挑选一张阿斯奎思最糟糕的照片，下面标注‘再等等看’。”在战争末期

（特别是在让他自尊心膨胀的美国之行之后），诺思克利夫变得妄尊自大。“告诉长官，”他于 1917 年秋对黑格身边的一位工作人员说，“如果劳合·乔治胆敢做出任何违抗他旨意的事情，我立刻将他请出办公室。”1918 年 10 月 3 日，他又对里德尔说：“我不打算动用我的报纸或通过我个人的影响力为一个新政府说话……除非有书面通知，并且我自觉认可该政府的人员构成。”

此外，在媒介相对“独裁”的影响下，政府经常被敦促采取更具有侵略性的战争行为。尽管在菲舍尔的曝光下，德国关于战争目的的讨论已经尽人皆知，但在英国以及其他参战国家中，类似的事情都在上演。在英国记者们所讨论和建议的战争目标中，最极端的甚至扬言要让德意志帝国分崩离析。比起他们的德国同事，其他要求——如消灭奥匈帝国和奥斯曼土耳其——似乎并没有那么让人难以置信，因为这些实际上已经取得了成功。

## 昂扬与低沉的措辞

在很短的时间里，各种宣传内容就让读者流连忘返。在所有的交战国中，涌现了一大批被保罗·富塞尔称为“昂扬的措辞”的内容：一位普通朋友变成了“亲爱的战友”，一匹马变成了“战马”，对手也被雅称为“仇敌”。在《柏林暴行》（*The Barbarism of Berlin*）一书中，G·K·切斯特顿声称英国“在为信任和誓言而战……为了荣耀和回忆而战”。诗歌因成为抒发此种情感的有效工具而被人青睐。“面对敢于直面死亡的男子汉，死亡本身也败下阵来，”亨利·纽博尔特爵士在他的诗歌中如是吟咏道。“如果自由沉沦，谁将再起？”吉卜林在其《为了所有与所是》中痛心疾首地发问；“若英格兰存在，谁将灭亡？”这里面并没有关于战争的描写，即使是多么平淡无奇的事情也没有，但这种风格总能让他成功。就连在创作一部战争电影时，纽博尔特也仍然运用这种写作方式（“哦，鲜活的照片上却是死去的人；哦，悠扬的歌声却没有任何声音……”）。另一位守旧派诗人阿尔弗雷德·诺伊斯对那些格拉斯哥的军工厂女工做了如下描述：她们在“一窝闪亮的炮弹面前”，“恣意地宣泄着母性……这些炮弹正是为了保护她们亲爱的儿子们的血肉之躯而生产的”。吉尔伯特·默里试图为这些没头没脑的文字进行辩护：

> 那些浪漫而离奇的语言现在都变成了日常生活用语……“与其羞耻地活着，不如光荣地死去”这句老话，以及那些我们认为非常适合现阶段情势的话语，如今已经成为我们赖以生存的普遍真理。

对英国的宣传来说，比利时的中立问题是一张制胜王牌，但出牌人却将其使用得并不尽如人意。正如那些"文人学者们"指出的，英国之所以参战，是要"维护文明民族之间的公平正义的法令，并为小国家的权力进行辩护"。牛津的《红书》将遵守法度的英国与践踏规则的德国进行了对比。吉尔伯特·默里在其《战争为何永远是正确的？》一书中指出，"庄重的条约"成为决定战争的关键。哈罗德·斯宾塞同样向那些犹豫不决的自由主义者保证，英国是为了履行条约才参战的，并且仅此一个目的。作家霍尔·凯恩出版了《国王艾伯特之书：献给比利时国王与其子民》（*King Albert's Book: A Tribute to the Belgian King and People*）——这是"在受到玷污的小国的自由圣坛上签订的契约"。高尔斯华绥和历史学家阿诺德·汤因比也加入了用文字对德国的"侵略行为"进行猛烈抨击的人的行列。哈代甚至以该主题作了首诗——《流放比利时》，那些更为道貌岸然的英国国教教士之前也从未尝试过该主题的创作。议会征兵委员会同样义愤填膺：其海报"碎纸片"印上了1839年确立比利时独立地位的《伦敦条约》上的印章和签名。而与此相反的是，在英国，很少有人对以下这一策略性观点（1914年，这曾经是内阁中最为重要的议题，对那些在战前就憎恶德国的人来说也是相当重要的话题）进行宣传：一定要对比利时和法国进行保护，以防止德国在英吉利海峡海岸建立海军基地。

众所周知，协约国的宣传往往将德国部队入侵比利时对其人民施加的"暴行"加以夸张处理。战后，自由党和平主义者阿瑟·庞森比指出，《科隆时报》上的报道——《当安特卫普沦陷之后，教堂钟声响起》——是这样被协约国媒体扭曲的：

> 因为他们誓死都不肯为德国人敲响教堂的钟声，这些不幸的比利时牧师受到了野蛮的安特卫普入侵者的惩罚：他们的头颅被砍下，吊起来被当作活体钟锤。

但是，的确有些战前俄国人进行大屠杀的图片被重新拿出来作为德国在比利时行径的"图片说明"。《星期日纪事》就是其中一家宣称德国人砍掉比利时儿童的头颅的英国媒体，而威廉·鲁鸠更是兴致盎然地讲述着传说中德国人"嗜血成性、奸淫掳掠"的暴行，包括"残忍地侮辱和杀戮毫无反抗能力的妇女和儿童"。另外一些作者更是在设想16岁少女在草地上"被迫饮酒"并被"轮奸"，之后她们的乳房"被刺刀削成片"。J·H·摩根甚至还添油加醋地增加了一项"鸡奸幼童"的指控。1914~1918年，至少出现了11本关于这种消息的小册子，包括布赖斯勋爵的官方报告《德国被指控的暴行》（*Report on Alleged German Atrocities*，1915），惠灵顿楼保证将大部分作品进行翻译并引进别的国家。这些关于暴行的内容在国外市场受到欢迎。有些美国自由贷款的广告还采用了衣冠不整的比利时少女任由野蛮人践踏的图片，来诱使那些好色的储蓄者购买战争债券。

许多细心的英国作家试图研究“西欧国家自由与守法的完美典范”或“讲英语的种族”与德意志民族尊崇的“‘铁与血’的法度”之间的区别。《曾达的囚犯》(*The Prisoner of Zenda*)的作者安东尼·霍普通过对伯恩哈迪的戏仿作品，表现出对德国军国主义的讽刺和嘲弄。哈代也同样对“尼采、特赖奇克和伯恩哈迪等人的作品”进行了批判和谴责。这种论调迫使良心一直备受折磨的《每日新闻》的自由党成员在德国人民（对于这些人，他们没有异议）和“以暴行裹挟人民的专制统治”之间进行了区分。因此，这场战争应当被描述为“旧制度与新制度的终极对战”。

英国宣传的另外一个主题（由韦尔斯提出，特别面向美国受众）是英国“为了反抗克虏伯主义……这个巨大的战争工厂，这卑鄙而又庞大的死亡交易者”而战。在韦尔斯早期的战争作品中，第一次世界大战同样也是“为了全世界的裁军和和平”而战。他风格独特的读本《以战了战》(*The War that Will End War*)更为精准地迎合了美国读者的胃口；这本书于 8 月 14 日写成，当中的许多内容启发了伍德罗·威尔逊总统。

宣传家们同样热衷于诋毁另外一个国家的文化。作为针对德国“致文化的世界”宣言的部分回应，英国作家们对“条顿教授”的“粗鄙、乏味的学识”展开了口诛笔伐。几十年来，英国的学者都因为德国大学的严谨治学而自惭形秽，因此他们格外热衷于这个主题。吉尔伯特·默里嘲笑那些德国学者“终生蜷缩在狭小的房间，全力钻研那些毫无意义、并没有任何实际启发或美感的课题”。剑桥大学的阿瑟·奎勒-库奇爵士向“徒有空虚外壳的德国历史学研究和评判”发起了挑战。

相应地，人们声称这场战争具有清洗本国文化的效果，比如 1914 年的《诗歌评论》，就是个很好的例子：它盼望最近出现的那些丛生的病态产物能够得到“涤除”。埃德蒙·戈斯是这一观点的杰出拥护者，他预计，这场战争就像“消毒剂”一样，能够清理“学界以及知识分子中的一潭死水和阻塞的沟渠”。德国诗人理查德·德默尔同样希望战争能够让普通的德国人摒弃“自由、平等”之类的观念，而更多地关注“种树技巧”。

然而，让这些作家的豪言壮语变得滑稽可笑的可能正是由战争造成的文化庸俗化。与促进社会进步截然相反，粗俗的语言和行为泛滥成灾。像“前进一步，便能搞死一个英国佬；向前一击，便能搞死一个法国佬；一发子弹，便能搞死一个俄国佬”这样粗鄙的口号比比皆是，比如“绞死皇帝”。幽默的卡片让战争变成了鸡毛蒜皮的小事：有的德国卡片还试图拿毒气室作为笑柄，而意大利人则总在挖掘德国在比利时的暴行中有趣的一面。

这种缓解手段只是为了美化或神化战争所做的更大努力的一部分。诺思克利夫本人在从前线发回的报道中说，战争就像一场愉快的夏日度假，“户外生活、规律丰富的饮食、充足的锻炼以及从关怀和责任中抽身而退的自由，让士兵们感到格外舒畅和满足”。最受英国人喜爱的是“战争即体育”的比喻，战争也被称为“大赛事”或者“追赶游戏”。人们同样通过这乐观的哈哈镜来看待死亡。《泰晤士报》援引劳合·乔治的话说，“英国的士兵都是体育好手……他们就像运动员那样战斗着，数以千计的人都是出色的选手”。W·比奇·托马斯在《每日镜报》上称，英国士兵的尸体“比其他国家的士兵看起来更加沉默而忠诚，更加笃定而淡然……就像在他死去的那一刻格外小心，不让自己的样子过于豪壮一样”。当伤亡人数居高不下的时候，这种粉饰也变得更加苍白——特别是在索姆河战役期间。在惨烈的战争初期，法国媒体不得不使用同样的手段来缓解战争带来的创伤，即向其读者保证德国的弹药质量低下，不起作用；1915 年，它们牵强附会地对法国士兵的幽默感大肆描写：“上战场就像去赴宴……他们盼望进攻的心情就像在期待一次假期。他们是如此兴致高昂！他们放声大笑！他们开怀逗趣！”

最后，宣传家们同样试图让其同胞相信，战争的胜利能够巩固国内的政治局面。政府先是在冲突中疾呼国家团结，如法国的“神圣联合”，德国的“乡土和平”。英国也将爱尔兰问题抛到了脑后，恢复了“正常局面”（一部分口号的深层含义在于，事实上在 1913 年到 1914 年，一切还没有完全恢复正常）。劳合·乔治是将这些观点赋予政治噱头的政治家之一，1914 年 9 月，他在女王大厅对观众说道：

> 所有阶层的人民——无论什么样的出身，都卸下了自私的一面，并且产生了新的认同，那就是，一个国家的荣耀不仅仅依赖于在战场上扬眉吐气，同样在于帮助家乡走出危险和痛苦。

这些话相当于他对其自由党支持者的间接誓言，无畏舰的制造使得战争花销与社会政策、累进税制等并不相抵牾。战争后期，英国的战争宣传做出了更多此类的明确表态和承诺：战争将在物质上提高许多英国人的生活水平，营造“适合英雄居住的家园”。

## 大　众

这些宣传究竟起到了多大作用？虽然这个问题并没有得到充分的解答，但我们仍然可以试着做一下分析和判定。

检察制度或许取得了一些成就，这从记者们喋喋不休的抱怨中得以见出。它的确让大量的秘密得以保护，这一点连“二战”都相形见绌。无论戈培尔对媒体进行多严厉的管控，仍旧有许多覆盖全世界的私人电台存在。1914 年 10 月，“大胆号”战舰在爱尔兰“出师未捷身先死”的尴尬消息并未在英国进行报道，日德兰战役的消息也是在它结束后才被公之于众。1917 年，德国人并不清楚法国的兵变究竟发展到多么严重的程度，或许同样不知情的还有法国民众。

适当的宣传同样取得了一些成果，有些作品的确炙手可热。牛津大学的《红书》卖了 5 万本，其中只有 3 300 本流向外交部作为对外宣传使用。截至 1915 年 9 月，牛津大学出版了 87 本书，印刷量达到 50 万册，以 1~4 便士的价格进行出售；它们销量甚佳，仅 1915 年 1 月时就卖出了 30 万册。约翰·梅斯菲尔德对索姆河战役的索然无味的描写——《旧防线》（*The Old Front Line*）在英国卖出了 2 万本，在美国也达到了将近 4 000 本的销量。阿诺德·巴尼特的《英国战况》（*Statement of the British Case*）在英国卖了 4 600 本；吉尔伯特·默里的《爱德华·格雷爵士的外交政策》同样销量可观。电影《为了祖国》风靡一时，截至 1916 年 12 月底，大约有高达 900 万观影者。据估计，到战争的最后一年，国家战争目的委员会出版过的所有出版物的读者群人数已逾百万。

另一方面，阿尔弗雷德·利特著名的基奇纳海报在当时达到的效果并未与其战后赢得的名声相匹配，电影《你！》（其目的如其名字）成为商业败笔。然而，那些对战争持批判态度的作品却获得了不小的商业成就。萧伯纳的《战争常识》（*Common Sense about the War*）卖出了 2.5 万册；截至 1916 年年底，韦尔斯的《看透一切的布瑞特林先生》（*Mr. Britling Sees It Through*）在市面上拥有 13 个版本，仅美国的版权费就为他赚得了 2 万英镑的收益。巴博斯的《火》也成为畅销书。

但人们对于诸如《索姆河战役》这样的电影的接受程度还有待商榷，甚至对该片是否能够被视为宣传手段这一问题本身的界定都不甚明了。在 77 分钟的影片时间里，至少 13%的内容是死者和伤员的镜头；影片结尾处，这一比例更是达到了 40%。标题同样让人触目惊心——“英国士兵在枪林弹雨中抢救一位战友”。（但在到达堑壕 20 分钟之后，这名被救的士兵还是牺牲了。）然而这部电影却颇受欢迎。《电影周报》将其称为“最佳战争影像”。到 1916 年 10 月，全国共有逾 2 000 家电影院购买了该影片，这一数量几乎占到了所有电影院的一半（总共为 4 500 家），其总收益更是达到 3 万英镑。

另一方面，并不是每个人都对所观看的内容持赞成的态度。《泰晤士报》和《卫报》都曾收到过观众来信，谴责这种行为是“伤害人们的心灵，并且是对丧失亲友的人的神圣尊严的亵渎”（达勒姆的一位牧师如是说）。事情确实如此，因为许多观众都为战争的可怕和残酷抽泣痛哭。例如，根据外交官的报告，尼加拉瓜人对那些描写

“侵略者们在烟雾弥漫的海上像无头苍蝇一样四处乱撞……镜头中时不时地还出现一个幸运儿的画面”的冗长片段感到厌倦不已，喀土穆的观众更想看到“死去的德国人和土耳其人”，而中国的电影观众则对缺乏实战镜头的电影感到反感。《索姆河战役》在海牙上映时，红十字会组织将其视为鼓励人们为反战联盟进行捐款的好时机。有人在纽约对巴肯说，“鉴于收到过多来信投诉该电影的血腥和残忍内容，并且考虑到征兵以及让民众向反战阵营靠拢的影响……我们呼吁对这些电影进行严格的审查。”仅此一举，便足以让我们对英国出色的战争宣传神话不免生疑。

相反，我们有充足的理由相信，德国在电影的宣传上更胜一筹。奥斯卡·迈斯特称，在德国及其盟国，有 1 800 万观众收看他的新闻影片，中立国也有逾 1 200 万的观众。如果这一切属实，那么这个群体将非常庞大。德国与英国战争电影的最大差别是以戏剧形式胜过纪录形式：德国人制作了大量的浪漫与冒险电影，但英国电影中也有例外——《世界的核心》，但很明显，该片的导演是美国人。我们有足够的理由去质疑，诸如杰弗里·马林斯这样的英国电影制片人认为在电影镜头中呈现“可怕的裸尸”会坚定公众信念的观点是否正确。

或许能够衡量协约国在其他国家进行宣传的成功尺度的，便是它们从德方那里诱出的反驳证据的数目。德国驻外事务处中央局专门编写了一本全面的白皮书，否认关于德国士兵暴行的言论。那些关于战争暴行的报道同样使一些德国民众心神不宁。汉堡的艺术历史学家阿比·沃伯格在战争进行的大部分时间里孜孜不倦地从报纸上搜集证据来反驳这些指控。宣传究竟在多大程度上成功地对中立的观点进行控制还不得而知。业已明确的事情是，比如美国下决心插手战争等事件，并不是受协约国宣传影响而发生的，这甚至连次要原因都算不上。此外，双方都一掷千金，试图买通意大利和希腊这样的国家的媒体，使之成为自己的喉舌。至今还没有充足的证据证明德国的联合宣传对其舆论的影响力度：如果可以在 1918 年 11 月，从一些德国士兵（更准确地说是海军）的行为那里得到些许结论的话，那么人们会发现，在这一点上布尔什维克是最后的赢家。

此外，虽然那些外交上颇为强硬的记者一直在稳定大后方的士气，在前线奋战的士兵们是否同样被感染就不得而知了。士兵们当然也会阅读诺思克利夫的报刊：法国男孩在通信部门的入口处叫卖《每日邮报》，就连索姆河战役激战正酣时，从伦敦发来的报纸也会在出版后 1 天之内送达前线。正如我们所见，关于侵略者暴行的报道的确在士兵中间产生了一定影响，但是对那些前线士兵生还以及牺牲情况的不实描写却成为笑柄。“目击者”被戏称为“有眼无珠的人”，希莱尔·贝洛克用风格激进的作品对此进行了调侃，正如 1916 年 2 月讽刺报刊《雨刷时报》的仿作《希莱尔·贝洛克》

中所描写的：

> 我希望能够在这篇文章中清楚地表明，在现有的情况下，一切都在加速着敌人的瓦解和崩溃。我们来看一下战争对德国男性人口产生的影响。首先是德国参加战争的这1 200万人，他们之中有800万人已经命丧黄泉或奄奄一息，因此剩下了400万人。其中有100万人是非战斗人员，属于海军编制。在剩下的300万人中，我们可以继续划掉250万暂时不适宜作战的人，他们或出于肥胖的原因，或是由于不健康的生活环境而染上了传染病，因此总兵力仅有50万人。在这些人中，497 240人患有绝症。剩余的600人中又有584人是将军和军官。因此我们可以发现，西线只有16个人真正在战斗。

西格弗里德·萨松的《抗战到底》表达了他本人对那些“黄色记者”的嫌恶之情，他想象这些人被“结束了在伦敦的胜利之行的孩子们”刺死的场景。法国士兵对那些激情四溢的报刊文章同样反感。1915年7月，伊普尔的撒克逊士兵甚至向英国的阵线投掷了一个石块，上面附上张纸条写着：“给我们一份英国的报纸，这样我们就会得知真相了。”

英国的士兵倾向于制作和阅读自己的报纸。法国的士兵亦如此，他们制造了大量的“堑壕报”——大约有400份。法国著名讽刺幽默杂志《小钢炮》就是在1915年8月诞生于堑壕之中的。德国士兵对本国政府的宣传同样持怀疑态度。实际上，许多像奥托·迪克斯这样接受过教育的士兵随身携带着尼采的著作，并且笃定地相信，他们是“为了保卫德国免受亚细亚蛮族和拉丁民族那种自由散漫作风的侵袭”而战，但这种情况并没有持续下去。1916年，一部名为《前线》的影片在士兵中播放过后，得到的反响是嘲笑和不屑。

或许战争宣传带来的最为残酷的事实，是它们对与战争关系最小的社会群体的影响——孩子。在《人类的最后时光》中，卡尔·克劳斯对兴高采烈地讨论战争宣传语的维也纳儿童做了描写：小汉斯与小托德的见面问候语是“上帝惩罚英格兰”，两个蹒跚学步的孩童的交流中表现出对战争贷款“义务”的支持：

> 克劳斯：我们所面临的四面楚歌的局面，每个孩子都能察觉到。
>
> 多莉：英国人妒忌我们，法国人复仇心重，俄国人贪婪掠夺……德国需要一片光明之地。
>
> 克劳斯：欧洲就是一个火药桶。
>
> 多莉：比利时中立协议就是一张废纸。

但事实证明，这种轻微的夸张并没有达到现实的程度。当伦敦的两所学校的孩子被问及他们最喜欢的电影时，战争电影位居第二；当被要求列出他们最喜欢的5部电影时，绝大多数孩子不是列出了《索姆河战役》就是《昂克尔河战役》。一名男学生对后者的观影描写向我们展示了巴肯等人的作品是如何让最为鲜活的战斗场景深深镌刻在年幼而敏感的孩子的头脑中的：

> 口哨声尖利地响起，他们越过护墙，哒哒哒，德国机枪在扫射，但我们的士兵毫不畏惧。轰！他们英勇的领袖倒在了血泊中，这激起了勇士们的愤怒，最终他们终于突破了德军的防线。大多数德国士兵高呼“投降！投降！”以保住自己的性命。现在英国和德国的伤员被抬进去了……之后出现的是德国战俘，深夜里真的不该看到这些长相恶毒的流氓无赖……

## 历史的收银机

对战争期间媒介所起到作用的最为引人注目、正中肯綮的观点之一，是由维也纳讽刺作家卡尔·克劳斯在其个人杂志《火炬》和他的战争叙事戏剧《人类的最后时光》中提出的。

在有意识的愤世嫉俗和无意识的冷眼讽刺的混合情感下，克劳斯曾一度为此感到着迷和震撼，战争在那些记者的笔下最终成为一件“圆满的事情”。在《人类的最后时光》的开头，他描写了通讯员是如何让那些排外的醉汉摇身一变成为爱国人士的，以及一位编辑是如何在弗朗西斯·斐迪南的葬礼上点燃了一些原本不该有的“情绪”的。摄影师们相互谈起拍摄死尸的经历——“这些都是很自然的事情”，以及处决的场景——“您不在场实在是太遗憾了”。当17名奥地利士兵被榴弹弹片击中时，正好有记者亲历了这一现场，而这却成了“战争开始以来媒体收到的最棒的致意”。当一位受伤的士兵向记者进行乞讨时，后者生气地反驳说：“拜托，你还想从我这里得到什么？上周日的报纸上，我的报道被审查删减了8行字。”电影院里，关于路西塔尼亚号沉没的新闻影片因为一项公告而炙手可热——“该片播放过程中允许吸烟”。对电影来说，索姆河战役本身成了“战争中最伟大的事件”。

《人类的最后时光》所描写的那些卑鄙的记者中，爱丽丝·沙勒克可谓是其中的佼佼者。受苦士兵的遭遇对这位战地女记者来说仅仅是为其作品“锦上添花”的素材而已。对她来说，战争与她在和平年代所观看的戏剧毫无区别：前线的那些人“演技一流”，被邀请来接受采访的军官也成为舞台上的明星（“您感觉如何？”是她最常发问的一句话）。当她亲自扛起枪体验站岗时，她觉得敌人开枪还击（她被警告过可能会出现类似不测）是一件“非常有趣”的事情。整个剧本中，克劳斯还展示了记者们是如何用语言扭曲战争事实的：“成千上万”的“人民大众”实为一群笨蛋对外国人进行恫吓；“维也纳颇具英雄气概地做出了命运的决定……既不自负，也不示弱”，实为更多的笨蛋恫吓外国人；“我军光荣的首领正在做一项重要指示”，实为一个年老体弱的将军咕哝着让人费解的胡言乱语；“自由的士兵”实为那些被强制去作战的人。但是这种语言的确产生了巨大影响：军事当局也开始运用这样的话语风格，除此之外，正如我们所见，还有那些孩子们。一个小女孩拒绝和她的朋友一起玩，因为体育代表着英国和轻浮，德国人只工作而不进行体育活动。她的母亲却喜出望外，建议将她的“金玉良言”寄给《柏林晚报》。

这些并不是战争唯一的结果。相反，克劳斯认为，正是大众媒体创造力的缺乏，才造就了这样的战争结果：

> 在几十年的实践中，报社记者为我们呈现了如此缺乏想象力和创造力的内容，以至于我们因此正进行一场自我毁灭之战。这些机构泛滥的权力剥夺了我们的处事能力以及思考能力，因此它们能够向我们灌输面对死亡的勇气，好让我们有胆量冲锋陷阵……对生命的毁谤行为被虚伪的语言粉饰了。

因此，战争的关键在于“媒体引起的人类心灵的自我摧残”。他的论文《在这些伟大的时刻》的中心思想便是，“行动不仅能够催生报道，报道同样能影响行动”，因此，“如果报纸试图掩盖罪行，那么结果定会以罪行告终”。在《人类的最后时光》中，克劳斯同样强调了这一点：“报纸让整个世界硝烟弥漫。报纸充当着战争催化剂的角色……如果没有这些媒体，是否还会有战争？战争是否还会继续？”

然而那些媒体仍旧我行我素，正如一位记者所说，“我们必须以战争和新闻来吊起公众的胃口，每个人都不可能离开别人而活。”人们为“奥地利、德国和新自由媒体”而振臂高呼。“这些是我们的人吗？”在靠近前线的地方，一位记者问另一位记者。“你是指那些媒体大军吗？”另一位反问。克劳斯的一位密友“牢骚者”认为，战争带来的“国际化”，仅仅是白纸黑字的“国际化”。

站在一位现代读者的角度来看，这种论调必然会引起共鸣——之后的一些评论员，如沃尔特·本杰明、马歇尔·麦克卢汉以及让·鲍德里亚等人都证明了这一点。至少，这种观点让人们看清了大众媒体的权力以及报刊对战争的亢奋态度都不是朝夕间形成的。但克劳斯是正确的吗？他的言外之意是，战争带动了报纸的销量，让其赚得钵满盆满；的确，他将《新自由媒体》的老板莫里茨·本尼迪克特谴责为“坐在世界历史的收银机前的人”。尽管关于战争宣传的著作如过江之鲫，然而迄今为止还没有人试图从发行量和盈利额的角度来评价战争对于欧洲媒体的影响。

**表 8–1　英国几家报刊的发行量，1914~1918 年（单位以千计）**

| | 1914 年 | 1915 年 | 1916 年 | 1917 年 | 1918 年 |
|---|---|---|---|---|---|
| 《泰晤士报》 | 183 | | 184 | 137 | 131 |
| 《每日邮报》 | 946 | 1 105 | 1 172 | 938 | 973 |
| 《每日快讯》 | 295 | 373 | 434 | 450 | 579 |
| 《每日新闻》 | 550 | 800 | | | |
| 《每日纪事》 | 400 | | 750 | | |
| 《每日镜报》 | 1 000 | | 1 307 | | |
| 《每日概览》 | 800 | 1 500 | | 820 | |
| 《星期日报》 | 35 | | | | 50 |
| 《观察家报》 | 133 | 194 | 224 | 188 | 195 |
| 《世界新闻》 | | 2 000 | | 2 750 | |

**资料来源**：McEwen，“National Press”，pp. 468~483.

乍看之下，克劳斯是正确的，许多铁证表明，战争的确促进了报纸的销量。《每日邮报》的销量从战前的 94.6 万份飙升至 1914 年 8 月初的 150 万份，直到 1916 年 6 月，它都一直保持着 140 万份的优秀销售业绩。甚至在战争结束之后，其销量仍处在战前销售水平之上（见图 8–1）。

1914 年 8 月 3 日，某一家晚报的销量增长了 144%，但这一业绩记录在 12 月 16 日德国海军突袭东部沿海地区的爆料之后被打破了。《泰晤士报》的业绩在 8 月 4 日上升到 27.8 万份，并于下月增至 31.8 万。《新闻晚报》同样在 1914 年下半年赢得了近 90 万读者。战争期间，《每日快报》的销量几乎翻了一番；霍雷肖 · 博顿利的《英国人》在 1918 年年底的销售达到了 200 万份，这一数字仅次于《星期日画报》和《世界新闻》。

在法国，《早报》也有类似经历。在德国，《柏林日报》的发行量从 1913 年的 22 万份增长到 1918 年的 30 万份。1913~1918 年，德国报纸总发行量增长了近 70%。表 8–2 中 7 家媒体的数据显示了战争期间读者总人数的大幅度增长情况。

就连中立国家的媒体也从中受益，战争期间，《苏黎世报》的发行量翻了一番，《纽约时报》的销量与参战之前相比增加了 48%。毫无疑问，诺思克利夫关于战争催化报业发展的预言成为了现实，这个观点同样适用于电影行业。战前，德国只有一部新闻影片；截至 1914 年 9 月，这个数字攀升到了 7 部。到战争结束时，德国国内的电影

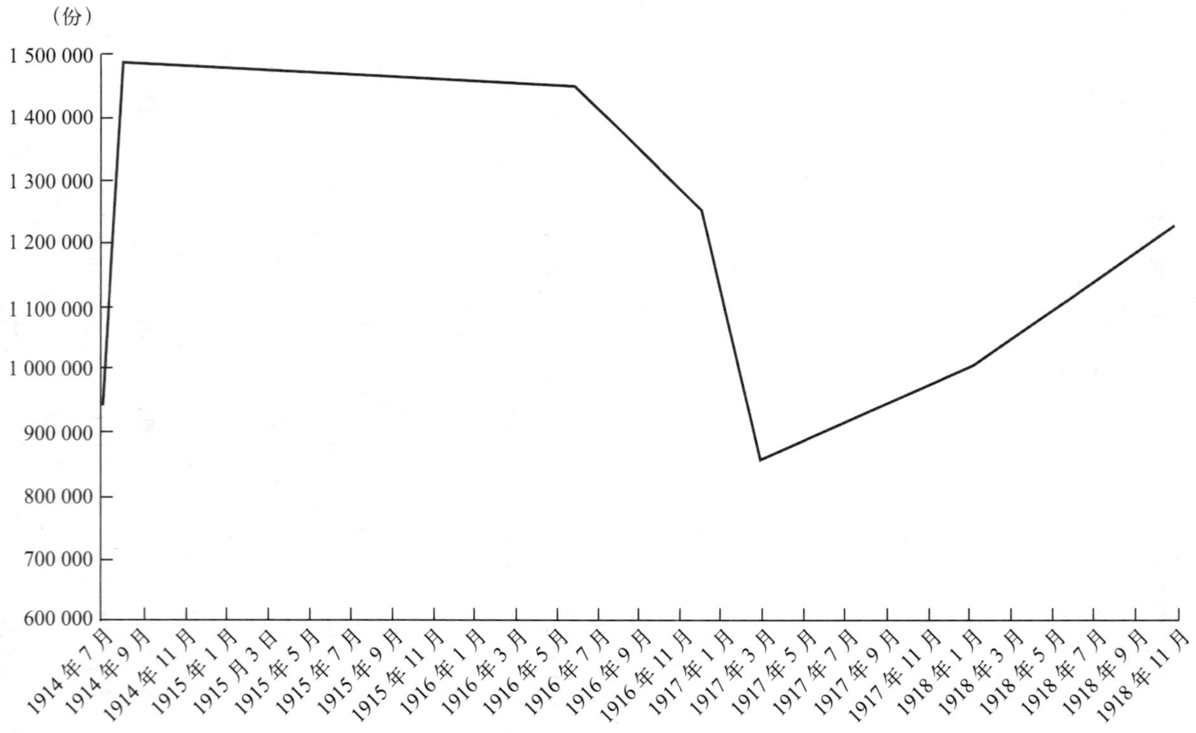


**图 8–1 《每日邮报》销量趋势，1914~1918 年**

**资料来源**：Grünbeck, *Presse*, vol. I, p. 150.

**表 8–2　德国几家报刊的发行量，1913~1918 年（单位以千计）**

| | 1913 | 1914 | 1915 | 1916 | 1917 | 1918 | 5 年内增幅（%） |
|---|---|---|---|---|---|---|---|
| 《柏林日报》 | 228 | 230 | 238 | 245 | | 300 | 31.6 |
| 《新奥格斯堡报》 | 38 | 40 | 38 | | | 58 | 52.6 |
| 《柏林晨报》 | 360 | 400 | 430 | | | 457 | 26.9 |
| 《科特布斯报》 | 16 | 17 | 17 | | | 28 | 71.9 |
| 《达姆城日报》 | 15 | 15 | | | | 22 | 51.7 |
| 《耶拿报》 | 6 | 7 | 7 | 8 | 8 | 8 | 30.6 |
| 《莱比锡新闻》 | 142 | 182 | 205 | 196 | 207 | 215 | 51.5 |
| 共计 | 16 320 | | | | | 27 720 | 69.9 |

**资料来源**：Heenemann, "Auflagenhöhe", pp. 70~86.

院数量上升了 27%，电影公司也从 25 家上升到 130 家。

然而，克劳斯的观点与事实仍有出入。英国的媒介数据显示，并不是所有的发行量带来的收益都是固定持久的。总的来说，《泰晤士报》在战争期间的读者数是下降的，其他报纸也经历了大起大落的局面，有些索性停滞不前，例如《电报》。有些报纸在战争还没开始时就已经增加发行量了；而有些报刊的销量并没有因为战争而上升，甚至有大量报刊（特别是社会主义报纸）丧失了读者群。此外，阻止高发行量转变为高利润额的原因中也存在一些经济因素的影响。与其他和军工生产毫无关系的服务行业一样，媒体也缺少人才，广告收入也随之一落千丈。纸张短缺和战争引起的物价飞涨同样对其造成了致命的创伤。在英国，从 1918 年开始，纸品实行定量供给，分配数量较之前下降了 50%，但在这之前，各家报刊已经由于广告收益的缩水而不得不减少版面。在法国，从 1914 年 8 月起，日报的版面减少到 2 页，但在一周指定的几天，这一上限也曾经增加到 6 页；到了 1917 年，由于资源的紧张而不得不缩小纸张尺寸，定为一周 5 天出报，每份限定 4 页。在德国，早在 1916 年 4 月，新闻用纸就已经开始实行定量供给了。版面的页数也因此有所下降，到 1916 年，柏林几家主要报纸的尺寸较战前都缩水了一半。各地的报纸印刷费用都在攀升，法国是原来的 5 倍多，甚至美国也增长了 75%。油墨和其他材料的价格也急剧上涨：在德国，这些物资的价格增长了 3 倍。然而虽然报纸在尺寸上缩水了，但标价却很难提升到用纸和油墨的成本价，因为害怕丧失读者群。《泰晤士报》的价格从 1914 年 3 月的每份 1 便士涨到 1916 年 11 月的每份 1.5 便士；1917 年 3 月，报纸价格为每份 2 便士，而到了 1918 年 3 月，价格升到了每份 3 便士。诺思克利夫同样被迫将《每日邮报》的价格翻了一番。随之而来的却是发行量的降低，这种现象在欧洲很常见。英国的大多数报纸都在战争期间涨了一倍的价格，法国的所有报刊在1917年9月被勒令涨价，截至1918年，88%的德国报纸是战前价格的两倍，中立国瑞士也出现了类似的情况。诚然，就连那些读者群基础相当稳固的报刊也在经受着财政困境。1914~1915年，《早报》的销售额锐减，并于1918年重新回到战前水平；当人们采取措施应对通货膨胀时，想要东山再起的梦想已经十分虚无缥缈了。

由于这些经济问题，导致多数参战国的多家报刊元气大伤。有些报刊很快就倒闭了，比如法国的《黎明报》、《管理报》和《巴黎报》，这些都是消失于1914年的明星报纸。德国约300家报纸在战争的头一年停止生产；截至1918年，3 000家报纸经历了至少停产一次的遭遇。德国的报社总数从1914年的4 221家跌至战时的3 719家，下降了12%。

不难想到，最大的受害者应当是小规模的报社。此外，有些报社即使已经渡过难关，却同样免不了成为更大的报刊出版者运用他们的战时资本进行扩张的牺牲品，进而丧失了自身的商业独立性。最显著的例子是克虏伯帝国的领导人阿尔弗雷德·胡根贝格，他接手了奥古斯特·舍尔的报业集团，包括《柏林地方报》及《日子报》。据一项调查显示，所谓的“母媒体”需要对旗下的905家报社负责。然而让人意想不到的是，在这项收缩合并中，不乏政府方面因素的影响。1914~1917年，当德国国内支持自由党政府、德国社会民主党以及中央党的报社比例从28.2%升至32.4%时，保守党报社的比例也相应地从22.6降到了16.8%。胡根贝格集团只是三家大型报业集团之一，另外两家在政治上倾向于自由党：这两家集团由鲁道夫·莫斯（拥有《柏林日报》、《柏林晨报》）和利奥波德·乌尔施泰因（拥有《柏林报》、《柏林晚邮》、《柏林晨邮》）的掌控。真正从战争中获利的是大的媒体集团，而并非整体的报业格局。

## 真　相

在这里还有最后一点需要申明。正如法国讽刺作家阿兰所言，这一时期一共发生了两场战争：一场是荷枪实弹的斗争，一场则是唇枪舌剑的斗争。但人们往往只认可前者的发生。没有战争，就没有战争宣传；没有暴行，就没有关于暴行的故事。尽管协约国媒体对入侵比利时的报道进行了放肆的夸大，但毫无疑问的是，德国人的确在1914年入侵比利时时犯下了“罪行”。从德国士兵的日记以及其他可信源头我们得知，所有的德国先头部队都曾有过杀害平民的行为，包括妇女和牧师。共有5 500名比利时平民被德国士兵蓄意屠杀，这些屠杀大多发生在1918年8月18日~28日的11天里；此外，还有至少500名法国人被杀害。德国人同样将平民当作人盾，将无数的村庄夷为平地，一位18岁的女孩被残忍地用刺刀杀害。在占领法国后，德国士兵对无数女性进行了奸淫，鲁鸠并非是在信口雌黄。

实际上，由这些事件引发的对国际法的质疑声音要比协约国的宣传中所表现的更为复杂。1899年的海牙会议并没有明文规定如何正确对待遭受侵略地区的平民；同样，它也没有规定不得对失败和被占领国中那些继续进行抵抗的人们执行死刑。在德国人的脑海里，他们并没有忘记1870年那些狙击手给他们的先辈造成的巨大伤亡，还有那些即便已经战败却仍然对他们进行伏击的法国游击队。1914年，在德国入侵比利时的事件引发的一片哗然中，疲惫不堪的应征士兵丧失了理智，他们将比利时平民表现出的任何敌意都当作是一种威胁，特别是当他们见到比利时公民警卫队人员只穿着传统服饰（布拉班特衬裙和臂章）时更是如此。即便是德国士兵对自己人造成了误伤，都要归咎为是那些阴魂不散的游击队员搞的鬼，这种情绪导致了对无辜的比利时人的报复。

然而，德国人在比利时的行为确实比俄国人于战争初期在东普鲁士或加利西亚地区的行为要恶劣得多，这一点德国人自己都不否认。奥地利士兵杀害了1 000多名塞尔维亚平民，而直到1915年2月，死在俄国人子弹下的哈布斯堡居民也只有22人。同样，1915年5月，当路西塔尼亚号客船沉没时，1 198名乘客葬身鱼腹（其中还有80名儿童和128名美国人），这是不可否认的事实。德国人为自己做出了正当的辩护，称该船装载着提供给协约国的军火弹药；同样，英国为了对德国进行封锁，侵犯了他国的海上自由，因而也是罪有应得。但是英国从未在对方不知情的情况下贸然将其船只击沉，皇家海军也并没有对中立国家的平民滥杀无辜。

希特勒认为应当从第一次世界大战协约国的宣传中吸取经验，那就是重复地说谎并且要大范围地散布谎言。在这一点上他是错的。真正的经验在于，最为有效的宣传往往基于事实。很不幸，协约国在关于尊重中立国家和非战斗人员的事情上比同盟国具有更强的道德感，这也是协约国仅有的优越性之一。另外，协约国比同盟国更富有。但是落实到战争这件事情上时，正如我们所见，这些都发生了改变，这是任何宣传手段都无法弥补的严酷现实。

# THE PITY OF WAR

第九章

# 恣意挥霍的经济实力

## 失 衡

对经济历史学家来说，从阿斯奎思内阁的大多数人将自由党人的踌躇抛在脑后，选择进行干涉的那一刻起，第一次世界大战的爆发便已成定局。在这场时长超过所有人预料、比所有人的预期都要昂贵的战争中，与英国结盟的那一方一定能够获胜。在没有英国的情况下，法国和俄国的国家总收入比德国和奥匈帝国要低大约15%。如果英国加入它们，那么情况会发生惊人的逆转：协约国的国家总收入会高出同盟国60%之多。1913年，世界制造业生产量的19%由同盟国承担，协约国为28%。如果按照肯尼迪的“工业潜力”的评估方式，协约国的优势比为1.5：1。在人力方面，协约国的优势更为明显。战争伊始，同盟国的所有人口（包括土耳其和保加利亚）大概为1.44亿，而英国、法国、俄国、比利时和塞尔维亚的总人口则达到6.65亿，这一优势比为4.5：1。1914~1918年，同盟国共有大约2 500万人参加战争，而其对手则投入了3 200万。诚然，同盟国想在1917年扳倒人口稠密的俄国，但其新的联盟国家会大大弥补它的损失（见表9–1）。

在财政方面，英国的加入同样因为其积累的巨大海外资本——大概要高出德国3倍——以及高端的金融体系而改变局势。1913年，俄国和法国的联合军事预算并没有比德国和奥匈帝国多多少，而英国的加入让这一差距扩大到将近1亿英镑。

**表9–1 双方人口统计（单位以千计）**

| | 同盟国 | 协约国（1914年） | 协约国（1918年） |
|---|---|---|---|
| 1910~1914年人口数 | 144 282 | 655 749 | 690 245 |
| 1914~1918年动员人口数 | 25 100 | 32 080 | 30 580 |

**注**：同盟国包括德国、奥匈帝国、土耳其和保加利亚；1914年协约国包括英国、法国、俄国、比利时和塞尔维亚；1918年协约国包括英国、法国、塞尔维亚、意大利、罗马尼亚、希腊、葡萄牙、美国和日本。

**资料来源**：Parker, *The Times Atlas of World History*, pp. 248f.

战争期间，这一差距仍然没有得到弥补。相反，同盟国正面临着经济缩水的局面，而主要协约国的经济却出现了回升。表9–2评估了四大主要参战国的国民生产总值以及国民总收入。根据数据显示，德国的国民生产净值缩水了1/4左右，奥匈帝国的情况则更为糟糕。与此相反，英国和意大利在 1914~1917 年的实际经济增幅为 10%。革命失败之后，俄国的情况并没有得到好转，其 1916 年的总产值仅超出 1913 年的 1/5。

**表 9–2 四大参战国实际国民生产净值/总值统计，1913~1918 年（1913=100）**

| | 德国 | 英国 | 俄国 | 意大利 |
|---|---|---|---|---|
| 1913 年 | 100 | 100 | 100 | 100 |
| 1914 年 | 88 | 101 | 101 | 97 |
| 1915 年 | 79 | 109 | 114 | 104 |
| 1916 年 | 78 | 109 | 122 | 111 |
| 1917 年 | 76 | 109 | 77 | 113 |
| 1918 年 | 73 | 107 | — | 107 |

注：德国计算国民生产净值，英国和意大利为国民生产总值，俄国按国家收入计算。

**资料来源**：Mitchell, *European Historical Statistics*, pp. 409~416; Stone, *Eastern Front*, p. 209; Witt, *Finanzpolitik*, p. 424; Lyashchenko, *National Economy*, p. 697, gives lower figures for Russia.

贸易的崩溃和每况愈下的物质生产量为双方的工业制造了重重困难。然而，德国的工业产量衰退现象尤其严重（见表 9–3）。根据数据显示，1914~1917 年，英国的订单数量减少了 10%，德国减少了 25%。而俄国的情况正好与此相反（同样有力地反驳了沙皇经济必然灭亡的观点），其工业产量从 1914 年到 1916 年增长了 17%之多。

1913~1918 年，除了有色金属（德国一直进行该类商品的进口），德国所有主要工业的产值均出现了下滑，采煤业下降了 17%，钢铁生产下降了 14%。而英国则恰好相反：尽管煤炭产量下跌了 20%，但其钢铁产量上升了 25%。此外，截至 1916 年，俄国的煤炭产量增加了 16%，与此同时，石油产量（这也是同盟国长期稀缺的资源）增加了 7%，钢铁生产也有小幅度的提升。德国的发电量从 1913~1918 年增长了 62%之多；但英国和意大利两国，甚至还有法国，其产量也都同样翻了一番。

**表 9–3 四大参战国工业生产指数（1914=100）**

| | 德国 | 英国 | 俄国 | 意大利 |
|---|---|---|---|---|
| 1914 年 | 100 | 100 | 100 | 100 |
| 1915 年 | 81 | 102 | 115 | 131 |
| 1916 年 | 77 | 97 | 117 | 131 |
| 1917 年 | 75 | 90 | 83 | 117 |
| 1918 年 | 69 | 87 | — | 113 |

**资料来源**：Mitchell, *European Historical Statistics*, pp. 181ff; Wagenführ, "Industriewirtschaft" p. 23; Stone, *Eastern Front*, p. 210 (again Lyaschenko, *National Economy*, p.761, gives lower figures for Russia).

因此，同盟国对其敌人的经济打击从来都不是致命的。诚然，法国在战争中丧失了一半的煤炭储量和2/3的钢铁资源，而这些都灾难性地发生在防守力量弱小的北部地区。然而到1917年，煤炭的产量重新恢复到战前水平的71%，钢铁产量也回升到42%。被占领的比利时也并非如人们希望的那样拥有丰富的煤炭资源：战争期间，比利时的煤炭生产量下跌了40%，钢铁生产也或多或少地趋于停滞。罗马尼亚的处境同样不乐观：1916年到1918年6月，在德国的入侵笼罩下，其粮草产量仅有180万吨（仅占德国年产量的6%），因为小麦收成暴跌至战前的25%。的确，俄国1917年革命的失败重挫了1914年以来的巨大生产力，但美国的参战弥补了这一损失。在“工业潜力”方面，由于有美国的支持，协约国的优势比成为2.6：1。1913~1917年，美国的钢铁产量惊人地增长了23.5%。德国人在无休止的战事上的孤注一掷将美国也卷入其中，但是他们修建潜艇的速度远不及协约国。1917年，德国造船厂的造船量下降到其战前水平的1/5，而英国却保持有70%的产量。在美国，造船量从1914年到1917年增长了4倍；到战争的最后一年，这一涨幅更是达到了14倍，让人瞠目结舌。

略显矛盾的是，德国的农业在某些作物的增产上取得了不小的成就。例如，烟草的产量有所增加，葡萄酒产量增长了逾170%，但糖类的产量却不及生铁的产量多。很不幸的是，相比之下，德国人的生活必需品——面包的产量显得并不尽如人意。谷类的总产量从1914年到1917年暴跌了将近一半（表9–4中关于小麦的产量数据并未反映出这次危机的严重性：燕麦的产量已经跌了62%）。主要作物每公顷总产量的下降主要归咎于英国实施封锁之后无法进口肥料，而德国内务部在战前万万没有意识到这一问题的严重性。就算运用哈伯博斯制氨法，增加碳酸钾和硝酸盐类化肥用量也无法对其进行弥补。所有欧洲参战国的啤酒产量都有所下降，但同盟国的情况更为糟糕：德国的啤酒产量下降了2/3，与此相比，英国只下降50%。德国的猪肉和家禽的数量也有巨大下滑，牛的数量的下降幅度虽然在数字上略低，但也很明显，屠宰和畜牧业的平均产量也降低了许多。不可否认的是，当时许多国家的气候也并非风调雨顺。奥地利和法国的农业都不见起色，就连美国的小麦作物产量都下降了28%。但匈牙利和英国的小麦产量却出现了上升趋势，至于俄国和意大利则仅有略微下降。

**表9–4　小麦产量，1914–1917年（单位为千公吨）**

| | 奥地利 | 匈牙利 | 德国 | 保加利亚 | 英国 | 法国 | 俄国 | 意大利 |
|---|---|---|---|---|---|---|---|---|
| 1914年 | 1 376 | 2 864 | 4 343 | 632 | 1 772 | 7 690 | 68 864 | 4 493 |
| 1917年 | 163 | 3 354 | 2 484 | 791 | 1 784 | 3 660 | 60 800 | 3 709 |
| 变动比率 | –88.2 | 17.1 | –42.8 | 25.2 | 0.7 | –52.4 | –11.7 | –17.4 |

**资料来源**：Mitchell, *European Historical Statistics*, pp. 108~125; Stone, *Eastern Front*, p. 295.

贸易方面，协约国的优势继续领先于同盟国：后者无法从已经变为敌方的中立国家进口物资。毫无疑问，英国海军对德国海上贸易展开的打击造成了相当严重的经济崩溃局面。德国海运杂志《汉莎》于 8 月 1 日预言说，如果英国加入战争，“德国的经济生活将遭受史无前例的打击。”事实也确实如此。既然德国海军没有能力夺取控制北海的权力，那么这便意味着战争爆发时，德国泊在国内的商船会被有效地限制在波罗的海一段时间，而它们也会时不时地入侵北海。而这件事造成的结果是，到 1915 年，德国的进口水平降到了战前的 55%。难怪之前那些亲英人士（如船商阿尔贝特 · 巴林）突然痛骂英国采纳了“让人恶心的”“卑鄙船商的阴谋”，“只为了将我们从世界市场中排挤出去”。

但是，英国实际的海上封锁与英国的海军主义者头脑中设想的致命法宝还相去甚远。一开始并没有人阻止流向中立国家的大批物资，但这些物资很可能落入德国人手中。的确，在战争的前 9 个月时间里，英国向北部中立国的出口和再出口量从 10% 一跃达到总出口的 24%，而这些商品有许多都流向了德国。协约国还大费周章地从中立国家进行预防性的物资采购，以免这些物资被敌军侵吞。此外，美国加入战争后，其向同盟国的中立邻国出口的物资大幅度下降（从 1915~1916 年的 2.67 亿美元下降到了 1917~1918 年的 6 200 万美元）。我们同样不该忘记，中立国的船只对英美关系曾起到了多大的破坏作用，特别是当英国政府于 1916 年 7 月公布了其列出的美国公司黑名单时。这些公司被怀疑与同盟国进行交易（更糟糕的是，与美国海上交易出现瓦解的同时，英国还忙于镇压都柏林的爱尔兰自治运动）。与此相反的是，德国的潜艇部队成功地降低了英国的粮食进口量：1917 年，其进口量是其 1913 年的 75%，到了 1918 年，这一比例变成了 65%。但这还远远不够：护卫体系的引进使得潜艇袭击的成功概率锐减，美国新建船只的速度大大超过了德国的破坏速度，而英国国内粮食产量的增加和定量配给制度的引进缓解了其粮食短缺的问题。因此，海军力量并非是左右战争的决定性因素。

因此，尽管战前有近 48% 的进口物资来源于德国的如今的敌国，但它仍然能够寻求替代资源——在与斯堪的纳维亚等其他邻国的交易中，其贸易逆差达到了 150 亿马克，相当于战时总进口的 46%。但是，这一数字在俄国、法国和意大利等国同样很高，甚至高于德国（见表 9–5）。德国战时的平均贸易逆差是其国民生产净值的约 5.6%；而英国相对应的数据则是其两倍（11.3%）。德国之所以处于劣势，有一部分原因是英国的海上封锁导致的；此外，或许另外一个更重要的原因是德国缺少无形收益、海外资产积累以及能够负担得起庞大贸易逆差的海外贷款。战争期间，英国从“无形收益”（主要是航运）中赚得 24 亿英镑，共花费 2.36 亿进行海外投资，并从海外借得 12.85 亿。德国却无法与之抗衡，主要是因为敌人的手段在一定程度上要比直接进行海上封锁高明得多。1914 年 8 月，德国人持有 9.8 亿~13.7 亿英镑的海外投资值，大多数资本却为敌国的经济添砖加瓦。通过立法（从《第一次外国敌对势力清盘法令》开始），英国、法国、俄国，包括之后加入的美国都将这笔金额的至少 60% 进行了查处和没收。德国商行在英国的分行立刻发现其资产遭到了剥夺。航运领域受到的打击尤为剧烈，通过击沉或没收充公，德国的承运人丧失了 639 艘商船，总吨位达到 230 万英吨——这一惊人数字达到了战前总商船数量的 44%。因此，德国根本谈不上拥有什么无形资产，通过兜售外国证券筹措了高达 1.47 亿英镑的资金。为了给支付赤字付账，德国不得不销售价值高达 4 800 万英镑的纯金（为英国的两倍），并从外国供应商那里进行短期私人借贷。

**表 9–5 战时平均年贸易逆差比率表**

| | |
|---|---|
| 英国 | 41.5 |
| 法国 | 63.0 |
| 意大利（1915 年起） | 66.6 |
| 俄国（至 1917 年） | 58.3 |
| 德国 | 45.8 |
| 奥匈帝国（至 1916 年） | 55.7 |

**资料来源**：Eichengreen, *Golden Fetters*, pp. 82f.

## 龟与兔

让人不解的是，抛开曾面对着协约国在战争期间所享有的巨大优势，长期以来历史学家们总是偏向于对德国战时经济的体制缺陷耿耿于怀。尽管经济实力的差距可能已经足够成为同盟国输掉战争的理由，但历史学家们仍然坚持对德国政府的失误加以指摘。

普遍认同的一点是，德国人在经济动员上比其对手显得更为慌乱无序。但这种说法是自相矛盾的，因为比起德国的敌人英国，德国的商人和政客在思想上更为倾向于接受经济领域大规模的国家干预。事实上，之后有些历史学家试图将德国的战时经济描述成一种新型的经济模式——“计划经济”、“国家社会主义”、“共同经济”、“国家垄断资本主义”、“有组织的资本主义”等，德国在第一次世界大战中的落后可以归咎于这些理念。但事情远不止这么简单。实际上，德国并不高明的官僚主义以及缺乏现实主义的军事首领着实将其战时经济实力逐渐耗损，典型代表为兴登堡计划中粗鄙而失败的经济干预政策。

英国的历史学家倾向于对与上述概念互补的观点进行宣传。实际上，英国加入战争出于十分天真目的，“照常营业”这个短语可以说明这一点（由H·E·摩根提出，之后演变成哈罗德的广告语）。与其说这种态度源于自由放任主义的教条，不如说是因为所有人普遍认为这场战争仅为传统的海战而已。物价并没有得到控制，出口和航运亦如此。但是1915年发生的一系列令人震惊的事件惊醒了梦中的英国人。在英雄人物劳合·乔治的带领下，按照他创造的军需部的组织原则行事，英国极佳地适应了全面战争的迫切需要，它唯一的过失是战争刚结束时便忘记了自己从这场战争中学到的东西。因此出现了一个让人愉快而又矛盾的事实：外行者英国在经过一番探求、摸索和犯错之后，却暂时战胜了德国行家。1916年6月，《格拉斯哥先驱报》自鸣得意地做了如下一番评价：

> 在严格的制度体系和条约规章（诸如德国）之下，我们难以生存下去，而当这些限制达到一定程度之后，它自身也会崩溃……诚然，我们过于“敷衍了事”，但是举目环顾，有没有另外的国家能够像我们这样优秀并且最终做到极致呢？

我们甚至也可以将法国的经济政策做如此描述。艾蒂安·克莱芒泰尔充当了劳合·乔治的角色，他稍后同样赋予商务部以组织效力。杰伊·温特认为，英国和法国都“在国家资本主义之内进行一场独特的、并没有提前进行规划的尝试”，而这种尝试“相对来说是成功的”：

> 对英国来说，参战的日子从来都不是“做生意”的日子。也就是说，战争物资的生产被限定在一个框架内，该框架将国家的利益凌驾于“企业主”的利益之上……对大部分英国民众来说……处于战时状态的国家在这一方面是成功的，即向军人和平民运送物资的方面。

与此相反的是，德国采取了一种“社团主义”的体制：

> 这种体制将经济的管理移交给混乱的官僚系统，大公司和军队从此被控制在这些人手中。这直接引发了混乱局面。劳动力长期短缺，而大公司的盈利却节节攀升……接踵而至的是逐渐加速的战时恶性通货膨胀、实际工资的锐减以及危机统治者自身的生存危机。德国的战时经济……是最早履行“军工一体”政策的案例，同样也是最不成功的。在德国经济危机时采用“社团主义”的解决方式根

> 本无法奏效……德国的领导人从未能够对战时经济进行有效的政治把控……因此，他们更无法指望平衡各竞争部门对稀缺资源的需求。事情的结果演变成普遍混乱。实际上，产业战的压力已经缓解了德国的情形，但仍有一些方面不容乐观……这些情况着实成为战争爆发的历史背景……

温特进一步指出，“如果德国工人在1917年到1918年争取到与英国相当的实际收入水平，并且如果他们的家庭能够保持和英国家庭相一致的营养摄入量，那么战争的结果可能正好相反。”他认为（基于他在柏林的一项调查），德国人缺少“公民权利”：

> 而在巴黎和伦敦，公民应得的权利使得当局不得不在平民和军人的基本物资需求和服务需求之间寻求平衡、均等分配。因此，社区团体在战争中保留了下来……而在柏林……一切都是军人至上。相应地，经济也必须完全为之服务，这严重地扭曲了后方的经济平衡。

简而言之，协约国的体系更能够体现出“公平与高效”。

这种情形与龟兔赛跑的故事极其相似，但归根结底，这终究是个“故事”。如果协约国的效率真比同盟国更高，或是在资源分配上更为合理，那么1914~1918年的这场战争在时间上将会被改写：或许1916年到1917年冬天——德国国内出现最糟糕的局面时，它就已经结束了。关于战时经济的文学作品完美地揭示了在没有比较研究基础上撰写国家历史的危险。一旦进行对比我们便可得知，关于“有缺陷的组织”的假设无异于极右势力和德国军事领导层在输掉战争后极力宣传的“背后中伤理论”的更为体面的说辞。单纯将罪名从“十一月罪行”（针对社会主义者和犹太人）转移到德国战时领导人根本无法揭示问题的本质：德国人输就输在后方。正相反，考虑到资源的有限性，我们有充分的理由相信，德国人明显比其西方对手在动员战时经济方面做得更好。

对德国经济动员的消极观点部分源于当时的悲观情绪。战前曾有人设想，德国军事当局就是国家效率的象征。1914年8月，阿尔贝特·巴林还能够“从总参谋部的严格控制和成就中获得分一杯羹的喜悦”。但政府其他部门的行为几乎立刻让他的美梦化为泡影。8月6日，巴林和马克斯·沃伯格被迫来到柏林，与内务部、财政部、外交部和德国银行的官员共同探讨粮食进口问题。此次行程因为会上出现的一片惶惑而显得混乱无序（行程期间，他们还曾多次被反间谍武装纠察队拦下搜查身份）。这种局面源于外交部提出的错误假设：德国会以某种方式利用美国的商船队。随着战事的推进，当巴林试图弥补协约国而对其公司商船造成的巨大损失时，他却更为悲观失望。再加上政府阻止他销售停泊在中立国家港湾的船只，他就更为深刻地感受到这种绝望。1918 年 2 月，巴林谴责“将国家经济和国际贸易拖到练兵场的危险行为”，并且呼吁要“从柏林的计划经济中恢复经济自由”。

当然，巴林的身份是汉堡自由贸易者。与之相反，德国电气工程公司的瓦尔特·拉特瑙却早就认同了这样一种观点：战争将使德国的经济从自由市场体系转变成一个基于社团组织和计划的类似于社会主义的体系。早在 1914 年 8 月 14 日，他在其回忆录中便提出成立战争原材料部门；此外，他还宣布抛弃个人主义以及“1914 年 8 月以前，这个世界向之祈祷的上帝”。之后，在他的作品《即临之事》（*Things to Come*, 1917）中，拉特瑙描绘了他对于德国“共同经济”的空想见解。然而当他于 1915 年在考纳斯会见兴登堡时，却强烈地感受到一种失望：

> 兴登堡身材魁梧，略微发福，他的双手丰满而柔软，他的脸庞下半部与肖像中的如出一辙……但是他的鼻子却不甚牢固，眼睛也显得水肿呆滞……我们之间的谈话交心且友好，但却毫无收获。他的言谈生涩无趣。谈话最后，我告诉他自从路得和布吕歇尔时期以来，德国从未出现过一致的意见，他以其一贯的谦逊而友好的口吻回答，他不需要这样的激情，但却担心这样做会在这个国家中激起嫉妒和憎恶。我对他的观念吃惊不已，当我正想转移他的注意力时，他却又回到这个问题上来。

正如许多其他商人那样，拉特瑙又将他的英雄崇拜转移到兴登堡的副将鲁登道夫身上来，但事实证明这种改变同样愚蠢而无果。1917 年 7 月，拉特瑙试图以完全经济的观点说服鲁登道夫，德国需要一场国内政治改革，并要尽快进行和平协商。他控诉道，德国的“权力结构”已经变得“难以置信地混乱”：

> 副总理毫无权限，因为他们受到宰相的限制；如果宰相没有得到军事总部的确认，也无法自由行事。军事总部中，鲁登道夫的权力又受兴登堡的制约。而只有当德皇拍着兴登堡的肩膀首肯后，他才能行使权力。德皇本人又认为他应当按照宪法规定来决策，就此这个权力圈子也就最终陷于终结了。

在莱茵–鲁尔地区通过兼并的方式来保护德国工业已经不再值得首肯：“如果战争持续超过两年，我们将不用再为亚琛的工业担心，因为那时候我们还不知道那里是否还会有工业了。”但鲁登道夫仍然不明白这一点。

巴林和拉特瑙只是众多愤懑者的代表。德国的商人——特别是柏林之外的商人——没完没了地对政府处理战时经济事务的方式表示愤慨。汉堡商会主席曾痛斥“军火公司几乎控制了所有交易……将军队合同独家承包给柏林工业……联邦议会还颁布了名目繁多的限制商业活动的法令。”在战争的最后一年，就连重工业发达地区的人们都怨声载道，代表人物是胡戈 · 施廷内斯。德国农民也一直对政府分配食物这件事情上异常愤怒。

然而，历史学家们往往会刻板地看待这些抱怨声（正如他们刻板地对战前抨击德国军国主义的声音进行研究一样）。如果我们仔细研究一下其他国家的战时经济状态，我们就会发现，所有国家都面临着同样的问题。如果考虑到德国资源短缺的客观状况，那么我们便不必纠结于它的低效了。实际上，协约国才是在动员经济方面真正低效的一方，甚至可以说达到了挥霍的程度。诚然，德国存在着官僚作风，但问题是英国、法国和俄国的官僚作风有过之而无不及，只不过德国最终输掉战争的事实掩盖了这些弊病。但是恰当的比较研究至少可以推翻这样一点：德国输掉战争是因为其国家组织的相对低效。

## 采购与原材料

在任何一个国家中，都需要花费些时日，才有人跳出来质疑以下这个最为基本的假设：锐增的军需应当通过减少以盈利为目的的私人企业承包成本来得到满足。困扰德国战时采购的最常见的问题是，为了均衡每个省之间相互矛盾的利益，军务部不得不采取按照一定方式进行承包分配的手段（例如按照人口比率等）——很显然，这种手段非常不合理。但相比而言，英国和法国的体制更为荒谬。商人乔治 · 布思无法理解战争初级阶段陆军部组织采购为何会如此混乱，他与其他商人一起提出了自己的意见，阿斯奎思对其进行了考虑。首先，订购的武器装备远远不够，许多天价装备更是贵得离谱。而最后，为部队提供的衣物又出现了过量的情况。在军火提供方面，1914~1915 年期间出现了困扰协约国采购的情况，英国的“弹药危机”促使于 1915 年 6 月成立了军需部，俄国亦出现了类似情况，阿尔伯特 · 托马斯甚至和法国军火公司之间还发生过摩擦。但接下来的举措只有和之前的局面相比才显得差强人意。随着英国国家制造厂的贡献越来越大，私人企业利润率所承受的压力也越来越大。在巨大的利润趋势下，法国的弹药生产超过了英国；但 1916 年年底，法国为了扩大国家生产而在合奈修建了一座巨大的兵工厂；这项努力最终被证明为战争期间所犯的最严重的经济错误：建造花费高达 1.03 亿法郎，但其产出的可利用的合格产品只价值 1 500 万法郎。

相比之下，德国人则从来没有犯过这样的错误。他们从来没有经历过严重的弹药短缺的情况（见表 9–6）；到 1918 年，协约国拥有的不同口径的枪支比德国多 30%，战机多 20%，但这一差异并不是导致鲁登道夫春季进攻失败的首要原因。德国最致命的弱点是缺少坦克和装甲车——仅有 10 辆，而协约国却拥有 800 辆之多；同样缺乏的是卡车（德国拥有 2.3 万辆，而同盟国拥有 10 万辆）。造成这种装备不足的原因是否是燃料（以及橡胶材料）的不足或是因为最高统帅部的科技劳工运动还有待商榷：但无论如何，坦克应当是德国工业擅长制作的产品。

**表 9–6　英国和德国军工生产一览**

| | | 1914 年 | 1915 年 | 1916 年 | 1917 年 | 1918 年 |
|---|---|---|---|---|---|---|
| 机关枪 | 英国 | 300 | 6 100 | 33 500 | 79 700 | 120 900 |
| | 德国 | 2 400 | 6 100 | 27 600 | 115 200 | |
| 步枪 | 英国 | 100 000 | 600 000 | 1 000 000 | 1 200 000 | 1 100 000 |
| | 德国 | 43 200 | | 3 000 000 | | |
| 爆炸物（吨） | 英国 | 5 000 | 24 000 | 76 000 | 186 000 | 118 000 |
| | 德国 | 14 400 | 72 000 | 120 000 | 144 000 | |

**资料来源**：Hardach, *First World War*, p. 87; Herwig, *First World War*, pp. 254ff. (using monthly figures multiplied by 12).

商人是否在德国的战时经济中拥有过剩的权力？战争年代所催生的创新之一便是成立了向托拉斯工业消费者进行原材料分配控制的具有垄断性质的团体，即所谓的“战争公司”。该团体受到同样是新诞生的官方机构——战时原材料办公室（KRA）的监管。直到战争结束，总共有 25 个“战时公司”控制所有物资的分配，例如金属、烟草。尽管这是商人的创新成果，但这种运作方式的确无可指摘。实际上，对KRA颇有微词的是汉萨同盟，他们对这种越发集权的趋势感到反感——而这种趋势可能会被理解为该系统在发挥作用的证明。遭到公开反对的还有德国向诸如莱茵兰–威斯特伐利亚煤炭企业联合组织这样的工业卡特尔委托设定工业生产目标的行为。这使得大公司及其保护组织不仅得到规范基本物质资料产量的权力，同时还能够控制价格。毫无疑问，政府将很难在供不应求的情况下对物价进行把关，而这必然会让大企业牟利。最后，德国将过多的注意力放在了诸如德国工业中央协会和工业者联盟这样的商业联盟上，这导致了战时德国工业战争联合委员会的成立。

然而除了依赖大商团，又有什么别的选择呢？很快我们便能发现，在所有国家中，最能够克服战时经济在国家组织上表现出的弊端和缺陷的，是那些有大企业经营经验的商人：与他们相比，大部分公务员都无法达到这种水平。像威廉·贝弗里奇这样的官僚者可能会对这些“外行”控制英国战争的努力付之一哂，但那些屡试屡败的旨在让国家直接控制生产的尝试也不是毫无重要性可言。关键是哪个国家能够在私人商业利益和战时经济需求之间寻求最佳的总体平衡。不管人们如何称呼德国的体制——“社团主义”在战时看来也未必是一种滥用——至少它能够将商业和国家之间的关系进行规定和制度化，但这种方式并没有使任意一方满意。

相反，法国的商人继续将国家视为一位消费者，而不是合作伙伴，直到战争较晚的阶段。由合奈事件导致的驱逐托马斯的运动将商人路易斯·卢舍尔于 1917 年 9 月推向了军备部长的职位，这场运动也是一些商业利益者对成立国家军工厂决定的反抗。直到 1917 年年底，法国才成立了合适的机构，协助分配原材料。尽管克莱芒泰尔于 1918 年 6 月否定了这一点，但为分配原材料而成立的法国资本家联合会在本质上与德国的战争公司有异曲同工之处，只不过诞生的时间晚了一些罢了。就此而论，德国建立“社团主义”的体制与其他国家相比更为迅速，这是其强大之处，而非弱点。

英国同样有一套专门的手段，将商人卷入了战争。比起成立权力机构共同协作，劳合·乔治更倾向于将商人从其商务业务中抽离，提供给他们政府职能方面的工作。将这群“干劲十足的人”招进公共部门的过程颇具传奇色彩。毫无疑问，像乔治·布思和阿尔弗雷德·蒙德这样的人上手很快，但克里斯托弗·艾迪生这样的文职人员对他们处理文书工作过程中所表现出的混乱无序相当恼火。另外一点可以肯定的是，当他们接受一项文职工作时，他们会谨慎地区别对待私人利益和公共利益。但如果把这些人看作战时英国国家与商业之间的典型关系的缩影也是不妥的。与其德国同行相比，统摄武器装备市场的英国大型企业在其价格政策上明显没有受到更多的限制。D·A·托马斯（即之后的朗达勋爵）认为煤炭工业从一开始就受到公共控制，但并非所有的煤炭主都赞同他的观点，有些人甚至到 1917 年还在反对这种控制。实际上，自煤炭监管局于 1917 年成立起，煤炭行业就被置于国家的有效控制之下，但并没有证据表明这种举措能够促进生产。事实上，煤炭监管系统被人们形容为保证煤炭主赢利的系统。工程雇主们（特别是克莱德赛德的那些雇主）明显不想轻易放弃战前形成的这种对抗性工业关系。那些曾经试图在格拉斯哥解决纠纷的公职人员多次发现，雇主们与员工一样持反抗心理。

1917~1918 年，美国国内也出现了类似的问题——在它参加战争之后，接踵而至的是经济严重混乱的局面。1917 年 7 月，由银行家伯纳德·巴鲁克成立的战争工业董事会完全无法胜任动员经济的任务。“如今，”该董事会的一位成员于 1918 年 1 月抱怨道，“我们的政府中已经无人能够行使决定权了。”

当我们将西方国家的经历和遭遇同俄国的做比较，便会发现一些有趣的事情，在产量绝对增长方面，俄国的战时经济取得的成就是最为显著的。在俄国，大企业在与战争军务部的较量中取得了胜利：弗拉基米尔·苏克霍姆里诺夫曾顶住压力，试图促进私营企业的武器生产，但他的下场却是遭到解职，并于1915年5月被捕；一个新的部门应运而生——由彼得格勒工业组织代表的“国防事业审查和调和制度特别委员会”。正如德国，俄国的其他商业团体亦对康采恩的垄断怨声载道，一系列“战时工业委员会”和当地政府对原材料和商业订单的分配进行了过度干预，出现了资源浪费、虚增利润和渎职失职等现象，例如乌拉尔河大工厂主索罗多斯尼科夫以及彼得格勒的普季洛夫——这二位都曾诈骗国家高达百万的资本。虽然弊病丛生，然而这种体系终归不负众望，从军备生产的数据中便可见出其积极的一面：俄国的火炮产量在1916~1917年超过了英国和法国，截至1918年11月，其弹药储存量高达1 800万。

对各国之间的商业盈利水平进行对比后，结果显示，德国并没有偏离正轨。克虏伯公司的盈利在1916~1917年期间从3 160万马克飙升至7 970万。胡戈·施廷内斯在原有的煤炭和钢铁帝国之外进一步开拓市场，通过购买轮船公司和其他运输公司的股份，作为其“垂直整合”策略的一部分。在AEG公司的战时项目中，拉特瑙对航运和造船业进行了投资：这便是之后著名的汉莎航空公司的雏形。钢铁巨头希望炼铁厂同样通过向新成立的造船厂——德国造船厂进行投资而赚得盆满钵满。造船业的确是德国战时工业水平的侧面体现。布洛姆和福斯公司（该公司在战争期间共收到97份建造潜水艇的订单）的净利润从1914~1915年的140万马克稳步攀升到1917~1918年的270万马克（占其资本的13.5%）。此外，该公司具有将年产量扩大到60万吨的能力，它还获得了一片新船埠和机械制造厂，因而其股份资本从1 200万马克增至2 000万马克，同时其劳动人数从10 250人增加至12 555人。但该公司并不是个例：1914~1920年，德国13家主要造船厂的资本增加了120%。战争期间机械工业领域的就业率仅上升了6.6%，但造船业的就业率却猛增了52%。政府坚信，“造船工业在战争期间表现出色，超越了和平年代的水平”。同时政府还谴责这些船商为隐瞒其真正盈利程度“不择手段”。

但仅凭这一点可能夸大了战争期间的盈利水平。扩大劳动力的最根本原因是任意征兵造成的劳动人员素质的普遍下降。如果考虑到通货膨胀的原因而将布洛姆和福斯公司的利润进行压缩，我们会发现1914年全年的盈利仅有轻微上升，按照占总资本的比率来算，仅从11.4%上升到13.5%；造船厂的扩建在一定程度上说无异于对战后造船业需求抬升的预期和赌注。此外，其盈利额已经超过了平均水平：总的来看，德国的工业利润占总资产和储备金的比率从1913~1914年的8%上升到1917~1918年的

10.8%。整体上，德国的钢铁工业面临的情况最为棘手；除了造船厂之外，汉萨同盟城市的情形更糟糕。衡量商业发展情况的一个很好的指标是按实值计算的合股总资本的收缩量。德国总股资的实值在战时下跌了14%，汉堡则下降了逾1/3。轮船公司和小型交易所遭受的打击尤为剧烈，其战时资本损失超过了其他所有部门：根据赫伯罗特股份公司的战后统计，其总资产实值损失了25%，如果仅考虑实物资产，这一数字将上升至53%。利润也暴跌：根据该公司战后的统计数据，在通货膨胀的背景下，其在战争年代的利润仅为4 390万马克，较年度利润相比下降了84%。

其他国家的经济情况略显差异。法国、英国，特别是俄国的军工厂的名义利润大幅度增长，而在公布的数据中，或许这种增幅只是保守估计。英国的诺贝尔爆炸物工厂的盈利增长了3倍，而化工公司布伦纳的利润也上升了50%，航运的税后盈利也增长了1/3。总的来说，矿业的盈利在战争期间增长了3倍，例如加迪夫煤矿有限公司在1916年达到了事业高峰期，但调控政策下的课税可能会使利润实值略低于战前水平。考陶尔德公司和利弗兄弟公司的资本总额也大幅度提升。俄国的企业盈利甚至更高。俄国的冶金工业总利润从1913年占总资本的26%上升到1916年的50%；金属加工业的相应数据分别是13.5%和81%。就连英国农民在战争期间的盈利都比德国工厂要多：农场盈利占资本的比例从1909~1913年的6.1%到达1917年的峰值——14.3%。按照相对价值计算，不仅是德国，英国、法国和俄国的小企业全部败下阵来。

从多方面来看，所有国家的战时经济实际上都面临着同样的问题，在铁路运输方面便可窥见一斑。在德国，大部分铁路从修建之日起便归为国有，因此将其置于帝国的控制之下体现了管理集中制；然而法国和英国政府不得不对在形式上仍旧保持私营性质的公司施加管控。但是战时的经济管控在本质上达到的效果是一致的，所有国家的货运量都有所减少。例如在德国，现有的货运量降至战前的59%，法国的相应数据为66%。然而国家管控保证了铁路线军用的合理性：德国花费在建造火车头的经费超过了战前水平的23%。俄国的铁路网也同样得到了良好的维护——1914年8月到1917年9月，国家为此共花费了25亿卢布，但它不得不承担起运送暴涨的旅客人数和货运量，而这一切都是由战争导致的经济增长而引起的。

航运方面的情况有些不同。在德国，政府除了现金赔偿因为敌军行动而造成的船只损失外，对该领域可以说是无计可施。一开始，英国政府试用过保险补助的办法，但后来不得不成立需求委员会来保证优先供应食品；1916年1月，航运管理委员会也应运而生；1916年12月，航运部最终成立。在航运领域，法国基本上是依赖英国的。对同盟国来说，贸易控制明显更为简单，因为它们仅有很少的贸易需要控制，何况奥地利人相对来说更好欺负（但匈牙利人并非如此）。战争伊始，为了协助进口，德国在汉堡成立了帝国购买公司。1917 年 1 月，出口许可系统被引入，以防止钢铁生产商在开放的国外市场为必需品寻求更高的价位，直到这时，德国才有限制出口的必要。

然而，协约国所面临的联合贸易管理难题——事关其经济生存与否——是其管理存在漏洞的极佳证明。在英国，1915 年夏天对煤炭进口的限制拉开了贸易管控的序幕。1916 年年底引入了由商务部新成立的进口管理部门出台的进口许可制度。由此引发了在美国的购买混乱，海军部和陆军部都反对财政部将其归属到纽约摩根大通的管理之下。财政部为何要做此决定，我们不得而知：购买武器之后出口英国似乎并非摩根大通所关心的事情（它擅长的是债券发行），英国政府赋予其出口财政垄断权力，为其创造了巨额利润，估计达到 180 亿美元的 1%~2%。同样，让摩根大通公司接手此事的决定并没有解决跨大西洋的采购问题：1915 年 9 月成立的英国军需品委员会表明，在不同的英国企业和政府利益之间仍然存在巨大的摩擦。

由于英国拥有商船队和更为丰富的财政资源，它便不可避免地成为协约国的军需长官（摩根大通成为专门为之服务的银行家）。但英国认为法国一直心怀不轨地欺骗自己，或至少是在挥霍自己的资源。因此，它撤回向法国出租商船的一半，并威胁如果法国不融入英国的管理体系，就将剩下的船只一并撤走。英国运用这些手段目的旨在对法国施加控制。当克里孟梭下令让克莱芒泰尔接受这个条件时，法国的商界和媒体群情激昂，奋起反抗。1917 年 11 月，英法联合商船队最终初具规模；到战争的最后一年，盟国间的战争采购和财政委员会终于在美国施加压力的情况下成立，协助所有进口事宜。但若试图与俄国就贸易协议达成合作就没那么简单了，因为俄国检察员鸡蛋里挑骨头般地拒绝了英国和法国已经支付过的“在美国大批量生产的质量低下的物资”。意大利人同样不愿意被英国当作“佣人”来对待；但正如凯恩斯所言，在经济方面，他们以及英国的其他盟友确实处于这种关系之中。

## 人力：英国的阿喀琉斯之踵

如何分配人力或许是各个交战国所面临的最为棘手的经济问题。想要在军队的需求和国内食品和原材料生产的需求之间寻得平衡是一件极其困难的事。许多技术熟练的工人在和平年代本该处于最适合他们的岗位中，但此时此刻，他们都或出于自愿或被征召，奔赴前线了。如果他们都牺牲了，那么国内的经济将面临永久恶化；但就算他们生还凯旋，也不会再愿意为战争奉献自己的精力了。

德国的服役人员从战斗打响的第一个月的 290 万人增长到 1915 年年初的 440 万人，1918 年早期更是达到了 800 万人之多。曾经服役的人前后共有 1 300 万人次，参战的人中大多数是工人。直到 1915 年 1 月，诸如布洛姆和福斯这样手握大批战争订单的公司提出申请，请求应征入伍的工人能够回到工作岗位。斯图加特的博世公司在战争打响后头几个月就损失了 52%的劳动力，拜耳医药也丧失了将近一半的员工。到了 12 月份，希伯尼亚矿业公司战前 2 万名员工中损失了近 30%。然而，德国很快便行动起来，将核心员工留在其工作岗位上。到 1916 年年初，共有 120 万工人得到特许免服兵役，这些人中有 74 万人资质合格。2 年后，220 万人被免除兵役，其中 13 万人符合条件。为了缓解男性劳动力不足的状况，对女性的雇用数量也逐步增加（520 万女性获得了工作岗位），90 万名战犯也投入了生产工作，外国劳工输入达到 43 万，包括许多犹豫不决的比利时人。因此，到 1918 年 7 月，平民劳动力仅比 1914 年的人数下降了约 7%。

但情况仍不尽如人意（在战时如何合理分配劳动力的问题上并没有现成的规则）。协约国在这方面会做得更出色吗？答案或许是否定的。英国的平民总就业率出现了与德国差不多的下滑态势（6.5%），但问题是英国开赴前线的人数明显不如德国：英国总共有 490 万人入伍，连德国的一半都不到。这些士兵的工作岗位被 170 万的男性员工所替代，女性员工的数量也比之前多了 160 万。从中我们不难看出，德国人在战争期间很善于让女工充分发挥其价值。到战争结束时，英国和法国的女工数量达到工人总数的 36%~37%，1914 年 8 月以前这一数字为 26%~30%；而德国的这一比例从 35%上升到 55%。需要提醒的一点是，英国的征兵体制不仅对作用不大的职员或是牛津毕业生有吸引力，同样慕名而来的还有许多身在重要岗位的技术工人。1914 年年底，小型军工厂 16%的工人以及 25%的化学和爆破业的劳动力加入部队，而这主要是因为他们在混乱战争的头几个月遭到了解雇。到 1915 年 7 月，矿业 21%的从业者以及金属业 19%的劳动力弃职从戎。想让陆军部放弃一部分熟练技术工人是相当困难的，诸如“徽章”、“军工志愿者”以及“批量豁免”的主意仅是权宜之计。正如劳合 · 乔治向下议院所言，“想要得到佩戴勋章的人，恐怕就像穿越重炮打击下带刺的铁丝网一样困难。”1916 年 1 月，内阁委员会试图“让军事和财政努力相契合”，并在其报告中提出了相互矛盾的部门优先权问题：

> 委员会在其调查之初采用的方式是从陆军部、财政部和贸易部获得可以抽调出来服兵役的人数，根据的是其各自所需的人力规模、相应开支以及在不对国家贸易和工业造成严重后果的前提下。这些部门最初的提议都具有不可调和性：财政部资金短缺，贸易部无法为陆军部要求的军队规模供应足够的装备。

贸易部始终担心不分青红皂白地征兵会“对贸易产生灾难性后果”；为了安抚这

部分人的忧虑，引入了“职位预约”体制，但是其应用规模相对来说还十分有限。此外，1916 年年底为熟练技术工人所提出的“贸易卡”设想与其说是政府计划的结果，不如说是为了应付来自工会的压力。有经验的工程师直到 1917 年 7 月才被免除军役；而 1918 年 1 月时，征募者中仍有矿工的影子；4 月，由于担心德国春季大进攻，受保护的职业一律被取消。新成立的劳工部在促进事情进展方面并无建树，其权威和能力很快遭到国民服役部的挑战。大臣奥克兰 · 格迪斯于 1917 年 10 月草拟了一份“人力预算”之后，实际情况才得以一目了然：除了 1918 年所需的人数之外，另外有 13.6 万符合条件的、计划内招募的人剩余。同年 4 月，格迪斯向劳合 · 乔治抱怨道，“海军部、陆军部、农业委员会、劳工部和国民服役部都将鱼饵投向同一片水池，相互争抢人力资源，而那些雇主们却在我们之间挑拨离间。”他在战争发生 3 年半以后说出这些话着实让人感到震惊。

英国经济对熟练技术工人的异常依赖性使得局面在短期和长期内都变得十分严峻。例如在战争伊始，英国国内 60% 的工程师被列入熟练工人的等级。经济历史学家们认为，这也是英国的雇主并不急于引进新机器或大批量生产技术的一个原因；另一个原因是，如果对工人实行标准的计件工资制，那么工厂主的日子便不会轻松。而这或许同样是第一次世界大战成为现代英国工业历史的分水岭的原因。英国熟练技术工人在战场上的高死亡率为后方留下了一个不易填补的空缺。“颓势”正是对英国劳动力所面临问题的最佳描述，而造成这一局面的根源便是战争所造成的流血牺牲。

格雷戈里认为，英国的志愿者体制比征兵体制在伤亡分布情况上更为公平，他的观点仍有待商榷；而如果认为这将“维持和保护政局的稳定”似乎有些超前了。英国现行体制的最重要的后果，是将原本应当在其岗位上工作的熟练技术工人送上了死亡之路。而这“迷惘的一代”都是一些关键的人。另一个遭受重创的群体我们更为熟悉一些——贵族、公立学校的学生和名校毕业生，他们的死亡率同样很高，但他们比其他人更容易被提拔为军官。安杰尔曾说，战争“让弱者生存下来”；而英国的情况是，那些没有一技之长的人和没受过良好教育的人一般都安然无恙。

法国的劳动力比其他国家更为紧张，出于各种原因，其劳动力分配出现了不合理的现象，同时面临着强大的“公平牺牲”的政治压力。最普遍的观点是（正如在 18 世纪 90 年代那样），“流血税”应当由所有人一起承担，包括熟练技术工人。那些在 1915 年为了缓解弹药紧张而从前线被召回来的工人——战争结束时，这些工人几乎占生产军需用品的劳动力的一半——被嘲笑为“敷衍取巧的人”。战争期间，被召回的技术工人（除了伤员）仅使法国的军备劳力增长了 30%。

劳动力的短缺必然会对所有的参战国制造麻烦：工人们占据主动权，要求加薪，或者索性消极怠工，降低劳动效率；如果管理层试图拒绝加薪的要求，他们就进行罢工。仅从下面这个并不具有典型意义的公司的经历中，我们就能见出德国所面临的棘手局面。起初，汉堡船厂布洛姆和福斯公司的管理层为了弥补劳动力短缺造成的损失，采用增加工时和增强工作强度的手段（钻了工会的空子）。底层管理人员和工头将其策略运用发挥到了极致，1916 年 3 月，他们起草了一项规定，不允许向反抗的工人们"使用任何类似于'送你去堑壕'这样的语言"（极佳地验证了卡尔·克劳斯的观点：'壮烈地死去'不仅是人们口中荣誉的象征，同样是对这套花言巧语的惩罚）。1 年后，轮岗时间被过分地延长到 24 小时以上。工人们以各种形式对此予以回应，但更多的行动是个人自发的，而不是集会游行。一时间，散漫的风气盛行：午休的时间延长了，对待工作三心二意，无故旷工的情况屡见不鲜，总是有加工材料丢失的事件发生（它们通常被偷走做柴火了）。此外，工人们为了求取更好的薪资待遇而频繁跳槽：员工的高度流动性达到了前所未有的水平。1916 年 10 月后一年的时间里，共有 1 万个岗位更换人手；而 1916 年 12 月的《辅助服务法》则规定，工人有权力为了更高的薪水而跳槽，这也让局面更为恶化。最终，1914 年 8 月达成的不罢工协约逐渐瓦解。1916 年 10 月，布洛姆和福斯公司拒绝接受加薪要求的动作引燃了战争以来的第一次大型罢工。4 个月后以及 1917 年 5 月（由降低面粉赔给量而引起的柏林大罢工发生后 1 个月），罢工的硝烟再起；1918 年 1 月，从柏林开始，工人运动开始全面扩散，横扫德国。这些罢工运动被视为 1918 年 11 月革命的前兆，就算没导致德国不可避免地输掉战争，这些不安定的因素也必然是其失败的重要象征。

但我们同样需要求证的是协约国的情况是否更为乐观。检验战争效率的一个非常重要但又直截了当的办法是考察战时工资上涨的程度。对社会历史学家们来说，实际工资的上涨是好事，这是不言自明的。在这一点上，英国做了大量工作，证明德国逊于自己。可惜的是，这种经济观点是相当荒谬的：如果德国的实际工资水平达到英国的水平，那么这将对本国经济造成灾难性后果。然而，唯一可以作为评判标准的是实际工资的增幅是否与生产力发展的水平相吻合。实际工资的增长超过生产量的程度越高，经济的效率就越低，因为让体力劳动者过上更为富足优越的生活（但对工人本身来说这件事是可喜的）并非战争的头等大事。表 9–7 的数据表明，战时经济效益较为逊色的是英国而不是德国。从这些原始数据我们可以看出，英国工人的收入——那些不恰当的收入——与生产力有所出入，而德国工人的实际收入与生产力水平则大体相当。

**表 9–7 德国和英国的工业生产量和实际工资，1914~1918 年**

| | 德国 | | 英国 | |
|---|---|---|---|---|
| | 工业生产 | 实际工资 | 工业生产 | 实际工资 |
| 1914 年 | 100 | 100 | 100 | 100 |
| 1915 年 | 81 | 88 | 102 | 87 |
| 1916 年 | 77 | 79 | 97 | 81 |
| 1917 年 | 75 | 65 | 90 | 81 |
| 1918 年 | 69 | 66 | 87 | 94 |

**资料来源**：Mitchell, European Historical Statistics, pp. 33ff., 181ff.; Wagenführ, “Industriewirtschaft”, p. 23; Horne, *Labour at War*, p. 395; E. Morgan, *Studies*, p. 285; Bry, *Wages* pp. 53, 331.

诚然，这些平均指数并没有显示关于收入差异的具体情况，但是在战争期间，这些差异的浮动的确相当大。社会历史学家一直将扩大的收入差距视为助长社会不公的因素，而这种状况也一直顽固地影响着经济。此外，收入差距是否准确地反映了战争引起的劳动力需求结构的巨变？可以说，在军工厂工作的非熟练技工工资水平的相对增加的确可以吸引更多的人进入这些重要部门。

战略重点部门的劳动力短缺问题赋予所有国家那些原本身处收入结构底层的人以讨价还价的资本。在这一影响下，4 个主要方面的差距有逐渐缩小的趋势，即不同部门工人之间的待遇差异、熟练技工和非熟练技工的待遇差异、男女职工的待遇差异以及不同资历员工的待遇差异。例如，在 1914 年 7 月和 1918 年 10 月之间，德国布洛姆和福斯公司男职工每小时平均实际工资增长了 113%，而同一工厂的年轻职工的工资比和平时期增长了 85%，纺织工人的则更少，为 74%。与此相反，书记员的收入比之前增长了 62%，记账员只有 37%，而出纳主任则仅超过 30%。从对比中不难看出，体力劳动者的收入情况明显比白领要乐观。这种差距的缩小意味着在通货膨胀的背景下，一个造船厂工人的实际收入损失（9%）要远远低于一名高级公务员（52%）。换句话说，1914 年公务员的月收入是工人的近 5 倍；到了 1918 年，这种优势缩小到不到 3 倍。这还没有将某些工种工人的工资补助以及儿童福利计算在内，战争结束时，这些福利累计数额可以占到一个非熟练技术工人工资的 1/3。

因为将不同国家之间的实际工资进行对比是非常有难度的，因此无法断言其他国家的情况是否有明显不同。初步结果显示，战争期间，伦敦的工资差距缩小的幅度大于柏林；但是表 9–8 提供的数据却证明了相反的结论，但它仅仅涉及 3 个首都的建筑行业。

表 9–8 三国首都建筑行业熟练技工与非熟练技工工资比，1914~1918 年

| | 1914 年 | 1918 年 | 变动百分比 |
|---|---|---|---|
| 德国建筑行业熟练技工（小时价格） | 1.47 | 1.07 | –27.3 |
| 法国建筑行业熟练技工（日薪） | 1.90 | 1.47 | –22.6 |
| 英国建筑行业熟练技工（小时工资） | 1.53 | 1.31 | –14.2 |

**资料来源**：Manning, “Wages”, pp. 262.

无论如何，工资的等级和差异并非外在因素所决定；很大程度上，它们与有组织的劳动者的相对权力有关。哪个国家的劳动者影响力最大？考虑到 1918 年 11 月发生的事件，德国的历史学家认为发生在德国的劳工运动格外具有军事化性质。实际上，这种“盛赞”用在英国工人身上更加合适：面对政府和企业主压缩实际工资以及“压迫”熟练技术工人的行为，他们进行了彻底而顽强的反抗。最终，就连劳合 · 乔治都无法对这些反抗活动以及工资的螺旋上升趋势予以限制：1915 年《军需法》第七条规定（休业证明制度）在实践中遭遇挫折，并不得不于 1917 年 8 月被废除。1916 年后，在劳动者施加的压力和国家政策的双重压迫下，工资水平逐渐失控。

这种情况可以做如下解释：与其西方的对手相比，德国的工会受战争打击的程度更为严重。另外一种对各个国家之间经济差异进行对比的方法是研究其各自的工会成员人数（见表 9–9），从中我们可以发现很多问题。在英国、法国和德国这样的国家，工会领导人全力支持战争，以此希望能够获得并维持与雇主们同等的地位，而普通工会成员并不欢迎其领导人所做出的让步。英国和法国的工会成员在战争期间几乎增长了 2 倍，而德国的工会人数却下降了逾 1/4。在美国，这一数字也增加了大约 85%。

表 9–9 英国、法国和德国的工会人数，1913~1918 年

| | 英国 | 法国 | 德国 |
|---|---|---|---|
| 1913 年 | 2 232 446 | 593 943 | 3 024 000 |
| 1914 年 | — | 493 906 | 2 437 000 |
| 1915 年 | 2 682 357 | 81 617 | 1 396 000 |
| 1916 年 | 2 850 547 | 183 507 | 1 199 000 |
| 1917 年 | 3 082 352 | 559 540 | 1 430 000 |
| 1918 年 | 4 532 085 | 1 175 336 | 2 184 000 |

**资料来源**：Petzina et al., *Sozialgeschichtes Arbeitsbuch*, vol. III, pp. 110~118; Horne, *Labour at War*, p .398.

最后，参加罢工的人数同样可以证明德国经济并非那么敏感。很明显，英国的罢

工活动要远远超过德国，而当局试图以暂时仲裁来代替罢工的尝试（如1915年军需部提出军工业的“管控制度”）也以失败收场。通过罢工和要求给予被解雇的人“休业证明”的方式，克莱德的铜匠们着实将试图缓和格拉斯哥地区形势的军需法院嘲笑了一番。此外，劳合·乔治也曾向矿工们献媚，目的在于让他们接受罢工禁令；但当威尔士矿工们还是于1915年7月“揭竿而起”时，他的计划也随之宣告破产。正如他自己承认的那样，“向20万人发号施令几乎是不可能的”；而矿业的国有化问题一直是工人中的激进分子极力倡导的。相反，格拉斯哥商店店员对劳合·乔治的那番羞辱绝对不会出现在德国的政客身上。1916年与他们对抗的结果（《前进报》和《工人报》被查封，激进分子领导人被捕并被驱逐出该地区）并没有对生产力发展有任何帮助，这成为具有象征意义的终极对决。德国的工会并没有像英国的工程师联合会（ASE）那样将“熟练技术工人的优先权当成福音”。1917年5月爆发的工程师大罢工以工程师联合会的决定性胜利收尾：贝弗里奇回忆道，工会“赢得了最想要的特权……但却丝毫没有考虑到政府的需求”。而更不可思议的是，1918年4月，就在德国人挺进距离巴黎不到55英里时，2.2万名工程师仍旧在罢工示威。战时内阁对其谈判对象的指示言简意赅：“如果这场即将到来的罢工真无法避免，那么就批准他们的所有要求吧。”而德国政府截然相反的态度导致了一周后的1918年1月大罢工的爆发。同样值得一提的是，实际上在柏林的示威者中，7个人中有6个人的要求都是政治性的：他们的意愿是结束战争，而不是给自己加工资。

简而言之，劳合·乔治在英国劳工联合会议演讲中将战争描述为“德国和奥地利的机械工以及法国和英国的机械工之间的冲突”，并非是正确的；而正因如此，英国是侥幸的。除了俄国，英国的劳资关系可以说是最糟糕的：德国、意大利和法国都没有出现过如此多的罢工运动。此外，在1917年夏天发生的几场横扫法国的大罢工反倒刺激了在当时来看并不重要的服装行业，且大部分示威者都是没有经过组织、自发走上街头的妇女，她们在得到更高的报酬之后便重返岗位了。1918年5月出现了大批颇有政治色彩的罢工，它们之所以失败，是因为强大的舆论声讨的作用，主要来自于军队。

**表9–10　英国和德国的罢工情况，1914~1918年**

| | 英国 | | 德国 | |
|---|---|---|---|---|
| | 罢工人数 | 损失工作日 | 罢工人数 | 损失工作日 |
| 1914年 | 326 000 | 10 000 000 | 61 000 | 1 175 000 |
| 1915年 | 401 000 | 3 000 000 | 14 000 | 42 000 |

（续）

| | 英国 | | 德国 | |
|---|---|---|---|---|
| | 罢工人数 | 损失工作日 | 罢工人数 | 损失工作日 |
| 1916 年 | 235 000 | 2 500 000 | 129 000 | 245 000 |
| 1917 年 | 575 000 | 5 500 000 | 667 000 | 1 862 000 |
| 1918 年 | 923 000 | 6 000 000 | 391 000 | 1 452 000 |

**资料来源**：Wilson, *Myriad Faces*, p. 221; Horne, *Labour at War*, p. 396; Perzina et al., *Sozialgeschichtliches Arbeitsbuch*, vol. III, pp. 110~118.

## 饥饿、健康与不公

德国是因为饥荒才输掉战争的吗？这种观点成为现代欧洲的史料编纂中最常被提起的原因之一，然而它肯定是错误的。总的来看，德国忍受饥饿痛苦的人确实比英国要多，原因很简单，德国的人均实际收入在战争期间下降了 24%，而英国的人均收入实际上是增长的。众所周知，英国的封锁行动的确削减了德国的食品供应——不仅是减少了食品的进口；更重要的是，化肥的供应也减少了。毫无疑问，这是管理上的严重失误：德意志联邦议会以渐进的方式逐步设立了最高价格限制（这导致了急需物资最高限价达到史上新低）；1915 年春天，为了缓解人们对谷物和土豆的消费需求，当局下令屠杀了 900 万头猪（即著名的“屠猪事件”），但效果却适得其反。

然而事情并没有那么夸张。如表 9–11 所示，德国的食品消费在下降，英国也有相同的趋势。然而考虑到后者国内生产力的增强，英国的食品短缺问题远不及前者严重。事实上，从其他数据来源来看，1918 年，德国的土豆和鱼类的人均消费的确要高于 1912~1913 年间。战争期间，德国的粮食定量配给制度成为众矢之的，遭到了各方的批评；但可以说英国的放任主义政策使得效率更为低下并造成了更多的浪费。1915 年 1 月，德国人对面包供应实行定量配给制度；1916 年 5 月，战时食品部成立。而英国的食品部直到 1916 年 12 月才成立，且效率明显低下（尽管威廉·贝弗里奇曾对此进行过辩护）；1917 年 6 月，朗达勋爵接替了达文波特勋爵的食品大臣职位之后，该部门才开始高效运营。由于许多城市都出现了食品供不应求的局面，政府首先对糖类进行了配量供给，并着手建立区域和地方食品分配体系；但直到 1918 年 4 月，全国范围内的肉类定量配给制度才建成，仅 3 个月后，所有的基本必需品才终于都纳入定量分配的体系中。从 1915 年中旬开始，法国就已经迅速展开行动征购谷物，并控制了食品分配；但直到英国和美国联手向其施加压力之后，法国才最终建立起完全成熟的定量配给制度。但 1918 年 10 月，法国爆出了负责植物油供应的联合财团暗中揩油的丑闻。有些历史学家认为对食品短缺和价格不公满腹牢骚的德国人言行愚昧，他们真该好好听听法国国内那些更为经典的牢骚。但不管怎么说，德国人面临的食品短缺问题更为严重一些。

**表 9–11 英国和德国食品消费占和平时期消费的百分比，1917~1918 年**

| | 英国 | 德国 |
|---|---|---|
| 肉类 | 25.3% | 19.8% |
| 黄油 | 37.4% | 21.3% |
| 土豆 | 100.0% | 94.2% |

**注**：英国数据按照工薪阶层家庭每周平均消费计算，时间为 1917 年 10 月~1918 年 5 月；德国数据按波恩的官方定量供给计算，时间为 1917 年 7 月~1918 年 6 月。

**资料来源**：Winter, *Great War*, p. 219; Burchardt, “War Economy”, p. 43.

德国人确实在挨饿。他们不得不将香肠和啤酒替换成令人作呕的代制品和东欧葡萄酒。此外，他们的体态也日趋消瘦：被排除在官方口粮定量供给制度之外的营养学家R · O · 诺依曼的体重在 7 个月内下降了 19 千克。但是普遍饥饿的观点同样是不成立的——有些另类而敏感的历史学家甚至将饥荒人数确定在 75 万人之多。诚然，女性的死亡率从 1913 年的 14.3‰上升到 21.6‰，与英国相比，增幅确实高出不少（后者为 12.2‰ ~14.6‰）。根据一项调查显示，战前德国的精神病人收容所中，1/3 的病人死于饥饿、疾病或管理疏忽。因肺炎去世的人数也有所增加（从 1.19‰上升到 2.46‰），死于分娩意外的妇女人数也在锐增。与此相反的是，婴儿的存活率明显上升——巴伐利亚地区除外（1918 年，该地婴儿死亡率呈上升趋势），但将非法出生在柏林的婴儿排除在外。然而在法国，1918 年的婴儿死亡率比 1910~1913 年的水平高出了 21%。此外，温特对战争期间英国公民健康状况的过度乐观。在英格兰和威尔士，死于肺结核的患者增加了 25%，而造成这一结果的部分原因可能就是营养不良。而有的民族冒着比 1918 年德国所经历的更严重的饥荒危险继续深陷在战争的泥淖之中，第二次世界大战中的苏联便是最为典型的案例。

所有交战国面临的最现实的挑战是，如何实现稀缺资源的最优化配置。而在这一点上，德国再次成为失败的案例。在科茨卡的经典研究中，他将战时经济描述为阶级冲突及其他类型的社会分化的激化因素，并为 1918 年 11 月的革命埋下了隐患。第一次世界大战中，德国政府的干涉似乎将社会不公扩大化，以损害其他人的利益来满足一小部分社会群体的利益。因此在战争期间，特殊利益群体和国家之间的关系已超越了各个阶层之间的关系。

然而，能够表现从 1914 年到 1918 年这段时期内，德国越发严重的社会不公问题的事例涉及多个领域。从普鲁士的“帕累托系数”上看，1918 年普鲁士的收入分配达到了自 19 世纪 50 年代以来最为不公平的程度。但造成这些数据结果的人很可能是那些享有高收入但数量相对偏少的企业家。此外还有一些分析认为，生活水平遭受最大幅度降低的人群并不是工人，而是社会学家所说的中产阶级群体。我们之前提过的关于实际收入差距的缩小很好地体现了这一点：受其影响最严重的是公务员，等级越高的公务员，受到的损失越大。此外，以牺牲社会有产阶级为代价的战时调控措施深受工薪阶层的欢迎。战争开始的头几个月，反对过高物价的法令便匆匆出台，1915 年年初，当局规定了最高限价。直到 1915 年 9 月，联邦议会才宣布物价监督委员会的成立，这是针对物价管控的应对举措。尽管这条法令名存实亡（例如“连锁销售”——这种行为被都铎时代的英国人称为“囤积居奇”），但物价监督委员会的本质目的是对打破物价上限的商贩进行告发和打击，奥地利也创立了同样的监管体系。仅 1917 年就有 1 538 起成功的诉讼案，直接导致 5 551 家企业关门大吉，歇业时间达到 12 208 天，罚款总数 9.23 万马克。面对这种形势，店主们不敢再向消费者哄抬物价。同样的事情也发生在乡下。1916~1917 年，政府的管控越发严格（即所谓的“萝卜之冬”）：农民们被迫让警察搜查房屋，并时不时遭受没收充公的惩罚。

众所周知，价格管控并没有能够阻止大型的黑市交易——这些黑市是由手头有富足资金，并且在乡下有熟人的城市居民一手造成的。但是又有多少城市居民能够支付黑市物品的价格呢（它们通常比官方价格高出 14 倍之多）？很明显，在蓬勃发展的军工企业工作的工人，处境要优于“低等”的公务员：

> 只有极少数上层精英和如今普遍享有高收入的工人肯出高价购买水果和新鲜的蔬菜。但中产阶层和公务员的处境却每况愈下，战争的负担重重地压在了他们的头上。

同样做出牺牲的还有那些曾经是战前德国最有权力的政治力量之一的“城市地主”。随着大批的人离开家园，奔赴前线，房产界面临着巨大压力，战争使得房屋建设几乎完全陷入停滞：1915~1918 年，汉堡新增的房屋仅有 1 923 所；而 2 年前，这一数字是 17 780。越来越多的人来到大城市，到兵工厂工作，这导致了房源需求的增加。但房东们并没有从中大赚一笔，因为当局连续出台法令，对租金进行限制和管控。相反，如果从实际价值上看，停滞不前的房租不升反降。汉堡业主联盟统计了因为战争而造成的成员财产损失，其结果为 8 000 万马克；而造成这一结果的主要原因在于战争期间面向半数以上的汉堡房屋的降低租金的强制性法令。到了 1918 年年底，月租金被降至 1914 年 7 月水平的一半。1914~1915 年，英国的房租开始上升，随后造成了房源短缺的现象；英国政府同样采取了类似的管控措施，但相比之下德国房东受到的打击显然更为严重。同样遭受重创的还有职业阶层——他们在战后大声地抱怨自己遭受了“无产阶级化”的待遇。

上述所有事实表明，战争将社会—经济权利的天平从中产阶级偏移向了工薪阶级和大企业。价格和房租的调控以牺牲零售店和房东的利益为代价，使得工薪阶层渔翁得利。公务员的薪水大为缩水，而战略部门工人的实际工资却有所上升。施拉姆家族——一个属于汉堡中产阶级的上层议员家庭——的经历，反映了资产阶级的利益是如何被剥夺的。对鲁特 · 施拉姆而言，战争不仅仅是对肉体生命的褫夺，它同样羞辱了人们的道德良心和文化。可悲且充满敌意的公众，战争暴发户，1917 年出现的腐败和暴力事件……所有的丑恶都是对 3 年前提出的公民自由口号的无情耻笑。人们不得不食用阿尔斯特河的天鹅做成的肉酱来果腹，这是汉堡堕落的标志；人们不得不从黑市上购买物品，这与我“1914 年以前所坚信的原则”背道而驰。1918 年 12 月，当她的哥哥从战场上凯旋归来时，发现他们的父母为了节省暖气费而将一楼封闭，搬到二楼的一间小客房居住。尽管他们仍然在使用银制餐具，但他还是深深地体会到，之前那种“奢华的资产阶级生活方式”已经一去不复返了。

然而，上流社会的厄运并非是引起国内局面崩溃的必然因素，更不必说革命了。与此相反的是，这些在战争中遭受到最严重打击的社会群体，恰好是官方战争目标最为坚实的拥趸。因此，将德国的失败理解为大后方的问题显然不太准确。德国国内民众的士气从未糟糕到像俄国以及法国那样，离崩溃局面还相去甚远，包括 1917 年 4 月和 1918 年 1 月的罢工月。单纯从时间上看，最先崩溃的是西线战场，而非德国后方；1918 年 11 月爆发的革命运动从北部港口开始向南横扫德国，波及柏林和慕尼黑；然而这场革命并不属于被战时经济摧毁的那些人，而恰恰属于战争的既得利益者：食物比普通百姓精良得多的士兵和水手，以及实际工资跌幅最小的工人。

或许在所有关于德国和俄国战时经济的解释中，唯一一种值得称道的观点是，这两个国家过于成功。一般认为，它们不惜一切代价刺激军工生产，让城市消费者不堪重负，最终导致士气一落千丈；而我们知道，这种观点是有问题的。如果它是正确的，那么英国、法国和美国所取得的成就便没有什么值得夸耀的了。如果协约国的确能够在军事和民生需求之间寻求到平衡点，那么这也纯属偶然而非在计划之中。此外，它们为此花费了极高的军事代价——的确，如此之高，以至于它们几乎要输掉这场战争。

# THE PITY OF WAR

第十章

# 战略、战术以及净阵亡人数

## 战 略

德国在经济实力上远远落后于其他国家，但在人数上却是占绝对上风。在这种矛盾的情况下，它能否取得战争的胜利？没有历史学家会给出肯定的回答。卡尔·冯·克劳塞维茨的《战争论》（该书于他死后不久即1831年出版）对战争有一个非常著名的定义："战争是混杂着其他手段的政治交往的延续"。有人认为，德国领导人所犯的重大错误是忽略了这一点。在德国的军事独裁越发严重的时候，政策却仅仅堕落为"其他手段"之一，混杂在至高无上的战争行为之中。战略失误频出，最终导致了这个国家的失败。

起初，德国战略的主要特征是具有浓厚的侥幸心理。而缔造这种侥幸心理的原因是德国在某些方面的劣势：在洞悉了自身的长期落后性之后，德国人不可避免地想要在短期时间内取得胜利，因此各种冒险的战略和举措应运而生。不得不承认，德国的战争赌注中有许多都是鲁莽而大意的；而且从可能的成本和获利估算中——而并非事后的统计——可以看出，它们相当地不切实际。

德国最受争议的战争赌注是，他们认为无限制潜艇战（"作战"内容包括在未对其进行警告的情况下击沉那些可能载有运往英国的物资的轮船）能够在美国对战争进行有效干预之前对英国给予毁灭性的打击。这种策略共有3次实践：1915年3~8月的第一次实践导致了路西塔尼亚和阿拉伯号的沉没；第二次为1916年2~3月；最后一次是在1917年2月，海军认为"用不了5个月"英国就会求和。为了迎合德国海军策划者的胃口，潜艇在战争一开始便超额完成了原定的击沉任务，即每月600 000吨，4月共击沉841 118吨轮船。但是无论如何，他们的企图都不会成功，因为他们忽略和低估了以下几点实际情况：

1. 英国扩大国内小麦产量的能力；
2. 美国麦类作物的产量规模；
3. 英国人将稀缺木材从建房材料中挪用到矿物开采业的能力；
4. 英国船只的吨位；

5. 英国对食品短缺进行定量配给的能力；

6. 护航舰队的作用；

7. 皇家海军的反潜技术。

不可思议的是，他们反而高估了自己已经拥有或者能够拥有的潜艇数量：1917 年 1 月到 1918 年 1 月共有 87 艘潜艇问世，但 78 艘被毁。战斗初期的所有潜艇数量达到 100 艘，其中有 1/3 可以随时对英国海域进行巡航。但是在 1918 年，英国护航舰队的损失在 1%以下，而德国潜艇的损失量则高达 7%。

德国海战失败的原因远不止这一点。英德海战常常被看作鸡肋战，因为两国的水面舰队从来没有发生过意义重大的冲突，多格浅滩遭遇战和日德兰海战除外。但这种观点并不正确。皇家海军曾成功地将德国战舰控制在北海海域内：想要从一场全面的海战中获益的人是提尔皮茨，而不是杰利科。实际上，提尔皮茨整个战前规划在于挑唆英国舰队对德国发起攻击；而他从没有想到的是，当英国已经控制公海后，他们却在斯卡帕湾偏安一隅。此外，在输掉科罗内尔战争之后，皇家海军拿下了马尔维纳斯群岛战役。战争伊始，他们还成功地对德国的商船进行了拦截，打破了德国的收支平衡。在劳合·乔治成功威胁海军部采取护航体制之前，德国潜艇的确击沉了不少英国和美国的船只；但英国被击沉船占其所有商船的比率还不及德国被英国截获或击沉的商船占所有商船的比率（后者为 44%）。

让人感到震惊的是，德国国内几乎没有声音反对这种无限制潜艇战。沃伯格恐怕是极少数反对无限制潜艇战的德国商人之一。他认为，不管这对英国的食品供应造成了多大干扰，为此而与美国产生隔阂才是最为致命的。“如果美国和德国彻底决裂，”他于 1916 年 2 月呼吁道，“那么这意味着德国的战时经济实力将下滑 50%，而英国和法国的实力增长将达到 100%……我们应当采取一切措施……避免和美国发生冲突。”“如果（无限制潜艇战）继续下去，我们将会输掉战争：从金融上看，我们的贷款将成为无源之水；从经济上看，我们从国外进口的大量原材料和必需品的供应链将发生断裂。”1917 年 1 月 26 日，他做出了一个很有先见之明的预言：“如果我们最终的对手是美国，这位无法企及和超越的对手——无论从实力方面还是财富方面来看，那么我们会丧失所有希望，我坚信这一点。”可惜沃伯格的呼吁无人理睬（主要是因为人们觉得他有两个兄弟在美国居住，因此会有所偏袒和庇护），潜艇战摆脱了所有限制，仅 2 个月后，美国便对德国宣战了。这也成为基于“有限理性”所做决策的典型案例：德国人对无限制潜艇战可能造成的影响进行了估测，但却没有考虑到这让人尴尬的事实和可能性。这种错误给了他们一次失败的教训——如果美国加入战争，胜利女神就不会眷顾他们了。这个传统观念也由此奠定。

德国的陆上作战计划同样是场赌博。1914 年 8 月，他们将赌注下在了双线作战的胜利上，因为他们笃信，如果再等下去，法国和俄国将得到喘息的机会，组建坚不可摧的力量。同时，德国人还存有奥匈帝国在东线作战取得显著成效的侥幸心理。事实上他们并没有下功夫去研究奥匈帝国是否靠得住，以及哈布斯堡王朝的人究竟能够以什么样的形式来帮助自己。如果有人认为，施利芬计划能够在西线闪电般地夺取军事胜利，那么他就大错特错了；同样，后勤供给的不足注定了这次计划的失败。与奥地利联手的赌注也以失败告终。1915 年，俄国对加利西亚的进攻迫使法金汉不得不在戈尔利采进行还击，这一次以及 1916 年勃鲁西洛夫进攻之后，德国人不得不多次向东线调兵，向奥匈帝国军队提供支援。另外一个备受指摘的赌注是，法金汉试图“在决定性的一刻”“榨干敌人的最后一滴血”，即凡尔登要塞的“绞肉机”行动。飞利浦 · 佩塔因将军使用大炮，并采取了急速轮流作战的方针，使德国在这次战斗中损失了与法国几乎一样的兵力（各自的伤亡人数为 33.7 万和 37.7 万）。德国人坚信他们必须要夺取这一要塞，但同时他们却忘记了自己的初衷。

最后，鲁登道夫还因其 1918 年春开展的自杀式行动而备受指摘。从战术上看，他是高明的：他将协约国的敌军击退 40 英里开外，并夺取了 1 200 平方英里的地区；但德国的进攻注定会以失败告终，因为他们并没有足够的物资储备和合理的供应结构来巩固其占领的地盘。在不断扩展防线的过程中，德军的消耗已经到了它所能承受的极限，因此协约国的反击几乎战无不胜。

实际上，正是因为胜利已经唾手可得，德国才会输掉战争。正是对俄国的决定性胜利才使得德国的百万大军像没头苍蝇一样在东欧的布列斯特-立陶夫斯克的混乱局势中团团转，而他们原本应当在西线作战。1918 年春天，德国占领的地盘空前壮大，这也是自 1914 年以来招致其惨重伤亡的原因：3 月 21 日到 4 月 10 日，原有的 140 万精锐部队中有超过 1/5 的人牺牲。此外，德军在西线的进攻让东南部和南部的战友孤立无援，而正是从这时开始，同盟国的溃败便一发不可收拾——9 月 28 日，保加利亚要求单方面停战。因此，鲁登道夫当天晚上向兴登堡坦言，认为当下要紧的是停战，否则“情况将越发糟糕”；这也象征承认战败——失败的原因至少有一部分是他们自己一手造成的。

在关于战略问题的辩论中，有人对德国的外交进行了批判。1917 年，那些在实力上优于德国的国家寻求和平协商的途径，而不愿冒着终极落败的危险。然而，随着战争越来越深入，牺牲越来越大，这些国家对回报的期待也越来越强。从初级阶段的协商开始，对战争目的的构想迅速升级为一场涉及经济利益和国内政治（而不是战略策略）的公开辩论。这场争论持续的时间越长，就变得越发脱离实际。同时，德国的将军们多次对外交问题进行干涉。例如1916年，在阿瑟·齐默尔曼接过雅戈的外交大臣职位之后就发生过，前者的名字总是与现代社会重大外交失误之一摆脱不了关系（事关一封帮助墨西哥从美国手中重新夺回新墨西哥州、得克萨斯州和亚利桑那州的电报）。因此我们可以说，德国的失败更多是源于政治性因素，而不是物质条件；更多归咎于政策，而非生产力。

但不可否认的是，德军在东线仍然获得了可圈可点的胜利。早在1915年，他们便向沙皇请求达成单方面和平意向；如果当时他们成功了，那么德国人就有可能是战争的赢家了（而俄国也能够摆脱布尔什维克主义）。但俄国人轻蔑地拒绝了这一机会，因此德国人只能继续对其进攻。我们不能低估了这次胜利的意义。考虑到拖延会使事情恶化，总参谋部采取先发制人的策略对俄国进行打击。1917年，这种打击初具成效。打破沙皇在东欧的独裁统治的设想并不完全是不切实际的。正如诺曼·斯通所言，布列斯特–立陶夫斯克事件“非常有可能发生”，而不仅仅存在于幻想之中；英国可能也会乐意承认德国在东欧的霸权——如果德国人的唯一目标是遏制布尔什维克主义的发展，那么这再好不过了。1916年11月5日，即伍德罗·威尔逊总统发出著名的建立在自主原则基础上的“非胜利和平”号召的前2个半月，德国人先发制人，宣称波兰独立。布列斯特–立陶夫斯克、芬兰和立陶宛也赢回了主权；但拉脱维亚、库尔兰、乌克兰和格鲁吉亚即将沦为“打着明显虚伪的民族自决权力旗号的露骨吞并”的受害者。这是在美军还未发展壮大到其干涉程度足以扭转乾坤之前，向德国寻求和平协商的最好时机之一。

然而几乎就在贝特曼·霍尔维格提出吞并从法国到比利时的“九月计划”之后，这种可能性就荡然无存了。正如我们所见，英国对德国在西欧的计划并不是全盘否认的，比如在中欧建立商业联盟的计划，就在他们可以接受的范围之内。但是德国对西欧和东欧一些地盘的觊觎却成为和平协商的最大绊脚石。早在1914年9月，提尔皮茨、其副手保罗·贝恩克少将以及海军部的其他官员就表现出吞并比利时的意愿。1916年，提尔皮茨的职位被亨宁·冯·霍尔岑多夫接手之后，这一想法更是在多个场合中被反复提起。从赫尔曼·舒马赫1914年10月的回忆录开始，重工者们不断坚持德国应当保留比利时的大部分地区以及法国矿产资源丰富的布里耶–隆维地区。1915年5月，上述呼吁出现在六大经济联合体提交的战争目的列表中；除此之外，该列表中还包括吞并加莱海峡地区、凡尔登和鲍尔弗特要塞以及从法国北部沿海延伸到索姆河口的狭长地带。然而却没有人认同阿尔贝特·巴林的观点：自“英国人不允许比利时受到侵犯的政策”出台以后，就不能再有“吞并这些国家”的妄想了；他甚至设想德国“出于对港口经济和军事的依赖”，更不能轻举妄动。

于是，比利时问题再度成为阻挠和平协商进程的拦路虎：早在1914年11月，法金汉就曾向贝特曼提出了一个很实际的问题，即如果试图进行吞并，那么德国就不会得到和平；1916年1月，豪斯上校根据现有的情况提出和平建议；1916年12月，贝特曼考虑进行让步，但却被兴登堡阻挠了；1917年7月，本尼狄克十五世教皇试图从中进行斡旋。作为外交大臣，理查德·冯·屈尔曼于1917年9月提出放弃并撤出比利时的计划；但将军们和海军上将们却仍旧一意孤行，死守不放。1918年3月，沃伯格来到比利时，与美国驻荷兰大使举行非官方会谈，但德国政府仍然坚持这种观点：为了"保证比利时不会被英国和法国当作根据地而利用"，德国要求比利时"割让一小部分"地区给德国。自始至终，胡戈·施廷内斯都对兼并事宜表示支持，战争的最后数周，德国不得不竭尽全力实现其吞并目的，为了给它的——或者说是施廷内斯本人的——钢铁厂进行缓冲保护。此外，他举双手赞成对工厂进行彻底没收，并将占领区内比利时原有的管理模式扫地出门，对该区域"进行数十年之久的独裁统治"。就连鲁登道夫的西线进攻失败后，他仍然怀揣这些美梦，而这足以见得德国的战争目的已经与外交和战略现实脱节了。但施廷内斯这样的人不在少数。1918年9月21日，高级海军司令冯·莱韦措甚至还在梦想德国应在战后攫取君士坦丁堡、法罗拉、亚历山大勒塔以及班加西的政权。

这些兼并论者完全低估了德国可能获取的优势，如果它同意恢复比利时主权，它就能够在全盘崩溃之前给战争画上一个完满的句号。与此相比，从英国和法国手中夺取殖民地的计划（这是汉堡商业联盟所列出的无数目标中的典型目标）显得微不足道，但我们可以从中更深刻地体会到德国战争计划的不合理性和不切实际，这使得德军的海上力量处于不利地位。德国那些海军上将们同样在做着天马行空的白日梦：他们的海军基地拓展到法罗拉（阿尔巴尼亚）、达喀尔、佛得角群岛、塔西提岛和马达加斯加，他们甚至还有统治非洲的宠图大略。

德军战略上的缺陷从源头上可以归咎于帝国政治结构的不合理，甚至在战争爆发之前，德国的政治格局中就缺少不同部门能够对政策进行建议和调整的机构。众所周知，德国宰相和德皇的权力在战争期间受到了抑制，军事力量统治了一切。1916年后，最高统帅部的兴登堡和鲁登道夫成功缔造了"缄默"（没有公开）的军事独裁。实际上，鲁登道夫是德国军事战略（以及其他事宜）的唯一策划人。可能出于这个原因，关于军事目的的讨论与德国体制的安排总是脱不开关系。那些认为外交机会被白白浪费的人们质疑的不仅是行政机构的能力，同样还有德国宰相究竟在多大程度上服从军事安排。对另外一些人来说，贝特曼是个"卖国贼"和"与祖国作对的凶手"；相反，这些人更愿意看到将军们手中的权力越发膨胀。战争目的——无论是吞并其他国家、中欧计划还是建立在自决和团结工人阶级基础上的和平革命——都被蒙上了国家目的的影子（无论是独裁统治，还是一定程度的议会化，抑或是社会主义革命）。1917 年 2 月~9 月发生的一系列事件越发地彰显了这些目的。俄国“二月革命”之后，在哥达成立的独立社会党为人们带去了“从民主化走向和平”的观点，并且引导大部分社会民主党人为此努力。德国议会上，后者还与中央党以及改革论者联手通过了一项呼吁“非强行割让的和平”的正式决议。但就在贝特曼劝说德皇接受普鲁士选举民主化的建议之后，便招致了兴登堡和鲁登道夫的不满和排挤，最终他的职位被无能的米夏埃利斯接任，在背后支持该行动的，是提尔皮茨和沃尔夫冈 · 卡普的新国家党（该组织在 1918 年 7 月已经拥有 2 536 个分支机构和 125 万名成员）。

如此，军事独裁者极其拥趸成功地摆脱了传统君主制的保守势力。泛日耳曼联盟首领康斯坦丁 · 冯 · 格布萨特尔警告称，如果德国不进行领土吞并，战争结束时国民便会出现“普遍失望和愤懑”的情绪，“在他们的幻想破灭之后，人民大众会揭竿而起。到时，封建王朝将岌岌可危，甚至被推翻。”德国的政策出现了两极分化。那些支持和平协商的人对这种情形束手无策，只能寄希望于一定程度的国内革命，希望能够增加总理的权力来约束军事力量，同时削减重工业游说团的权力。问题是这些原则仅仅在 1918 年 10 月鲁登道夫将德国的军事力量消耗到只剩下最后的余烬后才开始被人们接受。正如 1917 年 7 月，巴伐利亚陆军上校默茨 · 冯 · 克威尔海姆所言 ：

> 如果鲁登道夫将军如是宣布，“没错，最高统帅部同样支持普选权，因为我们的普鲁士士兵完全值得被赋予这项权力”，那将是件多么振奋人心的事情。我相信鲁登道夫会被兴奋的人们抛到空中，并且从此再也不用担心罢工的事情发生了……但是鲁登道夫将军从来不明白如何利用政治手段来解决战争问题。

因此，产生了从国内政治到战略失误，然后再回归到国内政治的怪圈，现在我们可以得到一个确定的结论，用民主的方式来处理战争要优于独裁方式。

德国所犯的第三个错误——或许是在最让人惊讶的领域——则是在开发研制新型武器装备方面的相对落后性。诚然，德国在很多技术方面遥遥领先，例如高质量的堑壕防御工事、能够穿透敌人掩体的钢芯子弹以及能够清除侦察气球的燃烧弹。众所周知，第一个在战场上使用氯气的也是德军（1915 年 4 月 22 日的伊普尔战役），法国人一开始使用的是充满溴乙酸乙酯的手榴弹 ；此外，德国人在波兰作战时就已经使用含有甲苄基溴的“T 型炮弹”了。德国人还发明了火焰喷射器（首次使用是在 1915 年 7 月的霍格战役中）以及堑壕迫击炮和钢盔。但是他们却在 3 个至关重要的武器装备上落后于他人。赫维希认为，德国的空军力量较为落后，1918 年春季的可使用战机的数量并不能代表德国空军的实力（我们绝不能低估齐柏林式飞艇和哥达轰炸机对英国平民的杀伤力和恫吓力，以及对房屋等的破坏力）。在机动车交通运输方面，德国面临着同样的情况。1918 年，他们拥有总计 3 万辆车，轮胎大部分是钢质和木质的；而协约国一方却拥有 10 万之多，且大部分车辆轮胎使用的是橡胶原材料。最后，德国的坦克生产同样落后。1918 年，他们仅生产出了 20 辆坦克，且大多数都被损毁；而同盟国的坦克数却有 800 辆。由此衍生出了一个矛盾：战前拥有蜚声世界的制造技术和生产工业的国家，却在这场机械战中败北。德国的另外一个技术缺陷是无法控制英国的间谍活动：具体来讲，德国人并没有意识到他们发给战舰的信号大部分都被英国海军部截获并破译了。

## 协约国的战略

然而，对德国战略和外交的指摘面临着一些困难。一方面，我们完全可以说协约国的战略并没有比同盟国的战略高明到哪儿去。里德尔·哈特声称，英国完全可以在不卷入这种拖延许久、血腥惨痛的僵局的情况下打败德国，前提是更多的部队能够支援诸如达达尼尔海峡海战这样的战役。在《愚蠢的人》一书中，艾伦·克拉克认为，英国完全不必进行陆上作战，仅凭海上力量便可以断绝德国的物资供给，使其屈服。

继官方历史学家埃德蒙兹之后，没有哪位历史学家能像约翰·特兰这样不遗余力地对上述观点进行反驳。大约 40 年中，特兰不断重申，从当时的情况来看，英国在战争中的表现是可圈可点的。他认为，除了派遣远征军之外，英国别无选择；除了发动索姆河以及帕森达勒战役之外，英国别无选择；因此，“在没有分析敌军实力……以及战争本身的技术含量的前提下，一味纠缠于英国军队的高伤亡数是无意义的”。卡里略·巴尼特是这一论断的支持者之一，尽管他同样认为战争的胜利并没有遏制长期以来英国经济和战略的颓势，而造成这种情况的部分原因是与德国相同的错误（这倒很像一种奇怪的讽刺）。

我们很难看出赢得西线战役究竟能够带来什么好处。起初，英国派出大批部队与土耳其进行持久战，而结果却奠定了德国在法国的胜利。英国在加利波利取得的胜利果实同样没有带来什么实质性变化。俄国可能是其战略的最主要受益人，这使得它又向占领君士坦丁堡的目标更近了一步。可以说，英国以自己的牺牲为代价，通过在海峡部署更多兵力来赢得支持俄国的权力，这并非是对英国的人力物力财力的最合理使用。同时，如果没有足够的英国士兵为其提供支持，法国早就沦陷了。实际上我们甚至可以说，在其他任何一个地方部署大量兵力对英国来说都是危险的策略：不仅在加利波利，还有美索不达米亚、萨罗尼加和巴勒斯坦。在通过和平协商的途径扩充帝国领土方面，在非欧陆战场中收获的胜利显然更有作用。但如果德国占领了佛兰德斯地区和法国的话，押在中东的赌注便会消失殆尽。

纯粹的海军战略同样无法直接取得对德胜利。尽管德国的确输掉了海战，但英国的海上策略同样没有达到想象中的效果，即让德国在处于物资短缺之后乖乖就范。正如我们所见，对德封锁最大的受害人是那些对战争影响极小的社会群体。如果英国仅仅发动海战，那么它只能面对围绕欧洲的海浪发号施令；如果没有基奇纳的军队，德国的陆上作战便有可能成功。

因此，协约国取得西线胜利是必然的。但这并不意味着我们可以无条件地肯定英国所采取的主要战略——消耗战。

消耗战的观念根源可以追溯到 1914 年 10 月；当时，基奇纳对埃舍尔说，“在德国放弃努力之前，它就已经将其兵力耗尽了……”首先，基奇纳希望这是场鏖战，因此他组建新军，伺机等候法国将德军拖得元气大伤时再果断出击进行干预。在军事行动指挥查尔斯·考威尔爵士 1915 年 1 月的报告中，他指出德国人“在数月之内”便会陷入兵源供不应求的局面，这篇报告也甚为鼓舞人心。5 个月后，考威尔的继任者陆军准将弗里德里克·莫里斯仍然信心满满地宣布，如果军队能够“支撑下去，6 个月之后我们就能让德国消耗殆尽”。基奇纳认为，“到 1917 年年初”，“消耗战”就会将德国的兵力耗尽；虽然如此，他还是赞成让德国人“以惨重的伤亡试图撼动我们的防线，从而惹火烧身”。1915 年 7 月，鲍尔弗和丘吉尔在谈话中指出，“要积极防御，对敌人造成最大限度的伤亡，一寸一寸地守住整个防线。”英国要“将敌人的数量减少到再也没有力量组织反抗的程度”（塞尔伯恩的预言）；德国应当被“消耗殆尽”，直至再也“无心恋战”（罗伯逊和默里）；德国的储备军应当被杀个片甲不留（罗伯逊）。将军们甚至开始设立目标，每个月至少造成 20 万德军的伤亡（1915 年 12 月）。法国的想法也与英国类似。总参谋部于 1915 年 5 月总结道，“直到敌人的储备军无法弥补其伤亡的人数时”，英国才有可能取得“突破”。

“积极防御”逐步发展成进攻。亨利·罗林森男爵在关于索姆河的计划草案中说，通过巧妙地抓住时机并静候德国进行反击，“在保证我们最小损失的基础上尽力杀掉更多的敌人”。“我们的主要攻击目标是拖垮德军和德国”，陆战队准将约翰于 6 月 30 日在日记中写道。实际上，黑格一直坚信事情会有所突破，但他更担心“疲劳战术”“会让我们的部队同样被拖垮，或许比敌人付出更多的伤亡代价”。黑格或许是对的，但他关于向德军发起大规模进攻的建议则更为冒险。我们都知道，在索姆河战役的第一天，英国军队伤亡人数为 6 万；直到获悉德国仅仅只有 8 000 人死伤，这一数字的重要意义才不言而喻。在无法实现突破的情况下，所有人都希望诉诸消耗战来取得胜利，妄想着“德国正迎来末日，弹尽粮绝，为是否能够避免失败而苦恼”。现实却不容乐观，如果按照英国官方数据，德国的伤亡人数为 68 万人，这样一来索姆河战役便打成了平手（英国伤亡人数为 419 654，法国为 204 253）。如果按照德国真正的伤亡人数来看（45 万人），那么拖延战术显然弄巧成拙。就连黑格也开始承认，如果一味地防守，那么德国人就会“将我们的军队消耗殆尽”。因此，1917 年 4 月，法国的尼韦勒攻势应运而生，迫使德军撤退至兴登堡防线，但这次号称为第一次世界大战期间法军规模最大的集团军群进攻战役最终因协同不力而以失败告终。到 5 月 15 日，法国伤亡人数为 18.7 万人，德国为 16.3 万。

法国进攻的失败让黑格重新对消耗战产生了依赖，无论 1917 年 4 月~5 月英国的主动进攻取得了多少战绩，也不值得在 39 天内付出伤亡 15.9 万人的代价。5 月，罗伯逊和黑格仍旧对“损耗并拖垮敌人的反抗”表示了一致同意；但次月发生的梅西讷山脊战役仍然给英德两军造成了分别为 2.5 万人和 2.3 万人的伤亡。第三次伊普尔战役使用了相同的战术。黑格一直希望有所突破，但事到如今，就连罗伯逊都承认，他“坚定不移”地支持这种战略，只是“因为我找不到比它更好的办法，并且我的本能告诉我应当坚持这种战略”，而并不是因为他有“任何更能说服我们的事实和理由”。因此，劳合·乔治的判断是相当正确的：“黑格并不在乎他损失了多少士兵。他恣意地挥霍着这些年轻人的生命。”这位首相挖苦说，“当我拿到这些骇人的伤亡名单时，我常常在想，我们根本没必要夺取这些伟大的胜利。”他的话一针见血。1918 年春天，当鲁登道夫下令发起进攻时，德军遭受了最严重的伤亡。米迦勒行动结束时，德国的伤亡人数为 25 万人，英国 17.8 万人，法国 7.7 万人；4 月底，这 3 个数据分别变成了 34.8 万、24 万和 9.2 万。在总伤亡人数方面，双方同样打成了“平手”，但协约国承担损失的能力更强一些，因为它们能够得到美国的帮助。直到 1918 年 6 月，英国的战争指挥者才承认，只有在“考虑成熟以及拥有充足弹药以保证士兵安全”的情况下，对敌人采取的“拖延战术”才是值得而有效的。

如果按照这个标准来看，英国的将军们显然是失败的。如表 10–1 所示，第一次世界大战中出现的最为明显的矛盾之一是，尽管在经济方面严重落后，但同盟国却能够给敌人造成更严重的伤亡损失。根据战时对军事死亡人数的计算，为协约国及其盟国作战的士兵中，大约有 540 万人牺牲，他们大多数是被敌军杀害的。而同盟国相应的数据仅为 400 万。如此看来，同盟国在对敌军造成伤亡的能力方面具有 35%的优势。战后不久公布的英国官方数据甚至将这一优势提升到 50%，大量的当代教科书中也采用了这一数据。换言之，同盟国大规模屠杀的能力比协约国高出了 1/3。伊莱亚斯·卡内蒂在谈到消耗战时说："双方都希望拥有更多为自己战斗的士兵，同时希望对方损失更多的士兵。"如果按照这一标准，那么胜者无疑是同盟国。

**表 10–1 第一次世界大战伤亡情况总览**

| | 英国官方公布各国阵亡人数 | 修正后的数据 | 俘虏数 | 伤者数 | 总伤亡数 |
|---|---|---|---|---|---|
| 法国 | 1 345 300 | 1 398 000 | 446 300 | 2 000 000 | 3 844 300 |
| 比利时 | 13 716 | 38 000 | 10 203 | 44 686 | 92 889 |
| 意大利 | 460 000 | 578 000 | 530 000 | 947 000 | 2 055 000 |
| 葡萄牙 | 7 222 | 7 000 | 12 318 | 13 751 | 33 069 |
| 英国本土 | 702 410 | 723 000 | 170 389 | 1 662 625 | 2 556 014 |
| 大英帝国 | 205 961 | 198 000 | 21 263 | 427 587 | 646 850 |
| 罗马尼亚 | 335 706 | 250 000 | 80 000 | 120 000 | 450 000 |
| 塞尔维亚 | 45 000 | 278 000 | 70 423 | 133 148 | 481 571 |
| 希腊 | 5 000 | 26 000 | 1 000 | 21 000 | 48 000 |
| 俄罗斯 | 1 700 000 | 1 811 000 | 3 500 000 | 1 450 000 | 6 761 000 |
| 美国 | 115 660 | 114 000 | 4 480 | 205 690 | 324 170 |
| **协约国总计** | 4 935 975 | 5 421 000 | 4 846 376 | 7 025 487 | 17 292 863 |
| 保加利亚 | 87 500 | 88 000 | 10 623 | 152 390 | 251 013 |
| 德国 | 1 676 696 | 2 037 000 | 617 922 | 4 207 028 | 6 861 950 |
| 奥匈帝国 | 1 200 000 | 1 100 000 | 2 200 000 | 3 620 000 | 6 920 000 |
| 土耳其 | 325 000 | 804 000 | 250 000 | 400 000 | 1 454 000 |
| **同盟国总计** | 3 289 196 | 4 029 000 | 3 078 545 | 8 379 418 | 15 486 963 |
| 总计 | 8 255 171 | 9 450 000 | 7 924 921 | 15 404 905 | 32 779 826 |
| **净阵亡数** | **1 646 779** | **1 392 000** | **1 767 831** | **–1 353 931** | **1 805 900** |
| 百分比差 | 50 | 35 | 57 | –16 | 12 |

**注**：死亡人数中同时包括了战死和病死的士兵人数，因此数目庞大，特别是在周边发生战争的地区；葡萄牙的数据中不包括莫桑比克和安哥拉的数据；希腊的被俘人数包括失踪者人数，因此较高。

**资料来源**：War Office, *Statistics of the Military Effort*, pp. 237, 352~357; Terraine, *Smoke and Fire*, pp. 44; J. Winter, *Great War*, p. 75.

在另一种有效打击敌人的手段——虏获敌兵方面，双方呈现出更大的差异。同盟国的士兵中有 310~370 万（至多）在战争期间被俘，相比较之下，协约国及其盟国的人数则为 380~510 万（至多）（本书第 13 章对此有详细的讨论）。同盟国所虏获的士兵数比协约国手中的同盟国士兵多出了 25%~38%。只有在一个领域中，优势的天平才倾向于协约国及其盟国：数据表明，同盟国在行动中负伤的人数比协约国多

130 万人。然而这些数据是最不可靠的（例如，德国人并没有在他们的官方数据中包括只受轻伤的人，而英国则将其计入）。无论如何，致使对方受伤是实施打击的最无效的方式，因为如果伤势不至死亡，那么伤者中的大部分人——例如英军 55.5%的伤员——都将重返战场。部分出于这种原因，准确计算总伤亡人数困难重重。更准确地说，他们还不得不考虑以下事实：杀死敌国士兵是最佳选择，捕获俘虏同样有效，甚至优于第一种情况（虽然不得不为俘虏提供食物和住处，这会消耗一部分资源，但这些人可以充当劳动力），而仅让敌人受伤则是三者中最糟糕的情况。表 10–2 总结了伤亡人数的最大值、最小值以及最佳推算数。从表中我们可以看出，整体而言，同盟国拥有高出 10%的优势。如果将伤者数忽略不计，这种优势最多可以达到惊人的 44%。换言之，遭到同盟国施加的“永久性打击”的敌军人数达到 1 030 万人，而其损失的相应人数则仅为 710 万。这是非常难得的。

不得不承认，单纯从“净阵亡人数”的计算来判断军事效率未免显得粗糙浅显；迈克尔·霍华德曾言，“将军事成就降低到仅靠计算杀敌数字来体现，是一种反证法和非理性手段”。然而除此之外我们很难在别的方面对第一次世界大战各个国家的得失进行评价。如果试图按照获取领土的数量来断定进攻成功与否，那么只能证明显而易见、连中学生都明白的一点：1915~1917 年间发生在西线的大部分战斗都是零和博弈。

**表 10–2　总伤亡人数统计（阵亡、俘虏及伤员）**

| | 最大值 | 最小值 | 最佳推算数 |
|---|---|---|---|
| 法国 | 6 100 000 | 3 791 600 | 3 844 300 |
| 比利时 | 92 889 | 68 605 | 92 899 |
| 意大利 | 2 190 000 | 1 937 000 | 2 055 000 |
| 葡萄牙 | 33 291 | 33 096 | 33 291 |
| 英国本土及殖民地 | 3 305 000 | 3 190 235 | 3 202 864 |
| 罗马尼亚 | 535 706 | 450 000 | 450 000 |
| 塞尔维亚 | 481 571 | 248 571 | 481 571 |
| 希腊 | 48 000 | 27 000 | 48 000 |
| 俄国 | 9 100 000 | 6 650 000 | 6 761 000 |
| 美国 | 325 830 | 324 170 | 324 170 |
| **协约国总计** | 22 212 287 | 16 720 250 | 17 293 085 |
| 保加利亚 | 250 513 | 250 513 | 250 513 |
| 德国 | 7 437 000 | 6 510 646 | 6 861 950 |
| 奥匈帝国 | 7 000 000 | 6 920 000 | 6 920 000 |

（续）

| | 最大值 | 最小值 | 最佳推算数 |
|---|---|---|---|
| 土耳其 | 2 290 000 | 970 000 | 1 454 000 |
| **同盟国总计** | 16 977 513 | 14 642 159 | 15 486 963 |
| **总计** | 39 189 800 | 31 362 409 | 32 780 048 |
| **净阵亡人数** | **5 234 774** | **2 078 091** | **1 806 122** |
| 百分比差 | 30.8 | 14.2 | 11.7 |

**资料来源**：见表 10–1。

此外，正如查尔斯·迈尔所言，战争期间英国及其盟国所造成的德军死亡人数从未超过其 18 岁以上男性成年人的数量（见表 10–3）。如果消耗战真是协约国取胜的关键，那么在 1919 年时，该策略就应当保持显著的成果，然而那时候却是德军 1914 年以来新征入伍者达到最高峰的时期。斯通认为，“实际上，人力资源是取之不竭的”。

**表 10–3　德国人力资源，1914~1918 年**

| | 18 岁以上成年男性人数 | 阵亡人数 | 剩余人数 |
|---|---|---|---|
| 1914 年 | 670 000 | 241 000 | 429 000 |
| 1915 年 | 674 000 | 434 000 | 240 000 |
| 1916 年 | 688 000 | 340 000 | 348 000 |
| 1917 年 | 693 000 | 282 000 | 411 000 |
| 1918 年 | 699 000 | 380 000 | 319 000 |
| 1919 年 | 711 000 | | |

**资料来源**：Maier, “Wargames”, p. 266.

诚然，我们可以说，消耗战的策略在某些领域相对来说是成功的，因为协约国在人力安排上显然更有优势。简而言之，协约国比同盟国更能够经受得起人力损失：阵亡或被俘的士兵总人数并非是最好的衡量标准，这些数据占到可利用人力资源的比例才是关键。表 10–4 向我们展示了各个交战国的死亡人数在人力资源中的比率。从中我们可以清楚地看到，相比之下，同盟国的确居于下风，失去了成年男性中 11.5%的人力资源，而另一方仅有 2.7%。有人认为，仅此一点便能奠定协约国胜利的地位。然而协约国有数量可观的人并没有服兵役，只是因为巨大的人口基数而使得这一数字大大下降。实际上，协约国及其盟国仅有 5%的总人口被动员，而同盟国的动员率则高达 17%。有人可能会质疑，如有需要，剩下的人是否有意愿参军入伍？这个问题尤其适用于大英帝国。也许还有人会质疑，如果战争胶着拖沓，又会有多少美国人能被动员入伍？现实的情况是，美国的逃兵人数比达到了 11%（共 33.764 9 万人）。如果我们首先对比一下第一栏的数据（阵亡人数占实际动员人数的百分比），那么这种差距则会减小：同盟国为 15.7%，协约国 12%。

此外，如果进一步观察第一次世界大战中战略上最为重要的国家——法国，我们会发现，德国人在实施杀伤力大的打击方面更胜一筹。法国和德国动员人数占总人数的百分比大致相同，但法国阵亡的士兵人数却高于德国。更糟糕的是，法国每年满足入伍资格的年轻人与德国相比要少很多，但法国军队自始至终没有崩溃（尽管他们的士气在 1917 年曾跌落谷底）。最先崩溃的是俄国，奇怪的是，俄国的伤亡人数占动员人数的比例相对较低，而其占男性成年人总数的比例更是低得出奇。我们都知道，苏格兰士兵在战争中的死亡率是最高的（仅次于塞尔维亚人和土耳其人），然而他们顽强地坚持到了战争的最后时刻。因此，消耗战一说关于同盟国溃败的机械论解释显然站不住脚。实际上，净阵亡人数只会让同盟国的失败蒙上更为让人不解且神秘的阴影。

表 10–4 军事行动阵亡者占总人力的百分比

| 国家 | 总阵亡人数/动员人数 | 总阵亡/15~49 岁男性总数 | 总阵亡/总人口 |
|---|---|---|---|
| 苏格兰 | 26.4 | 10.9 | 3.1 |
| 大不列颠和北爱尔兰 | 11.8 | 6.3 | 1.6 |
| 加拿大 | 9.7 | 2.6 | 0.8 |
| 澳大利亚 | 14.5 | 4.4 | 1.2 |
| 新西兰 | 12.4 | 5.0 | 1.5 |
| 南非 | 5.1 | 0.4 | 0.1 |
| 印度 | 5.7 | 0.1 | 0.0 |
| 大英帝国（除英国本土） | 8.8 | 0.2 | 0.1 |
| 法国 | 16.8 | 13.3 | 3.4 |
| 法属殖民地 | 15.8 | 0.5 | 0.1 |
| 比利时 | 10.4 | 2.0 | 0.5 |
| 意大利 | 10.3 | 7.4 | 1.6 |
| 葡萄牙 | 7.0 | 0.5 | 0.1 |
| 希腊 | 7.4 | 2.1 | 0.5 |
| 塞尔维亚 | 37.1 | 22.7 | 5.7 |
| 罗马尼亚 | 25.0 | 13.2 | 3.3 |

（续）

| 国家 | 总阵亡人数/动员人数 | 总阵亡/15~49 岁男性总数 | 总阵亡/总人口 |
|---|---|---|---|
| 俄国 | 11.5 | 4.5 | 1.1 |
| 美国 | 2.7 | 0.4 | 0.1 |
| **协约国总计** | **12.0** | **2.7** | **0.7** |
| 德国 | 15.4 | 12.5 | 3.0 |
| 奥匈帝国 | 12.2 | 9.0 | 1.9 |
| 土耳其 | 26.8 | 14.8 | 3.7 |
| 保加利亚 | 22.0 | 8.0 | 1.9 |
| **同盟国总计** | **15.7** | **11.5** | **2.6** |
| **总计** | **13.4** | **4.0** | **1.0** |

**资料来源**：J. Winter, *Great War*, p.75.

特雷弗·迪普伊关于两次世界大战伤亡数字的研究堪称最为复杂的研究。在其调查中他总结道，德国人的平均战斗效率比英国或美国的部队要高出 20%。迪普伊细致地研究了 15 场战役，并且对各国“当日伤亡人数占对方伤亡人数的百分比”进行“打分”，并运用这一结果研究“各种防御状态的优势”（仓促防御为 1.3 分，标准防御为 1.5 分，加强型防御则得到 1.6 分）。德军的“战斗有效性得分”平均为 5.51 分，如果对俄国战俘忽略不计，则为 2.61 分（尽管没有理由将其忽略不计）；俄国的得分为 1.5 分，而其他协约国国家的分数则更低，为 1.1 分。

在关键的西线战役中，我们可以做更深入的细节研究。官方发布的月伤亡人数并非最可信的历史数据来源，但也不至于到可以被忽略的地步（历史学家们却常常这样做）。这些数据显示，尽管在 1915 年 2 月到 1918 年 10 月中有 8 个月，德国在英国防线地区对其造成了严重的伤亡，但这 8 个月中的 3 个月是在战争的末期（1918 年 8 月 ~10 月）（见图 10–1）。同样值得注意的是，英国军官的伤亡人数远远大于德国军官：战争期间，德军每年杀害或俘虏的英国军官数量大大超过了自身损失的军官数。图 10–2 将法国、英国和德国的数字进行了汇总，从中我们可以得知，从 1914 年 8 月到 1918 年 6 月，德军每个月损失的士兵都不会超过他们杀害或俘虏协约国士兵的人数。实际上在这段时间里，英国在西线有所增兵，因此不管是军官的损失比率还是士兵的损失比率，都出现了大幅度下降。如果将英国和法国的西线伤亡综合数据与德国进行对比，协约国的状况会有所起色。然而直到 1918 年，协约国的净阵亡人数才开始转好；这直接映射出德国投降人数的激增，而并不代表协约国的净杀伤人数有明显改进（见图 10–2）。实际上，如果仅考虑英方的死亡人数（这一数字并不完整，因为

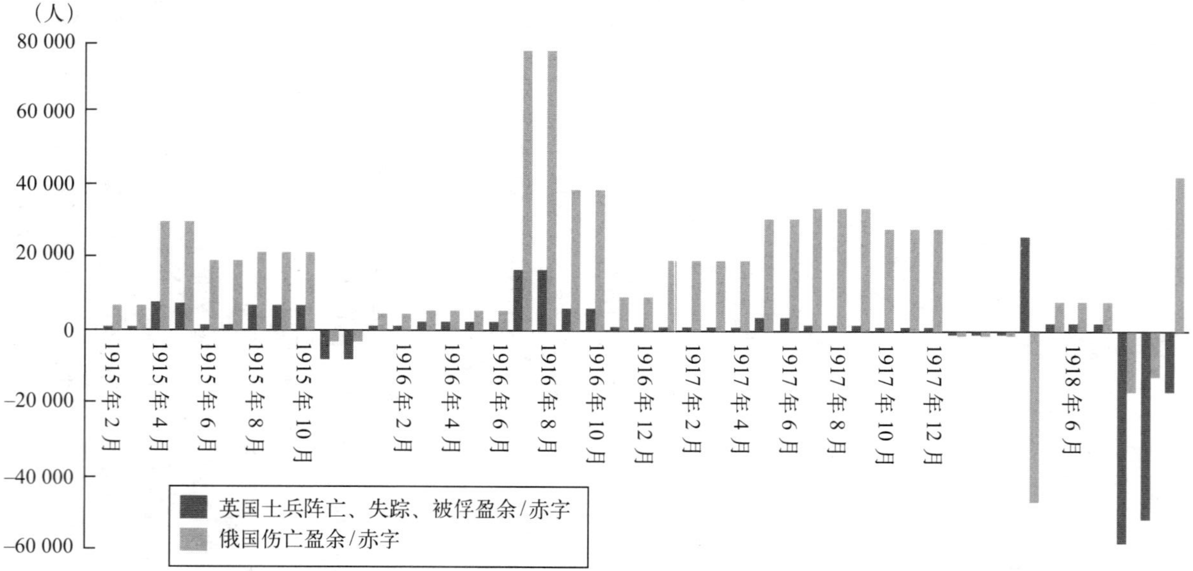


**图 10–1 “净阵亡人数”：英国的伤亡人数减去德国的伤亡人数（西线英国的防御地段），1915~1918 年**

**注**：这些数据有些并非按单月统计，因此很多情况下只给出了月平均数。这可能无法体现特殊月份的某些军事行动的影响。

**资料来源**：War Office, *Statistics of the British Military Effort*, pp. 358~362.

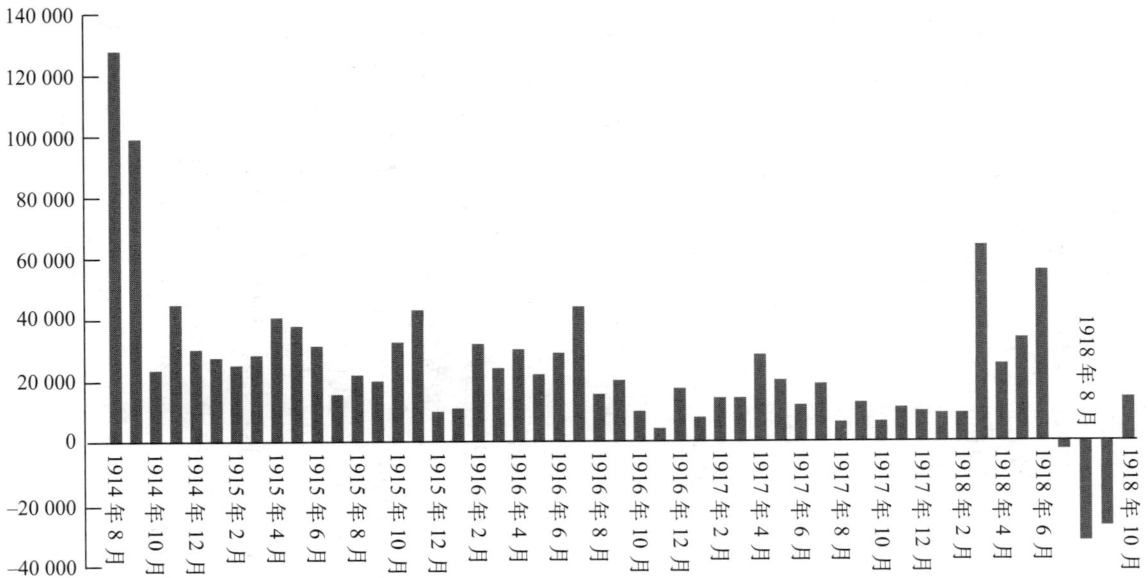


**图 10–2 “净阵亡人数”：英法士兵遭受永久伤害人数减去德国相应人数，1914 年 8 月~1918 年 7 月（西线）**

**注**：由于德国在 1918 年 8 月~10 月的损失人数只限英国防御地段范围内的数据，因此德军的伤亡情况可能会被低估。一般来说，20 世纪 30 年代的德国官方数据对 7 月之后的月份忽略不计。戴斯特的《军事力量的崩溃》203 页中统计了从 7 月中旬到 11 月 11 日的死伤者总人数：42 万人被俘，34 万人失踪；因此，8 月~10 月的平均伤亡人数为 24.5 万人，11 月为 1.5 万人。然而上述数据忽略了美国的伤亡人数，美方共有 11 万人阵亡，1.2 万被俘。如果将其计算在内，那么这一差值在 1918 年年底将不会如此悬殊。

**资料来源**：War Office, *Statistics of the British Military Effort*, pp. 253~265; Reichswehrministerium, *Sanitätsbericht*, vol. I, pp. 140~143; Guinard *et al*, *Inventaire*, vol. I, p. 213.

有些被列入失踪名单的人后来被证实已经死亡），那么净阵亡人数在惨烈的春季进攻之后重新偏向了对德国有利的一面。

加拿大骑兵旅的指挥官J·E·B·西利在1930年对战争的评价中对消耗战的荒谬之处做了总结："协约国一方中有些傻瓜认为，只要杀光西线的德国人，战争就结束了。诚然，如果我们杀敌的数量远远大于我们损失的人时，这种愿望或许还有实现的可能。"而结果却是，在鲁登道夫发起攻势之后，英国士兵只能被迫进行防守。毫不意外，他们自己发起的进攻行动除了对敌人造成打击之外，也让自己人遭受了同样的永久性损失（甚至更多）。总而言之，在战争的大部分关键战役中，德国人都能获得和保持更高的军事效率和效力。这一切都让人们觉得，尽管经济形势如此不利，但如果他们是最终的胜者，那也没什么让人惊讶的。

## 借　口

我们如何解释在陆上作战的关键战役中，同盟国和协约国之间会在作战效力和效率上出现如此大的差距呢？

关于这一点，最广为流传的解释仍旧是：协约国的指挥者是"蠢驴"，以英国为代表，这些指挥者"由于没有受过良好的教育……对前景抱有吹毛求疵、艳羡他人的死板心态，心志没有完全清醒和成熟"。正如T·E·劳伦斯所言，"上战场的人都是英勇的男子汉，但在后方指挥的将军们却总是将他们稀里糊涂得到的东西再愚蠢地拱手让人。"劳合·乔治也曾讽刺那些指挥者"混乱的头脑中的每一个角落里都堆满了毫无价值的杂物和垃圾。有些垃圾直到战争结束后还待在里面没有被清除掉……除了听信传闻，他们对真实的战场一无所知。"现代作家同样继承了这种观点，例如拉芬。在他眼里，英国的战争指挥官们是一群高傲无知的"屠夫和笨蛋"。最近，更多的学者试图重新定义这种质疑。他们认为，这些指挥官对堑壕战的本质领悟得过于迟缓。在指挥战争时准备不足，使用大炮进行攻击，并且没有明确的目标；在时机发生转变时固守老一套的方案；一心想突破德国人的防线，而并非对他们施加伤亡上的打击；在缺乏价值研究的基础上一味以占领土地为主，并没有调查该片土地是否具有使用大炮的价值。比德韦尔和格雷厄姆认为，士兵们在出征前缺乏对真实的战争本质的认知，并且没有适应新的战术和技术。

为了替这些"英军参谋"从诽谤和中伤中开脱，下面列举英国遭受相对高伤亡打击的几项原因：

1. 在德国人成功防守的情况下（正如加利波利的土耳其军队），英方不得不发起进攻。现代的枪支火力使士兵们不得不从战场转移到堑壕和防空洞中作战。在大炮和弹药充足的情况下，防守会被攻破，但是这种突破无法为攻防带来任何好处。大炮制造了进攻的机会，但同样摧毁了它：炮弹将土地掀翻，使向前推进遇到了困难，冲锋的部队不得不在掩护射击的保护下撤退回来。而当进攻陷入困境，残余的敌对势力便有机会得手。特兰将发起进攻的部队比喻成一只腿打了石膏的拳击手：强壮但却迟钝。这种状况出现在几乎所有战场中，用富勒的话说，“对于每支部队来说，真正的敌人是子弹、铁锹和铁丝网。”

另外一个技术性问题是不当的指挥、控制和沟通。1914 年，英国已然没有为远征军开发足够的航空侦察、航拍和信号通信等手段。地图的绘制也出现了误差。前线的沟通线路中断，导致部队一旦离开某一地点之后便失去了联系。作战中，尽管之前经过精心准备，在每条线路上都埋好了电缆，但通信总会被敌人的炮火切断。因此，参谋们不得不依靠侦察兵来获得只言片语的情报。直到 1918 年，复杂的信号服务才问世，无线电机得以使用。但通信技术的缺陷并不是造成进攻一方巨大伤亡损失的关键原因。正如霍姆斯所言，“西线战争的特点并非是由杀伤力的提高赋予的：实际上，通信技术一直落后于装备技术。防守者很容易在退却后利用通信报告自己的失败，而进攻者则不可能再折返到已经损毁的战场去报告战绩。”

2. 由于联合作战的紧急需要，英国士兵常常被迫在时机未成熟的情况下发起进攻。若不是“不知道俄国军队能在德国的进攻下坚持多久”（基奇纳言），英国远征军也不会在 1915 年发起时机上并不成熟的进攻。基奇纳还警告内阁说，若拒绝霞飞所希望的合作，那么就务必要对同盟国造成严重甚至是致命的打击。埃舍尔 1915 年 1 月曾说，“法国士兵很优秀，但他们能够承担的压力有限。”1915 年 3 月，法国取消了进攻维米岭的作战计划，该计划本来是作为配合英国的新沙佩勒战役进行的，这种事情不不罕见；而约翰 · 弗伦奇爵士无论如何都已经证明了他的意愿——“忠实地与盟友进行合作，并保持一贯的热情”。此外，索姆河进攻的日期、具体时间和地点都由法国一手敲定，而非黑格。

这种情况持续到了 1917 年。直到 1917 年 6 月的梅西讷战役，英国军队才有机会按照自己的战略计划行事，即自主决定攻击时间和地点。但独立行动并不一定能赢得战争。英国需要与盟国进行有效的合作。只有当面临 1918 年德国展开的攻势时，英国军队才接受了欧陆责任：在法国指挥下的统一作战。即便如此，事情开展起来仍是困难重重。比如由潘兴指挥的美军坚决反对佩塔因领导下的联合作战计划，轻蔑地拒绝了接受更富有经验的领导人指挥的机会。

3. 不同于德国的军队，英国士兵对陆上作战并不擅长。1919 年 6 月，黑格回忆道，

“我们在没有做好充足准备的情况下便卷入了战争……在战争中，我们无时无刻不在拼尽全力弥补我们的不足。”例如，和平时期部队中仅有一位参谋，财政限制仅是部分原因，更重要的是统帅部和远征军之间并没有严格的指挥层级关系。骑兵团指挥艾伦比身边竟连一个固定参谋都没有，原因是配备给他的人都缺乏经验。因此，英军的指挥团体从一开始便是临时东拼西凑而成的。

真正的问题在于——现在我们不要再为他们找借口了——英国常规军的整体军队文化妨碍了这个临时性团队的效率：下达命令的等级制度基于下级对上级的服从以及上级对下级的质疑；根据人脉关系，有人可以一直得到晋升；私下的不和也可以导致军官之间的“分裂”。这些都产生了严重的后果。例如当黑格质疑劳林森最初的索姆河计划时，后者认为自己无法坚持立场，结果是黑格执意要贯彻自己自杀式的突破目的。劳林森说道，“无限制进攻简直是在赌博，但D · H · 劳伦斯执意为之；我只能去干些别的理智的事情了。”部队的军官无法擅自篡改主指挥官的意见，尽管这可能会让成千上万的生命岌岌可危。部队中每层级别都有这种限制。政令上传下达，从一而终，不容置疑。这造就了只会“听候命令”的军官、军士和战士。正如J · M · 布恩所言，在战斗中，“当德国的炮击将通信中断之后，英军便不知所措，陷入瘫痪”。如果用工业组织的术语（放在这里再合适不过了）来说，这是一种“层级管理负责制”，并且没有机构和途径将“下级经理”的意见向上反映到总部。也可能出于这个原因，在这场道德大于物质的竞赛中，支持战争技术的人无法动摇那些传统的战争信徒。人们过分强调道义、勇气和纪律，而忽略了武器技术和战略战术。

让旧有的部队充斥新征入伍的人同样无法使这些问题得到解决，反而会适得其反。扩大队伍意味着更为浓重的官僚气息。正如查特里斯指出的：

> 军队的责任范围也会随之扩大：食品供应、道路和铁路交通、法律条款的制定、工程、医药、教会、教育、邮政，甚至农业，还要管理除了伦敦之外英国庞大的公民群体……除此之外，还要考虑纯军事领域的问题……让人惊异的是，除了交通和邮政，其他所有组织都要受到常规军的控制……每个部门都配有一位领导，而所有的领导人员都要听从一个人的安排——长官。该长官每日会见同一位大部门领导的次数不会超过两次，且每次接见的时间很少超过半个小时……

马丁 · 范 · 克里菲尔德认为，就连下达的命令本身都带有官僚主义的性质：“战争的行动指导从战场转移回公司和政府部门”，不知不觉中，“公司和政府部门提出的方案”重新渗入并“统帅战场”。多米尼克 · 格雷厄姆认为，正是因为这种组织上的行事趋势，从新沙佩勒战役到康布雷战役，英国远征军的学习曲线呈持平状态，甚为可悲。因此，当英国远征军知道如何打好防御战时，他们在进攻上却不得要领，因此无法胜任与不同军队进行合作作战的任务，也无法掌握火力与行进相互配合的方式。没有人肯花费力气将最简单的操作原则讲明白——“射击技巧在于逐渐掌控优势火力点，利用有利位置对敌人造成最大程度的伤亡”，同时将我方的损失降到最小。

此外，大炮和坦克这样的武器通常被当作辅助步兵团的工具，而非有机作战系统的组成部分。一个典型的案例是，陆军部要花费 13 个月确定坦克样品，用 7 个月的时间对坦克在战斗中的使用进行部署（首次亮相是在 1916 年 11 月的索姆河战役中），再用 14 个月才能投入到大规模使用。而事实上，早在 1900 年左右，坦克的零部件——保护板、内燃机以及履带系统——的技术就已经成熟，装甲战车投入战争的理念也已提出。就算一切都可行，指挥官们同样会忽略如何使用它们的专业建议。甚至在亚眠战役之后，黑格仍然拒绝机械战的建议，坚信人力才是夺取战争胜利的关键。在决策层的保守主义之外还出现了“帽徽忠诚”的现象，它鼓励军官和士兵以在哪个营队为身份鉴定标准，而并非以旅或者师为单位。

从英国对火炮的使用中可以更明显看出其缺点，因为在很多情况下，火炮是作战的关键。从 1914 年开始一直到索姆河战役，英国就面临着大炮短缺的局面，缺乏足够威力的枪炮和充足的弹药储备（烈性炸药的供应更为不足）。大部分大炮是“观测使用”的，这就意味着炮手们只能打击到他们视域范围内的目标（这就妨碍了间接射击和反火炮射击），地图根本没有派上用场，瞄准射击也变得更加困难。1915 年 9 月的卢斯战役中，在没有足够的大炮做掩护的情况下，步兵发起了进攻，造成英方 6 万士兵的伤亡。直到后来人们才意识到，步兵和大炮是要配合进攻才有成效的。

1915 年年底，英国的炮手们已经掌握了间接瞄射，首次实际应用通过高空侦察来确定目标。越来越多的重炮（特别是榴弹炮和大口径枪炮）相继问世，随着需求的提高，弹药的供应量也随之提高。大炮主要是用于首轮的轰击，头几次尝试是以上升弹幕的形式完成的。然而，这几次为数不多的进攻却是无足轻重的，同时也为索姆河战役打上了低效率的烙印。事到如今，协约国的参谋们终于相信，由于大炮的目的是摧毁敌人的防御阵地，因此炮击时间应当延长。用约翰·弗伦奇男爵的话说，“如果弹药供应充足，那么敌人的防线将被轰出一道缺口。”正如佩塔因所言：“大炮征服据点，而步兵则负责占领它。”弹药的重量弥补了精准度的不足。然而黑格决定同时炮轰德国的两条防线，使得炮击的威力减半。更严重的是，军火质量不尽如人意（有 30% 的产品根本没有爆炸效果），1/4 的枪械因为过度使用而只能被废弃。高爆炸药仍然属于稀有产品，同样有待改进的还有无数的技术漏洞：校准调节并不精确，地图测绘同样不精准，差劲的通信阻碍了观察射击，反火炮射击往往是无效的。除此之外，英军的射击计划同样失灵。最糟糕的是，1916 年的炮轰在其首轮的摧毁任务中不仅以失败告终（黑格低估了德军的防守力量），同样为后继的步兵推进制造了麻烦。1917 年 4 月的阿拉斯战役就是个典型的例子。当时，破坏性任务行之有效，首轮进攻更是节节胜利，但战场的地面严重损毁，给枪支的使用造成了困难。人们并没有意识到缩短轰炸时间以保证突然袭击顺利进行的重要性，而仍然固守僵化的射击计划，因此无法利用初步胜利继续实施打击。梅西讷战役中，技术有了进一步改进，表现在毁灭性爆炸打击和成功的徐进弹幕射击；但英国的伤亡人数仍旧比德国高出了 2 000 余人。康布雷战役中，坦克进攻之前的短期密集炮轰让人们看到了希望，但之后的弹药储量却往往不足以应对德军的反攻。

与此相反的是，德军在军事行动和战略把握上堪称典范。米夏埃多 · 盖尔认为，鲁登道夫在 1916 年重组军队的行动是第一次世界大战的军事分水岭，它取消了“百试不爽的等级体系对那些期待建立行之有效的暴力组织的人的压迫”。当英国仅仅将新式武器移花接木到陈腐的理念上，并仍旧纠缠于人力的问题时，德国人则因势利导地对新的技术装备采取新的战略对策。德军一流的进攻方式是对“深度防守”策略的发展（实际上这是从截获的法国档案中剽窃来的）；陆军上校格奥尔格 · 布鲁赫米勒对“徐进弹幕射击”以及“飓风式”轰炸做了改进；“冲锋队”也有所改进，其成员经过严格的特别训练，行动敏捷，武器精良，他们的任务是渗透到敌军的防线并从中进行破坏。1918 年春季进攻时他们大显身手，而早在 1915 年 8 月他们就已经牛刀小试了。

战后，诸如G · C · 温这样的历史分析员对德国的深度防守战术大加赞赏。本质上，德国采用了另外一种体系作为替代：对范围更大的防线给予正面射击，辅以小股人员在侧腰对进攻者实施破坏。敌方炮火主要的打击对象是前线，因此该区域的力量大为削弱；但防线之后可另开辟一块缓冲的防守地带，因此德国的所谓“防线”不仅包括了分散的前哨部队及火力网，同时还有进行反击的力量储备。在击退协约国 1917 年的进攻过程中，该战略发挥了显著效果。直到 1918 年年初，协约国才开始效仿这种深度防守的战术，但它们永远无法掌握其要领。基础的先锋队战略战术中，还有一条适用于进攻的类似原则，该原则中，小股部队的流动作战和灵活作战再一次显示了其重要性。

德国的战略实力根植于其独特的军事文化。迪普伊认为，德国军事机构“挖掘到了军事优势制度化的秘密”。马丁 · 塞缪尔斯斯同样指出，德国战争哲学的特殊性，体现了其无序的本质。反过来，这些特性影响了其军令结构的形成。德国人青睐“指导性命令”（目标明显，决策分散化，各层级间灵活处理事件），而英国更倾向于“限定性管控”，因而扼杀了主动性。此外，按照这一逻辑，双方的训练方式也有分别。

德国“无序理论”要求高质量的训练，以加强不同条件下的适应性，而英国仅需要服从命令即可。此外，德国军官并未停止过对如何完成任务能力的培养；军官团队精英云集，无能的军官都会被残酷地扫地出门。古德蒙松的作品对此有更加深刻的阐述，他认为，冲锋战略成功的关键在于“自我完善的军官团”。

战前那些批评普鲁士军国主义的声音中，有些嘲笑它向士兵灌输“盲从理念”。诺思克利夫勋爵曾愚蠢地吹嘘，由于英国的个人主义以及体育精神的传统，英国士兵在主动性和创造性上比德国更胜一筹。而没什么比这个观点更偏离事实的了。实际上，正是这些大部分都是业余选手的英国士兵，才带有对命令过度言听计从的心态，以及军士级别以下人员不假思索地盲从的特点。相反，认识到“摩擦分歧”和通信的中断会导致行动计划细节很快丧失效力，德国自始至终都激励他们的士兵在战场上发挥各自的主观能动性。

## 德国并未被击败?

一些人会为英国的战争表现而辩护，他们总会提醒我们,“英国是战争的赢家”（或是胜利的一方）。出于同样的原因，德国历史学家很少有人对此表示赞同。不久后便任职魏玛共和国第一任总统的弗里德里希·埃伯特对此有精辟的表达，即德国部队并没有在战争中被击败。然而上述事实让我们不难理解为何有如此多的德国人坚信这一点。

那么我们该对 1918 年德国战败的事实做如何解释呢？帕迪·格里菲思认为，对于这个问题有一种让人满意的答案，即英国远征军赢得了战争，他们最终的表现还是很出色的。1918 年，英国终于解决了如何使用坦克、战机、装甲车、骑兵的问题，而最重要的是，他们终于明白如何让步兵团与大炮进行配合作战。同时，步兵团学习了新的战略技巧，例如小股部队菱形推进或在坦克的掩护下推进，以及配合新型移动火力等（手榴弹、斯托克斯迫击炮、枪榴弹以及刘易斯机枪）。

火炮的使用也更为有效。人们终于领悟到，成功的进攻需要徐进弹幕的掩护，并且要更多地采取航空侦察、实地考察以及情报工作等辅助手段。迫击炮用来切断铁丝网，机关枪弹幕也有了用武之地。精心策划的射击计划对已有的枪械资源进行了充分利用。同时人们认识到反火炮射击以及运用烟幕弹来保护步兵的重要性。精确的校准、更为理想的射击地点、侦察、声光定位等，让射击精度大幅度提升，而这些因素之前在行动中仅扮演着追踪进攻者的角色。综上所述，原先拖沓而准确度低的炮击，被攻击敌人防守地带全纵深的飓风式集中轰炸所替代。最后，人们领悟到大炮的首要任务并非清除敌人的防御工事，而是使其无效；此外，为了配合步兵团的挺进，枪械应当设计得足够长。这不仅能够最大限度地降低地区人员伤亡，还凸显了突袭的本质。而迄今为止，英国在进攻中完全缺少对这一点的认识。

一般认为，进攻的高潮是1918年的“百日”胜利。在诸如博蒙特–哈默尔以及上述提到的亚眠进攻中，英国成功地将步兵团、大炮、坦克及飞机进行了完美的结合，这种结合作战的方式被军事历史学家视为第二次世界大战的前奏。贝利进一步提到“现代战争模式的诞生”——这种变化具有强大的革命性，“在这种变化中，防御力量、空中力量以及由此开始的信息时代蓬勃发展，彼此相辅相成”。格里菲思更是将其称为“真正的技术革命”。因此，特兰是正确的：“从根本上看，英国的武器系统更胜一筹。”

该观点中一个可能的缺陷是，德国在1918年夏天的败退并不意味着被击溃。与此相反，德国人在杀敌方面继续保持着极高的效率。实际上，1918年8月~10月，德国的净阵亡人数第一次陷入被动：在西线的英国防御地段，德国伤亡、失踪或被俘的总人数超出英国大概12.33万人。然而，在德国的伤亡人数中，投降人数占了很大比例。尽管并不完全准确，但英国的官方数据表明，德国在净杀伤人数方面仍独领风骚，达到3.53万人。如此说来，德国的低谷时期并非1918年8月，而是4月——当时德国的阵亡人数超出英国2.85万。

当然，我们应当对这些数据的真实性持谨慎态度，因为其中许多在1918年的关键月份中报告失踪的人后来被证实死亡。但证据表明，协约国取得胜利的关键并非在于其对敌军的杀伤力的提高，而是德国士兵中突然暴增的投降人数。在接下来的两章我们将讨论到，并不能一概而论，将德军士气的下降归结为上述英国战略战术的进步；至少有一种可能性，低迷的士气是内源现象。奥匈帝国在格拉巴及皮亚韦河战役中崩溃的原因也可以做如此解释。从10月26日到11月3日，意大利人俘虏了50万名战犯，但他们在战斗中造成敌军伤亡的人数却仅有3万人。这是因为迪亚兹元帅改革了意大利的战略战术吗？更具说服力的原因可能是，当非德国籍士兵不愿意再为垂死的哈布斯堡王朝效力时，奥匈帝国的士气便一落千丈。

更为具体的研究表明了协约国对德胜利的局限性。罗林关于加拿大军团的研究表明，毫无疑问，他们遭受最为严重伤亡的时间是1915年的伊普尔战役以及1916年的索姆河战役。换言之，在其战略学习曲线达到低端的时候。然而此后他们的情况并没有起色：1917年维米岭的伤亡率达到16%，亚眠战役是13%，阿拉斯战役为15%，而帕森达勒战役中则损失了20%的士兵。

美国远征军在1918年的人员损失甚至更为惨痛。作为协约国组合作战部队的重要力量，美国远征军却因为缺乏经验而在战略转型上十分被动。当时人们普遍认为

（有些人到现在仍旧坚信），是美国人“赢得了战争”。实际上，美国远征军同样遭受着大量的人员伤亡。这主要是因为潘兴固守正面进攻的战略，认为英法军队的军事训练过于小心谨慎，并坚持采用人数庞大、略显笨重的师队编制。1918 年 9 月~10 月，美国第一军在兴登堡防线（克瑞恩希尔德阵地）的行动暴露了其老旧的战略思想及挥霍人力的弊端。直到 10 月的最后一个星期，在一系列的正面进攻之后，德国的防守才终于被渗透，而美国也付出了伤亡 10 万人的惨痛代价（大多数伤亡是毒气造成的，其他部队从中或多或少吸取了应对毒气战的经验教训）。特拉斯克总结道，“美国远征军最重要的任务”只是“在法国出现即可”；在防守区域，他们在缓解英军和法军的人力问题上明显更有作用——向德国人暗示协约国的人力资源是用之不竭的。如果说这是让德国士兵决定投降的原因，那么协约国并非赢在战略战术的转变上。

到了 1918 年 10 月底，协约国的攻势放缓了脚步；就在他们离回家的期限逐渐临近时，都再次遭到了德军的顽固抵抗。奥斯丁·张伯伦对他的妻子说：“如果战争还需要一年，我们还要损失多少年轻人？”黑格也抓住这个机会，试图以停战协议来缓和局势。直到 10 月 19 日他才对亨利·威尔逊说：“我们 17 日的进攻立即遭到了德国人的顽强抵抗……显然，敌人还没有准备好接受无条件投降。因此，停战协议不会达成，战争还会持续一年。”劳合·乔治回忆道，“我们获得的军事建议显示战争并不会立刻画上句号。我们的所有计划和准备……也因此必须考虑到……战争一直持续到 1919 年的现实。”

结束战争的并非是协约国的战略优势，而是德军遭遇的士气危机。而协约国人力资源和武器资源的外部因素仅仅是造成这种危机的部分原因。关键在于，那些仍然坚持作战的德国人在敌人的致死率上仍然能够独当一面。正是那些选择投降的士兵（或是擅离岗位、逃兵、罢战的人），才是真正终结战争的人。毫无疑问，协约国敌人有所改善的战斗能力让他们下定决心这样做；8 月 8 日发生在亚眠城外的战斗的确是“自开战以来德军所遭受的最严重的打击”。但真正瓦解士气的是德国指挥部对战败的承认。8 月 10 日，鲁登道夫向德皇递交了辞呈，并坦言“有些师队的士气不得不让我们做点儿什么了”。尽管没有接受鲁登道夫的辞职申请，但威廉二世表现得相当现实——尽管这不是他的一贯作风：“我感到我们必须草拟一份资产负债表，我们正濒临破产。战争必须结束了。”

> （3 天后，鲁登道夫）重新审视了军事情况、军队状态以及盟国的表现，并认为不可能再迫使军队通过进攻的方式谋求和平，就连单纯防守也无法实现这一目的了。因此必须通过外交途径停止战争……按照这一逻辑，和平协商势在必行。

如果这就是真正发生在德国统治者身上的事情，那么士兵们开始纷纷投降或放弃战斗也不足为奇。直到10月2日，德国议会和民众才意识到，统帅部的确甘愿接受停战协议。然而很明显，许多普通士兵比他们的领袖在一个多月之前就嗅到了战败的可能性。

但事实上，疲惫不堪、被病痛折磨的鲁登道夫的反应过于强烈了。就像德国在开战伊始就经历了上层领导人（小毛奇）的精神崩溃一样，战争结束的时候出现了同样的状况：这次是鲁登道夫。在进攻计划失败后，这位疲惫、显出病态的男人总结道，如果他仍不接受停战协议，那么德军将面临崩溃。但实际上，他的行为才是导致德军崩溃的原因。黑格坚信德国士兵"有能力成功撤退到边界并固守之"。亲历无数战争的随军牧师朱利安·比克斯特斯也赞同这种观点，并于11月7日（签署停战协议的当日）写道：

> 德国人采取了明智的后撤行动，看起来，我军的追赶速度难以与之匹敌。向前推进中，我们的通信状况相当糟糕——桥梁倒塌、道路损毁，我们的进度不可避免地放慢了，敌人赢得了大量时间恢复元气，重置机关枪火力点，而这让我们在前进中遭受了巨大的伤亡……可能除了并没有亲历现场、亲身感受德军士气的参谋官们，其他人都认为战争至少还要持续6个月。

按下决定命运按钮的人是鲁登道夫。用恩斯特·云格尔的话说（尽管他所说的事情是关于匈牙利的朗厄马克的，但可能含有别的意味）："德国遇到了一个更为强大的对手，他在与自己作战。"

如果协约国的确在1918年11月的战斗中获胜，那么英国、法国和美国的士兵应当以胜利者的姿态挺进柏林，这也是潘兴、普恩加莱和其他人想要看到的一幕。但它终究没有发生。主要原因是黑格、福煦和佩塔因无法肯定他们的军队是否还有力量去完成这项庆祝。协约国的士兵们打败了保加利亚、奥匈帝国和土耳其，这是不可否认的，但他们并没有将德国人彻底打败。相反，挺进柏林的是德国的军队，虽然结局如此让人悲哀，但他们状态尚佳。

## 胜利果实被丢掉了？

1918年5月31日，福煦总指挥部的英国代表团团长约翰·杜凯恩男爵向莫里斯·汉基男爵表达了他对未来的疑虑和不安……

“他对此尤其担心，一旦法国战败，英国的人质将达到250万人。他设想法国军队被击垮并中断与英国联系的可能性，同时德国人向英国人提出控制从鲁昂经过勒阿弗尔到达敦刻尔克的所有港口作为换取和平的条件；一旦遭到拒绝，他们便会动用所有力量对英国的军队进行无情的打击。他并不认为后者能够成功地驱逐侵略者，并且认为如果英国想让战争继续发展下去，那么它将不得不考虑身在法国的逾百万名俘虏的安危。”

这并非是一位危言耸听的预言家的观点。5天后，莫里斯·汉基男爵和米尔纳勋爵在唐宁街10号举行会晤，商讨“伊普尔和敦刻尔克的撤退计划”以及“如果法国沦陷，则从法国撤出所有军队的可能性”。7月31日，米尔纳坦言，“我们永远斗不过德国佬。”

这些观点可能过于悲观，但它们至少证明了这样一个事实：德国在第一次世界大战中取得胜利并非是不切实际的可能性。同盟国击败了塞尔维亚（1915年）、罗马尼亚（1916年）和俄国（1917年），也曾险些将意大利三振出局。依此逻辑，1918年，英国和法国若要失败也并非让人难以置信；毕竟德国人已经在5月挺进至离巴黎仅40英里的地方。这一切战绩还是由一个经济资源处于落后水平的国家完成的。毕竟，德国军队在战略上的表现非常出色。

面对以往那些对德军战略的陈腐的指责，笔者在这里试图提出与事实相反的质疑：德国在战争爆发后能否采取另外的战略以保证胜利？以下便是几例。

有些历史学家曾指出，原有的奥斯陶夫玛施计划能够代替施利芬计划——前者规划了1914年针对俄国的先头密集进攻，将俄国一举击败。然而施利芬计划却并不适合闪电战，而仅仅可使德国在拖延战中保持强有力的防守地位。在这些方面，它的确行之有效。同样，德国在战争头几个月中的杀伤力遥遥领先，历史上几乎从未有一支军队在短短数周内导致对方如此高的伤亡率，并且同时保存了自身的实力。

此外，法金汉下令发起对凡尔登的进攻是不明智的：更理想的选择是在西线保持防御姿态，并集中火力对付俄国。然而，当英国和法国的枪支弹药生产量得到提高之后，防守付出的代价并不比进攻少很多。如果德国固执己见，坐等英国和法国发起自杀式进攻，后果不得而知。一些历史学家在战前嘲笑对进攻持“狂热崇拜”心态的人，但他们并没有认识到，德国在索姆河战役中的真实防守情况比进攻更能挫败士兵的士气，且在人员伤亡方面代价也更高。无论如何，1917~1918年，因为对俄作战胜利所产生的麻烦与已经解决的同样多。为了保证在西线倾其所有力量进行作战，德国人在1918年必须抵制他们曾经未抵挡住的诱惑——东线的大规模扩张。

同样，那些反对无限制潜艇战的声音忽略了一个事实：如果没有它们，英国将会从大西洋另一边进口更多的物资和军需用品。如果德国无法在美国为协约国提供充足的支援兵力之前赢得战争，那么只能说，这是个错误的决定。

因此，最关键的问题应当是，鲁登道夫究竟该不该抵制诱惑，放弃在1918年的春季进攻？如果站在历史的角度去看，这个问题不难回答。但他在1917年11月11日所做的决定——“我们面临的总体局势需要先发制人，如果可能的话，2月底或是3月初，即在美国人投入大量援军之前，我们必须先将英国人干掉”——在当时来看并没有任何纰缪。1918年3月，在法的美国士兵仅有28.7万人，其中只有3个师的兵力投入前线；而到了1918年11月，这一数字上升到194.4万。另一方面，法国士兵从1916年7月的223.4万缩减到1918年10月的166.8万人，而德国士兵的人数一直保持在略低于峰值的水平。无疑，鲁登道夫错就错在向南发动进攻，旨在分裂英国和法国；或许在弗兰德斯和皮隆尼进行两次集中进攻的效果会更好一点。然而在鲁登道夫意识到他无法彻底撼动敌人的抵抗时，真正的问题才浮出水面（4月5日）。

因此，该是将比利时拱手让人的时候了——只是为了谋求和平协商，而并不是发起更为猛烈的进攻。在这些进攻失败后（它们注定是要失败的），鲁登道夫不该如此草率地同意签署停战协议；7月15日，他们不该进攻兰斯，而应该理智地撤退到兴登堡防线。

最后，为了停止敌对状态而接受伍德罗·威尔逊提出的旨在解决战后问题的“14点方案”实为失误。在得知法国的军事领导人、实业家以及激进的民族主义者多次呼吁把莱茵河左岸从德国分离出去——而不是完全瓦解德国——并且将其作为法国的战争目的时，不管是前线还是后方，士气一定会由此而加强。这些都是人尽皆知的事情，这样的提议曾经出现在诸如《法国回声报》等右翼报纸上，例如在1916年年底的信中，查尔斯·莫拉斯就曾拟定了一系列条款，呼吁彻底瓦解德国。同年，杜邦上校在给霞飞的信中也出现了类似的计划，他不仅设想让德国归还阿尔萨斯–洛林地区，还提出吞并煤炭资源丰富的萨尔盆地地区以及巴登地区的两片区域（克尔和格尔默尔斯海姆），割占莱茵兰作为法国的卫星城市或卫星城市群，扩张比利时领土——这样其中立立场就会随之转变为对法国的依赖，分割普鲁士，以及将德国分解为9个州。奥匈帝国也敲响了丧钟。就连阿里斯蒂德·白里安政府1916年10月所采用的最小限度的规划中，都设想让莱茵兰地区脱离德国，保持中立。为了阻止这样的事情的发生，许多德国士兵会毫不犹豫地进行反抗。但如果连他们的领袖都已经迫不及待在停战协议上讨价还价，那么他们所做的一切就真是枉然了。

# THE PITY OF WAR

第十一章

# 困窘的战时经济

## 财政与战争

伯特兰·罗素曾将战争的目的定义为“以最小的代价，造成最大的杀伤力”。如果按照这个标准，那么我们可以说，同盟国“赢得”了第一次世界大战。

为了全面把握同盟国规划战争的优势，我们不仅要考虑军事效率，同样需要考虑经济效益。第九章衡量了交战国的经济状况，但或多或少地脱离了实际的破坏行动，因此没有抓住事情的本质。正如罗素所说，所有战争行为的终极目的是对敌人造成杀伤。因此，对战时效率的任何评估都要考虑到对对方造成的军事损失，正如对军事有效性的任何评估都必须考虑其付出的经济代价一样。为了更深入地探讨这个问题，我们得将目光聚焦战时经济。

众所周知，尽管大部分国家都通过法令来规定分配物力资源，但直到战争结束，它们的经济制度仍旧主要通过市场机制来运行，并通过物价管制来监测和控制过分畸形的经济。从没有一个国家能够全盘掌控原材料、大公司或人力资源（正如苏联在第二次世界大战中的情况）：一切都需要花钱购买。这就意味着传统的战争财政与任何或多或少带有官僚性质的资源分配机构（正如第九章中所讨论的）一样，是经济动员的关键。

1914 年以前，许多人都认为，人们无力承担这场发生在主要欧陆强国之间的战争；任何战争行为都将导致财政的崩溃。当战争真正打响后，其造成的直接经济影响似乎验证了这些预言（见第七章）。1914 年 8 月 10 日，凯恩斯兴奋地向贝阿特丽策·韦布说，

> 他坚信战争不会超过一年便会结束……他认为，这个世界是个物质极大丰富的世界，但这种财富并不能够迅速帮助实现战争目的：对于战争来说，利用资本设备生产的东西毫无用武之地。当所有可资利用的财富都被挥霍一空时——他认为这需要一年的时间——这些国家便不得不诉诸和平了。

1914 年的伦敦充斥着上述这种草率的乐观。阿斯奎思向乔治·布思保证，战争“在几个月内”必会结束。英国远征军总参谋部军官阿奇博尔德·默里也信誓旦旦地对埃舍尔说，“如果诸事顺利，战争 3 个月后便可结束；如果事情不尽如人意，或许

需要 8 个月；如果超过这一期限，我们便没有能力供养战场的军队和居民，到时需要承担的财政压力将突破欧洲所能承受的极限。”

在此我们不必多言，1914 年 8 月的财政危机并没有让第一次世界大战停下脚步。一位明智的美国外交官刘易斯·爱因斯坦早在 1913 年 1 月就对此有较为准确的预言。其发表在《国民评论》的文章《英德对抗与美国》中，他敏锐地反驳了财政崩溃将会结束战争的观点：

> 这场对抗更有可能演变成一场持久的鏖战……参与其中的两方谁都不会占据上风。尽管有很多文章指出，持久战是经济能力所不允许的，但并没有实际的案例来支持这个理论，并且有许多经济学家认为，现代信用体系对战争的延长起了一定的作用。

这种论点也有不少支持者。1914 年，基奇纳也曾对他那些持乐观主义的同事发出过警告。他对埃舍尔说，由于“战争的脚步从未被财政压力所阻挠”，因此这场战争将“至少要持续 2~3 年”。但让人意想不到的是，在布洛赫预示的崩溃局面到来之前，战争的实际花销、欧洲的纳税人，更重要的是国际资本和货币市场都挺过了这长达 3 年的浩劫。

但崩溃的厄运是否像众人所说的，降临到了德国的头上呢？的确，经济历史学家自始至终都认为，1914~1918 年德国的战时经济并不乐观，并将这种局面归咎于“冲上云霄”的通货膨胀。批评的声音中，主要是谴责政府没有充分利用直接税收，并过于依赖具有通货膨胀倾向的借债形式。在他那颇有启迪性的英德经济情况对比中，就连西奥·鲍尔德斯顿都始终坚持认为，德国对通货膨胀的控制是一种失败。他的观点颇为让人信服：实际上，德国通过税收而对战时的公共开支付账的份额并没有比英国少很多。但他的结论却涉及致使德国失败的细微之处：除此之外，正是德国金融市场在吸收政府短期债务上的能力不足，才导致了比英国更为严重的货币过剩。而这些闲置的资金与我们在上一章节中讨论过的管理效率低下的问题不无关系。遭到抑制的通货膨胀——通过一系列复杂的价格调控——又导致了黑市的出现。这使现存的资源分配不当的问题更加恶化，并促成了德国经济总体效率的下滑。

因此，德国的经济局势在发展过程中出现了下列情况。战争的花销甚至比悲观者的预期还要多。包括社区和社保体系在内，公共总开支从战前占国民生产净值的 18%，飙升至 1917 年的 76%。税收仅能满足开支中的一部分。政府提高直接税收的失败体现了商业的强大政治地位，因为正是它们——尤其是工业行业——成为战争的受益人和暴发户。典型的案例是抵制 1916 年 6 月引进的对所有商业活动均按照统一费率课税的营业税。与此相反，大量开支通过贷款得以支付。鉴于德国只能向国外借到有限的资金，大部分借款压力落到了德国的资本市场头上。然而随着公共部门赤字的螺旋上升，贷款的程度超过了公众向政府贷出的额度。1918 年 11 月，德国的流动债务达到 512 亿马克，占到德国总债务的 34%。过度的公共借款反过来导致了货币的迅速扩张（出现在 1914 年 7 月 31 日德国银行非法终止现金支付之后）。通过对德国银行储蓄条令的若干修改，8 月 4 日通过的法令为无限的货币增长创造了机会。其后，流通的货币以每年 38%的速度增长。货币的扩张导致了通货膨胀，尽管在物价调控下，情况稍微有所缓解。然而，人为制造价格差别的管控造成市场的畸形发展，从而使得提供必需物资的黑市蓬勃兴起，加剧了官方市场货源短缺的局面。这种让人无奈的购买力出现过剩，并降低了经济效益，让德国逐渐陷入国内崩溃和失败的泥沼。

从这一论点中我们能够得出，英国的财政优势奠定了它胜利的基础——劳合 · 乔治坚信这一点。作为财政大臣，他惊讶地发现，战争伊始英国的承兑所几欲崩溃，清算银行也使得英格兰银行的黄金兑换陷入全面停滞。（它们就可以向客户提供低于银行费率的流动资金。）延期偿付的政策以及延长的银行假期拯救了承兑所，但尽管清算银行再三恳求，财政部和英格兰银行依旧坚持 1844 年的协定，避免任何形式的停滞状态。双方达成一致，货币兑换应当继续，但银行利率继续降低 1 个百分点。一周后，银行能够对 8 月 4 日以前接受的所有票据进行贴现，这缓解了承兑行的现状，不得不说是一种胜利。劳合 · 乔治也因此声名鹊起，赢得了广泛的赞誉。

1909 年有人预言，如果预算法案通过，伦敦金融城将面临破产。劳合 · 乔治已经成功击败了银行家。几周后，他在女王大厅的著名演讲中透露出了些许骄傲："你们身上有没有面值 5 英镑的纸币？（笑声和掌声）要是有的话，烧了它吧。还不是几张废纸！它们是用什么造的？残片碎布罢了……可它们价值几何？事关大英帝国整体的信誉啊。（更大的掌声）"众所周知，大英帝国的整体信誉保证了战争的胜利。9 月，他在另一次演讲中说道："我认为，资金问题在当下显得尤为重要。"就连凯恩斯本人都被这种乐观情绪所渲染，但之后他的心态却大为逆转，变得悲观消沉。1915 年 1 月，他是如此说服其友人伦纳德和弗吉尼娅 · 伍尔夫的，"我们志在必得，并以一种伟大的姿态，在最后关头调动我们所有的才智"——实际上只有他自己的——"以及我们的财富，来解决这个问题。"

## 死亡的代价

由此产生了一个我们再熟悉不过的问题：既然德国战时的财政状况如此不济，既然协约国有如此强大的英国财政系统作为支撑，后者为何还要花费如此长的时间才赢得战争呢？

最让人感到惊讶的是，赢得第一次世界大战所需要的财政预算比输掉战争足足高出两倍。许多人尝试用多种方法对所有参战国的战争开支进行估算（以美元计）。根据一种算法，协约国的“战争总开支”（即与战前的“标准”相比较，新增的公共开支）达到 1 470 亿美元（包括法国、英国、大英帝国、意大利、俄国、美国、比利时、希腊、日本、葡萄牙、罗马尼亚和塞尔维亚）；相比之下，同盟国的开支为 615 亿美元（包括德国、奥匈帝国、土耳其和保加利亚）。另一种估算方式得出的结论分别为 1 400 亿美元和 830 亿美元。表 11–1 为笔者本人的大略统计。

**表 11–1　总开支，1914~1918 年（单位以百万美元计）**

| | 德意志帝国及各州 | 英国 | 法国 | 俄国 | 意大利 | 美国 |
|---|---|---|---|---|---|---|
| 1914~1915 年 | 2 920 | 2 493 | 1 994 | 1 239 | 979 | 761 |
| 1915~1916 年 | 5 836 | 7 195 | 3 827 | 3 180 | 1 632 | 742 |
| 1916~1917 年 | 5 609 | 10 303 | 6 277 | 4 585 | 2 524 | 2 086 |
| 1917~1918 年 | 8 578 | 12 704 | 7 794 | 2 774 | 3 012 | 13 791 |
| 1918~1919 年 | 9 445 | 12 611 | 10 116 | | 4 744 | 18 351 |
| 总计 | 32 388 | 45 307 | 30 009 | 11 778 | 12 892 | 35 731 |

**注**：俄国 1914 年的数据为最后 5 个月的数据，1917 年为 8 个月的统计数据。意大利和美国以 6 月 30 日为年终，其他为 3 月 31 日。数据根据美元相应的平均汇率计算。

**资料来源**：Balderston,“War Finance”, p. 225; Bankers Trust Company, *French Public Finance*, pp. 119~123; Apostol, Bernatzky and Michelson, *Russian Public Finance*, p. 217.

与其他参战国一样，德国也是主要依赖贷款进行融资。鲍尔德斯顿指出，当联邦州预算被计入德意志帝国总预算时——在与非联邦制国家如英国、法国、俄国等做比较时，它们应当被计入——克瑙斯等人所指出的双方之间的差距便大大降低。德国 16%~18% 的公共开支通过税收付账，并没有与英国相差太远（23%~26%）。同样，英国的税收政策与德国相比也没有显出明显的优势：战争期间，对于高收入和中等收入人群来说，所得税有效税率基本持平，超额利润税的征收对象仅限于英国的企业（而在德国，普通个体也被列入课税对象）。德国战时平均 13.9% 的开销来源于直接征税收入，英国则为 18.2%，两者的差距并不明显。此外，德国的税收政策与法国、意大利和俄国相比同样是有利的。与德国大部分的联邦州一样，普鲁士在战争开始之前便贯彻着一套行之有效的税收政策；与此相比，法国的体制在战争打响前夕才被最终通过，直到 1916 年才正式生效，且效果甚微。法国的战争利得税课税较轻，且很容易造成偷税漏税。法国的战时开支中，仅有平均 3.7% 的数额来源于直接税收，甚至低于意大利的水平（5.7%）。与俄国战时税收的混乱行为相比，德国1917年煤炭税的虚假税收问题（实际上，其中大部分都是由额外的国家开支支付的）简直不值得一提。众所周知，沙皇俄国税收主要来源于伏特加的垄断经营；但为维持战争，政府停止了这一交易，因此这一资金源逐渐干涸（而人口数量却没有缩水的迹象）。1916年引入的所得税和超额利润税创造了1.86亿卢布的收入，“这些钱还不足以支付一个周末的开销”。简而言之，所有交战国都出现了巨大的财政亏空，其各自的国债也大为增加（见表11–2）。

**表11–2　政府赤字占总开支的比例，1914~1918年**

| | 匈牙利 | 德国 | 保加利亚 | 英国 | 法国 | 俄国 | 意大利 | 罗马尼亚 | 希腊 | 美国 |
|---|---|---|---|---|---|---|---|---|---|---|
| 1914年 | –38.4 | –73.5 | –23.0 | –61.3 | –54.8 | –57.0 | –6.1 | 1.0 | –55.0 | –0.1 |
| 1915年 | –72.4 | –94.4 | –37.9 | –79.8 | –79.4 | –63.0 | –45.3 | — | –41.0 | –8.4 |
| 1916年 | –81.4 | –92.7 | –59.4 | –75.0 | –86.6 | –67.0 | –64.9 | –63.0 | 5.0 | 6.7 |
| 1917年 | –74.6 | –90.8 | –65.3 | –76.1 | –86.1 | –55.0 | –69.6 | –76.0 | –26.0 | –43.7 |
| 1918年 | –59.1 | –93.8 | –56.2 | –69.2 | –80.0 | — | –70.2 | –75.0 | — | –71.2 |

**资料来源**：Eichengreen, *Golden Fetter*, p. 75; Mitchell, *European Historical Statistics*, pp. 376~380; E.Morgen, *Studies in British Financial Policies*, p. 41; Apostol, Bernatzky and Michelson, *Russian Public Finance*, p. 220.

让我们再次感到惊讶的不是德国的赤字占开支的比例仅比协约国略高一些，而是协约国需要借贷的绝对数字。从表11–3中我们可以看出，如果按照名义价值计算，1914~1919年，法国国债上升了4倍，德国（帝国和联邦州的总和）为7倍，而英国为10倍。意大利的相应数字则为4倍，美国为18倍。1914年8月到1917年10月，俄国的债务增长了3倍。然而这些数据颇具误导性，部分原因是因为有些国家（如美国）在战争伊始时债务基点较低；还有一部分原因是有些债务使用的是疲软货币的面值。因此，我在表的底端附上了估算的战争结束时国债的净增总数值（以美元计），从中可以看出，德国的国债实际增长不及英国的一半。

**表11–3　按本国货币进行的国债统计（单位以百万计），1914~1919年**

| | 德国（马克） | 英国（英镑） | 法国（法郎） | 意大利（里拉） | 美国（美元） |
|---|---|---|---|---|---|
| 1914年 | 22 043 | 650 | 32 800 | 15 719 | 1 338 |
| 1915年 | 34 323 | 1 098 | 40 008 | 18 707 | 1 344 |
| 1916年 | 57 477 | 2 124 | 58 465 | 26 146 | 1 225 |
| 1917年 | 87 119 | 4 025 | 82 504 | 38 449 | 2 976 |
| 1918年 | 125 523 | 5 802 | 114 200 | 59 518 | 12 244 |

（续）

| | 德国（马克） | 英国（英镑） | 法国（法郎） | 意大利（里拉） | 美国（美元） |
|---|---|---|---|---|---|
| 1919 年 | 179 050 | 7 280 | 171 353 | 79 348 | 25 482 |
| 差额 | 157 007 | 6 630 | 138 553 | 63 629 | 24 144 |
| 差额（美元） | 15 135 | 30 432 | 25 423 | 7 364 | 24 144 |

**资料来源**：Balderstpm, “War Finance”, p. 227; Schremmer,“Taxation and Public Finance”, p. 470; Bankers Trust Company, *French Public Finance*, p. 139.

因此，所有国家皆严重依赖于其国民是否肯购买战争债券。我们知道，战争宣传的一个主题便是围绕这种自愿性和主动性开展的。第八章我们讨论过德国的广告，而这种广告在其他参战国同样俯拾即是。以下便是英国战争电影《一切为了帝国》的宣传语：

> 一艘无畏舰需要 200 万英镑，但我们必须要赢得战争。不惜一切代价。
> 三个关键方面——金钱，人力，军火。
> 只有两个选择：捐出你的财产，献出你的生命。
> 可恶的费用，我们必须赢得战争。

美国财政部部长威廉·吉布斯·麦卡杜曾于 1917 年宣称：“一个无法向其政府以 4%的利息借出 1.25 美元的人不应当被冠以美国公民的称号。”人们在购买战争债券的方面同样别无选择。英国在 1914 年、1915 年和 1917 年分别有 3 种战时国债，此外，1919 年还发行了“胜利国债”。法国共有 4 种国防国款。在俄国，沙皇发行了 6 种战争国债，第 7 种是由省级政府发行的“自由贷款”。美国同样拥有“自由贷款”，用以鼓励公民自掏腰包。德国的 9 项贷款乍看之下名目繁多，但这不代表它们的效果不理想。随着战争的发展，每个国家的投资者都对相对较高的投资收益趋之若鹜，尤其是当战争陷入糟糕的境地时：1917 年年底法国捐款数量的下降就是一个例子。德国的体系中，战争债券被用作从国家贷款银行进行借款的担保，因此战争债券实际上并不会吸收流动资产，法国和俄国也是如此。

因此，德国通过兜售长期债券，只能为其借款中的一部分付账便无可厚非。1915 年 3 月到 1918 年 3 月，德国债务中平均有 32%通过发行短期债券得到偿还，英国的相应数据为 18%；鲍尔德斯顿指出，这不仅反映出柏林和伦敦财政市场结构的本质性差异，同样反映出英国财政部大量发行中期票据的事实。1919 年 12 月，英国国家债务的 31%都是以 1~9 年内偿清的债券构成的。与法国相比，德国当局的确在兜售其长期债券方面略胜一筹；通过法国战时借款筹措的资金当中，只有 19%来自于长期统一公债，这或许是因为法国的长期债务在战前数额就已经很大了。法国债务中平均 37%

是短期债务（与此相比，德国为32%）。1919年3月，按照相对值计算，法国的短期债务超过了德国（占总数的44%，德国为42%）。俄国比德国更依赖短期借款：1917年10月23日，其总债务的48%为短期国库券的形式。只有美国能够将其战争赤字大致独立地建立在长期债券的基础上。

## 美元恐慌

人们普遍认为，国外贷款对于第一次世界大战的结果有着决定性的影响。部分是因为人们对英国与美国的财政协商进行了戏剧性演绎，尤其是1916年11月到1917年4月这段时间，许多作家夸大了来自美国借款的经济影响。这种夸张效果可以追溯到约翰·梅纳德·凯恩斯——战时英国财政部最有影响的顾问之一。前面提到，凯恩斯起初对英国的经济前景信心满满，但他的心境很快发生转变，主要是因为来自布鲁姆斯伯里的朋友的压力（他们都打心眼儿里不支持战争）。尽管他在财政部的工作让他获得了十足的自信和声誉，但若深入来看，战争本身并没有让凯恩斯开心度日。就连他本人的性生活也受到影响，质量下降，或许是因为那些他心仪的伦敦男子都应征入伍了（凯恩斯早年为同性恋者）。1915年9月，即德国经济“垮台论”问世后8个月，凯恩斯便警告世人，除非在第二年的4月之前接受和平，否则将会有“大灾难”出现，因为“接下来几个月的开支将会迅速使我们处于孤立无援的境地”。但这场大灾难终归没有来临，但在得知一张与同盟国有染的美国公司的黑名单之后，威尔逊曾经发出过让人担忧的威胁：禁止向协约国提供贷款。凯恩斯对其预言做出了新的调整。1916年年底，他致信总理雷金纳德·麦肯纳，告诫说“最迟到明年6月或更早，如果美国总统还一意孤行，那么他将陷入窘境”。

人们有足够的理由对1916年年底发生的事情表示忧虑，主要是因为联邦储蓄委员会中越来越多的亲德派，反对英国给美国不断增长的透支额度，此事以一个对美国投资者停止向英国投资的“警告”告终。然而，作为一个所谓的凭良心行事的反对者，凯恩斯支持伍德罗·威尔逊通过协商结束战争的努力，而财政压力显然是达到目的的一种方式（正如爱德华·格雷爵士于11月28日指出的那样）。1917年2月，在英国经历了一场严重的黄金储备危机后，凯恩斯再一次宣称，英国的资源只够维持4周了。甚至在美国加入战争之后，他仍然没有放弃呼吁停战。7月20日，他向博纳·劳起草了一份声明，威胁说“所有盟国的财政机构”将会“在数天，而并非数月之内崩溃”。威尔逊本人次日总结说，英国和法国将很快“在财政上归于我们掌控”。

毫无疑问，通过从华尔街举债，英国能够以较高的汇率在美国购买必要的军需物品。如果英镑下跌到 1：4.7 美元以下，则不仅会造成困境，还会导致通货膨胀。然而我们无须强调英镑的贬值——在战争大部分时期固定在 1：4.76 美元（比标准价值低了 2%）——会决定英国的战事走向（正如凯恩斯所言）。值得一提的是，尽管英国在战争期间向美国借了超过 50 亿美元的债务，但它却以债权人的姿态结束了战争，而非债务人。1919 年 3 月，英国的国外债务（主要是美国）达到 13.56 亿英镑；但它自身向其盟国、占领地区以及殖民地借出了 18.41 亿英镑。这便导致了以下的情况：英国利用其自身良好的信用评级从纽约借得资金（最初是由于英国居民手中持有大量美元股份的原因），继而将这些钱借给信誉级别相对较低的盟国。法国同样从英国和美国借钱，同时借钱给俄国和其他国家。但并不能说，在摩根大通的势力影响下，同盟国或多或少地与国际资本市场脱节。根据一项调查，1917 年 4 月之前，美国向其他交战国借出的 21.6 亿美元中，有 3 500 万流向了同盟国。从与战争关系的角度来看，华尔街卖出了多少债券并不重要，重要的是能够填补多大的财政赤字——不管以什么手段和方式；在这个方面，尽管受到封锁的限制，但德国仍然出色地完成了任务。外来资金为英国和法国投资战争提供了帮助，德国和奥地利则逊色很多。战争结束时，英国的战时债务中有 18% 掌握在外国人手中。但外部融资并不能保证其夺取胜利；俄国向其盟国的借债数额达到了 77.88 亿卢布（约合 8.24 亿英镑，超过了国家战时总借债数额的 30%），但俄国还是遭遇了失败，并拖欠了债务。

真正值得注意的是，正如我们所看到的，当协约国以如此巨大的财政优势拉开战争序幕之后，却不得不依靠向美国借债来维持战争（至少在凯恩斯眼中如此）。战争使大英帝国实力的局限性得以曝光：英国携巨额海外资产加入了战争，但这些财产在缓冲财政压力方面并没有起到想象中的效果，主要是因为（正如劳合·乔治所言）：“当某人被迫出售某物，那么他是处于劣势的，他的境地刺激购买者充分利用这种情况。许多海外资产在进行交易之后却可悲地被低价出售。”从另一方面看，到 1916 年，英国与华尔街的关系十分特别，合作密切，这正是债务人所津津乐道的。1917 年年初，摩根大通如此眷顾英国及其货币，以至于一场真实的危机几乎完全被排除在外；当得知美国与德国断绝外交往来之后，摩根大通办公室中洋溢的“兴高采烈的气氛”可想而知。摩根大通与英国一道，从 1917 年的困境中得以解脱。之后，英国发生货币危机，其产生的威胁被美国人当作向英国人灌输美国外交目标的操纵杆。正如威尔逊所言，手握英国和法国的财务杠杆的好处在于，“当战争结束后，我们可以迫使它们接受我们的思想观念”。

## 货币与物价

德国是唯一一个在战争期间使其货币供应量迅速增加的国家吗？当然不是。所有参战国皆一改战前的货币政策，例如非正式暂停黄金兑换（俄国和德国），限制黄金出口（俄国、德国、英国和法国），临时延期偿付、之后将一定形式的债务货币化（英国），创造新的法定货币（英国和德国）等。这些改变的初衷是避免出现灾难性的货币紧缩。但当重拾信心之后，这一初衷的效果——与高级别的短期政府借款及有限的新税收一道——变成了大规模吸收流动资金。货币供应量不再与中央银行的金银储量相挂钩。随之出现的钞票流通的增加（许多参战国无法得到更为复杂的货币参数）在德国比在英国、法国和意大利更为突出。在德国，广义货币从 1913 年到 1918 年增长了 285%，英国为 110%。从同一时期中央银行钞票流通的年平均量来看，德国的增长大约为 600%，意大利为 370%，法国 390%。然而这种增长在奥匈帝国和俄国则更为显著（见表 11–4）。

**表 11–4　货币供应量（广义货币与流通货币，单位以本国货币百万计）**

| | 广义货币（12 月 31 日） | | 流通货币（年均量） | | | | | |
|---|---|---|---|---|---|---|---|---|
| | 马克 | 英镑 | 马克 | 克朗 | 英镑 | 法郎 | 里拉 | 卢布 |
| 1913 年 | 17 233 | 1 154 | 1 958 | 2 405 | 29 | 5 665 | 1 647 | |
| 1914 年 | 19 514 | 1 329 | 2 018 | 2 405 | 36 | 7 325 | 1 828 | 2 321 |
| 1915 年 | 23 175 | 1 434 | 5 409 | 6 249 | 34 | 12 280 | 2 642 | 2 946 |
| 1916 年 | 29 202 | 1 665 | 6 871 | 8 352 | 35 | 15 552 | 3 294 | 5 617 |
| 1917 年 | 43 801 | 1 939 | 9 010 | 12 883 | 40 | 19 845 | 4 660 | 9 097 |
| 1918 年 | 66 359 | 2 429 | 13 681 | 24 566 | 55 | 27 531 | 7 751 | 27 900 |
| 增幅 | 285 | 110 | 599 | 921 | 91 | 386 | 371 | 1 102 |

**注**：德国的数据采用的是霍尔特弗莱里希在其《德国通货膨胀》中对M3 的定义；英国的数据见卡皮和韦伯：《数据调查》。

**资料来源**：Balderston, "War Finance", p. 237; Kindleberger, *Financial History*, p. 295; Bordes, Austrian Crown, p. 46; Carr, *Bolshevik Revolution*, vol. II, pp. 144f; Bresciani, *Economics of Inflation*, p. 164; Apostol, Bernatzky and Michelson, *Russian Public Finance*, p. 372.

伴随货币扩张同时出现的物资短缺情况，不可避免地导致了通货膨胀的普遍现象。1914~1918 年，尽管实际生活费指数表明，德国的零售价格增长（204%）是英国（110%）和法国（113%）的两倍，但德国的批发价增幅（105%）不及英国（127%）、法国（233%）和意大利（326%），而奥地利则高达 1 062%（见表 11–5）。

**表 11–5　生活费指数（1914 年 =100）**

| | 奥匈帝国 | 德国 | 英国 | 法国 | 俄国 | 比利时 | 美国 |
|---|---|---|---|---|---|---|---|
| 1914 年 | 100 | 100 | 100 | 100 | 100 | 100 | 100 |
| 1915 年 | 158 | 125 | 125 | 120 | 146 | 156 | 98 |
| 1916 年 | 336 | 165 | 161 | 135 | 199 | 328 | 109 |
| 1917 年 | 671 | 246 | 204 | 163 | 473 | 746 | 143 |
| 1918 年 | 1 162 | 304 | 210 | 213 | | 1 434 | 164 |

**资料来源**：Maddison, *Capitalist Development*, pp. 300f; E.Morgan, *Studies in British Financial Policy*, p. 284; Fontaine, *French Industry*, p. 417; Stone, *Eastern Front*, p. 287.

然而，战争期间的物价上涨全然是消极的吗？未必。众所周知，通货膨胀（特别是该时间段内、该水平的通货膨胀情况）充当了税收的角色。货币贬值产生的影响之一是降低了国债的实际负担以及纳税人支付利息的开销。这是德国和奥地利战争开支较低（以美元计算）的重要原因——两国的货币疯狂贬值，特别是在 1918 年下半年、当同盟国的失败近在咫尺时。然而我们也不需要夸大这种贬值的程度：俄国和意大利的情况更为糟糕（见图 11–1）。

所有证据都表明，德国的战时经济并非人们认为的“极其糟糕”和“可怜差劲”。与此相反，在经济资源比敌人有限得多的条件下，德国能够如此成功地坚持下来，不失为一个战争奇迹。

## 死亡的代价

当《泰晤士报》战地记者雷平顿在 1917 年被问及战争何时能够结束时，他回答：

> 战争没有理由停下来，特别当是它造就了一大批暴发户之后；妇女们欣然接受失去丈夫的事实，所有人都担心那一纸停战协议带来的后果——包括工业、政治、经济、民生等方面。

对雷平顿而言，结束战争的唯一方法是对同盟国进行一次具有决定性意义的军事打击，这种观点相当合理。只有战场上的胜利才能起作用。然而，我们难以解释协约国拥有如此强大的经济优势，却在 1917 年仍旧没有赢得胜利。实际上，在那一年，美国已经有许多观察家开始认为，这一目标永远不可能实现。当涉及跨大西洋的经济关系时，诸如凯恩斯这样的历史学家仍然对汇率念念不忘。但如果考虑到公债收益率——众所周知，这是战前世界更为重要的显示器和风向标——则呈现出全然不同的

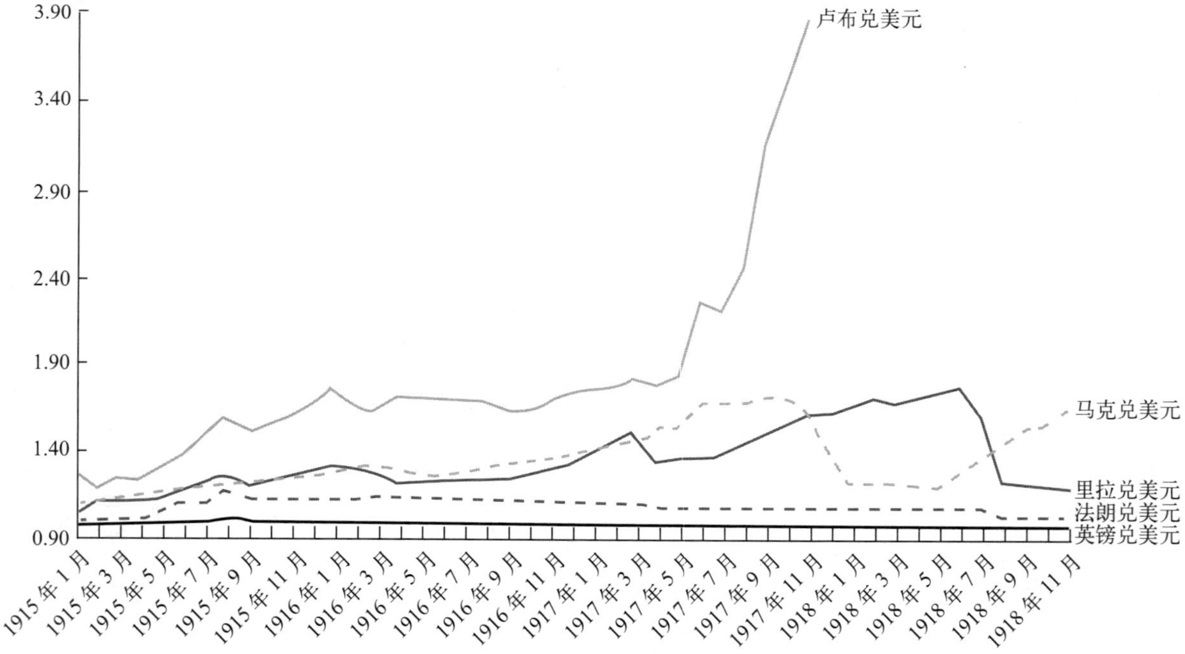


图 11–1　美元汇率，1915~1918 年（1913 年=1）

**资料来源**：E. Morgan, *Studies in British Financial Policy*, pp. 345~349; Statistisches Reichsamt, *Zahlen zur Geldentwertung,* p. 6; Bordes, *Austrian Crown*, p. 114.

光景。当英国和法国开始在纽约发行债券时，它们要接受投资者的监督，正如战前那些在巴黎和伦敦借款的其他国家所受到的监督。战时最重要的债券之一——1915 年英法贷款（一笔 5 亿美元的贷款）——的收益揭示了协约国的信任危机程度（见图 11–2）。让人惊讶的是，美国信任低谷出现在 1917 年 12 月，而非人们所认为的 1918 年春。

通过图 11–3 我们可以看出，1917 年年底，英法和美国债券收益差异出现了锐增的情况：12 月 14 日，这一差距达到了顶峰，为 3.8%。

这些投资者们有足够的理由对西欧列强表示担忧。塞尔维亚和罗马尼亚已经被打败了；1917 年 10 月，意大利在卡波雷特遭到德奥军队重创后蹒跚前行。11 月，俄国国内的布尔什维克革命预示着德国在东线的彻底胜利。1917 年下半年，法国的士气跌落至谷底：波尔多的检察员发现 9 月的信件中有 30%的人表达了通过一次性胜利获得和平的心愿；17%以上的人明确支持和平协商。实际上，英国军队在康布雷已经成功地运用坦克战取得节节胜利；但这些胜利总是稍纵即逝，并且无法弥补帕森达勒战役造成的损失。美国人虽然自信满满，但他们的军队缺乏经验；1917 年年底，他们甚至对自己一方的胜利近乎失去信心。或许正是兰斯多恩那封探讨和平协商的信（《每日邮报》11 月 29 日刊登）让华尔街神经紧张起来。不可思议的是，次年春天，当英国和法国的许多重量级人物都在为德国可能取得的战争胜利而惴惴不安时，纽约市场对英法债券仍然持有乐观的心态。

无论如何都改变不了以下这一铁的事实：同盟国在造成伤亡和俘虏敌军方面比协约国出色得多。但更让人吃惊的是，他们所付出的金钱代价也比后者少。如果要对比双方的这种差异（当然，这是冷酷无情的），我们不仅需要考虑军事效力，同时也要将经济资源纳入研究范围。换言之，这是种衡量战争的综合效率的方法，即德国在“以最小的代价造成最大的杀伤力”方面将其对手远远地抛在后面。众所周知，1914~1918 年，协约国共花费 1 400 亿美元用于战争，而同盟国的经费则为 800 亿美元。然而后者在杀敌人数方面却遥遥领先。在此基础上，我们可以简单地做一下总结：协约国需要花费 3.6 万美元杀掉同盟国的一位军人，而同盟国杀掉一位协约国军人则仅需要 1.1 万美元（见表 11–6）。为了完成这项与死亡有关的“决算表”，恐怕不得不提到博加特对每位阵亡士兵在名义上对本国造成的经济价值损失所做的估算数据。根据博加特的计算，一位美国士兵或英国士兵要比一位德国士兵“贵”出 20%（分别为 1 414 美元与 1 354 美元），但与一位俄国或是土耳其士兵相比，则“贵”出一半（700 美元）。但一位士兵的价值远不止于此。最终，经济历史学家不得不向军事历史学家提出质疑：究竟是什么原因使得德国及其盟友在杀敌效率高出对手 3 倍之多的情况下仍旧输掉战争。一个可能的答案是，英国对其经济优势胜券在握，它能够承

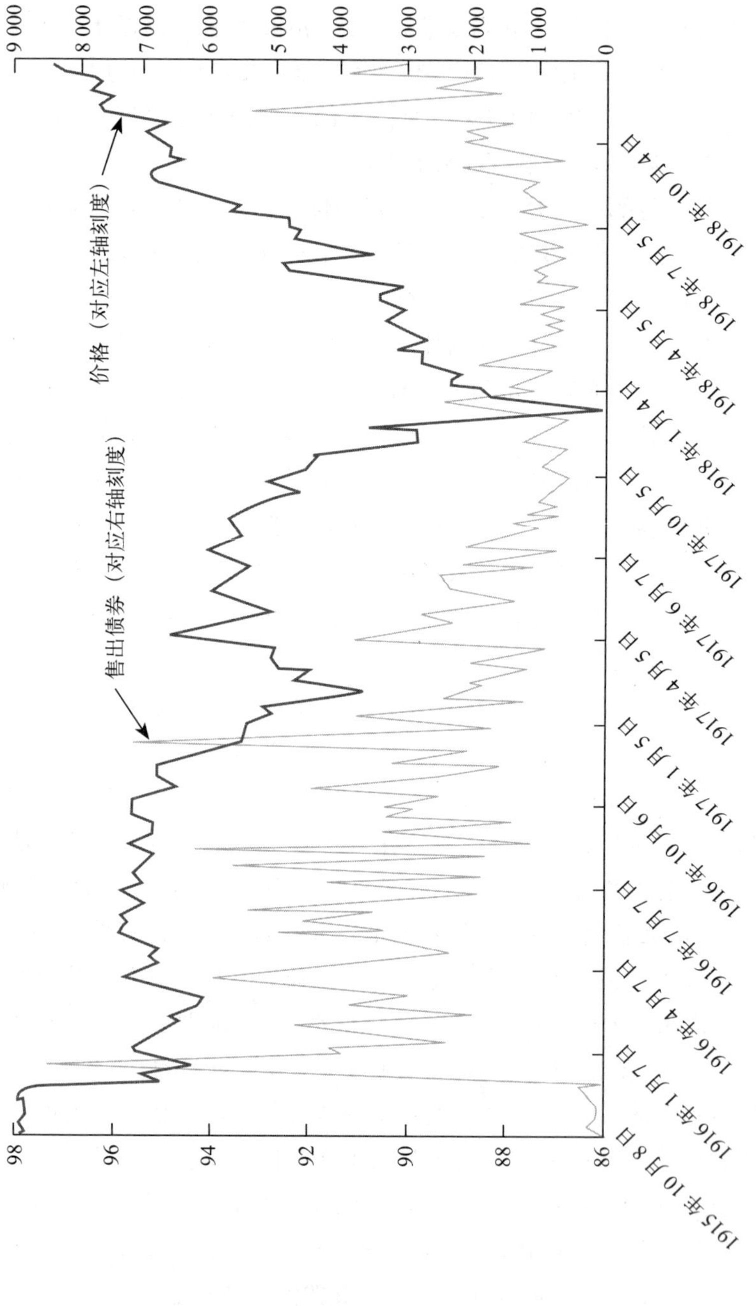


图 11–2　英法债券价格及交易额，1915~1918 年

资料来源：*Commercial and Financial Chronicle*, 1915~1918 年。

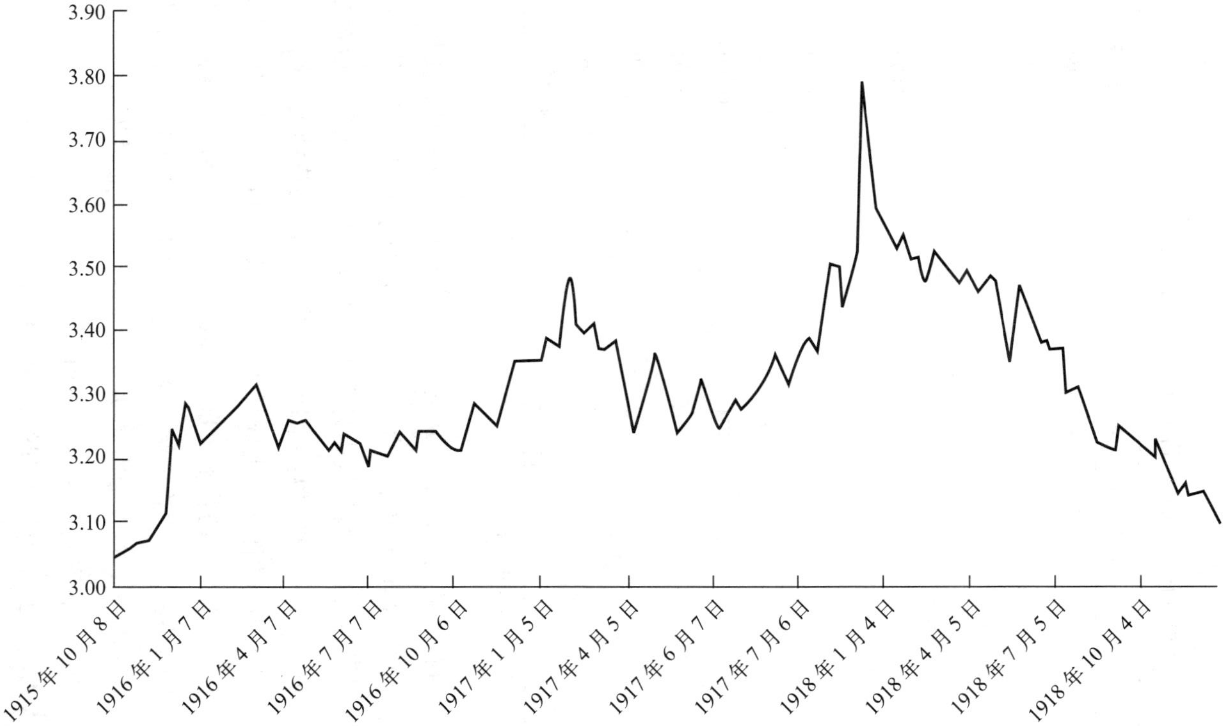


**图 11–3　英法—美国债券收益差，1915~1918 年**

资料来源：*Commercial and Financial Chronicle*, 1915~1918.

担得起战争的挥霍。然而，缓解1916年和1917年出现的美元危机并非易事，需要节制开支。或许正如凯恩斯1918年3月向贝阿特丽策·韦布所说的那样，英国政府比德国政府"更相信铺张的行为虽然容易招致告诫和非议，但却是合理的"。

**表11–6　死亡代价：战争开支与死亡人数**

| | "战争开支"（单位以十亿美元计） | 死亡人数 |
|---|---|---|
| 英国本土 | 43.8 | 723 000 |
| 大英帝国（不包括本土） | 5.8 | 198 000 |
| 法国 | 28.2 | 1 398 000 |
| 俄国 | 16.3 | 1 811 000 |
| 意大利 | 14.7 | 578 000 |
| 美国 | 36.2 | 114 000 |
| 其他国家 | 2.0 | 599 000 |
| **协约国及其盟国** | **147.0** | **5 421 000** |
| 德国 | 47.0 | 2 037 000 |
| 奥匈帝国 | 13.4 | 1 100 000 |
| 保加利亚和土耳其 | 1.1 | 892 000 |
| **同盟国** | **61.5** | **4 029 000** |
| **共计** | **208.5** | **9 450 000** |

**资料来源**：Hardach, *First World War*, p. 153; J. Winter, *Great War*, p. 75.

若想揭开这个谜底，可以反过来研究英国在战争期间的效率是否更胜一筹。这并非易事，但为了得到一个粗略和暂时的假设，笔者计算了英国与德国的"屠杀"和花销比率；前者使用了英国在西线作战中死亡或永久致残的士兵人数，后者的数字为年度总开支（以美元计）。从这些数据我们可以看出，英国的花销大大地超出了德国（1.8：1），而德国在净致死/致伤人数上取得了显赫的成绩（1.4：1）。这些都是1916年的数据，即英国挥金如土，发动若干次自杀式攻击的一年。然而，英国一直以来的经济优势（1.3：1），有些许示弱也许能够解释德国在1918年的净致死/致伤人数与英国相比下降为0.7：1的原因，当年鲁登道夫发动了攻势，大批德军投降。这似乎显示了英方在军事效率上的相对提高：1917~1918年，德国缩小了与敌人之间的经济差距，但净阵亡人数方面却出现了不利的情况。然而，协约国的消费能力优势与导致战争结束的一落千丈的德军士气之间究竟有何等联系，仍旧需要进一步的解释。

# THE PITY OF WAR

第十二章

# 人们为何而战

## 水深火热

与消耗战的理论相反，获得胜利并非仅仅意味着杀掉敌人，同样重要的是让他们放弃抵抗、弹尽粮绝、军心涣散。1917 年德军之所以能战胜俄军，关键正在于此，而不仅仅在于俄军有多少人死亡，这一点同样能从 1918 年奥匈帝国和德国的败北中窥见。

当然，人们也会本能地认为，以下两点之间存在着直接的因果关系：战争造成的死亡人数越多，就会有越多的人倾向于停战。但实际情况并非如此，有一位作家甚至认为，"高死伤率或许有助于延长战争，因为军队里巨大的人员流动量会将疲倦和绝望的情绪冲淡。"如果致死率是衡量战争的关键，那么正如前几章所讨论的，德国是当之无愧的胜者。而实际上，高伤亡率并不始终与士气相关联，双方军队中的一些精锐部队反而是伤亡率最高的。在"一战"期间，英国第 29 师的伤亡人数是其原来部队人数的 7 倍，但即便如此，这支部队仍然被视为英国远征军中的佼佼者，因为苏格兰军团有着强劲的恢复力和适应力。可以说（尽管乍看之下颇为奇怪），那些在战前看起来很可笑的想法——战争并非由物资装备决定的，而是士气、"人力"或"人的天分"（约翰·罗伯逊爵士所言）——实际上是正确的。

由此，我们可以看出本质问题：支撑人们奋战到底的动力是什么？除了被杀或致残，让他们放下武器的原因是什么？当阵亡的可能性要远远超过速战速决取得胜利的机会，我们怎么能解释数以百万的战士奔赴战场的意愿？

在现代读者心中，第一次世界大战是可怕、痛苦悲惨的。正如福特·马多克斯·福特在 1916 年所描述的那样，"数百万人前仆后继，被一种无形的道德使命感驱向恐惧的深渊——这个世界上独一无二的地狱"。这并不是去郊外野餐。法国士兵在战争初期遭遇的惨痛伤亡情况与其之后的经历有过之而无不及：在短短两个月时间里，法国阵亡的士兵达到 32.9 万，战争结束时也不过为 50 万。德国人也在短短两个月内遭受了最大的伤亡——1918 年 3 月~4 月，他们损失了 6.83 万人。1916 年的 7 月和 8 月是英国远征军在法国经历的最糟糕的两个月，"仅有"4.5 万人丧生。正如一位法国军官对 1914 年的战斗所做的评价，人们毫无意识地将自己送上了不归路："从早到晚，时时刻刻都有大批人被杀害，他们躺在那里，身边是其他士兵早已僵硬的尸体。”机关枪，以及在 1 分钟之内能够射出 18 发子弹的步枪，向镰刀一样斩杀过来，执行疯狂的第 17 计划的法国士兵一批批倒下了。大约 2 年之后，英国人仍然没有吸取教训，仍然不懂得成排的进攻方式无异于集体自杀。堑壕挖掘完毕之后，士兵在机关枪和狙击手的枪林弹雨下仍旧不堪一击（他们还没来得及“冲上前去”）。当埃德温·坎皮恩·沃恩带领他的“D 连队”在帕森达勒作战时，90 名士兵中有 75 人战死沙场：

> 可怜的老佩珀还是撒手人寰了，他背部中弹，躺在一个土坑中奄奄一息，险些被掩埋；威利斯将他扛回农场之后，他的尸体还是被炸成了碎片，无处可寻了。艾文被机关枪的子弹射中……人们看到乔克浑身都是弹孔，倒在地上，之后又被炮弹击中。

不仅在军事史上赫赫有名、家喻户晓的战役中伤亡惨重，在无人区的例行巡逻以及敌军防线进行的情报窃取、间谍训练及破坏性“突袭”同样让双方在“停火”的间隔期间遭受伤亡。1915 年 12 月到 1916 年 6 月期间，共有 5 845 名英国士兵在这种“小规模的堑壕行动”中殒命。

炮击最为惨绝人寰。尽管有经验的士兵懂得如何辨别敌人炮击的方向和类型，但前线的猛烈炮击依然让人防不胜防，几发炮弹便足以在深度和杀伤力方面直接命中敌人。它暴露出来的让人绝望的脆弱性几乎成为战争最为折磨人、最让人闻风丧胆的事情。正如一位法国堑壕战地记者所描述的：

> 没什么比遭到炮轰更可怕的了。这是士兵们望不到头的折磨。突然，他害怕自己在炮击中被活埋……他想象着这种惨绝人寰的痛苦……一个待在堑壕里的人，无助地等待着、祈祷着奇迹的发生……

恩斯特·云格尔对这种无助和恐惧的感觉再清楚不过了：

> 那种感觉就像被困在某地动弹不得，而另一个家伙在你身旁挥舞着重锤，时刻威胁着你。大锤抡回来了，又回旋着向前抡去，直到削平你的头盖骨，并将人的肢体击打成碎片……耳畔呼啸而过的每颗子弹都让人想到死亡，人在如此的境况下是如此孤立无援，神经因为这种永无止境的威胁和恐吓紧张到了极点……毫无疑问，这是战争中最可怕的状态。

有些人会认为，索姆河战役中防守的一方会相对轻松一些，这些人需要读一读云格尔描写 1916 年 8 月吉耶蒙的德国前线的文章：“生还者中夹杂着死尸。挖掘的过程中我们发现尸体一层叠着一层。我们的连队置身于枪林弹雨之中，战友一个接一个地殒命，我们面临着被全歼的厄运。”他写道，正是这样的经历，“让我们头一次明白了现代战争之残酷”。如果落在他脚边的炮弹不是一颗哑炮，恐怕他不会留给世人这些文字了，他是整个连队唯一的生还者，仅腿部受伤。1918 年 3 月，当云格尔带领的另一支连队在总攻前夕执行一次进攻任务时，他们遭到了同样的炮击：150 人中有 63 人当场殒命。这位近乎疯狂般勇敢的军官，经历了沙场的噩梦之后，终于被击垮了，在生还的手下面前哭得一塌糊涂。不难想象，双方的士兵中有很多人都饱受“炮弹休克”的折磨——一种因为战争中神经高度紧绷而造成的精神错乱。战后，6.5 万英国老兵因为“神经衰弱症”领取残疾人津贴补助，占总人数的 6%，其中有 9 000 人仍在医院接受治疗。一项研究在对 758 名个例进行分析之后发现，只有不到 39% 的人在战后回归了“正常”的生活，然而他们也只是表面表现正常而已，并非彻底而毫无症状地恢复到了原来的心态。德国士兵也出现了类似的症状，与英国士兵一样，这些受害者之后接受了电击和其他同样痛苦的“治疗”（与其说是治疗，不如说是惩罚）。如果说云格尔这样的勇士都能够在战争中经历一次彻底的精神崩溃，那么我们完全可以推测，几乎所有人都在无情的炮火中经受了极端恐惧的折磨。西格弗里德 · 萨松具有与云格尔一样的勇气：他的诗歌《战争的压抑》同样揭示了炮火中人们无助而恐惧的心境：

> 听！突突突，——耳畔的软语……从未止歇——
> 飒飒地呢喃的枪炮——上帝啊，我只想逃离！
> 歇斯底里地尖叫，只为停止这一切——我要疯了；
> 我在炮火中逐渐僵硬，眼神中尽是疯狂和愤怒。
> （该诗作于他在肯特的康复期间。）

在军事行动中，士兵往往身心俱疲。这种情况从约翰 · 卢西关于蒙斯大撤退的描述中可见一斑：“我们的心理和身体急切需要睡眠来恢复……每个细胞……都渴望休息；这是行军的人们心中最为执着的念头。”在奥尔丁顿、巴比塞、云格尔等人的作品中也有相关描写。实际上，云格尔相信“让人们沮丧的不是危险，而是体能的极限、过度劳累和艰苦的条件”。他头一次执行任务时，每晚只能睡 2 个小时。

艰苦的环境同样折磨人。虽然那些来自于格拉斯哥贫民窟的人已经适应了风餐露宿、风雨交加、蚊虫叮咬等生存条件，但他们同样无法忍受堑壕的糟糕环境：虽然贫民窟的生活很艰苦，但至少栖身之处不是泥土筑的。法国士兵报纸《霰弹报》的文章中写道：“炮火不是地狱，真正的地狱是泥土。”《小钢炮》却持不同观点：严寒才是最糟糕的。云格尔一直认为，“潮湿阴冷”比炮火的危害更大，更容易让士兵招架不住。

就算士兵们并不感到寒冷、饥饿和潮湿，他们在堑壕的日子依旧难熬，因为他们会为逝去的战友悲恸欲绝（特别是那些“新兵蛋子”）。与诺思克利夫所说的“健康的户外生活”截然不同，他们饱受病痛的折磨（但病痛并不像过去那样能对战争起决定性作用）。德国有数据表明，整支队伍中有平均8.6%的人是病患，而这一数字在1918年夏天飞速增加。鲁登道夫万万没有想到，他的军队会在1918年夏天受到全世界流行的传染病的重创。

从心理上看，身处被“生锈的带刺铁丝网”、“翻卷的泥土”以及“布满弹痕的鬼魅般的树木”包围的环境，人们不会感到愉快，这种感觉在新兵那里格外强烈，他们厌恶这般景色。

除此之外，士兵们的津贴和食物配给相对来说也很微薄（这与周围可恶的景色相比，更容易让人愤懑不平）。1917年，英国士兵每天领取1先令的津贴，但当他们与其他殖民地部队的士兵通过沟通得知对方的收入高于自己的5~6倍之后，顿时怨声四起；更让人愤怒的是，当军官们喝得酩酊大醉时，他的手下却不允许沾一滴酒（一位中尉每天可以获得6先令7便士，2先令的住宿补贴以及2先令6便士的战斗补助）。乔治·科珀德的回忆录中充满了对英国士兵贫困的描写，但即便如此，他们与大多数法国士兵相比仍是幸运的，后者一天仅能领取可怜的25生丁。当美国的支援部队到达欧洲之后，他们的富有令其他国家的士兵蒙羞：在布雷斯特甚至发生了法军和美国援军之间的激战，原因是后者准许有性生活的特权激怒了他们。

士兵们在这样艰苦的条件下坚持战斗，最让人感到吃惊的或许是军纪并没有因此而被无视或遭到破坏。1914年著名的圣诞节休战时，英国和德国的士兵在无人区“亲如兄弟”的友善行动并没有受到人们应有的关注；1914年和1915年，在西线的部分地区还出现了“自己生存，也让别人生存”的呼吁。实际上，在进餐时间或是有伤员被救治时，人们会心照不宣地停火；只有当无缘无故的射击出现时，才会演化为“以牙还牙”的报复行为。两军的无人区夜间侦察都会刻意避免碰到对方，狙击手不会歼灭全部对手。当参谋下令继续作战后，这种暴力也仅仅是“做做样子”的。社会科学家，甚至持达尔文学说的生物学家，通常分别将这种现象视为“人类的合作倾向”与“个体避免被彻底消灭的利己主义自在基因”在起作用。

很不幸，尽管有这些冠冕堂皇的理论撑腰，但这些行为并非普遍存在。如果第一次世界大战的确类似于著名的“重复囚徒困境”游戏，那么大部分时间里，双方一直都是欺骗者。一位从圣诞节休战中回来的士兵拿着匕首打趣道：“我才不相信那些混蛋呢。”可见，不只是希特勒一人对休战感到厌恶。云格尔对此也有真实的描述：

> 一场瓢泼大雨后，双方堑壕里的居住者被迫爬到地面，由此，铁丝网前展开了一场酒水、烟草、制服纽扣的交易和交换行动……突然，“砰”的一声，我们队伍里的一名士兵应声栽倒在泥土里。

1915 年圣诞节，他的另一名手下被侧面飞来的子弹打死，“就在英国士兵主动示好，并在他们的掩体前立起圣诞树时。痛苦和愤怒之中，我们的士兵开枪了，对方也以枪榴弹发起攻击。”双方的信任感不升反降。简单地将“自己生存，也让别人生存”理想的终结归咎于上级出于自己的升职考虑而下达命令是没有说服力的。士兵自身十分热衷于服从那些并不友善的命令（如 1917 年 2 月向第 16 师下达的命令）。乔治·科珀德享受在圣诞节向德军开火的快感：“‘友善待人’这条古老的箴言对我们而言毫无价值。”

如果合作并不适合于作为准则来恪守，那么另外一种背叛方式——从自己的部队中逃跑会带来什么样的后果？尽管有很多文学作品描写漫行在无人区的逃兵部队，但在西线的交战双方，这种情况实属罕见。战争初期，双方部队中出身农民的士兵以及一些应征士兵经常试图在农忙时节重返家园；战争临近尾声时，德国的士气更呈现出土崩瓦解的局面。到 1917 年 11 月，有 10%的士兵试图利用运输火车逃回家园，在俄国被打败后这种情况更是屡见不鲜。但大多数情况下，逃离战场的行为并不多见，甚至对军事行动的结果丝毫没有影响。在英国部队中，有过当逃兵念头的人数只有 266 人。1914~1917 年，平均每年有 1.6 万法国士兵不辞而别，但之后回归部队的人数却比真正的逃兵人数要多。考虑到斯拉夫民族在士兵人数中的较高比例，奥匈帝国军队中的逃兵人数实际上也要比想象中的少；意大利军队的种族结构比较单一，但有逃跑想法的人也仅比其他部队略低而已，特别是对那些来自意大利南部的士兵来说，北部的军官与外国人无异。在战争的最后阶段，逃兵率最高的是俄国军队，尤其是在他们听到要发动进攻的风声后。1917 年年底，俄国士兵逃跑人数达到百万人的水平。

暴动和兵变也实属罕见。1917 年夏天叛乱的 49 支法国师队以及同一时间发生小规模骚乱的萨克森和维腾贝格部队是两个特例，但却足以证明了西线部队缺乏纪律性。当然，法国军队的骚乱意图并非在于掀起一场让最高指挥部惴惴不安的革命：它们主要反映的是法国士兵对尼韦勒的用兵战术失去了信心。他们并非诚心要将胜利拱手让给德国人。但在如此重要的战争阶段，3 万~4 万人向军令发起挑衅的行为同样使得后果不堪设想。英国的部队从未发生过这种事情。最严重的一次破坏纪律的行为——第 51 高地师、诺森伯兰郡燧发枪手团以及澳大利亚兵团均卷入了这次事件——将主要矛头对准宪兵队：他们开枪击毙了一名服役多年、试图穿过一座桥进入附近城市的常规军下士。当受到不公正待遇后，那些出身工人阶层的英国士兵最多也只是诉诸和平时期表达不满的方式。1916 年，第 25 师纠集众人，抗议清苦的军营生活条件；1917 年 6 月，在坦布里奇维尔斯成立的工人和军人理事会向罢工委员会表达了自己的不满，要求津贴应当随食品物价而变化，士兵不应当被拉去做“黑活”等。战争接近尾声时，经常被违反的命令是：解散原有部队，组建新部队。然而在第三次伊普尔战役中，当陷于如此不利地位但仍需坚持作战时，英国士兵的士气却“惊人地高涨”。第 50 军的指挥官休伯特·高夫爵士认为，“我们的士兵……知道他们要在不可能的情况下继续作战，而死亡随时可能降临。他们能够承受如此大的压力，不得不说这太让人惊讶了。”如果考虑到这些士兵出身于很少进行大规模征兵的农村，那么可以说他所言极是。

## “大棒”政策

人们为何坚持作战？一种可能性是他们被迫如此。诚然，战争使得国家的权力得到增强，使之能够对其公民产生震慑作用。1914~1918 年，英国公共开支中相当高的一部分用于雇用成百上千的人，其工作便是强制公民应征入伍。各种管理机构蓬勃发展，官僚主义的膨胀让战争提前到来，它们不仅出现在公共部门，在志愿者领域和商业领域同样存在，人们从未像 1914 年那样被井井有条地组织起来。大型工业集团雇用了数万员工，并采用其特有的官僚主义管理方式经营。工会也拥有众多成员。如果利用这些机构模式来完成大规模作战的任务，它们一定会高效地达到目标。

此外，我们至少可以说，英国军队在胁迫人们维持军队纪律的手段上比那些最终遭受内部崩溃的国家要无情得多。拒绝参与战争工作的非征兵团体险些受到军事当局的处理，1 540 名被判处 2 年强制劳动的和平主义者中，有 71 人被虐待致死。众所周知，3 080 名英国士兵因为逃跑、懦弱、变节或其他罪行而被判处了死刑，其中 346 人不幸地被执行死刑（这一人数超过了法国，是德国的 7 倍；但比起意大利，它仅为其处置己方人员人数的一半）。在“鼓励其他法国人”的检阅仪式中宣读了被执行死刑人员的名单：乔治·科珀德对此相当震惊，并留下了深刻的印象。当看到下面这一幕时，马克斯·普洛曼错愕万分：一个人被四肢张开地绑在地板上，等待车轮从身上碾过。这种惩罚方式可以追溯到威灵顿时期，直到 1923 年才废除。1918 年，每 291 名英国士兵中就会配备一名军事警察，而战争开始时这一比例仅为 1∶3 306。英国军队中军官和士兵的人数比同样远远超过德国：每支军队的军官人数占到总人数的25%，而德国仅有8~9名军官。考虑到绝大多数英国士兵在战争打响之前缺乏军事训练，军队因此而遵从纪律严明、训练有素的指导原则。实际上，正如我们所看到的，英国军队向士兵灌输了更多盲目服从命令的思想。在英国的"普通士兵"中，最经常感受到的氛围是消极被动，甚至麻木冷漠。这种等级森严、惯于顺服的组织结构——一切听从上级指令——与德国文化中鼓励士兵在没有收到明确指令时积极调动主观能动性相比，着实成为英国部队软弱无能的一个原因。

但我们同样不能夸张描写人们被迫作战的程度。战争期间，因为懦弱罪而被射杀的士兵人数仅占服役人数（570万人）的极小一部分。此外，这些人中有许多人患有炮弹休克，西约克郡军团那位不幸的士兵哈里·法尔，他在1916年10月倒在执行死刑的射击队前。他并不是有意识地拒绝战斗，而实在是无法支撑下去了。黑格认为，如果这些极个别的胆小鬼被宽恕，那么英国可能会输掉战争，但他的观点是否正确还有待商榷。实际上，与之后托洛茨基的红军相比（如果冲锋陷阵，那么你还有生还的可能；一旦退缩，则会被当场击毙），战争时期的军令已经相当仁慈了。在战争期间，纪律的效力与士兵们对其军士和军官们的尊崇感息息相关。这种情况因人而异：俄国的军官尤为糟糕（他们将其士兵像农奴一样对待，自己却不参加战斗），意大利也不尽如人意，法国军官的表现则差强人意。从1918年开始，颇有威信的德国军官也开始让自己的手下感到失望，威严扫地。而这一切已经成为革命期间一个非常敏感的政治问题，以至于让人难辨真假。

英国的军官与士兵之间的关系究竟密切到何种程度，我们不得而知。但是，战争期间军官团的社会结构发生了巨大的变化：43%的常设委员会成员为军士，战前这一数字仅为2%；40%的临时军官出身工人阶层或具有中低阶层背景。对常规军原来的军官而言，这是无法接受的事实；听到曼彻斯特的军官向其士兵爆粗口，人们会大惊失色。另一方面，这种社会身份的"淡化"极大地缩小了曾经存在于军官和士兵中的社会差距（与此相比，德国军队不会将军士提拔到少尉以上的军衔）。对他们来说，许多新任军官在回忆录中描绘了乐观和谐的上下级关系。有些人回忆道，"战友之间浓烈的友谊让那些抱守陈腐思想的严肃的人感到绝望。"赫伯特·里德热情歌颂"我的连队"（"啊，美丽的人儿，啊，我爱的人儿……"），查普曼同样热情洋溢、以同性恋的笔触描写了一大批士兵"深深迷恋一位帅气勇敢的年轻军官……那是一种强烈的浪漫情愫"。1918年6月4日，萨松在日记中写道："除了旅长所说的'勇杀德国蛮子的潜力股'之外，我什么都不是。啊，上帝啊，我为什么必须这样做？我并不是个刽子手。我的任务只是来看管照顾这些士兵的。"5个月后，威尔弗雷德·欧文向他的母亲保证："我是来帮助这些孩子的。像一位军官那样指引他们，了解和见证他们的苦难，成为他们的辩护人和请愿者。"毫无疑问，具有同性恋倾向的军官和他的士兵之间不免会发生性关系。T · E · 劳伦斯在他的《智慧七柱》一书中对此有深入的描写：

> 在我们长达数月的行军途中，我们很少碰到妓女，她们根本无法满足士兵们的需要，她们疲惫病态的身体难以取悦一个精力充沛的士兵。出于对这种肮脏的性交易的担心，我们的年轻人开始相互帮助对方排解性需要，毕竟自己的身体是干净的，不会染上性病，但这种单方面的宽慰太过乏味、缺乏性征。之后，有些人开始为这种行为辩护，声称肢体热烈地纠缠着拥抱、共同在柔软的沙地上颤抖的战友之间能够产生一种奇怪的激情，这种黑暗中的官能契合让彼此的灵魂和精神在欲火中融为一体。

然而，这种情景同样近乎幻想：发生在公立学校和名牌大学学生之间的"恋情"似乎并没有如此圆满和完美的结局。1914~1919 年，22 名军官和 270 名士兵因为"猥亵"他人受到军事法庭的审判。一般情况下，具有同性恋倾向的军官只与军官发生关系，同性恋士兵的对象也仅限士兵。

对乔治 · 科珀德而言，军官们都是遥不可及的人，他们只是间接地通过军士来传达命令；堑壕作战缩小了这种鸿沟，但军官和士兵之间在物质和社会关系上仍旧有天壤之别。因此我们可以说，人们所欣赏的并非是军官的俊美外表，而是"共同参与"的意愿。对军官的溢美之词往往来自于他们与其他人"一起挖掘堑壕，填满沙袋"，"在堑壕英勇作战"或"熟练地使用铁锹"。士兵诗人艾弗 · 格尼回忆，宽厚仁慈的军官往往会受到人们的欢迎。"你认为你能爬过去吗，格尼？那里有个坑。"他的一位军官曾经对他说。"没关系，长官！"格尼毫不犹豫地回答。另一方面，其他军官（包括查普曼）承认自己甚至不知道发号施令对象的名字，因为人员流动实在太快；士兵对军官的感受也是如此，军官的死亡和更新率甚至比士兵更高（主要是因为他们试图博取手下的尊重）。

无论如何，军法和纪律并非影响士气的决定性因素，但如果一味地让士兵进行艰苦的训练或无意义的纽扣抛光，那么势必也会对士气造成影响。韦斯特布鲁克认为，军队士气不仅取决于酬劳和奖励的"胡萝卜"，同样需要军法纪律的"大棒"；但比两者更为重要的是将整支军队拧成一股绳的道德和社会关系。

## “胡萝卜”政策

第一次世界大战期间，军队生活往往是简单枯燥的，鲜有直接而短暂的物质精神慰藉。下面简单列举战争期间最重要的几点“好处”与“不适”。

**1. 温暖而舒适的衣服。**1915 年 9 月，法国杜河地区的中学教师向部队捐献了 4 403 顶手工编织的巴拉克拉法帽。冬天来临时，这批帽子派上了用场，颇受士兵欢迎。尽管英国的军官拥有量身定做的衣服，但士兵们的军装却做工粗糙，且往往都不合身。然而与其他部队相比，他们的军装已经算是质量最上乘的了。德国军装更为劣质，人人都渴望能够拥有上好的军靴（见《西线无战事》），而俄国军队 1914 年遭遇的鞋类供应短缺，导致许多士兵赤脚上战场。苏格兰高地军团以能够身着苏格兰短裙为荣（上面扎一条卡其色围裙），但这种着装在很大程度上妨碍了堑壕作战；人们后来意识到芥子气很容易使身体出汗的部位燃烧起来，并导致惨痛的后果，于是就放弃了这种穿着。

**2. 体面的住处。**德国的堑壕修建得比英国更为精致舒适，英国士兵很少在家信中表达对自己居住的堑壕的满意感，而德国人在攻克敌人的防线后，对其粗制滥造的程度表示惊讶。相反，与英国人那些“肮脏而拙劣的坑洞”相比，德国人“挖掘的高标准堑壕令他们吃惊万分”。厕所的建造同样值得注意，德国士兵对其专门用来方便的“雷箱”非常满意，而平时一本正经的英国士兵却常常在沟渠里草草了事。

**3. 食物。**几乎所有的战争回忆录中都明确提到，理想的口粮能够对军队士气产生巨大影响，这也正是《西线无战事》这本书的主旨所在。清晨，熏肉的香气极大地鼓舞了双方士兵（云格尔和里德尔便有此经历）；相反，正如乔治 · 科珀德所回忆：“在食物供应上，哪怕有一点儿不足，便会招致不满的嘀咕和怨言。”如果发生在云格尔身上的情况实属正常，那么可以说，1917 年下半年德军的饭菜质量则出现了严重的退化（“稀疏的汤粥……面包缩水到 1/3……半发霉的果酱”），这也导致了严重的后果：次年春天，就在德军突破敌人防线时，由于疯狂掠夺战利品，他们错失了战斗的最佳时间。陆军将军冯 · 艾内姆感慨道，他的第 3 部队已经堕落成为“一帮窃贼”。但我们对此也不能过分解读：对战利品的渴望是战士作战的动力来源之一。法国士兵的家书中充斥着对食物质量差、供应不足愤怒。“我们已经连续 9 顿饭都在吃罐头牛肉和越南米了，”一位士兵在 1916 年 6 月抱怨道，“他们应当提供鸡肉。”

**4. 麻醉。**如果没有酒精——或许也没有烟草的情况下，第一次世界大战根本无法继续进行。当皇家苏克塞斯团军士哈里 · 芬奇在帕森达勒战役打响前夕向无人区进发时（1917 年 7 月 31 日），他惊奇地发现，他的大部分手下在匍匐着等候进攻时却“进入了梦乡”。除了疲惫，朗姆酒对此负有同样的责任。“如果没有提供朗姆酒，”一位军医随后声称，“我认为我们无法夺取战争的胜利。”这仅仅是种掩饰，他并没有提到在不战斗时这些醉汉究竟消灭掉多少朗姆酒。普通士兵可能随时抓住机会喝得醉醺醺的，正如一位高地轻步兵团军官所言，他们对此有着“极高的天分”。对乔治·科珀德来说，最为不幸的事情是在“军官们开怀畅饮他们免费的威士忌时”，他“却不得不在一座荒凉的村庄里搜罗酒水”。当无法供应、支付不起酒水，或者已有的酒水无法饮用时，法国军队的士气往往一落千丈。澳洲军团一位士兵诗人在 1918 年 6 月如此写道：

> 你说我们是群疯子，嗜酒如命。
> 但如果你经历了这可怕的场景，
> 从战场上背回的战友险些殒命，
> 通过无人地带荒凉可怕的小径，
> 你不必为战斗的勇士吟诵圣诗，
> 却必须借酒浇愁——
> 为了忘却截下的肢体，失明的眼睛，
> 哀悼死去战友的亡灵。

德国士兵也有相同的经历。云格尔曾多次提到纵酒的场面，“尽管 12 人中有 10 人已经阵亡，但毫无疑问，剩下的两个人仍旧会在当天晚上为他们逝去的战友安安静静地干一杯”：

> 我们喝得酩酊大醉……整个世界对我们来说像是可笑的幻影，围绕在餐桌旁……我们将所有的毁灭和不幸诉诸开怀大笑之中，我们充分享受这个幸福的国度，但快乐总是稍纵即逝；最终我们一起无忧无虑地迷失在时间里……我们超越了时间……沉浸在这一到两个小时的无穷的极乐世界中。

**5. 休憩**。实际上，一个步兵 3/5 的时间都花在后方，而不是前线：1915~1918 年，皇家萨塞克斯团第 7 军团的士兵只有 42%的时间，在前线作战或进行近距离支援。如果像哈里·芬奇那样负伤的话（他是幸运的，在索姆河战役打响第一天便受伤了），参加战斗的时间会更短：通过阅读他的日记我们了解到，真正可怕的战斗实际上并不多见。卡林顿只参与了 1916 年 1/3 的战斗，在前线的时间仅有 65 天。的确，有些防线甚为安静。1915 年以后，在费斯蒂贝尔附近作战比在伊普尔附近显然要安全得多。1/3 的人专门被安排到远征军的后勤保障岗位，相比之下，这项工作轻松又容易。

被安排在“休息区”的人们却丝毫得不到休息（无止境地挖掘、维修、装卸货物），但二等兵们早就深谙“偷懒”之道，时常想方设法将手中的活儿压缩到最少。根据一项调查，1918 年夏天，德军的偷懒人数达到 75 万人之多，这些人相当于“暗中的罢工者”。

**6. 休闲娱乐**。有人曾如此开玩笑，正如一份英国战地报所言，“要不是为了友情和消遣，我们很难继续作战。”我们还可以从一个描绘英国士兵随遇而安性格的漫画中看出这种战争黑色幽默：公墓变成了“休憩场所”，跳出堑壕冲锋陷阵也被当作“跳袋子游戏”。正如富塞尔所言，英国人的习惯用语是“适应堑壕”。人们收集各种纪念品，包括敌人的徽章、纽扣、刺刀和头盔。无论是专业的演唱会还是自发组织的业余活动都能让人感到愉悦。他们在露天的地方观看电影，踢足球，英国士兵对此尤为着迷，并且这一活动受到了上级的鼓励。值得注意的是，那时候，军官和士兵会打成一片，正如和平时期的那些“绅士”和“足球运动员”一样。他们是平等的，但这种亲昵的感觉会随着终场的哨声戛然而止。加拿大士兵和澳大利亚士兵还会举行棒球运动甚至马术。当然，士兵也拥有性生活，大多数通过召妓来满足自己。从回忆录和得性病士兵人数的统计中可见一斑。1917 年，英国的军队中有 4.8 万例性病患者；1918 年，海外士兵中有 6 万例。战后，有人危言耸听地说，1/5 的士兵患有梅毒；实际上英国士兵的年得病率为 4.83%，仅比战前高出一点儿；但这一数据在海外士兵中却相当高——27.8%。此外，阅览黄色书刊、进行自慰的情况也时常发生，有些人还有兽交的行为。

**7. 探亲假**。每个士兵自然都希望自己能够获准回家探亲，尤其是法国士兵。有人说，他们将对家乡和亲人的思念作为精神力量。他们与家人见面的机会并不多，虽然法国士兵理论上每 3 个月便可获得 7 天的探亲假，但这种情况鲜有发生。英国士兵获准回家的机会则更少。战争中，英国士兵原则上平均每 15 个月可享有 10 天假期；然而 1917 年夏天，有 10 万人在 18 个月中没有休息一天，40 万人连续服役超过一年。对澳大利亚士兵来说，回家探亲更像是天方夜谭。很明显，回家省亲时士兵会对平民的安逸生活（与他们的苦日子相比较）感到不满；而平民关于前线的了解也仅限于报纸上那些经过美化和处理的文章。罗伯特·格雷夫斯和萨松在他们的回忆录及其他作品中经常提到这种感受。格雷夫斯曾说，“可笑的是，当你回到家乡省亲 6 个月或是 6 天时，那种感觉相当糟糕，因为你身边的人丝毫不理解究竟发生了什么。”杰出的经济历史学家R·H·托尼在索姆河战役的养伤时期曾强烈谴责，“你们这些报纸……你们将战争编造成如此生动的事情，但事实并非如此，这是因为人们根本没有勇气面对现实。”实际上，平民可能并非士兵们想象的那样乐观；红十字会在将伤亡或失踪报告传达给士兵亲属时，言辞并非想象中那么温和宽慰。许多德国士兵同样觉得自己被孤立。1918 年，有些人（其中的代表人物为希特勒）从前线返回故乡之后，感受到了一种浓浓的失败主义情绪，这使他们大为震撼，然而还有一些人本身就是带着这种情绪回家的。

这种孤立感必然会导致士兵之间更为亲密的战争友谊。这正是人们时常对“前线经历”怀旧伤感的关键，“那是一种超越男女之情的情谊”，那是人们并肩浴血奋战后缔结的深厚感情。一位英国士兵之后说，他们之所以没有退缩逃跑，并不是“畏惧宪兵”，而是不想“让对方失望”。法国历史学家马克 · 布洛赫也持同样的观点。于是，宣扬军事效力取决于“主要群体”的凝聚力的一系列理论蓬勃兴起。然而我们不需要将“战友”关系的重要性过分渲染。许多爱好文学的军官（他们的经历引起了富塞尔的兴趣）从独自阅读中得到的乐趣明显能够与战友情谊相提并论。此外，部队往往在新组建不久便参加军事行动，加之死亡潜伏在战友之间，这些都意味着个人内心坚持到底的信念同样重要（甚至更重要）。此外，士兵对于自己从属的军队组织颇有认同感。这种精心沿袭下的团队认同感的传统虽然加强了士兵的归属感和忠实度（使得军队在出现大规模杀伤时仍旧不屈不挠），但私下的人际关系却被冲淡了。军队规模的扩大削弱了这种团队联系，1918 年的军队改组十分不受欢迎，有些士兵甚至拒绝执行加入“新的大本营”的命令。

人们普遍认为，士兵对其祖国的忠心可以激发他们的战斗热情（但他们常常被政府精明的战略目标蒙在鼓里）。克劳塞维茨认为，军事力量取决于军队士气：“一支军队之所以能在最为惨痛的打击下仍旧保持凝聚力，是因为他们为了维护军队和国家的荣耀，时刻谨记自己肩膀上所有的职责。”对克劳塞维茨而言，国家情绪的调动是拿破仑时期法国军队的制胜法宝；许多现代分析学者同样认为这是部队尽快恢复元气的关键原动力。在第一次世界大战中，其他国家的士兵同样具有这样的国家归属感。法国士兵的爱国热情尤为强烈，敌人的铁蹄已经踏上法国的国土，加之 18 世纪 90 年代的战争对法国人民留下的阴影，爱国的决心创造了强大的力量。英国公民的国家优越感是其凝聚力的源头，但当中仍旧存在不少需要磨合的地方。尽管英国远征军中大部分士兵都是英国人，但它毕竟包括了许多不同国籍的人。苏格兰人有着强烈的地区认同感，在行军过程中，他们热衷于吹着风笛，昭示着“我们——我们——将要赢得战争”。爱尔兰人虽然对战争并没有表现出苏格兰人那样的热情，但他们还是根据自己独特的文化形成了独特的团体，他们的特立独行甚至让英国高级军官出于偏见而低估了他们的战斗素质。尽管加拿大和澳大利亚军团中有很多人是在英国出生的，但他们同样在认同感上与其他人有所区别，上层军官甚至担心那些澳大利亚“挖掘者”会不尊重自己，不听从指令，这种特点在现代人看来颇为叛逆、吸引人，但在战争年代，着实不应提倡。在德国军队中也能察觉出这种差异性（普鲁士和南德的部队之间）：普鲁士人往往比撒克逊人“难缠”得多。但对于奥匈帝国或是俄国来说，这种国家认同感显然失去了它的意义，许多农民士兵认为自己来自“坦波夫”，而不是俄国（后者对他们而言就是整个“世界”）。然而所有军队都在没有发生内部危机的情况下坚持战斗，其团结程度可与种族结构相对单一的法国相媲美（实际上法国军队也存在地区差异的问题：一位军官要对来自布列塔尼的士兵用 4 种不同的方言进行沟通，这些人基本不懂法语）。

我们知道，报纸上强硬的外交宣传对士兵的影响并不大。另外一种“官方”的鼓舞斗志的来源则是宗教，它为人们应付大规模杀戮提供了更多微妙的释怀和解释方法。对在西线战斗的人们来说（大多数人是基督徒），他们个人所经受的苦难很容易被理解为基督徒的苦行和奉献。富塞尔曾引用过无数前线军官文学作品及书信中出现过的案例，如萨松的《救世主》，欧文笔下被灌输“众志成城搬运十字架”思想的基督徒以及班扬的《天路历程》。军队中还广为流传着一个故事：一位受伤的加拿大士兵被德国人在他的战友面前钉死在十字架上。战争年代同样伴随着各种鬼魅怪谈。有些士兵臆想自己在蒙斯上空看到了翱翔的天使。正如 1917 年 5 月，3 名不识字的葡萄牙儿童见到圣母玛利亚哀叹俄国革命的发生；比利时和北法士兵坚信他们听到了玛利亚在路边的神龛中所做的预言。堑壕中的灵魂论风靡一时，许多精疲力竭的战士认为他们看到鬼魂或听到了魂音。1916 年，法国士兵相信是在博伊斯阵亡的法国士兵的鬼魂击退了德军。然而现实中也的确发生了让人们惊讶的事情：巴黎圣母院长方形教堂里的镀金圣母像因为炮击而失去平衡，向前倾斜；据说，当这尊雕像彻底倒塌时，战争就会结束（它到现在还没有倒塌）。萨尔堡十字架上的耶稣雕像因为炮轰而脱离了十字架——作为矛盾的战争幻象，它有一部分是神圣的。

然而，第一次世界大战是场宗教战争的命题显然具有其局限性。英国士兵缺乏宗教感的现状震惊了罗伯特·格雷夫斯。且不说别的，就算是对一位最不老练的士兵来说，“登山训众”的故事和军士教练员教授使用刺刀技巧之间总归是毫不相干的。随军的 8 000 多名牧师不得不想办法对付由本尼狄克十五世反对战争而产生的尴尬矛盾，后者于 1917 年呼吁停止这种无异于自杀的敌对行为。对提倡限制宗教权力的法国人和比利时人来说，他的呼吁自然无效。英国军队中的 3 480 名随军牧师同样感到五味杂陈。被称为“英国人威利”的牧师G·A·斯塔德特·肯尼迪是热衷于蛮力、嗜杀的基督教精神的典型代表，而这种精神并非所有人都能接受。他总是在拳击、摔跤和拼刺刀展示结束后进行布道。一家英国战地报纸指出，像这样的牧师都在扮演一种奇怪的类似于精神分裂的角色：

> 我并不希望伤害你
> 但是（砰！）我必须这样做。
> 基督教的美德
> 指引你们倒在尘埃中。
> 你——（飕！一发子弹射中了你）
> 死亡会是更好的解脱。
> 对不起，是我射杀了你——
> 来，让我托起你的头。

另一方面，也有些牧师因为让人们避免受到危险而赢得了好声誉。黑格曾做过一个著名的论断："一个好的牧师堪比一个好的将军。"我们完全可以从这一论断中读出与他的初衷相反的意思。

## 战争的乐趣？

在关于第一次世界大战的历史记载中，人们忽略了另外一种可能性——一种并不会让人感到愉快的可能性。那就是，人们之所以坚持战斗，是因为他们乐于这样做。

西格蒙德·弗洛伊德在其战争时期的论文《战争与死亡的思考》中认为，战争象征着被社会事先抑制的原始本能的再现。"这场癫狂的战争即将落下帷幕时"，

> 士兵欢呼雀跃，胜利凯旋，他的妻子和孩子丝毫没有意识到他的双手沾满了敌人的鲜血……我们无意识的意志让我们无异于原始人，一群刽子手……我们的无意识让我们在面对陌生人时凶相毕露，在面对亲密的人时却呈现出与之相矛盾的另外一种情感，就像远古时期的人类……战争……撕下了文明在我们身上积淀的伪装，让我们以原始人的面貌裸呈相见。

然而，弗洛伊德同时发现了"我们面对死亡时的忧虑意识"。战前他曾提出，人们具有一种"明显的'搁置'死亡的倾向，即将死亡从生活中主动排除出去的意识。我们试图掩盖这一事实……精神分析的实验大胆揭示了这样一种论断：实际上，没有人相信自己的死亡……在无意识中，每个人都确定自己不会死"。弗洛伊德并不看好这种本性，认为人们对死亡的怀疑将"使生命耗尽"。由于战争清除了"对死亡的常规处理"，因此它能够让生活"重新变得趣味盎然"。

战争结束后，弗洛伊德对这种观点进行了深入研究。他的作品《超越快乐原则》（*Beyond the Pleasure Principle*，1920）认为，“本能能够保留有机物质，并将其进行组合，形成更丰满的整体；除此之外，必定存在一种对立面，试图去消解这个整体，并使其恢复到原初的无机状态，即死亡本能和爱欲。”死亡本能和性欲本能的相互作用是人类精神的关键：

> 具有攻击行为的倾向是人类所固有的、独立存在的本能性情……并成为人类文明最大的敌人……人类的性欲以结合个体、家庭、族群、种族、国家的关系，使之成为一体为目的。我们不知道它的机制原理，这是爱欲的杰作。这一大群人必须被“力必多”的力量凝结在一起，单纯的需求以及共同劳动无法做到这一点。
>
> 人类侵略性和相互敌对的自然本性与文明的程序背道而驰。侵略本能是在爱欲之外的死亡本能的衍生物及代表。对我来说，文明的进化意义对我们来说不再是个谜。这种进化即爱欲和死亡之间的对抗，生存本能和毁灭本能之间的对抗。

尽管弗洛伊德的理论在现在看来有些可笑，但这种解释也有其值得称道的地方，至少是与人们在战争中的表现相符的。与弗洛伊德将精神分析与业余人类学知识相结合的方式相比，如今的新达尔文主义者的遗传决定论似乎更具有科学性，但前者却更好地解释了数百万人苦战4年半、经历杀戮与被杀戮的荒谬时光的原因。（然而那些没有结婚也没有养育过孩子的年轻人战死沙场的事实很难与道金斯的“自私基因”相关联。）实际上，我们有必要仔细研究弗洛伊德遗漏的问题：人类嗜杀的本性，即“毁灭本能”，以及对生存渴望的缺乏，即“每个个体……实施破坏，退却到无人情味的原始状态”。

弗洛伊德的理论得到了一些证据支持。1914年6月，战争开始之前，“旋涡派画家”温德姆·刘易斯写道（他本人也参与了这场战争）：

> 杀掉一个人恐怕是生命当中最充满快感的一件事。既类似于没有在自我保存本能的介入下杀掉了自己，又好像根绝了自我保存的本能本身。

1914年8月，伦敦一位中年男子阿瑟·安斯利由于“感觉到他已无法被选中参军”而自杀：他之所以选择自我了断，是因为他没有得到杀戮其他人的机会。对很多人来说，亲近死亡是件让人兴奋的事情。“如果我从未体验过子弹飞过来的感觉，”欧内斯特·雷蒙德——《正告英格兰》一书中的一位主人公曾说，“那么我将永远不会获得死亡临近带来的一刹那快感和震撼，这种美好的感受不容错过。”我们再来看另一种极端，法国的一家战地报纸暗示，消沉和沮丧使士兵“产生厌世的情绪”。堑壕里的士兵执着于注定死亡的命运，战斗打响前夕，云格尔因为“一个出现了死人脑袋的梦境”而备感忧虑。同时他也道出在一处被占领的法国堑壕中第一次见到尸体的那种着迷的心情：

> 一个年轻人趴在地上，他目光呆滞，手指凝固在最后一次扣动扳机的动作上。看到这些死人和他们迷惘的眼神的感觉非常奇怪……毫无疑问，这种恐惧正是将我们扯进战争的不可抵挡的吸引力……战争开始之前，在我们所有好奇的疑问中，有一个问题尤为突出：躺在地上的死人是什么样子的？……现在，当我们头一次看到这种可怕的场景时，我们却不以为然。我们不得不一而再再而三地目睹这样的场面，但我们却无法知晓其中的意义……面对这些肢体扭曲、面目狰狞、腐朽得变了颜色的尸体，我们仿佛在梦境中穿梭，梦中的花园栽满了奇怪的植物。

并不是所有人都排斥尸体带来的恐惧。A · P · 赫伯特坦言他与云格尔一样，感受到了一种“可怕的着迷”。另外一位诗人W · S · 利特尔约翰的作品完美地阐明了弗洛伊德的论点——但死亡本能似乎变成了有意识的死亡意愿：

> 正当我埋头苦干时，内心却充斥着欢笑的死亡之歌
> 我只需要一块6英尺长的草地
> 再盖上一块简单的木头——请把剩下的我交付上帝。

最后，当战争结束之后，幸存者往往心存愧疚，正如约瑟夫 · 罗思的《皇家陵墓》一书中，那位认为“自己没有资格去死”的主人公一样。作为一名瓦格纳的崇拜者，托马斯 · 曼战后对威廉德国的评价是，其文化过多地被渲染了死亡的气息：这正是其致命的缺陷，战争是这种情绪达到顶点的表现。

更糟糕的可能是，人们作战的目的可能仅仅出于乐趣。对此，马丁 · 范克里菲尔德（并非弗洛伊德的追随者）颇有见解：

> 战争远远不只是一种手段，它经常被认为是一种终结，这是一种具有高度吸引力的活动，其他所有东西都无法替代它……仅凭战争，人类便可获得动员全体公民、冒险使用一切、检验其根本价值的机会，去反抗一位与自身实力不相上下的敌人……然而事实让人颇为不快：我们发动战争的真实目的是出于我们对它的热衷。

以下这种关于战争绵延不断的解释或许是最为理想的。《啊！可爱的战争》的作

者朱利安·格伦费尔——典型的上流社会骑士，认为战争是一场伟大的游戏，因而别具一格：

> 我们 4 个人走在路上，高谈阔论，欢声笑语；这时，12 发子弹呼啸着冲我们飞来。所有人都冲进了离我们最近的一扇门，里面是一间盥洗室；我们摔倒在地，高声欢笑……我太喜欢战争了。它就像一场盛大的野餐，却又摒弃了野餐的无目的性。我从未如此精力充沛，从未感到如此愉快。

这种情绪普遍存在。亚历山大·吉莱斯皮在卢斯对他的父亲说："这将是场伟大的战斗，不管我有多想念您，我都不想错过它。"不久后他便战死沙场。索姆河战役打响后不久，当东部萨里第 8 部队的 W·P·内维尔上尉带领他的连队冲锋陷阵时，他忙中偷闲将一只足球踢向了德国防线（虽然他最后被子弹射中了头部）：在他的脑海中，体育与战争的概念已经融为一体。另外一些人将战争视为打猎行动。弗朗西斯·格伦费尔在第二次伊普尔战役中致信其司令："猎犬已经在奔跑了！"一位苏格兰狙击手一天完成的"猎杀目标"是"命中 7 个目标"，以及 4 个额外目标。德国人同样将 1918 年 3 月的大屠杀戏称为"打猎游戏"。我们能够在罗伯特·尼科尔的诗歌《袭击》中感受到这种将战争视为体育项目的纯粹冲动：

> "小心，长官！当心点儿！"
> 哈哈！一群猎物在等待着。
> 左轮手枪迅速瞄准！
> 啪！啪！
> 鲜红如血。
> 德国人。德国人。
> 太棒了！嘿，太棒了！
> 冷静的狂热。

根据一位加拿大士兵的回忆，战争"是我这一辈子最伟大的冒险，我的余生将保留这段记忆，无论如何都不会将它忘怀"；另一位英国堑壕搬运工说，"战后发生的事情让一切陷入低潮"。对于查普曼来说，战争是一位"情妇"："一旦被圈入她的臂弯，你便不会接纳其他任何人。"之后他又坦言自己怀念"那种精神和肉体高度紧张，脑海中充满可怕冲动的感觉——稍纵即逝，无比珍贵"。法国牧师皮埃尔·泰亚尔·德夏尔丹曾在战场上当一名脚夫，他也产生了这种共鸣："你会发现，自己的身体中汩汩涌动着象征澄明、力量和自由的溪水。在日常生活中，我们从来不会有这种感受。"

没有人比恩斯特·云格尔更加享受战争了。对他来说，战役成为“能够立即刺激神经的鸦片，但它的最终效果是要杀死它们。”一次近乎灾难性的突袭被当作“用来消遣的短暂插曲”以及“良好的神经滋补剂”。他之后还说，战争已经成为“无可比拟的心灵锤炼”。云格尔并不是没有志同道合之人，他发现他的手下同样具有这种态度：

> 经常呈现出一派愉快的气氛，我们中的许多人从这项工作中得到消遣。鲁莽的急性子永远都在苦苦思索着如何用自制弹弓发射炮弹……其余时间，他们爬出堑壕，在铁丝网上拴上铃铛，再系上一根绳子；他们拉动绳子，刺激那边的英国士兵。战争对他们来说就是个玩笑。

那些参与过行动的女性同样乐在其中。“我永远不会忘记这场世界大战”，当梅·辛克莱提到她在比利时的战地急救工作经历时（那是她最难忘的时光），她如是评价；她还回忆了一些“性命攸关的危急时刻”。同样担任过随军护士的薇拉·布里顿和维奥莱塔·瑟斯坦津津有味地享受着前线附近生活带来的“震撼”和“趣味”。同性恋女作家拉德克利夫·霍尔在战后完成的故事《奥格尔比小姐寻找自我》中说，女英雄在娘子军中度过的时光被形容为“光荣的岁月”。

战争给许多人带来乐趣的原因是它的危险性。范·克里菲尔德的观点与弗洛伊德不谋而合：“战争的本质不仅包括一方对另一方的杀伤行为，还包括人们对自己的死亡的准备。”杀戮和死亡在士兵的脑海中是同生共存的。

因此，如果不是因为潜意识中对死亡的渴望，人们为何要以自身的性命为赌注来杀敌呢？导致这种行为的一种强大动力是复仇心理。这种心理鞭策着约翰·路西（1914 年 9 月在埃纳河以及新夏佩尔）——在地狱般的蒙斯大撤退发生之后，在经历了与兄弟的生离死别之后。这是将痛苦还给德国人的机会：

> 我们要让他们尝尝这种滋味。我们强大的攻势对他们造成了巨大伤亡。他们大批大批地倒下，在我们密集的炮火下，行军纵队一蹶不振。队伍被冲散了，没有人能够在我们的视线内存活超过 5 分钟。几个生还者痛苦地挣扎，试图向后撤退逃跑。我们向他们的背部射击，让他们永远不可能再爬起来。血腥的 5 分钟……我们用愤怒的报复抵消了我们曾遭受过的折磨和痛苦。

索姆河战役中，也正是出于这个目的，第九军甚至要将敌军伤亡人数扩大到与卢斯战役的损失持平。一位来自法国多姆山的农工向他的父母描述了他“对这些野蛮人有多么愤恨”：“我很高兴看到他们成群结队地走过来。我保证，不久之后他们之中一个活口都不会留。当我看到他们在战场上倒下时，我无比骄傲。”云格尔在他的德国手下中也察觉到了类似的情绪。当一个士兵在阿尔滕堡的阵地中阵亡后，“他的战友们在掩体后趴了很久，伺机进行报复。他们满怀盛怒地抽泣着。此刻他们全然忘记了战争的客观性，将那些射出致命子弹的英国人当作私敌。而我完全理解他们。”当他带领手下在 1918 年 3 月 21 日采取行动时，他们已经不再是那些满口尽是“粗俗的玩笑”的士兵了：

> “现在轮到我们出手做第 7 连队未竟的事情了。”
> “现在我什么都豁出去了。”
> “为第 7 连队报仇。”
> “为布里克森上尉报仇。”

请注意这句话：“现在我什么都豁出去了。”复仇的欲望通常伴随着对自己生死的全然置之度外。读到萨松描写 1915 年到 1916 年冬季作战的经历时，我们一定能够体察出他从杀害德国人中获得的快感，但这种快感同样来自于同归于尽的心理准备。在他的挚友迪克阵亡之后，他便开始了对德国阵地鲁莽而不计后果的疯狂袭击，寻求报复以及自身的毁灭：

> 我冲向他们，我只想杀人……这种感受让我每获得一次机会，都要爬到坑道外面去侦察敌情……我已经或多或少地有了必死的决心，因为在这种情形下，我不可能去想其他的事情。

然而，对有些士兵来说，战争的乐趣仅限于杀人。1914 年 10 月，朱利安 · 格伦费尔在他的日记中记下了一件“激动人心”的小插曲。他来到无人区，看到一个德国人正在“谈笑风生”。“他的牙齿在瞄准器上闪闪发光，我沉着地扣动了扳机。他只是咕哝了几声便倒地而死。”在加利波利作战的澳大利亚军团为他们狙击和使用刺刀的技巧感到骄傲，部分原因是要“报仇雪恨”，还有一部分原因只是因为“这样做很漂亮”。这种冷漠而无所谓的态度与其他士兵所表现出的对“德国佬”的深恶痛绝形成了鲜明对比。在皇家伯克郡军团的两位军官眼中，德国人是“十足的害虫”。“他们丝毫没有同情心和良心，”其中一人说，“他们的哲学就是，杀人越多越好。”在士兵当中，这种憎恶也普遍存在。当被一位俘虏问到其对德国人的看法时，一位英国士兵只是简单地回答：“你们就像一摊呕吐物。”很少有人能够体会到赫尔曼 · 布洛赫的《梦游者》中雅勒茨基所感受到的那种后悔和自责。他将自己失去左臂的原因归结为“将一发手榴弹丢在一位法国士兵裆下”的惩罚。但他同样认为：

> 当一个人故意做出某些行为时……他没有必要去考虑他的余生……这就是我的感受……他获得了该获得的东西……这也是战争为何永无止境的原因。

在杀戮的同时，杀戮者自身的性命也岌岌可危。当然，这种将生死置之度外的意愿并非出于自觉的死亡意志，这是因为人们无法（或不去选择）对其生存概率进行判断所致。在法国服役的英国士兵中有1/2的人伤亡；那些真正在前线作战的人——特别是当进攻打响时——牺牲的概率尤其高，更不用说负伤或被俘。法国士兵的死亡概率甚至更加糟糕。“在战斗开始前，死亡就已等待着我们了”，一位士兵在1917年如是说。尽管人们对于自己存活的概率不得而知（作为机密，伤亡人数需要高度保密），但通过一系列的经历，对此不难有一个大概的判断。有些人明确地意识到自己被杀害的可能性。诺曼·格拉登仍然记得“战役打响前的若干小时里……所经受的心灵痛苦和折磨”：“我实在找不到自己能够再次逃离死伤命运的确切原因。”

但这种想法似乎根本无法阻止人们战斗的脚步。这是因为人们成功说服自己，死亡不会降临到自己头上。一个人在战场上的时间越长，目睹的死亡情况越多，就越发让人感觉他成为超越“概率律”的一个特殊的侥幸。云格尔注意到，尽管面临着殒命狙击手枪口的危险，人们仍然选择借道阿尔滕堡阵地的公路，这正是“老兵固有的对子弹威胁的免疫力。这已经成为一种现象，但每天仍然有人因为这种疏忽和无所谓的态度而丧命”。同样，有些人对未爆炸的炮弹和手榴弹不屑一顾。当云格尔目睹自己的亲兄弟在枪林弹雨中被担架抬走时，他甚至比他兄弟自己还要担心。“一部分原因是，每个人都对自己的幸运信心满满。人们都认为自己会是幸运的，会安然无恙，这使得他们低估了危险。”同时，人们知道自己的命运会被子弹不可预知的飞行轨迹夺取或幸免，因此他们开始相信宿命。“谢天谢地，我们只能死一次”，1918年春，云格尔的手下在向枪林弹雨进发时如是说。帕特里克·麦吉尔曾写道，“在死亡的众多可能性中，我失去了对生活的把控。”科鲁特韦尔注意到，“几乎所有士兵在服役期间都成为一个宿命论者，他们绷紧的神经也因此得到宽慰，将自己生存的机会托付给老天。但这种宿命论总归是建立在相信自己仍有机会活下来的侥幸心理之上的。”有时候，这种宿命论是通过对别人的生死近乎麻木不仁的态度表现出来的。许多亲历者都目睹那些经验丰富的老兵在见到他们的队友突然被杀害或受伤时无动于衷的表现，一个士兵的阵亡突然之间“不再是一件可怕的事，而成为了死亡的替代品”。简而言之，每个人（如同弗洛伊德的观点）都相信作为个体，自己不会是被剥夺生命的那一个：

> 我们体内不存在为自身的死亡做准备的本能，这或许就是英雄主义的关键所在。对英雄主义的合理解释是，它存在于一种信念或决定当中——个人的生命不

及某种抽象而普遍认同的理想那般珍贵。但在我看来，它往往是基于“我会安然无恙”的轻视死亡的英雄主义本能或冲动。

或者正如英国士兵在他们开赴前线的道路上的歌声：“死亡的钟声叮当叮当/它在为你而不是为我而响。”他们的歌声中充满讽刺，他们笃信这一点。

这种偏见导致了士兵们对战争的时间观念上的扭曲。许多士兵开始相信战争会永远持续下去，贝克尔向我们展示了当1917年战争即将结束的曙光开始显现时，法国士兵是如何逐渐表现出悲观情绪的。1918年8月，安德烈·卡恩是众多希望战争能够再进行一年的士兵中的一名。1917年，在一位军官的计算中，如果按照索姆河、维米岭和梅讷西战役的推进速度，那么需要花费180年才能到达莱茵河。甚至有人开玩笑，预测1950年时前线会是一番什么样的景象。甚至在20世纪30年代，萨松仍然梦想着重返战争。1937年，艾弗·格尼死于一家精神病院；直到那时，他仍然相信战争还没有结束。

然而在战斗最激烈的时候，时间却变得飞快：在战斗打响之前的一晚，人们时刻惴惴不安，只想着未来战斗打响的那一刻。（正如格雷夫斯所说：“我不想死，无论如何，在我没有完成《还乡》之前我还不想死。”）这使得真正的战斗反而成为一种解脱，一位法国士兵说，“进攻让我们从痛苦的等待中解放——从战争刚开始的那一刻起”。无数的士兵回忆录都证明了这一点，以及战役对人们精神的麻痹作用。正如皇家韦尔奇燧发枪手团的一位士兵所回忆的那样：

> 马梅茨战役中，逐渐消失的是生存意识，而不是死亡的意识。我逐渐进入到一种无法思考、无法感知、失去视力的状态。我穿过树丛，身边发生了许多事情；许多人在我身旁经过，相互扶持，有人在哭号，有人在咒骂，有人则缄默无言。他们都化成了一个个影子，我也融入了这片人影中。生存还是死亡，一切都那么不真实……两者是等距的，但却很难达到任意一方；在这个沟壑前没有桥梁可通过，它让我和曾经的自己相分离，也让我和自己希望把握的事情相分离。

这种兴奋和病态的感受解释了为何那些“丧心病狂”地将自己的位置暴露的士兵很少是士气低落的士兵。只有在对自己生还的概率做出一番考量之后，士气才会受到影响。但在战斗中，士兵根本没有机会去思考这个问题。人们遵循冲动做事，而不是理智地对自己的生命负责：因此他们坚持战斗，坚信自己总是那个幸运儿。

# THE PITY OF WAR

第十三章

# 受降者的两难选择

## 投降的依据

还有另外一种原因可以解释人们继续战斗的行为——他们看不到比它更具吸引力的选择了。诺曼·格拉登曾在第三次伊普尔战役打响前说："如果有其他选择就好了。但我知道我别无选择。"事实真的如此吗？实际上，人们当然还有别的选择。在前几章，我们仅讨论了最艰难的选择：逃回己方，而在西线作战中，这几乎是不可能的事情（尤其对某些英国士兵来说，他们"甚至都没有逃跑的勇气"）；此外还有发动叛变，这是反抗军事当局的最困难的方式。我们可以再添加一种新的选择：冲自己的脚开枪致残或是直接自杀，但这种干脆决绝且刻意的自残行为会对个人未来的发展造成影响，何况还有生还的可能性，因此这样也不行。所以，自残以及自杀的人数并不多。

相比之下，有一种选择显得格外合理——投降。

士兵投降成为影响第一次世界大战结果的重要因素。尽管死亡人数清单已经长度可观了，但要想完全实现战前德国士兵"歼灭敌军"的誓言似乎是不可能的。人口统计学数字显示，每年新应征入伍的士兵或多或少足够填补消耗战造成的兵力漏洞。因此，同盟国在"净阵亡人数"上的优势不足以带来胜利，然而大批投降的士兵同样严重削减了战斗力。

当时的人们都知道，虏获大批敌军是一个好现象。在英国电影《索姆河战役》中，大约 1/10 的内容都是有关德国战俘的画面。有趣的是，电影第三部分的结束片段中，出现了一位英国士兵威胁德国战俘的画面，但放眼望去，其他那些"受伤和神经错乱"的德国战俘却在享受着饮料和香烟。官方是鼓励摄影师拍下这种镜头的。德国人同样以明信片和新闻短片的形式展示外国战俘经过德国众多城市的画面。在 1917 年的东线战场上，投降对战争具有很大的影响力，因为俄国的军事失败关键在于大批士兵的投降。总体来看，俄国伤亡总人数中有一半是被敌人俘虏的。奥地利和意大利也因此遭受了巨大的兵力损失，两国伤亡人员中分别有 32% 和 26% 是俘虏。与此相比，英国、法国和德国军队中的投降人数则相对较低。法国的伤亡人员中只有 12% 被俘，德国为 9%，英国为 7%。

正如图 13–1 所示，直到战争末期，德国士兵才开始大规模投降（从 1918 年开始）。根据一项统计，从 7 月 18 日一直到签署停战协议，德军共有 34 万人投降。7 月 30 日~10 月 21 日不到 3 个月的时间里，仅英军就虏获了 157 047 名德国士兵。在其他战斗中，他们俘虏德军的人数也只不过比这一数字略高一点儿（190 797）。仅在最后一周，就有 1 万人投降，这是战争真正结束的标志。与此相比，阵亡人数则相去甚远。在战争的最后 3 个月中，有 4 225 名英国军官和 59 311 名士兵阵亡，德军相应的阵亡人数分别为 1 540 人和 26 688 人。换言之，在杀伤力方面，输掉战争的一方仍然保持着高出胜者 2 倍效率的优势。但在俘虏敌军方面，前者显然败下阵来。我们不能简单地将这种情况归咎于德军士兵的“战争疲劳”、“无心恋战”，或是无法忍受饥寒交迫的困境。我们有必要研究他们对向其投降的敌人的态度，以及后者对俘虏的态度。

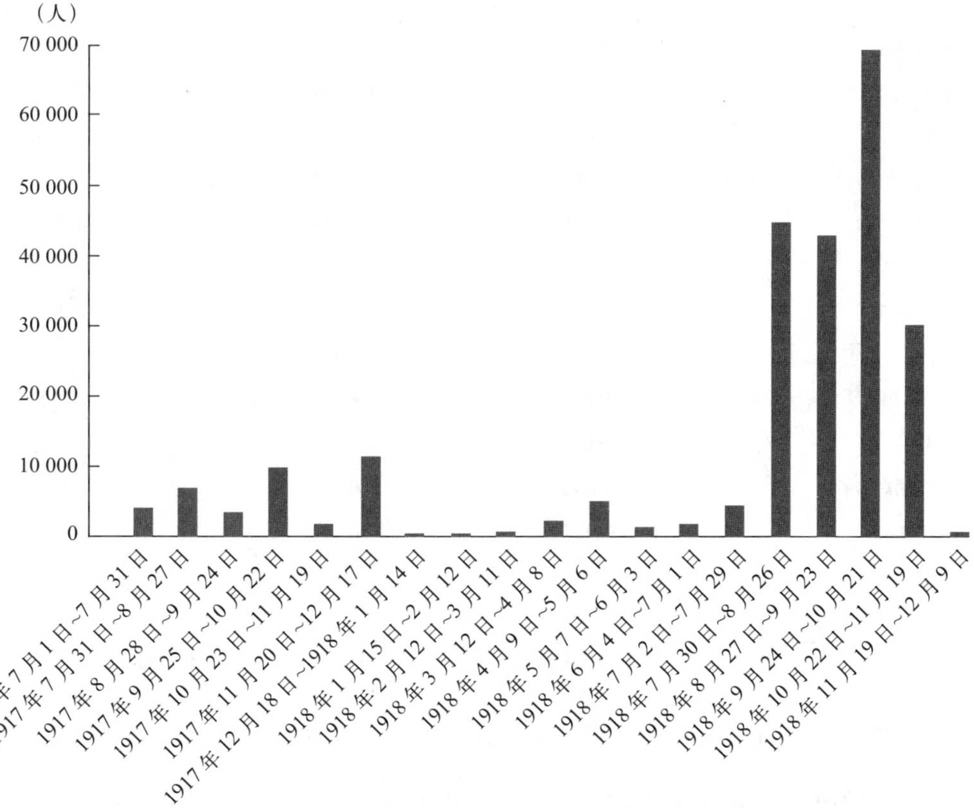


**图 13–1　在法英军俘虏德军数量，1917 年 7 月~1918 年 12 月**

**资料来源**：War Office, *Statistics of Military Effort*, p. 632.

在西线，投降的士兵普遍都是不情愿的，不仅是因为违反纪律的压力和低落的士气。毕竟，在西线投降是件非常危险的事情。事实上，在大多数情况下，大部分士兵都认为投降比继续作战需要冒更大的风险。

**表 13–1　战俘人数统计，1914~1918 年**

| 战俘来源国 | 最低人数 | 最高人数 | 占伤亡人数百分比 |
|---|---|---|---|
| 法国 | 446 300 | 500 000 | 11.6 |
| 比利时 | 10 203 | 30 000 | 11.0 |
| 意大利 | 530 000 | 600 000 | 25.8 |
| 葡萄牙 | 12 318 | 12 318 | 37.2 |
| 英国 | 170 389 | 170 389 | 6.7 |
| 大英帝国 | 21 263 | 21 263 | 3.3 |
| 罗马尼亚 | 80 000 | 80 000 | 17.8 |
| 塞尔维亚 | 70 423 | 150 000 | 14.6 |
| 希腊 | 1000 | 1000 | 2.1 |
| 俄国 | 2 500 000 | 3 500 000 | 51.8 |
| 美国 | 4 480 | 4 480 | 1.4 |
| **协约国总计** | **3 846 376** | **5 069 450** | **28.0** |
| 保加利亚 | 10 623 | 10 623 | 4.2 |
| 德国 | 617 922 | 1 200 000 | 9.0 |
| 奥匈帝国 | 2 200 000 | 2 200 000 | 31.8 |
| 土耳其 | 250 000 | 250 000 | 17.2 |
| **同盟国总计** | **3 078 545** | **3 660 623** | **19.9** |
| **总俘虏数** | **6 924 921** | **8 730 073** | **24.2** |
| 净俘虏数 | 767 831 | 1 408 827 | |
| 百分比差 | 25 | 38 | |

**注**：希腊战俘人数包括失踪人数，因此可能比实际俘虏人数略高；罗马尼亚的俘虏人数统计仅为近似人数。

**资料来源**：War Office, *Statistics of the Military Effort*, p. 237, 352~357; Terraine, *Smoke and Fire*, p. 44.

投降为何是件危险的事情？答案是，在很多情况下，双方的士兵不仅在试图逃跑的过程中被杀，还有可能在投降后被杀。可以说，这是第一次世界大战中被遗忘的“暴行”，但也确实不容忽视。这样的事情一旦发生——实际上，这样的事情并不少见，足以引起双方士兵的警醒——便会对投降倾向有所抑制。这也正是人们为何继续奋战的重要原因之一——即使他们已经面临危险的境地。从1917年到1918年，如果投降是安全的选择，那么为了逃避这些年发生的血腥可怕的战役，大批士兵将归顺于敌人，事实上这种选择同样需要冒生命危险，因此战争便继续拖延下去。一旦德国士兵对于向协约国投降不再抱有恐惧心理，战争即刻就能结束。如果1918年春天，法国和英国也能有大批人投降德国，那么人们便会原谅鲁登道夫因为战略疏忽而犯下的所有过失。

为了搞清楚这个贯穿战争始终的问题，我们需要想象一个理论上的比较：不是降者的困境，而是受降者的困境。这种两难选择很简单，或者接受敌人的投诚，或者干脆杀了对方。原本是与一个试图杀害自己的对手作战，但对方突然表现出要投降的意图。如果他是真诚的，那么接下来要做的就是接受他的投降，并将其送到战俘营。以下4种原因说明了这种行为的合理性。一个战俘可能会：

1. 提供情报；
2. 成为劳动力；
3. 作为人质；
4. 招降其战友（如果受到良好的待遇，可以利用其劝降更多的敌人）。

在这些好处中，第一点和第二点尤其重要。英军可从被俘的德国士兵那里通过审讯获得敌军情报，黑格本人也相当重视审讯结果。此外，当本国劳动力出现短缺时，战俘作为有效的廉价劳动力，弥补了这一缺陷。尽管黑格最初反对让在法被俘的德国人充当劳力，但议会驳回了他的观点。1918年11月，英国远征军的劳力单位中有44%都是德国战俘。海牙会议规定，这些战俘在原则上不得参与具有军事目的的行动，但在实践中要分清工作性质是不可能的，且针对“准备工作”这个词可以做灵活解释（法国人甚至将战俘派去挖堑壕）。1917年1月，德国政府谴责敌国让战俘在离前线不到30千米的区域内工作的行为，并对此进行了报复，于是英国战俘同样被派到德军在法国和波兰的阵地附近。战俘同样被当作人质利用：德国人将战俘安置在卡尔斯鲁厄、弗赖堡和斯图加特充当“避雷针”，目的是要转移协约国的炸弹袭击。第4条作用并没有引起足够的关注，因为人们根本无法传播战俘被合理对待的消息。

接受降兵一方的两难处境的另一方面，即是否要反对俘虏敌军。首先，有些所谓的投降者很可能是在虚张声势。第一次世界大战期间，士兵们无数次被长官告诫要防范那些看起来要投降的敌人，攻击一方可能会放松警惕，而隐匿的敌军势力则可能会借此机会开枪还击。1914年9月的埃纳河战役中，在看到对方假装做出投降的手势后，几名英国士兵轻信了，结果被敌人射杀。都柏林燧发枪团的路易斯·多南中尉在索姆河战役中同样不幸中计，被佯装投降的德国士兵“射穿了心脏”。另外还有一种情况：一方当中有些人有投降意图，但另一些仍然坚持战斗。1917 年，一位名叫鲍曼的澳大利亚军官命令他的士兵投降，他自己也这样做了。“当两名德国士兵护送这位军官离开时，我们的战友射杀了这两名德国兵。他们同样威胁要将鲍曼杀掉。”相反的事情也是可能的，据说，格雷厄姆·西顿·哈奇森中校射杀了 38 名试图投降的手下。

所以说，接受投降同样需要冒险。运送战俘的过程同样艰难，第一次世界大战中，每 10 名战俘需要 1~2 名士兵护送，且必须从进攻部队抽调出来士兵。如果战俘中有伤员或是无法独立行走，则会造成很大的麻烦。简单的解决方式是将其射杀，如果有人坚持反抗，也会落得同样的下场，因为他很有可能因此负伤。虽然射杀战俘能够立刻解决问题，但这种行为违反了军事法和国际法。准确地说，它们触犯了海牙国际法的第 23（c）条——禁止杀伤或致残已放下武器的俘虏，以及第 23（d）条——禁止下达格杀勿论的命令。此外，杀害战俘的行为会产生消极后果，其他有投诚意图的士兵会因此产生反抗和报复心理。因此我们可以说，占胜一方面临着这样一种困境：接受投降，但同时也要承担它带来的风险；射杀投降者，但同时会激起反抗情绪，对自己一方造成不利影响。

## 指控与反指控

实际上，德国士兵是不允许接受投降的，这既触犯了国际法，也极其残忍、不合理。第 34 燧发枪手团的士兵法伦斯坦在日记中写道，1914 年 8 月 28 日，他们接到命令，处死法国受伤的战俘。几乎就在同时，第 85 步兵团的军士戈奇也在安特卫普附近的卡塞尔要塞被上尉告知，不允许接纳投诚的战俘。从一位德国军医的日记中我们了解到，8 月 31 日，一个连队的工兵用刺刀杀害了受伤的法国战俘。一家西里西亚报纸甚至报道，9 月底，对法国战俘的杀戮“大功告成”了（打着“军队荣耀日”的旗号）。几乎所有士兵都是被口头告知的，正如第 112 军团（巴登）和第 142 军团的士兵们。根据一位德国士兵 8 月 27 日的日记，“法国战俘和伤员被全体枪决，因为他们杀害和虐待我们的伤员。”这种说辞都是从他的上级那里听来的。另一位名叫多米尼克·里克特的士兵承认他的部队（第 112 步兵团）参与了杀害战俘的行动。有意思的是，他注意到并不是所有的（虽然大多数人都不赞成）战友都排斥这个命令。

这种行径一直持续到战争结束。1918 年 3 月，恩斯特·云格尔描述了一位其他军官连队的勤务兵是如何将“足足 10 余个”英国战俘射杀的场景。对此，他内心充满了矛盾。“杀掉一个手无寸铁的人是卑鄙的，”他写道，“这是战争最让我反感的地方——那些人围坐在餐桌边，用可憎的声音重复玩味着战俘的命运：‘你听说那场大残杀了吗？太过瘾了！’”然而他却同时感到自己“没有立场对这种嗜杀的品行进行指摘”。

在德国人犯下的可怕的罪行中，仅这些片段就足以让人感到发指，但事情要复杂得多。很明显，协约国不久后也以同样的方式进行了报复。卡尔·克劳斯的戏剧《人类的最后时日》的第5幕第14场中，德国军官在萨尔堡对其下属下达了杀害法国战俘的命令。然而就在下一场中，法国军官则在凡尔登商讨如何将180名德国战俘刺杀的事宜。通常，克劳斯的戏剧情节越是诡谲怪异，它们就越接近事实。

1922年8月，前随军医生加林格（1920后他成为慕尼黑大学的哲学教授）出版了一本名为《反攻》（*Countercharge*）的书，列举了一系列协约国士兵对德国战俘施加暴行的指控。大多数历史学家恐怕都不愿谈及此书，认为这部作品只不过是别出心裁的辩护。针对德军在战争期间受到的指控，他通过“负负得正相抵消”的说辞进行徒劳的证明。然而，加林格的指控仍然值得思考。

加林格本人曾服役于巴伐利亚军队，与许多德国士兵一样，他在战争结束时被俘（1918年9月，被法军俘获）。他承认自己并没有亲眼见过杀害俘虏的场景。我们都知道，当战争进行到尾声时，这种情况已经很少见了（这或许也是许多德国士兵自愿投降的原因）。

战后，加林格开始搜集其他战俘的经历，他们的叙述都颇为惊心动魄。实际上，大部分人的经历都发生在战争最激烈的时候，也都大同小异。但也有些人所描述的场景则简直能够称得上是冷血的谋杀。这些战犯往往是一些伤员，因此被法国士兵直接杀掉。来自梅尔霍恩的卡尔·阿尔弗雷德描述说，当法国士兵攻陷德军阵地后，他们“从两面包抄过来，无情地杀掉了负伤的德国士兵，有的用枪托，有的则用刺刀。我旁边的人一个接一个被刺刀刺中头部，而我因为装死才逃过一劫。”来自多特蒙德的约翰也讲述了他的所见所闻：“向前线进发的法国增援部队将五六名伤势严重的德国士兵排成一排，通过射杀这些可怜的人而获得快感。其中一名连队军官因为头部遭到2次重击而身亡。”加林格认为，这种行为并非无意识：特别是法国第151师，他们因为杀害受伤的敌人而遭到了指控，而他们这样做的原因是“已举手投降的德国士兵经常趁人不注意的时候冲他们的背后开枪”。被杀的不只是伤员。来自富尔思的约翰·波姆回忆道，“一位法国军士走过来问我们是哪个国家的人。第一个被问道的人回答‘巴伐利亚’，因此他被近距离射穿了头部，应声倒地。其他人也都是同样的下场。”1914年10月，从费尔根豪尔军士的口述中我们得知，“第140步兵团中有150人被屠杀，仅有36人逃跑，而这一切都发生在一位法国军官的眼皮底下。”另一位证人说，当他和其他俘虏经过法国防线时，一位法国军官向他们开枪射击。来自凯姆尼茨的马克斯·埃米尔·里克特回忆道，法国士兵命令他和他的战友“放下武器，爬到一个小沟渠中，但当我们这么做时，这些人却向我们开枪，我们一个接一个地跌进沟里。那些还没有断气的人会被枪托猛击或是被刺刀刺死……我的肺部和头皮被子弹击中……”来自杜塞尔多夫的阿道夫·K讲述，1915年9月时，他和其他39个人“在法国人攻到他们的堑壕后接到上级投降的指令……但法国人却向我们开枪。我们溃散而逃，我跌进了一个弹坑，膝盖受伤。从那里我看到其他人都倒在地上，法国人将他们杀害了”。他是唯一的幸存者。1916年5月，在52步兵团第2连队服役的朱利斯·奎德成为了一名俘虏：

> 一位法国军官站在离敌军堑壕50~60米远的地方，将已经放下武器的六七名我的战友射杀（其中有些人已经负伤）。我的大腿也中弹了。在他的命令下，我们排成纵队在他面前经过，他近距离地向每个人开了枪。

尽管加林格的书涉及许多法国士兵，但该书仍涵盖了大多数战役和军队。当中同样有对美国、摩洛哥以及“印度”人砍头场景的可怕描写，以及罗马尼亚刽子手处决战犯的场景。书中也提到了英国军队的行为。加林格声称，他们同样“毫不留情”地射杀那些因为伤势过重而无法撤回后方的德国战俘。他们还会冷酷地杀害健康的俘虏。根据一位来自马格德堡的士兵的口供，1916年7月，“4个隶属于第27步兵团的战俘遭英国人枪击，之后又被刺刀刺死。”1917年5月，一位来自波森的军士称，“大约30名来自第98候补步兵团的士兵与大部队失去联系，向一位英国军士投诚，但却在撤离的路上被杀害。”4个月后，汉诺威的步兵奥伯贝克称，第77候补步兵团的40~50名士兵在圣朱利恩被捕，之后被“送到英国第二阵地的集中营中，并被手榴弹和左轮手枪杀害”。当月，同样来自汉诺威的步兵史托肯亲眼目睹了“伊普尔战役结束后三四名敌军将一群受伤的士兵一一杀害”的场景。英国士兵也疯狂地从战俘那里掠夺战利品。雨果·齐默尔曼曾说，1918年11月，“如果俘虏不能很快地将他的皮带抽出来，那么等待他的将是一阵乱刺”。弗里德里希·魏斯布赫说，他“在离敌军阵线500米开外的地方，看到3名英国士兵将1名德国士兵杀死，并打伤了另外2个，但当时他们已经举手投降”。加林格再一次将这些行为归结为上级指令。他引用“苏格兰第2军团”的杰克·布赖恩的话说，“‘不许俘虏敌军’的命令在连队中口口相传。”他还举了许多英联邦自治领土军队的例子。据一位来自巴伐利亚第17候补步兵团的军医埃勒所言，在梅讷西战役中，加拿大士兵“接到命令……不能俘获敌人，而要将他们统统杀掉。但投降的人数太多了，以至于这项命令无法执行”。来自斯图加特的沃尔特军士声称，“一个加拿大军官不知出于什么原因，将步兵马尔和中尉库布勒杀掉，他们两人都来自第 120 候补步兵团。”

这些是否都是虚构出来的？确实很有可能。因为协约国矢口否认了这些事情的发生。陆军中将约翰·莫纳什声称，澳大利亚军团 1918 年在法国执行任务时“并没有发现任何暴虐和不人道对待俘虏的行为”。

为了支持自己的论点，加林格同样引用了一些英国士兵的作品。在其战争回忆录《警卫员》（*A Private in the Guards*）中，斯蒂芬·格雷厄姆描写了指导员所说的一段话：“第二个士兵用刺刀杀死了那名伤者……你不会忍受自己的脚边躺满了受伤的敌人。别那么扭捏，军队发给你一双质量上乘的靴子，你知道该如何使用。”之后，格雷厄姆又说：

> 俘虏敌军的观点变得不受欢迎。一个好的士兵绝对不会心软到接受敌人投降的地步。就算是被任命护送战俘回营地，那么在半路杀了他们也无妨，就说他们试图逃跑……C 中尉在费斯蒂贝尔射杀了 2 名与自己发生口角的德军战俘，因此常常被认为是英雄人物；当有人讲述他的故事时，听众都会不由自主地兴奋起来。

格雷厄姆还提到英国士兵“立誓永不接受俘虏”，并补充道：“在这种氛围的熏陶下，士兵们逐渐将德国人视为一种类似于传播瘟疫的老鼠一般的祸害，需要根除他们。”格雷厄姆同样分享了一个听到的故事：

> 一位经验老到的军士走向他的军官，顺便提一下，后者是一位诗人，写过许多动人的抒情诗，对艺术也颇有造诣。军士向他致敬：“需要射杀那些战俘吗，长官？”“为什么要射杀他们？”诗人发问道。“替我的兄弟们报仇。”那位军士说。我猜这位诗人长官应该是准许了。他将那些德国人一个个刺死，他手下的有些士兵高呼：“太棒了！”而面前这些不幸的人正逐渐僵死。

加林格还引用了菲利普·吉布斯《现在告诉你》（*Now It Can Be Told*）一书中关于那位以残忍著称的刺刀训练指导员的故事：

> 他们在战壕中抓住了一批德国人，军士收到命令将他们解决掉。杀戮的过程中，他突然转过身问道：“艾利在哪里？”
>
> 艾利是个胆小怯懦的男孩，常常面对杀人的场景而退缩到后面，但他还是被叫过来负责手刃这几个人。自此之后，艾利渴望杀害德国人的心情不亚于一只饥饿得想吃人的老虎。

再来看看吉布斯讲述的另外一个故事："或许你会碰到一个德国战俘向你说：'行行好吧！我有10个孩子！'别犹豫，杀了他！不然他还会再生10个。"加林格还引用过一位名叫瓦利恩特的法国作家的话："有些军官得意洋洋地说，他们之所以杀掉那些战俘，是为了试试自己的左轮手枪……那些杀掉一群手无寸铁的俘虏的军官还凭借这等暴行升官发财了。"

当然，这些都不能算作无懈可击的证据；实际上，关于英国对待战俘的故事，我们可以怀着一种幽默感去阅读（很明显，加林格缺少这种幽默感）。若不是已完成写作，他还可以用到诺曼·格拉登的回忆：

> 我们北方的同胞（如苏格兰人）坚决抵制接受俘虏行为，这让我们很沮丧。他们坚信，既然这些德国佬都不接受，我们为什么要接受呢？尽管现在的情况混乱不堪，但我并不相信他们会这样做。我也听过一些悲惨的故事，故事中那些德国战俘出于各种原因并没能活着走进战俘营。其中最有名的是关于一群血气方刚的勇士，他们极其厌恶这项耗费时间的工作，直接将那批战俘从背后射杀了。他们找到了一条捷径，官方对此也睁一只眼闭一只眼。不管是不是真的，这种简单粗暴的判决得到的是称心如意的回应。

中尉A·G·梅在梅讷西战役后也讲述了一个类似的故事：他看到2名英国士兵带着一群战俘经过，但当他们回来时，那群德国士兵已经不见了：

> 经过多次盘问才得知，他们俩将那些战俘杀害了。"好吧，"参谋长说，"你们会因此面临军事法庭的审判。""无所谓，我们十分期待。""那你们为什么杀了他们？""在一次空袭中，他们杀了我妈妈。"当中一个人说。"我的心上人在他们炮轰斯卡布罗时身亡。"另一个人说。

1915年6月16日，荣誉炮兵连士兵查尔斯·蒂姆斯描述了在伊普斯附近发生的一场战役之后的事情：

> 我们已经在枪林弹雨中待了8个小时，一切都像一场梦，我们当时一定是疯了。在这场暴风雨平息后，有些小伙子仿佛精神错乱一般。当我们进入德军的堑壕后，发现了上百名与大部队失去联系的德国士兵，许多人走出来投降，请求我们饶恕他们；不用说，他们直接被射杀在地，这是赐予他们的最好的饶恕方法。皇家苏格兰军团也虏获了300名士兵，上级告诉他们分一些口粮给这些战俘；但考虑到军官并不在场，这些苏格兰士兵立刻将这批人射杀，高呼"统统给我去死

吧！”5分钟后，血流成河，陈尸满地……

加林格或许会对萨默塞特·毛姆的故事感兴趣，它讲述了作者听闻的法国人对待战俘的暴行（1914年他还亲历了一次）。一位在法国服役的哥萨克骑兵军官对此有详细的描述：

> 在俘虏了一名德国军官后，他将德国军官带到了营地。在那里，他对这名军官说：“现在我要向你展示我们是如何对待俘虏和绅士的。”他给了德国军官一杯巧克力，后者一饮而尽。之后他又对这名俘虏说：“现在我要向你展示你们是怎么对待俘虏的。”然后他扇了对方几个耳光。“那他说什么了？”我问道。“什么都没说，他知道只要自己一开口，我就会杀了他。”他还告诉我一些关于塞内加尔人的故事。他们坚持要将德国人的脑袋砍下来：“这样你才能确定他们已经死了。”

在《向一切告别》（*Goodbye to All That*）一书中，罗伯特·格雷夫斯分享了更多的逸事：“有些师队，如加拿大军队和低地军团……在行军过程中将受伤的敌人拉到一旁，直接解决了。”他深信，“真实的暴行，私下践踏战争法则的行为”经常发生在“从战俘投降到被送进战俘营之间”：

> 这是个千载难逢的好机会。几乎每个人都知晓战俘在被押解的路上遭到杀害的例子……在这些鲜活的事例中，执行者会在到达总部之后报告称，战俘不幸被敌方的子弹击中。之后便平安无事，不会受到任何质疑。我们有十足的把握相信德方也在上演着类似的事情，他们会认为这些废物多一张嘴，多一口饭，尤其在食物供应短缺的时候更是如此。

这样的故事或多或少有些修饰的成分在里面（或者全是编造出来的）。F·S·加伍德少校称，第一次伊普尔战役期间，一名被俘的德国军官声称“我们会杀掉所有的战俘”，加伍德认为，这“表明德国人在向他们的士兵撒谎”。当法国俘虏们讲“我们屠杀俘虏的故事”时，赫伯特·祖尔茨巴赫也有同样的反应，他们表现出“一样的惊讶，因为那根本是子虚乌有”。但是很显然，双方这些故事都基于事实。

因此，我们需要将激烈战斗中的杀戮与战斗背后那些更为冷血的杀戮相区分。但从哈里·芬奇在第一次伊普尔战役打响的第一天写的日记中，我们发现想要做此区分并非易事。“我们护送一批俘虏回来了，”他写道，“他们都无比恐惧，害怕死亡。有些可怜的恶魔被我们兴奋而残忍地杀害了。”在这个事例中，对此应负责任的士兵并不是“冷血”的（他们来自皇家苏塞克斯兵团），这正是约翰·基根所描述的无序战争的典型表现——进行攻击的人无法克制自己杀死已做出投降姿势的敌人的欲望。另外一个案例是，1917 年 9 月 20 日，澳大利亚部队包围了德国一座两层碉堡，并劝说底层的德国士兵投降：

> 当他们认为自己已经成功之后，这群澳大利亚人放松了警惕；但当俘虏陆续走出来时，从碉堡的上层传来枪响，一名澳大利亚人应声倒地。原来，上面的人不知道楼下的人已经投降，但被激怒的包围部队并没有意识到这一点。对他们来说，这种行为意味着背信弃义，于是他们立刻用刺刀将俘虏杀害。有个士兵刚要刺死一名俘虏，发现他步枪上的刺刀掉了下来。这个可怜的俘虏苦苦哀求饶恕其性命，而士兵冷酷果断地装上刺刀，刺死了他。

这样做究竟是出于“冷血”还是“热血”？基根曾引用另外一个故事，同样的问题也出现了：索姆河战役中，一位军士射杀了一位已经明确喊出“我投降”的德国军官。对此，查普曼认为这位军士“在进入堑壕之后便处于一种半癫狂状态，我认为他并不知道自己干了些什么。如果你杀了第一个人，那么这种欲望便会像发动机启动一样一发不可收拾。”一位参加过索姆河战役的老兵坦言，杀害投降的德国战俘已经成为一种条件反射，“有些德国人从他们的堑壕中走出来，举起双手，还有些人跑向他们的第二阵地。而对我们来说，这些人都要被杀死。”出于同样的心理，新西兰奥塔戈营在攻陷克雷斯特堑壕时对战俘同样没有手软，但也有例外发生。1916 年 9 月，来自第 16 部队的一位爱尔兰中尉无比感动：“200 名‘直到最后一刻还在对我们进行屠杀’的‘野蛮’俘虏中，没有一人被杀”。“我没有见到有射杀或刺杀俘虏的事件发生，”他补充道，“你能感受到他们已经逐渐达到一种因愤恨而导致的兴奋状态，但他们选择仁慈对待自己的敌人。不得不说，他们的行为是高尚、不朽的。”他的描述告诉我们，这种情况只是极少的例外而已。

虽然如此，但我们仍然能够列举出许多发生在近距离战斗中那些在形式上颇“不道德”的暴行案例，或许这才是加林格描述的案例所暗含的意思。在《西线无战事》一书中，雷马克生动地描述了投降者的命运是如何在刹那间被决定的：

> 我们丝毫察觉不到其他人，只有当某些人闯入我们的视线后（他们像我们一样心情激动），我们才意识到旁人的存在。我们像无感知力的死人，被一些诡计和危险的魔法驱使着，继续奔跑，继续杀戮。
>
> 一位法国士兵掉队了，我们赶上去，他举起了双手，但一只手中仍握着一把左轮手枪，我们不晓得他到底要投降还是要射击。一只掘壕工具向他袭去，将

他的脑袋劈成两半。另外一个法国人目睹了这般景象，想要逃走，一把刺刀插入他的后背。他一瘸一拐，狼狈地逃开了，嘴巴大张着哀嚎，刺刀在他的背上颤动着。第三个人扔下他的步枪，双手颤抖着举过头顶。他与其他几个战俘一道留下，帮着我们搬运伤者。

恩斯特·云格尔本人也曾坦言：

当攻击者紧逼至离防守者仅5步远的地方，后者不得不接受这一结果。但在这满目鲜血的最后袭击中，人们的感受不会立刻改变。他们根本不考虑俘获对方的可能，只想赶尽杀绝。他的脑海中没有犹豫，只剩下原始本能的魔力在作祟。

然而，云格尔还引用了另外一个故事：德国战俘向俘获他们的人射击。一个试图俘虏德国战俘的英国军官自己却被俘虏了！正是出于这种担心，艾弗·马克西第18师的诺福克斯才决定在索姆河战役中决不俘虏敌军。一位次官回忆道：

战斗中，我看到一群德国人向我们开火，直到他们之间的距离仅有几码，德国人才肯罢休。当他们发现自己已经四面楚歌，便丢下武器，冲向我们的人并与他们握手。之后，我们的人还分给他们点心吃。但就在我们帮他们换好衣服后，几名受伤的德国士兵朝我们背后开了枪。这些卑鄙的人！相信我，这是我亲眼所见。

杀掉一个佯装投降但后来被揭穿了把戏的俘虏会让人格外愉悦。“一个将手压在胸口的人回过头来恳求我饶恕他，”一位士兵写道，“但他的眼里却透露出刽子手的凶光。我将刺刀从后面刺入了他心脏的位置，他咕哝一声，跌倒在地。我将他的尸体翻过来，发现他的右手握着一把左轮手枪，他将其藏在左腋窝下。他试图偷偷射杀我。抽出刺刀后，我又扣动了扳机，确保他必死无疑。”

然而，不信任感并非是人们杀害俘虏的唯一原因。“最普遍的动机……是为自己的朋友或亲友报仇、对战俘能够在英国舒适的兵营中度日感到嫉妒和不满、好战的性格、害怕被战俘反控制，或是对护送工作失去了耐心。”因为担忧战俘造反而处决他们的情况屡见不鲜。据说在1917年10月，第2澳新军团在得知“德国佬会集结在一起对我们进行还击”之后，将一大批德国战俘杀害了。更普遍的情况是，人们意欲为死去的人报仇。前面曾提到，梅目睹了士兵们因为母亲和爱人在空袭中遇难而让德国人血债血偿的例子。但大多数情况下，士兵们是为了能够为战友报一箭之仇。约翰·斯坦福斯中尉描述了3个来自伦斯特省的士兵在韦尔梅勒战役后将6名俘虏杀害，因为在押解途中，他们再一次经过了刚刚结束战斗的阵地，“偶然发现了一具尸体——正是他们的指挥官”。有时候人们这样做也是为自己报仇。1916 年 12 月，在德国向卢斯发动袭击时，来自伦斯特省的士兵奥尼尔在一条沟壑旁被子弹射中脚部；随后，当一名德国战俘被带过来时，怒不可遏的他试图将其杀死，但被旁人制止了。据乔治·科珀德回忆，“普鲁士人在霍亨索伦堡垒耍了一个卑鄙的把戏”：

> 300 多名士兵走过无人区，佯装投降；他们高举的手中没有步枪或其他武器，但他们的衣兜中却装满了小型手榴弹。就在他们到达我们的铁丝网附近时，他们突然卧倒并向我们猛掷手榴弹，造成了惨痛的伤亡。这对我们的打击相当大，以至于剩下的人根本无法进行有力的还击。我们对这种卑鄙的诈术咬牙切齿，悲愤交加，将普鲁士人称为血腥的混蛋。有些人称，再抓到俘虏，必定要以牙还牙，血债血偿。许多炮手发誓一定要报仇。从那时起，德国人举手投降的动作便成为开火的标志。

事实上，当他在阿拉斯战役中面对斯卡尔普河对岸投降的德军时，曾有机会“好好收拾他们”，但 W·D·加伯特中尉最终还是决定将他们生擒。不难理解那些德国人在接到渡河的命令后踌躇不前的矛盾，他们担心自己渡河之后被敌人的机枪打成筛子。

然而，在与德国人进行远距离作战时，这种泄愤的行为也屡次上演。有些士兵回忆了他们亲眼所见的一幕（当然还有许多他们不曾目睹的报复行动）：

> 有些投降的德国人会跪在地上爬过来，手中高举着一些女人和孩子的照片，但他们仍被杀掉了。原有的那种兴奋已经消磨殆尽。我们冷漠地将他们一个一个处决，因为我们的使命就是杀掉更多的敌人。沉没的路西塔尼亚号多次在我脑海中闪现。实际上，从那天开始，复仇的信念就一直在我脑海中盘旋，现在我终于得到了这个机会。我疯狂地杀戮，只要命运允许我这样做，我就一个敌人都不会放过。

另一个士兵回忆，当他的朋友怒不可遏要杀掉一名被俘的德国飞行员时，他被制止了。

> 他试图弄清楚这名飞行员是否参加过轰炸伦敦的行动。他怒吼道：“如果是他干的，我要杀了他！我不会饶了他！”他本打算杀了他。生命根本不算什么，到处生灵涂炭。当你抓获了这等龌龊的德国人，对他们同伴和谄媚的营生的同情也将荡然无存。

一名澳大利亚士兵描述在1917年8月，一位军官杀掉弹坑里的两名德国人（其中一名是伤员）。“那个德国人请求给他的战友一口水喝。‘好啊，’那名军官说，‘让我给你口水喝——喝吧。’他用左轮手枪赏给他们2发子弹。对待野蛮人只能这样做。我们上战场的目的只是为了杀掉他们，这些连婴儿都不放过的混蛋……”在这里，虚构的暴行（德军杀害比利时婴儿的故事）转变成了现实的暴行，克劳斯如是解读。许多士兵都承认，自己读过诺思克利夫的报纸。

## 军　令

更具争论性的问题是，士兵究竟有没有接到射杀俘虏的命令。当然，很多情况下，上级军官会吩咐他们的士兵“杀掉这些野蛮人”。第24师的指挥官曾在1915年12月敦促士兵“只要有机会，就杀掉任何一名身上有武器的德国人”，但他特别强调的是“身上有武器的德国人”。苏格兰高地警卫团的约翰·斯图尔特上校曾对他的妻子说，1915年，他的部队在卢斯“鲜有俘虏”，还补充说，“最重要的是在保证我们最低损失的情况下，杀掉更多的敌人。”但这只是一封私信，并不代表他曾命令手下杀害俘虏。

然而在索姆河战役中，关于下达“赶尽杀绝”命令的证据则清楚明白，通常被描述成“英国军队的集体殉难”。战斗前夕，一位士兵听到一名准将（或许是戈尔）说：“你可以俘虏敌人，但我不想见到他们。”据第17高地轻步兵团的一名士兵回忆，他曾接到“格杀勿论，不要放过一个俘虏”的命令。在一名士兵“关于最近战况”的备注中（8月17日），克劳德·雅各布将军下令不许俘虏敌人，因为他们会阻碍进攻。维多利亚十字勋章获得者弗兰克·马克斯韦尔上校9月26日也曾下达过同样的命令，理由是“所有德国人都应当被清除”。10月21日，马克斯韦尔离开了部队，留下一封告别信，其继任者将其进行了传阅。信中，他高度赞扬了他的士兵：“他们已经懂得，对待德国人最好的方式就是杀了他们……我从不知道俘虏长什么样子，其中一个原因是，我的部队知道应该怎么做……记住，米德尔塞克斯郡第12部队的‘硬汉’们‘不会俘虏任何敌人，除非对方已经受伤’。”克里斯托弗·斯通上尉持同样的观点：“对我们来说，德国佬就是废物，对整个世界也是。”

1917年，帕森达勒战斗打响之前，休·奎格利接到命令，称“不要射杀在阵地中走投无路，并正在经历一场屠杀的俘虏；不要杀死那些奄奄一息的伤员。但如果你认为俘虏妨碍到自己，就将他处决”。这至少是一种灵活的指导路线。以下这场发生在3个军官之间的对话（发生在皇家伯克郡军团的食堂里）反映出许多前线军官典型的心理状态：

L：昨晚的战斗中发生了一件事儿。

R和F：说来听听。

L：他们抓了一个德军军官，把他带了回去。他的双手被反绑在一起。这时，护送他的人中突然有一名士兵被一发不知哪来的子弹射中，于是他们转向这名俘虏，杀了他。

R：我觉得这种事情很正常啊……杀德国佬，多多益善。

L：但是……他已经被俘虏了，而且那发子弹只是擦枪走火才射中了我们的人，更何况他的双手还被绑在身后，可以说是手无缚鸡之力，但他们就这样无端地把他杀了。

R：杀得漂亮。

从这段对话中我们可以看出，不同的军官对此有不同的看法。皇家爱尔兰军团的安东尼·布伦南讲述了一个案例，是关于“一位上等兵故意向已投降的德国士兵开枪并将其打死”。布伦南和他的次官“对此感到非常反感，一时间，这名上等兵变成了臭名昭著的杀手”。而另一方面，一位随军牧师对来自都柏林第10燧发枪手团的英国士兵奥布莱恩等人说：“孩子们，明天一早我们就要开始行动了，如果你能成功俘虏敌人，那就意味着你要失去一半的口粮。因此不要俘虏他们，杀了他们！他们会分一杯羹，但你却没得吃了。切记，不要俘虏。”

值得一提的是，黑格的幕僚兰斯洛特·基格尔中尉并没有起助纣为虐的作用。他于1916年6月28日下达的命令只是提醒英国军官要防范德国人的诈术：

> 所有人都有责任继续战斗，除了确定对方不仅停止了所有的反抗，而且他们明确地最终放弃了所有继续反抗的希望或意图——以自愿丢掉武器或其他方式。当敌方做出投降姿态后，他的投降是否有效取决于他对自己意图的表达以及是否会造成我方的误解。

到此为止，我们可以这样来理解这个事实：有些情况下，在得到上级的许可之后，士兵将投降者赶尽杀绝。就算他们没有得到特许，当他们有机会杀掉俘虏时——并在担心后者随时可能对自己造成威胁的情况下——也会将他们杀掉。当然，相比之下，只有为数不多的几千名俘虏能够顺利从战场上生还，经过脱离大部队、分别关押、司令部的审讯之后，顺利到达战俘营，并且在战后重返家园（通常是战争结束数月之后）。在后方，德国战俘不再是仇恨的对象，而更像是人们好奇的对象（就像动物园里的动物一样），甚至还博得了同情心。正如《西线无战事》中那位处在半饥饿状态的俄国士兵激起了英雄的同情。但是尽管身处战俘营，他们的人身安全还是无法得到保障。萨默塞特·毛姆亲眼见到一群法国宪兵无缘无故地将一群德国战俘击毙，事情就发生在离前线 25 千米的地方。

只有在战争的最后 3 个月中，才出现了大批德国士兵投降的情况，战争也因此而得以停止。这是决定协约国取得胜利的关键，但我们很难解释德国人为何突然如此热衷于投降。最普遍的一种解读是，鲁登道夫的春季进攻计划虽然一开始小有成果，但最终仍然免不了失败，因此士兵们坚信他们不会取得战争的胜利。另外一种可能性在于美国士兵参与西线作战，由于他们恪守善待俘虏的良好传统，因此许多德国士兵"慕名"投降了。来自马林第 5 军团第 21 营的埃尔顿·麦金在 1918 年 11 月 7 日向默兹河进发的途中，偶然发现了几具德军机枪手的尸体，他顿时感到十分困惑：

> 敌人四散逃窜，那些绝望的勇士竭尽其所能，以死相抗，最终一命呜呼。
>
> 我们很难理解这些人。他们为数不多，每组很少有超过两三人的，并且都非常年轻。这些年轻人留下了，丢掉了自己的性命，只是因为上级的命令。而那些老兵则要精明得多，还没等我们开枪，他们就高呼"投降"，因而保住了性命。

然而研究数据明确表明，只有很少一部分德国人——大约 4.3 万——在战争的最后阶段向美军投降，而向英军和法军投降的人数却有 33 万之多。瓦解德军士气的或许并非是美军在战场上的表现，而是德国人对美国源源不断的增援力量的想象和担忧。无论如何，正如那些老练的英国和法国部队一样，美国部队同样采取赶尽杀绝的方式来对待俘虏。根据麦金本人的回忆，他曾接到美国远征军第 5 军团的查尔斯少将的命令："前方向北延伸的道路上有一个分配站……去给我拿下。在你们夺取它后，如果身边有俘虏，那你就不得不分给他一部分食物而自己挨饿……所以大家都听好了，在这 3 个山脊作战期间，不要接受战俘。"之后麦金又讲述了他们是如何执行这一命令的：有一名德国伤兵活了下来，"因为我们年轻的战士还不懂规矩……他是唯一一名幸存的俘虏"。

关于 1918 年年底德军大量投降的原因还有待商榷。如果说德国士兵已经"悟"到自己会输掉战争，那么就意味着他们对战争的总体局势有所把握，而实际上许多前线的士兵并没有这种能力。继续作战还是投降的抉择更多地取决于个人的直觉判断，并非出自对战略时局的分析。比如，恩斯特·云格尔为何在自己已经处于毫无希望的境地时（就在停战协议签署前几个星期）仍然拒绝投降？如果与他手下的士兵一道负隅顽抗，那么他的生命将岌岌可危。他的动机似乎出于对个人荣誉的维护，就像那位身负重伤的德国士兵拒绝接受英方的药物治疗一样，因为他想"光荣地死去"。类似的一个问题是，麦金在1918年11月见到的那些阵亡的年轻德国机枪手又为何要进行毫无意义的反抗呢？

1920年7月8日，温斯顿·丘吉尔在国会下议院发表演讲称：

> 我们曾一次又一次见证了那些在枪林弹雨的危险中向敌人的堑壕发起猛攻的英国军官和士兵，在他们成功抢占敌人的阵地之前，他们中的半数都倒下了。这无疑是漫长、血腥的一天，炮火纷飞，朝不保夕……但就在这种情况下，我们的战士对待俘虏的态度不仅表现出仁慈宽厚，还非常友好善良。他们克制了自己的情绪，依据战争法惩罚了那些理应被惩罚的人，同时对那些诚信投降的侵略者予以谅解。他们对战俘表现出同情，甚至在自己面临危险时，还想方设法帮助那些受伤的俘虏。这种事例数不胜数。

“数不胜数”，或许如此，但这种情况总的来说不常见。如果双方都能够积极鼓励敌人投降——而非继续贯彻“赶尽杀绝”的传统，使对方过分担心投降带来的危险——那么可以想象，战争不久就会结束，且德国不一定是失败的那一方。相反，如果更多的人都排斥俘虏，那么战争将持续到什么时候就不得而知了。

## 永无止境的战争

一般认为，人们当时大规模投降的原因是出于“厌战”。一名叫奥古斯特·比尔曼的巴伐利亚士兵在阿拉斯投降，并对俘虏他的敌人说：“我们厌倦了毒气，厌倦了炮弹，厌倦了严寒，厌倦了饥饿。我们的战斗意志已经不再，我们的精神已经崩溃。”这无疑代表了很多人的心声。然而矛盾之处在于：虽然疲于应战，但人们对暴力却始终没有厌倦。卡尔·克劳斯曾在《人类的最后时日》中如此警示世人：

> 从战场上回来的勇士们会闯入他们的家园，并在那里再次点燃战争。他们要借此弥补并夺回自己没能在战场上取得的胜利。与已经取得的和平相悖，战争的本质——谋杀、掠夺和奸淫再度粉墨登场。承蒙上帝保佑而脱离了苦海，却又一次陷入了苦难的深渊！这些并非发生在堑壕、并非出于任何人的命令的可怕行为已经蔓延开来，无孔不入，这个世界将出现更多的死亡和疾病，甚于战争本身给人们带来的痛苦。

D·H·劳伦斯对此表示了赞同。“战争并未结束。”在签订停战协议的当晚，他对戴维·加尼特如是说：

仇恨和罪恶达到了空前的程度。战争不久后便会卷土重来……即便战争暂时停止，由于人们心中挥之不去、愈演愈烈的仇恨，罪恶也不会停止，反而会以比战争更为糟糕的形式再次上演。不管发生了什么，地球上永无宁日。

这番话再合理不过了。战争结束后不久，赫尔曼·黑塞写道："革命与战争大同小异，战争即政治以其他方式持续的结果。"

战争的阴影依然徘徊在战后的世界。德国的"自由军"是一个由退伍老兵和一些因为太年轻而无法参加战争的学生组成的右翼民兵组织，他们在新划定的争议边界与波兰及其他国家的人发生冲突。当得知他的战友有不少人参加了"东部边境护卫队"后，赫伯特·祖尔茨巴赫大为震惊："想象一下，成千上万在战场上浴血奋战多年的士兵紧接着成为了志愿者……"在德国的大城市中，其他非常规军部队成员与斯巴达克斯党和共产主义者打成一团：1919~1923年，"左翼"和右翼势力每年都有骚乱的行为。1919年，社会主义者动用自由军与极左势力抗衡；1年后，为了平息前国家党领导人沃尔夫冈·卡普领导的军事保守主义者的政变行动，他们不得不在鲁尔区动员了一支工人组成的"红军队伍"。1921年，共产主义者在汉堡上演了一次"游行活动"；1922年，极端右翼分子制造了一系列的暗杀事件（遇难者之一是瓦尔特·拉特瑙）；1923年，"左翼"（汉堡暴动）和右翼（国民啤酒厂酒窖餐厅骚乱）同时谋划了政变。发生在德国城市的暴力事件无可估量，根据一项估计，1920年，非法持有步枪的人数达到190万，持机关枪的人数为8 452，复员的士兵并没有完全解甲归田。

为了防止阜姆（即现在的里耶卡）被割让给南斯拉夫，狂妄的意大利诗人加布里埃莱·邓南遮于1919年9月率军占领了该地，这样的行为得到了已经复员但仍心怀不满的原战争突击队士兵的支持，而他们的黑衬衫也成为之后热衷于暴力的政治组织——法西斯的象征。阿尔巴尼亚也接连发生了多起冲突，意大利人还向南安纳托利亚的阿达利亚（今安塔利亚）派出部队。尽管意大利政府在1920年放弃了阜姆和阿尔巴尼亚，但却引火上身，招致了暴力行为。在罗马涅和托斯卡纳地区出现了这样一种现象：地主和社会主义者拿起武器，相互攻击：前"一战"军官来自费拉拉的伊塔洛·巴尔博是法西斯主义早期的代表。毫无疑问，法西斯主义者"进军罗马"（10月26日~30日）只是装装样子而已：如果意大利国王并没有恐慌到将权力拱手让给墨索里尼，那么包围罗马的2.5万名武装简陋的法西斯分子将很容易被驱散；他们的军仪和军装显然是从战争中草草演化出来的。

在巴尔干地区，"和平"意味着在郊区发生战争，北克罗地亚地区尤为严重。这也是塞尔维亚人动用武力试图统治"新塞尔维亚、克罗地亚和斯洛文尼亚王国"中的少数民族的征兆。根据一项调查，1919 年的波斯尼亚，有上千名穆斯林被害，270 多个村庄遭到抢掠。1918 年，土耳其也已经屈服，等待英国、法国和意大利的瓜分，但 3 个国家就“战利品”问题争执不休。在劳合·乔治的怂恿下，希腊人派出部队前往土耳其西部城市士麦那。但他们低估了穆斯塔法·凯末尔领导下的土耳其部队的实力，并于 1921 年被驱逐出境。

大英帝国也同样出现了地方性的暴力事件。在爱尔兰，“王室警吏团”——英军的退伍老兵组织——与拥护共和政体的人相抗衡；英国交出权力之后，民族主义者在内战中相互倾轧，夺取了至少 1 600 人的生命。在中东地区，英国新制定的法律于 1919 年被埃及的暴乱分子破坏；1920 年，巴勒斯坦和伊拉克发生多次起义。在镇压这些骚乱的过程中，英国士兵同样实施了极端的暴力行径：8 周内，有大约 1 500 名埃及人被杀；而在伊拉克，艾尔默·霍尔丹爵士甚至下令使用毒气。1919 年 4 月 11 日，作为大英帝国历史上影响深远的暴力行动之一，英国士兵在阿姆利则的一次政治集会中杀掉了 379 人。如果下达开枪命令的陆战队准将雷金纳德·戴尔能够动用 2 辆带机关枪的装甲车，这一伤亡数字恐怕还要攀升。因此，西线专属的大规模杀伤同样出现在其他国家。

换言之，这个世界并没有厌倦战争，它厌倦的只是第一次世界大战而已。对许多上过前线的人来说，暴力是使人上瘾的；西线的暴力一旦停止，他们就要在别处寻求它。包括在战争中被俘的人，在俄国的捷克军团就是一个典型案例。退伍老兵在没有参加过战争却追求血腥暴力的布尔什维克主义者、德国学生和爱尔兰共和主义者中找到了同谋和帮凶。

最极端的案例当属俄国。俄国军队是最先失败的，其投降的士兵也是最多的。但俄国的暴力行为持续的时间最长（在战争结束之后）。大多数俄国人并非命丧于第一次世界大战，而是在本国的内战中丧命的。1917 年 10 月到 1922 年 10 月，在某一地区的苏联武装部队服役的 87.5 万人死于负伤和疾病（占到应征者的 13%）；根据一项统计，白军的伤亡人数达到了 32.5 万人。内战中的总伤亡人数为 120 万人，而第一次世界大战中阵亡的俄军人数也仅为 180 万。

然而，这些内战的统计数据忽略了一大部分人——他们是在同时期发生的上百起农民暴动和反苏起义中死去的，但他们不属于白军。例如，大约 25 万人在各种各样的“为面包而战”的冲突中丧生，这些人的初衷是反对粮食征收制度。根据一项调查，“红色恐怖”造成的受害者人数高达 50 万人（即肃反委员会契卡的秘密警察对政权中持不同政见者造成的伤害），其中有 20 万人是被官方处决的（这一数字可能会更高）。或许还有 3.4 万人死于 1918 年 7 月之后修建的集中营和劳动营里（或是到这些地方去的路上）。我们同样不应当忘记对犹太人进行的大屠杀，一份 1920 年报告中提到，“共有 15 万人被杀害。”最后，还有大约 500 万人死于饥荒，200 万人死于疾病。算上他们，整个国家在内战中死去的人与在第一次世界大战中阵亡的士兵人数相当。一项关于内战期间的人口统计表示，该期间共有 800 万人死亡。

**表 13–2　俄国内战伤亡情况，1918~1922 年**

| | |
|---|---|
| 总应征人数，1918~1912 年 | 6 707 588 |
| 所有部队最大战斗力，1920 年 11 月 | 5 427 273 |
| 所有部队平均战斗力，1918~1920 年 | 2 373 137 |
| 永久性损失（阵亡、失踪、战俘、病死），1918~1920 年 | 701 647 |
| 伤病人数，1918~1920 年 | 4 322 241 |
| 所有部队平均战斗力，1921~1922 年 | 1 681 919 |
| 永久性损失（阵亡、失踪、战俘、病死），1921~1922 年 | 237 908 |
| 伤病人数，1921~1922 年 | 2 469 542 |
| 永久性损失总人数 | 939 755 |
| 伤病总人数 | 6 791 783 |

**资料来源**：Krivosheev, *Soviet Casualties*, pp. 7~39.

从这一方面考虑，克劳斯关于“复原士兵是导致内战的罪魁祸首”的论断是错误的。经验丰富的保皇党将军带领下的白军对大部分针对平民的暴行负有明确的责任；由同样老道的前帝国军官带领的红军亦有一部分责任（内战结束时，红军中有 3/4 的高级指挥官由前沙皇政府军官担当）。然而，内战特有的极端暴力却是那些在“一战”中从未向德国人射出过一发子弹的人造成的。具体而言，列宁和托洛茨基在设立新的军事标准时采用了一种出人意料的方式，他们向俄国人民承诺会为他们谋求和平，并乐意向德国移交俄国在欧洲的财产和殖民地以求结束战争。列宁将帝国主义战争变成了一场针对本国内资产阶级的斗争。为了达到这一目的，为了反抗白军及其他革命敌人，他和托洛茨基苦苦寻求解决兵役问题的方案。尽管他们已经远离了帝国主义的战场，但他们的部分设想——受法国雅各宾派影响而形成——远远超过了为新的战争制定标准的程度。

1918 年，布尔什维克重新采取征兵制度，但他们不得不面临更加严重的兵役问题，目前的问题甚至比要摧毁的沙皇军队的逃兵现象更为严重。1920 年，有 2 万人从前线逃离，包括 59 名指挥军官；但就在征兵制度推行不久之后，逃兵的比例高达 20%。1921 年，总共有 400 万人逃离红军队伍；许多农民逃兵还自发组建了“绿军”来反抗征兵制度。这是民众没有了解革命思想导致的。对此，布尔什维克不得不采取了严酷的措施：1918 年，反逃兵临时中央委员会成立。1919 年的 7 个月中，9.5 万人因在危急关头逃跑而被判有罪，其中 4 000 人判处死刑，600 人被枪决。1921 年，4 337 人在俄罗斯和乌克兰的军事法庭被处决，负责人是托洛茨基。1918 年 11 月，他要求“对使得第 10 军军心涣散的擅离职守者及逃兵要给予毫不手软的惩罚……绝不能宽恕这样的人”。他在 1919 年宣称，“危急时刻，只有左轮手枪才能保证人们遵守纪律。”1918 年 12 月，托洛茨基下令组建配备机关枪的“监察队”，其职责是监督试图从前线撤退的士兵。因此对于红军的士兵来说，如果进攻，则有可能被杀死；但如果他们试图逃跑，则会必死无疑。

然而，列宁更热衷于制造可能的恐怖行动。1918 年 8 月，他给托洛茨基发了一份电报：“我们难道不应该告诉他们（红军指挥官们），从现在开始，我们要采用法国大革命的模式，将那些在战场上退缩或失利的高级指挥官关进监狱或判处死刑吗？”同时他还敦促萨拉托夫的党魁“不需要询问任何人，也不必查阅任何白痴官文，直接杀死反叛者和犹豫不决的人”。当月，他寄给奔萨的布尔什维克的信中颇有见解地分析了针对平民的新暴力思潮，这种风气是俄国内战的典型特征：

> 亲爱的同志！针对你所辖的 5 个区域内出现的富农暴动，要毫不留情地予以镇压。为了革命的整体利益，你需要这样做，与所有富农的“最终的决定性战役”已经打响。在这里我试举些例子。第一，对不少于 100 名知名富农、富豪及其他那些榨取金钱的水蛭处以绞刑。第二，公开他们的姓名。第三，没收他们所有的粮食。第四，鉴别人质身份……这些寄生虫必须被处决。
>
> 列宁谨上

而布尔什维克的领袖们对杀害战俘的行为则加以限制，托洛茨基在 1919 年的命令中明令禁止这种行为。但实际上，该命令之所以能够出台，也是因为杀害被捕白军战俘的行为略为失控。同年 8 月，军官 S · S · 加米涅夫在击退近卫哥萨克骑兵的攻击后下令对俘虏“格杀勿论”。

费格斯用画笔重现了这样一个场景：一位在 1920 年被红军逮捕的波兰军官被倒挂着殴打致死。这种野蛮的行径可能在对付军纪涣散、四处溃逃但数量庞大的白军军队是行之有效的。但用在波兰人身上却遭到了激烈反抗。因此，内战贯彻了世界大战早期的恐怖策略。这些“新规”将在东线发生的下一场大战中施展拳脚。死路一条的逃兵用同样的暴力手段对付平民、就地处决战俘……这不愧是一场“全面”战争；希特勒和斯大林所运用的手段实际上大同小异，而这正是第一次世界大战德国和俄国的失利所造成的必然结果。

# THE PITY OF WAR

第十四章

# 如何偿还这场战争

## 战争的经济后果

设想一下，在第一次世界大战之后，一个国家真正失去了22%的领土，欠下相当于国民生产总值136%的债款，出现百年不遇的通货膨胀和接踵而至的失业率，经历同样史无前例的劳工动荡。设想一下，一个国家在刚刚建立了联合政府的民主政体后，国家大权的决定却由各政党私下商议而并非通过选举产生；设想一下，一个国家的退伍老兵和家人过着一贫如洗的生活，而奇怪的是，那些颓废而小资的精英阶层却大手大脚地消费。在一名保守人士的眼中，这个国家是这样的：

> 一个毫无原则和秩序的国家，它并非靠令人信服的实际行动，而是靠褪去光鲜外表的往事来维系自己。我们始终在留恋着伟大传统的余烬，但我们的文明并不需要一个上尉来指导。确实，我们几乎不再是一支面对敌人斗志昂扬的军队了，我们已经变成急切地想要摆脱纪律、丢弃理想的暴徒……我们成为一个半开化的民族，而这种半开化的标志就是怀疑的风气、冷漠的人性、死板的思路和反复的改变。

受通货膨胀影响最大的是中产阶级，战后一位作家做了生动的描写：

> 所有体面的公民正被无情的法令拖入深渊，天知道这法令是上帝的执意、人的旨意还是魔鬼的旨意？正如一张桌子的一端突然翘起，桌子上的小玩偶和牵线木偶都滑落到地板上……整个社会尽管奋力抵抗，但仍免不了这样的命运。
>
> 此时此刻……价值观出现了彻底且令人咋舌的转变。这种过程并不是一种观念向另一种观念的渐进性过渡，而是一种突发性过程，且近乎残忍地强加给数以百万计的生命——所有的原因却是他们自己也无法掌控的……

中产阶级对这种新式的战争产物——资本和劳动力“社团主义”联盟怨声载道，这是历史学家对战争结果的分析。

读者们往往会认为上述情况发生在德国，但事实正相反，这是第一次世界大战的战胜国——英国在1918年之后几年的真实写照。英国丢失了南爱尔兰的26个郡，

1916 年复活节在都柏林点燃的叛乱之焰，终于在 20 世纪 20 年代燃烧成内战的燎原大火；1922 年进行的实际领土分割，到 1938 年则演变成爱尔兰共和国宪法承认的法权脱离。主要的外债债主是之前的老盟友，持有最大份额的则是美国（1919 年 3 月，向美国举借外债达 10 亿多英镑）。生活开销在 1920 年 11 月是战前的 3 倍，年通货膨胀率达到 22%；次年，失业率达到 11.3%，甚至高出了 1930 年的水平，达到有记录以来最糟糕的程度。240 万英国工人在 1919 年发动罢工，甚至比发动革命的德国还多出 30 万人。直到 1918 年，根据人民代表法，选举人数从 770 万人增加到 2 140 万人，英国的公民权益终于能够勉强赶上德国了（后者从 1871 年实行的男性普选权制度开始就达到了这一水平）。1916 年通过幕后的联盟协议而掌权的劳合 · 乔治在签署停战协议 3 天后召开了一次仓促的选举。他的联盟胜出了，但当保守党国会议员在保守党总部扼杀了该联盟之后，他自己便于 1922 年 10 月下台了。对于诸如哈罗德 · 贝格比和查尔斯 · 马斯特曼这样的作家来说——以上段落皆引用自他们二人的文章——尽管英国赢得了战争，但却落得了弊病丛生的结果。

但自相矛盾的是（且一直是），人们认为败北的德国情况会更糟糕。毫无疑问，作为战败的一方，它的情况不会好到哪里去。即便是这样，英国人对战败者的同情却说不清道不明。但是在很多情况下，德国战后的情形并不比英国糟糕，在某些方面甚至超过了战胜他们的国家。德国在战后经历的困境之一是失控的通货膨胀，1923 年年底，德国马克已经贬到一文不值的地步（见图 14–1）。在 1923 年的低谷时期，生活消费指数是战前的 1.25 万亿倍。一块面包需要花掉 4 280 亿马克，一美元可兑换 11.7 万亿马克。尽管大部分战败国都经历了不同程度的通货膨胀，且没有一个国家能够恢复到战前的金本位制度水平，但德国的情况可谓是前所未有的。尽管参与了战争，但波兰的情况要好很多，物价水平上涨了 180 万倍；就连俄国的物价增长也没有超过战前货币改革之前的 500 亿倍。众所周知，德国人将其货币问题归咎于强加于他们头上的严苛的和平条款。奇怪的是，当时许多受过良好教育的英国学者似乎也相信了这种说辞。1920 年 3 月，牛津大学学生俱乐部针对“和平条约对欧洲来说是场灾难”的论题展开了辩论，而赞成这一观点的人是多数派（20%）。3 个月后，针对“与德国恢复建立诚恳的对话关系”的投票结果是 80：70。该校俱乐部在这一时期关于国际事务的提议可以被解读为绥靖政策的产生和发展史。1923 年 2 月，关于“谴责法国现行政策”，即在德国拖欠赔款后占领鲁尔区的投票结果为 192：72。3 月，“德国的失败不仅是这个国家的不幸，还是整个欧洲的灾难”这个议题被提出。2 个月后，会议室内 25% 的多数派赞同“自 1918 年以来，法国自私的政策路线将人类拖入另外一场战争”的观点。

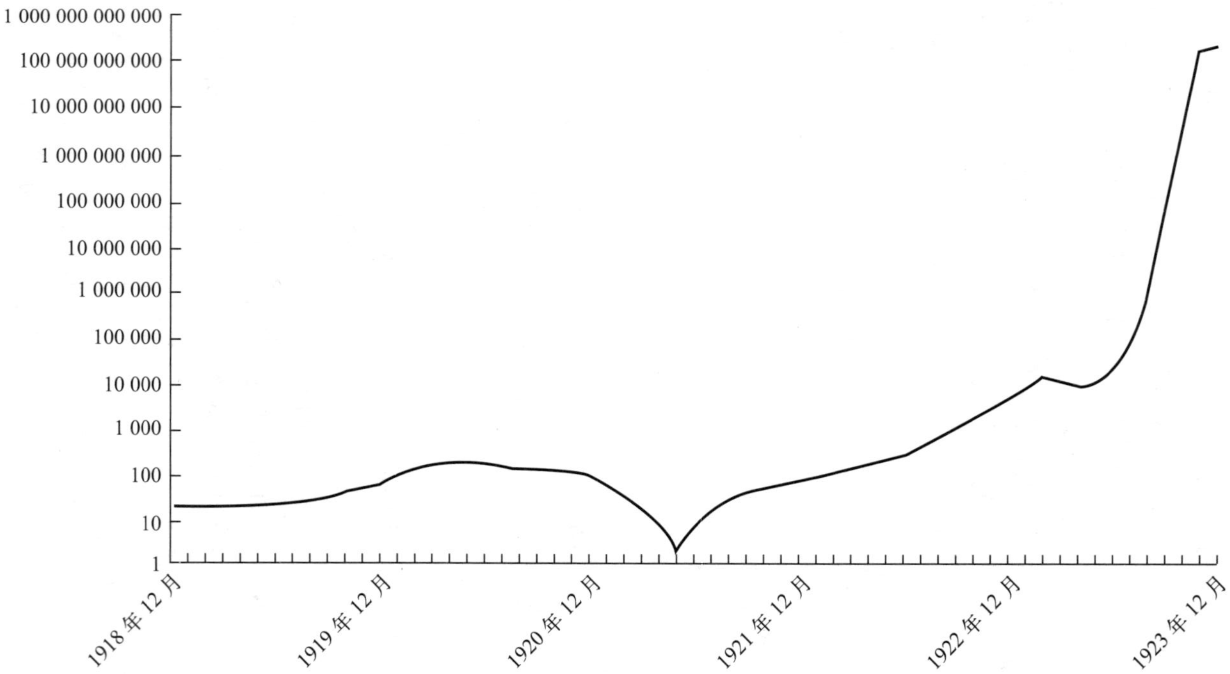


图 14–1　德国年通货膨胀率（生活消费），1918~1923 年

资料来源：Statistisches Reichsamt, *Zahlen zur Geldentwertung*.

实际上，和平条款的严苛程度并非史无前例，引起德国恶性通货膨胀的主要原因是德国人自己出台了无承担能力和作为的财政和货币政策，他们认为自己能够通过经济手段赢得和平。在英国人眼中他们的确是这样。在拖债方面，德国做得确实比其他国家要成功，包括协约国一方索取的战争赔款。然而这种胜利需要付出极大的代价才能获得，民主政客要以牺牲民主及其自身力量的代价才行。

## 无力偿还

1919 年的《凡尔赛和约》对德国施加了极其严苛的负担，这一观点在德国国内是被普遍认同的真理；然而在德国以外的其他国家，它却从未赢得人们如此多的信任。如果不是约翰·梅纳德·凯恩斯也赞同——其《和平的经济后果》与利顿·斯特雷奇的《维多利亚名人传》相齐名，是 1919 年英国的畅销书——英国人就更不可能相信了。

众所周知，凯恩斯凭借其对英国战争财政的准确负面预测，在财政部举足轻重。因此，当德国人签署停战协议的意愿明晰之后，他也成为参与和平准备的人员之一。赔款问题在战争结束之前就是辩论的热点。不久后，凯恩斯便成为支持相对较低的罚款额度的意见领袖。早在 1918 年 10 月他便认为，200 亿马克是理想的实际总赔款额。尽管他在 1918 年 12 月撰写的备忘录中将这一数字翻了一番（“根据赔款及其他条款，敌方集团可支付的数额”），但他同时也谨慎地强调了强加于对方的负担可能引发的问题。财政部备忘录中开篇便承认，“即便将德意志帝国内的每栋房屋，每座工厂，每片农田，每条公路、铁路和运河，每片矿区、森林都没收并以一个好价钱卖给另一方，那么这些钱也不会达到所有战争赔款总额度的一半。”更重要的是，通过列举可能由赔款事宜而引发的“两种可能性”，凯恩斯的备忘录预测了后来被人们热议的论点：

> 第一种可能性是，赔款不会对平常的交易过程造成严重的影响，且无论如何，赔款数额与支付国的财力大致相当，即使没有对赔款进行实际偿还，这笔钱也将投资到海外；第二种可能性是，所涉赔款数额巨大，若支付国的出口没有受到广泛的刺激，其将无力支付……因此，其他国家在出口贸易中有必要对支付国施加影响……就支付国接受赔偿而言，这种伤害出现了巨大偏移；但对流入其他国家的赔款而言，这种偏移就不复存在了。

为此，凯恩斯认为，应该“立刻或在 3 年内获得所有可转让资产，对其进行无情和彻底的强索，以此整体摧毁德国数年之内的海外贸易发展及其国际信用；但是在完成这些之后的数年中，每年仅索取一小部分的好处”。然而，他同时也警告称，德国的财政危机可能会引发债务抵赖或整个国家的崩溃。简而言之，凯恩斯对过度索取赔款的明智的保留意见在他来到法国参与签署停战协议和和平协商之前便已成熟。

毫无疑问，与一位德国代表共同出席的几场会议为凯恩斯的立场增添了几抹情感因素。卡尔·梅尔希奥是沃伯格在汉堡银行的得力助手；他是一位犹太法律顾问，其戎马经历和经济战略决策水平同样让人刮目相看。之后凯恩斯曾宣称，他在特里尔和斯帕的停战协商会议上对梅尔希奥“有所倾心”，或许这是在间接承认后者对其产生了性吸引。众所周知，当时凯恩斯是一位同性恋者。然而更实际的可能性是，凯恩斯仅仅是因为自己悲观主义的声音得到了他人的认同而对对方产生了迷恋，这种悲观主义来自于对战争道德观的长期怀疑。根据凯恩斯之后的回忆，梅尔希奥描绘了一幅萧瑟惨淡的图景，德国正处在俄国式革命的边缘：

> 德国的尊严、组织构建和道德感正在崩塌，丝毫看不到光明，德国被诅咒就此堕落，它的文明失去光辉；我们要做自己力所能及的事情，但黑暗的力量盘旋在我们头顶……这场战争的对手变成了俄国人，这股祸起东方的黑暗力量成为困扰他的最大问题。

很明显，如果协约国过于严苛地对待战败的敌人，那么布尔什维克在中欧的束缚便就此打破。这种观点与凯恩斯不谋而合，激起了后者的强烈共鸣。在劳合·乔治改变了对德国食品进口提供财政支持的观点之后，德国外交部官员卡尔·冯·勒斯那尔进行了如下总结：“多亏了梅尔希奥博士的精辟理解，凯恩斯先生才意识到拖延事态的危险性，并试图与我们达成共识。”值得注意的是，在这次会议之后，凯恩斯立刻警示道，“德国与俄国的迅速结好”可能会成为“中欧国家解决温饱的唯一途径”。

对凯恩斯来说，最为详细且最具影响力的德方观点来自于沃伯格5月对协约国条款的回应和反驳。其中心观点（由“财政问题的补充”延伸而来）在于，协约国的条款意味着“对德国经济生活的彻底毁灭”，并让德国政治“步俄国的后尘”。在和平条约的经济约束下——具体而言，是工业实力、殖民地、海外资产和商业船队的损失——德国无法按照协约国的规定赔偿战争损失。如果执意强制执行，定会造成严重后果。一方面，如果从现任政府的收入中拨款支付赔偿，则需要“暂停或终止支付战争贷款利息、伤残德国士兵的补偿、阵亡士兵亲属的慰问金等，一并受到影响的还有文化建设、学校、高等教育等的开支”。这样做很容易让德国的民主制度毁于一旦：“任何缴税的能力和意愿将不复存在，德国将迎来数十年之久的形势最为激烈的连续性社会阶级斗争。”而从另一方面来看，通过借债来为战争赔款付账可能会造成同样严重的后果：

> 在不久的将来，无论是国内贷款还是国外贷款，德国都不可能拥有大数额贷款，因此支付赔偿的唯一方式便是大量发行纸币。如果和平条约如约执行，那么德国业已存在的超级通货膨胀将会进一步恶化。此外，只有在国家补偿生产者的前提下才能保证天然产品的充足供应，而这就意味着发行更多的纸币。只要供应活动还在继续，那么想要维持德国货币水平现状则是不可能的事情，马克的贬值将会继续进行。货币的不稳定不仅会危害德国，还会波及所有的出口国，因为货币不断贬值的德国将会成为不安分因素，且会被迫以极低的价格向世界市场进行商品倾销。

只有在不触及领土、殖民地和商船队利益的情况下，德国才有可能支付得起战争赔款。面对这些情形，德国人同意在1919~1926年分期偿还价值200亿黄金马克的债券（和利息），且以债券形式分期偿还最高800亿黄金马克的额度，该年金“不得超过德意志帝国和联邦州收益的固定比例”。

不管它对德国的外交政策史造成了什么样的影响，该文件最让人吃惊的地方在于它与凯恩斯后来对条约的批评很相似。或许这并不奇怪。我们知道，凯恩斯对德国代表团拒绝签署未修订和平协议的举动印象深刻。实际上，他的预言几乎与德国对其自身命运所做出的预言如出一辙：

> 德国工业将陷入停滞状态……德国经济摇摇欲坠……数以百万计的德国人将在内战冲突中殒命或被迫移民……欧洲中心将在经济领域重蹈“巴尔干国家”的覆辙——经历无休止的动荡局面，并对世界其他国家造成持续威胁。

以上是德国人的版本，以下是凯恩斯的观点：

> 暴虐的和平代替了真正的和平，它所带来的只能是不幸……他们不可能遵守协约，整体的普遍无序和骚乱状态会应运而生……无政府状态和革命最有可能发生……这样的解决方案会使欧洲经济崩盘，戕害数以百万的生灵。

在凯恩斯准备宣布他的预言时，他与德国人还保持着往来。1919年10月，他应沃伯格在美国的兄弟保罗之邀，出席了阿姆斯特丹的一个小型银行家和经纪人会议。他与沃伯格共同向国际联盟呼吁降低罚款额度，取消战争债务，并向德国发放贷款。所以当1920年1月备忘录最终出版时，这本书却变得无关紧要了。它的光芒完全被凯恩斯的另一本书《经济影响》所掩盖，凯恩斯还曾在阿姆斯特丹向梅尔希奥和沃伯格朗读了该书的草稿。

如果说凯恩斯在该书的论点与德国财政专家在大会上提出的观点完全吻合，那么则有些言过其实。但两者的确有很多相似之处，凯恩斯也没有否认那些专家的意见对他并无影响。和那些专家一样，他责备法国的“迦太基”条款，谴责赔款委员会为“压迫和掠夺的工具”。和他们一样，他坚信德国“并没有接受无条件投降，只是同意接受体现和平意志的条款（“14点计划”及其后来的说明）”。和他们一样，他强调，对德国商船队、海外资产、煤炭资源以及贸易政策的主权问题的损失和侵犯严重限制了其偿还赔款的能力。协约国要求其支付的战争损失和抚恤赔款达到了1 600亿马克，而德国只能指望用出口所得利润来付账。然而，如果将德国传统的贸易逆差转变为顺差，则不仅会迫使德国的消费水平遭受无法承受的锐减，还会给协约国的商业造成压力。就算让德国保留其核心资产（包括西里西亚的煤田），它也只能支付410亿马克，其中3/4的额度是以长达30年的无利息年金形式偿还的。此外，凯恩斯也没有忽略梅尔希奥在凡尔赛的先见之明，他预言了德国马尔萨斯主义危机以及发生在中欧的对资本主义的毁灭性打击：

> 让德国的一代人背负苦役重担、让百万计的生命蒙受屈辱、让整个国家的快乐遭到褫夺的政策……将会为欧洲文明埋下衰退的隐患……“那些签署条约的人无异于为几百万德国男人、女人和儿童判了死刑。如果我们存心让中欧就此落寞，那么我敢说，复仇的火焰将永世燃烧。不久之后反动势力和绝望的革命者之间就会发生终极内战，而在此之前，对上一场战争的恐惧将消失殆尽。无论谁是最后的赢家，我们这一代人苦心经营的文明和发展将会毁于一旦。

他认为，除了减轻国际债务，只有引领德国进行经济重建，才能够避免这种灾难的发生。

在凡尔赛诞生的最终赔偿法案——由于内部分歧，公布时间被推迟了——对凯恩斯而言又是重重一击。1921年4月，在经历了数次争论和相互推诿后，最终决定德国的总赔偿数目为1 320亿马克，并威胁德国，如若不服从，则会占领鲁尔区。从1921年5月底开始，一项“伦敦通牒”要求德国通过分期付款支付500亿马克的所谓“A”债券和“B”债券（及利息），年金为20亿马克。同时，该要求指出，从1921年11月开始，德国出口26%的收益将作为赔款来源，这暗示着每年要缴纳总共30亿马克的赔款。当德国出口利润达到足以支付“A”和“B”债券的水平之后，就发行价值为820亿马克的不计息的“C”债券。

凯恩斯对伦敦赔款规划的回应涉及封底金额。他对赔款负担进行了估算，得出其金额为国家收入的1/4~1/2；如果从纯粹的财政方面来看，他认为该负担过重，几乎不可能完成。"历史记载中，哪一个政府能够将另一个国家近乎一半的收入无情地剥夺和占有，而且在国民处在困境时？"他向《星期日泰晤士报》的读者如是发问。1921年12月，他提出建议，认为210亿马克是对方的支付上限。然而，考虑到德国无法平衡顺逆差，他对德国能否采用硬通货进行支付表示怀疑。这就是他之后提出的"转移问题"。他怀疑德国可能会从海外获得贷款，以此促进形势的发展。1922年4月的热那亚会议上，他反驳了德国的国际贷款提案，认为这项提案"与赔款的提案一样，都是天方夜谭"。他同样不相信以原材料的形式进行赔款（W·拉特瑙的设想）能够缓解局势。此外，考虑到德国战后对进口的强烈欲望，凯恩斯认为德国是不可能达到出口顺差的。他于1919年声称："就算德国能够达到巴黎提案中的大量出口贸易水平，它也只能以将大英帝国的主要商品从世界市场中驱逐出去的方式……"换言之，该赔款计划没有可操作性。短期之内，德国只能够通过在国外货币市场上兜售马克纸币的方式来筹措每月的还款；但这样势必会使汇率下跌，直到无法维系这一手段为止。

1922年8月，凯恩斯受邀出席了汉堡一个政治家和商人的会议，之后他关于赔款事宜的意见造成了空前的影响力。实际上，这是关于德国外交政策的一次非正式会议，在法国总理普恩加莱呼吁"成效保证"的演讲后不久召开的。5天后，凯恩斯的观点得到了空前响应。作为"对英语国家针对德国多变的态度负主要责任的人"，他得到了许多共鸣，人们热烈的欢呼和赞许也极大地影响了凯恩斯的演讲内容。其中，他进行了一次重大预言：

> 我不相信……法国真会将其重新开战的威胁付诸实施……一两年以前，法国的信念可能还是坚定的，但今非昔比。法国人对官方赔偿政策的信心正逐渐丧失……他们深知，这并不现实。但出于各种各样的原因，他们不愿意承认这个事实，但他们仍然虚张声势。他们清楚自己不合法的暴力行为将从情感和道德上让自己处于孤立状态，摧毁自己的财政，丧失原有的财政优势。普恩加莱先生可能会出言苛刻，但他不会造成多大影响。实际上，他的演讲只是一种选择，而不是行动的根据。他越是夸夸其谈，他的行为就会越发缩水……

此外，他还批判了这样一个观点，通货膨胀正在导致"德国社会的瓦解"：

> 我们不能忽略资产负债表上另一方面的内容……内部债款的负担业已清算。目前，德国向协约国支付的所有赔款……全部来源于国外投机商人。我不相信德国能从本国资源中抽取一分钱用于偿还赔款。这些外国投机商人清算了所有债务

（或许还超出了这个数额）。

他的总结相当于对德国延期偿付、贷款及削减战争赔款等要求的重申。

私下里，凯恩斯并非如此冲动。但公众舆论却能造成很大的影响，主要是因为他道出了德国人的心声。普恩加莱的幌子应当被揭穿，这是传递给柏林政府的消息。这并不是该演讲的唯一重点。凯恩斯在他的演讲中还预示，“科学技能、管理技能和执行能力兼具的那天即将到来……当然不是今年，但会是明年”；该预示与沃伯格极其同伴之前提出的号召相吻合——“在面临所有世界性经济问题时，外交官和政客都要让步于商人”。11 月初，阿尔贝特·巴林的继任者（汉堡至美国航运公司董事）威廉·库诺被任命为首相。身在英国的凯恩斯对此表示了热烈的欢迎。他兴奋地敦促这位新首相“大声疾呼，明确立场”，并坦言“十分嫉妒库诺的工作”。

如果将法国占领鲁尔区以及德国货币终极的、无法挽回的崩溃现实统统归咎于凯恩斯，将是十分荒谬的。但他的确从中促进了两者的发生。他并没有为普恩加莱的话而感到惊慌（实际上，后者并没有“虚张声势”）。在法国占领鲁尔区的头几个星期里，他鼓励德国人“坚持到底”，并呼吁政府“保持冷静”。1923 年 5 月，法国并没有削弱其掌控鲁尔区的力度，且德国经济在超级通货膨胀中越陷越深，这时凯恩斯才承认他的战略计划失败了。

在此我们毋庸赘述库诺的失败以及这一拖沓过程激起的消极反抗情绪，只需了解凯恩斯在其《货币改革论》一书中的描述即可：

> 有必要承认，库诺在整治财政部和德国银行的不称职和无能导致了他的政治失败。在这灾难性的时刻，那些对德国财政政策负责的人并没有做成一件明智的事情，对正在发生的事情没有一丝察觉。

不得不说，凯恩斯在事后才做出了明智的举动，而不是当时。他如今督促采取的反通货膨胀措施——货币限制和资本征收——1923 年 12 月之前，并没有向德国人提出过。实际上，在许多场合，凯恩斯赞成德国人大规模地对通货膨胀造成的国外资产进行征收。最终，他似乎情不自禁地将通货膨胀视为一种在经济外交领域的成功：“这段时期内（1929 年 6 月）德国的卓越经历和成就或许有必要使协约国相信它们之前榨取赔款的措施无果而终，同时预示了道威斯计划的诞生。”

1932 年，他在汉堡的演讲中也陈述了这一点：“在过去的几年中，我一直对所谓的‘执行政策’的明智与否表示怀疑。如果我是一个德国发言人或经济学者，我想我可能不会赞同。”

## 无心偿还

凯恩斯在凡尔赛“爱上”的人将《和平的经济后果》一书称为“具有吸引力的”、“战后历史新发展的里程碑”。毫无疑问，梅尔希奥的观点是正确的。凯恩斯对《凡尔赛和约》的反对和攻击无疑让曾经迷途的德国产生了罪恶感。时至今日，学者们还普遍赞同当时的观点，即协约国的赔款协议是将德国拖入通货膨胀泥潭的元凶。哈勒尔认为，在德国财政已经失常的情况下，协约国的赔偿要求无疑是雪上加霜。为了平衡顺逆差结构，德国除了通过售卖马克纸币来购买硬通货之外，别无他法，因此外汇汇率被压低，进口价格和国内物价水平却随之抬高。巴里·艾肯格林一语中的：赔款“对通货膨胀负有终极责任”，如果没有战争赔款，预算赤字就不会出现。因此人们往往得出结论，协约国希望德国政府通过提高税收来支付战争赔款，但这一建议普遍不受欢迎，德国政府除了逃避付账之外没有任何办法。最明显的解决方法是让通货膨胀继续存在，用格雷厄姆的话说，这种方法“绝不是没有道理的，因为公共财政的好转只能带来更为严苛的勒索”。这种手段在政治方面同样有其合理之处，因为这样可以有效拉动德国的出口量。协约国国家会对此感到压力，让它们不得不承认，德国的战争赔款只能以牺牲协约国工业利益的代价来实现。因此，货币贬值成为维护“国家利益”的手段，并成为“说服全世界其他国家降低赔款负担”的最有效途径。实际上，这一策略一举两得：由于这一时期流入德国的借款从未得到偿还，因此一位历史学家进一步将这种现象描述成“美国向德国的‘赔款’”。在其关于德国通货膨胀的权威研究中，费尔德曼明确指出：协约国的和平条约“提出了对方无法实现的要求和无法容忍的选择”，赔款可能反而“抑制了稳定因素”。这是凯恩斯的观点在之后80年中的传承。然而历史学家却没有认识到凯恩斯被其德国朋友利用的程度，以及他在其和平结果的分析中的错误程度。

那些1919年德国政府的和平代表团成员深知，他们面临的是艰难的和平。毕竟，如果他们赢得了战争，他们也会给对方施加同样大的惩罚力度。以下是一位美国外交官在战争期间写下的一段话：

> 德国人为了偿付数额巨大的军事开支，也变成了强盗。他们洗劫了比利时，并还在搜刮着能够得到的每一分钱。他们掠夺了波兰和塞尔维亚……他们还试图以法国为目标……如果他们能够挺进巴黎，每周内得到的价值将不只30分——他们要向对方每天收取上百万法郎作为罚款。

1915年8月，考虑到德国迅速发展的战争债务，德国财政大臣卡尔·黑尔费里希称："战争的挑唆者已经背负了10亿多债务……如何偿清债务从一开始就是我们面临的最棘手的问题。"就连相对开明的沃伯格也表示了赞同。1914年11月，他假设战争只持续4个月便结束，于是提出，德国能够接受的合理的赔款额数是500亿马克；1918年5月，他设想协约国的战争赔款为1 000亿马克。1918年8月27日签署的追加财政协议向俄国提出了60亿马克的赔款，但1918年3月签署的原协议并没有赔款项目。这是继大面积割让领土之后的附加条件：芬兰和乌克兰独立，波兰和波罗的海国家立陶宛、爱沙尼亚、库尔兰以及利沃尼亚割让给德国。（在1918年的超现实氛围中，德国的王室成员为谁应该统治这些国家而争执不下：乌拉赫公爵想成为立陶宛的国王，奥地利大公欧根觊觎乌克兰，德皇的内兄弗里德里希·卡尔对芬兰虎视眈眈，而德皇本人也在垂涎着库尔兰。）这些争议领土拥有俄罗斯帝国90%的煤炭储量以及50%的工业份额。与此相比，《凡尔赛和约》中涉及领土的条款要仁慈得多。除了殖民地，德国丧失了9块周边的帝国领土；但这些土地仅占其战前国土面积的13%，且其中46%的居民并非德国人。德国人为失去80%的铁矿石、44%的生铁、38%的钢铁以及30%的煤炭储量而感到惋惜；但俄国人在1918年失去的资源更为可观，奥地利、匈牙利和土耳其同样在领土问题上忍痛割爱（匈牙利人丢掉了战前国土面积70%的土地），在其各自的条约下，这些国家的经济也遭受重创。德国殖民地损失也相当惨重：但是尽管失去了300万平方千米的土地和1 230万人口，但这部分领土的经济价值并不高。

尽管在协约国提出这些条款时，德国人进行了痛苦的反抗，但他们知道该来的总归会来。当沃伯格应邀加入德国代表团后，他对此做出了评价："毫无疑问，协约国的条件未免过于严苛。"新任财政部部长欧根·施利芬以及外交部赔款问题专家卡尔·贝尔格曼在谈及赔偿时认为这一数额会在200亿~300亿马克之间；但沃伯格警示他们要做好心理准备迎接一个"天价"。他在4月初向外交部部长乌尔里克·冯·布洛克多夫-兰曹伯爵也这样说："我们必须准备接受对方开出的过高条件。"实际上，沃伯格认为，德国未来25年~40年都将背负着战争赔款的重担。唯一能够卸下这一负担的方式就是国际贷款，因此德国便能用25~40年以年金方式支付固定的最高赔偿额。4月，他设想了一份千亿马克的贷款蓝图。

德国人认为，请求获得一个相对慷慨的条约的最佳借口是，如果协约国不这样做，德国将落入布尔什维克主义者的手中，进一步实践托洛茨基世界革命的计划。沃伯格的朋友弗朗茨·维特赫夫特在同意加入德国派往凡尔赛的代表团后不久也这样说：

> 秩序与劳动的前提条件是面包与和平，否则我们将向布尔什维克主义偏离，

德国会彻底失去希望。然而在布尔什维克危险的笼罩之下，虽然协约国也妄图彻底挫败我们，但我还是发现了一个具有连带关系的安全阀。如果这种不安的迹象从匈牙利传播到德国，法国和英国也会无一幸免；那时，整个欧洲就会彻底失去希望。

4月底，在柏林的一次部长级会议上，梅尔希奥发表了自己的观点：德国未来的外交政策必须考虑“向俄国倾斜”，这一观点受到了德国宰相弗里德里希·埃伯特的支持。毫无疑问，当他第一次见到凯恩斯时，梅尔希奥真切地为德国的政治局面而担忧，毕竟是他自己的家园正在遭受一个由工人和士兵组成的委员会的控制，且1918年11月的革命局势还很不明朗。它会以温和的社会民主党，更为自由的“资产阶级”政党以及守旧的政治、军事和经济精英三者之间达成妥协而告终吗？即便如此，一个明朗的结论是：为给凯恩斯辩护，他夸张地鼓吹了布尔什维克主义带来的威胁。红军在1919年年底和1920年年初取得的胜利以及在德国发生的连续性社会暴乱激发了梅尔希奥的新一轮预言：“成立一个俄国和德国的革命失败者联盟”。实际上，拉特瑙与俄国人在1922年肯尼亚会议上就赔款问题达成的协议（帕拉洛协议）让他和沃伯格都惊骇万分。

与此同时，德国人并没有为平衡预算做出努力，而这是在国际贷款没有实现的情况下唯一能够支付赔款的方式。实际上，作为财政部部长，马蒂亚斯·埃茨贝格将德国的税收体制做了大刀阔斧的改变，加强了中央政府的财政权力。他还试图在1920年3月卸任之前将直接税收大幅度提升，这一“帝国临时税”将税率提高到65%，而帝国所得税则提高了60%。然而在降低赤字方面，这些措施都远远不够（1919~1923年，其数额平均占据国民生产净值的约15%）。首先，出现了大量逃税的情况，大部分都是法律框架允许范围内的行为。比如，“临时税”可在47年内分期缴纳，其利息在1920年12月之后仅有5%。只要通货膨胀保持在5%以上，拖延缴纳显然就更有利。同样，不以工资形式获得的收入（税款在收入源头便被扣除）能够轻而易举地延期缴纳新帝国所得税。

这并非偶然，税制改革也是出于有意逃避赔款的目的。约瑟夫·沃思总理本人也反对征收财产税（即‘剥夺实际价值’），“我们的所有政策必须以消解‘伦敦通牒’为目的。因此，如果在此刻引入剥夺实际价值的制度，我们实际上正将‘伦敦通牒’80%的内容付诸实施。”因此，1921年5月到1922年11月，国内关于财政改革的讨论变成了一场伪装，总理本人也没有诚意。为了给赔款委员会一个交代，关于财产税的规划不得不被提上议程。同样，作为对协约国在戛纳要求进行财政改革方案的回应，关于10亿黄金马克的强制贷款成为重点规划项目；财政部规定了将马克纸币兑换成金子的系数，但其级别如此之低，以至于税收收益仅占目标数目的5%。州务部长大卫·费舍在提到赔偿委员会的“增加未来税收的愿望”时，实则将这种愿望暗示为“将德国经济摧毁的愿望”。实际所得税在1921年下半年有所下降，在1922年上半年也只出现了轻微反弹。

凯恩斯对他的德国朋友表现出十足的信任。1921年11月，有观点认为德国故意激化通货膨胀，以此避免支付战争赔款，但凯恩斯予以否认，他写道：“我全然不相信这个愚蠢的故事。德国政府不会大胆或疯狂地刻意设计这样一出戏，因为这种行为最终会对自己的人民造成灾难性后果。”不幸的是，这个“愚蠢的故事”是真实的。德国人相信，尽管赤字和货币贬值的局面还在继续，但他们能够以此增加出口；用梅尔希奥的话说，这样还可以“通过摧毁和英美国家之间的贸易，让债权人亲自向我们提出缓和措施”。

1919年6月到1920年2月，马克与美元的汇率从14马克换1美元下跌到99马克；之后，德国对汇兑的管控有所增强，经济部部长罗伯特·施密特相当明确地提出了自己的愿景：“德国低价向海外大量倾销商品……这样协约国就会允许我们恢复汇兑秩序。”正如电气巨头AEG的菲利克斯所言：“我们脆弱的货币是不幸中的万幸，它让我们能够进行大规模出口。”为了保持这种优势，1920年3月到6月，经济部部长针对马克采取了行动：通过买进大量外国货币来限制马克的升值。沃伯格在1920年10月的一次演讲中明确了这种战略的基本原理：“就算有一定风险，有时候也需要向国外低价卖出我们的产品……必须要让其他国家明白，一个国家是不可能在被剥夺支付方式的情况下背负如此沉重的债务的……如果和平条约不做出让步，那么货币的彻底崩溃便不可避免。”

## 放弃偿还

实际上，《凡尔赛和约》所对德国造成的经济后果远远不及德国人自己和凯恩斯所说的那么严重。除了美国，所有参战国家的资本账款都受到了严重的损失。未来接受赔款的国家需要支付给美国的欠款已经达到约400亿黄金马克。同样，并非只有德国的航运受到了影响：战争期间，全世界的航运总损失超过1 500万吨（其中大部分损失是德国造成的）。无论如何，这些财产损失的重要性不应当被夸大；特别是航运，因为它被很快便被取代了。短期内，世界经济得到了增长。商人们争先恐后替换更新战争期间的存货清单以及不景气的工厂，且由于前线发生战争而中断了贸易往来，因此商船和潜艇得以重新修整。1920年，国际贸易恢复到战前的80%，由战争引起的货币扩张助力了它的增长。根据计算，德国的国民生产净值在1920年增长了10%，1921年增长7%。尽管其农业一直出于萎靡状态，但工业产值显示了锐增的态势，1920年增长了46%，次年增长20%，某些工业门类（特别是造船业和煤炭业）增长尤为迅速。

从其他国家的角度来看，迅速增长的背后是汇率的削弱，并且这也招致了投机行为。因此，德国在1919年到1920年期间的贸易逆差并不是通过大规模的外国贷款来承担的，而是外国人小规模但大量购买了马克纸币。柏林七大银行的国外存款从1919年的137亿马克上升到1921年的416亿马克，几乎占到存款总额的1/3。纽约购买的马克数额在1919年7月到1921年12月期间达到6 000万黄金马克。凯恩斯隐隐约约地注意到了这一点，他在1920年年初说道，“投机行为已经形成了巨大的规模，其程度前所未有。”但他完全忽略了这将给汇率造成的可能影响。1920年3月，马克突然停止了贬值，6月，其汇率从1美元99马克上升到30马克。次月，前8个月出现的所有趋势又出现了反转。德国国内物价从1920年3月的峰值下降了20%，在7月份陷入低谷，之后又大幅度起伏，达到战前水平的大概30倍——直到1921年夏天。1921年3月，年通货膨胀率比战后最低水平还要低2%。同时，德国的物价和世界市场价格之间的差距也突然缩小。这不仅阻止德国继续沿着其出口的轨道前行，同时还让凯恩斯失去了2万余英镑，这笔钱是他基于和平的经济后果的预言进行的投资。直到后来，他才完全掌握了事情的真相：

> 从徘徊在资本大街上的犹太人……到西班牙和南美最遥远城镇的理发师助理……事实只有一个……德国是个伟大而坚强的国家，有朝一日它将东山再起。当那一时刻到来时，马克也将重振雄风，带来巨额利润。银行家和女仆对历史和经济了解得太少了。

实际上，通货膨胀的减速带来的不仅是消息不灵通的投机行为。此时，英国和美国的货币和财政当局开始采取措施应对战时积欠的账单，并通过增加税收和限制贷款来结束通货膨胀，事实上各国正经历通货紧缩。1921年两国都出现了物价跌落的局面，这种通货紧缩的趋势还波及其贸易伙伴。

同样，1921年制定的赔款总额并不是无法承受的负担。1 320亿黄金马克中有820亿是“估算出来的”，原因在于，“C”债券只能在未来德国经济恢复到足够强劲时才能够发行。这为德国的未来蒙上了一层阴影，并限制了德意志帝国在国际市场的借款能力；但也同时意味着德国在1921年的还款义务不到500万黄金马克——410亿（算上1919年之后已经支付的金额）。此外，通货膨胀已经在本质上降低了帝国内债的实际价值（1921 年中期下降到 240 亿黄金马克）；因此，作为国家收入的一部分，包括“A”和“B”债券在内的帝国债务约占其中的 160%。与法国在普法战争之后所承担的债务负担相比，这笔债务显然要更高：如果将俾斯麦当时索要的赔款数额（50 亿法郎）与法国现有的国债（111.79 亿法郎）相加，那么总债务额度几乎是 1871 年国民生产净值的 84%。然而，德国在 1921 年面临的债务负担略低于英国国债（内债与外债）占其当年国民生产总值的比率（165%）。英国的债务占国民收入的比率甚至还要高一些——将近 200%。然而英国仍然是 19 世纪当之无愧的经济大国——其政治组织的稳定性也首屈一指——但它同样面临着负债的压力。

德国的年赔款金额同样不算过分。众所周知，“伦敦通牒”中规定的年赔款金额为每年 30 亿黄金马克。80 亿~130 亿黄金马克已经在 1920~1923 年交付，占到国民总收入的 4%~7%。1921 年，即最困难的一年中，这一数字也仅有 8.3%（见图 14–2），但这还是离凯恩斯的猜测（25%~50%）相去甚远。实际上，与后来根据道威斯计划进行的赔款相比（最多也只占 3%），其占国民收入的比例已经很高了，且远远超出了 20 世纪 80 年代发展中国家的国际债务，更别提近期西方国家向第三世界国家的资助了。但从 1871 年 6 月到 1873 年 9 月，法国共支付给德国约 50 亿法郎：占据了第一年国民生产净值的 9%，第二年则为 16%。

最后，与 19 世纪 70 年代的案例相比，德国所要支付的年度债务并不完全不能实现。1929 年青年委员会的报告时常遭人嘲笑，正是因为它提出让德国的战争赔款支付持续到 1988 年。但自从 1958 年起，德国支付给欧洲其他国家的金额达到 1 630 亿马克（以向欧洲经济共同体/欧盟预算提供捐款的方式）。诚然，每年支付的金额占国民收入的比例微乎其微，但总体数额却大大超过了凡尔赛赔款协议的要求。这正是杨格计划力图实现的目标。

凯恩斯有一点是正确的：赔款的背后暗含了国际利益尖锐的冲突。如果德国的贸易顺差达到 30 亿黄金马克，那么其进口将会大大缩水，出口则会出现扩张。但德国的贸易伙伴中有谁会为此付出代价呢？英国和法国的商务代表多次指出，“一战”结束后应当采取措施“阻止德国（这一危险的经济敌人）挤入我们的市场”。英国贸易部 1916 年 1 月的战后商务报告认为：

> 普遍存在这样一种忧虑，战争结束不久，我们的国家将涌入大量德国和奥匈帝国的物资，它们的价格普遍低廉。战前出现的价格战将再度上演，其结果将波及所有卷入这场价格战的制造商，使得它们面临严重困境，对那些受到鼓励而扩大贸易，或是致力于开拓新工业部门的制造商来说，这绝对是场灾难。

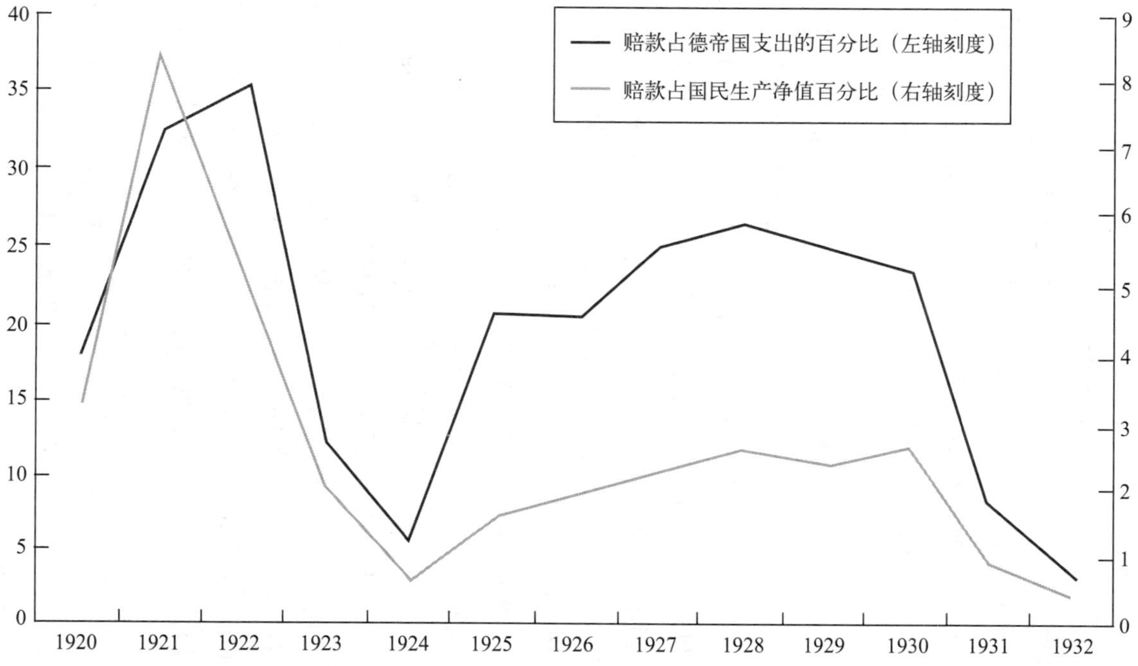


**图 14–2　赔款负担，1920~1932 年**

**资料来源**：Ferguson, *Paper and Iron*, p. 477.

人们还讨论了战前出现的歧视德国贸易的事宜，次年6月，在巴黎召开的英法会议只取得了有限的进展。1917年12月，战后经济政策质询委员会总结道，“当下，敌对国不应当（至少一段时间内不应当）与大英帝国按照战前不受约束的方式继续贸易，不应当享受与协约国或中立国一样的条约待遇。”该决议使德国战后的进口被追加了一层关税，德国人称之为“憎恨带来的折扣”。

另一方面，如果德国利用贷款来支付赔偿，那么究竟要优先保障谁的权益——赔款接收者还是新出现的贷款人？正如舒克所言，德国人以贷款形式从国外借来的钱（却从未偿还）与他们支付的赔款数是一致的。1919~1932年，德国总共支付赔款191亿黄金马克；同一期间则接受净资本流入270亿黄金马克（主要来自私人投资者），但这笔贷款却一直拖欠，从未偿还。

这并不是说德国政府不打算支付赔偿的做法是正确的。问题不在于交易是否能够继续进行，而在于德国人采取的措施以及凯恩斯的观点是否能说服协约国他们已无力偿还。“经济修正主义”正通过出口一大批德国物资对协约国经济施加压力。这无疑是1919年出现的问题，但其持续时间并不长。就连1921年5月~11月期间马克的大幅度贬值都没有让战后不久出现的“便宜货”现象再度上演。诚然，1921年5月之后，月出口数据增加了35%，而年出口数据也增加了2/3。格雷厄姆关于43种日用品的统计同样揭示了出口的增加。但与此同时，进口也在以更快的速度增长。由于只有贸易顺差才能对协约国的经济施加影响，因此这同样至关重要。年度数据表明，1921年的贸易逆差达到6.9亿黄金马克，1922年则超过22亿。月度数据则更提供了更为精确的记录：1921年5月~9月贸易逆差呈现扩大化，1921年则演变成小幅度的顺差，但1922年7月又出现扩大情况并达到最高点。贸易量的数据也有类似的结果，但是却揭示了1922年2月以后出现的更为戏剧性的逆差鸿沟，但在这一阶段，半成品和成品比重已经占所有进口产品的1/3。但这些数据可能仍然低估了贸易顺差的程度。经济部官员一再表明实际出口量被低估、1922年的逆差可以被忽略（这些声明对后来一些历史学家产生了误导），帝国统计委员会也“完全赞同”，称“贸易逆差的平衡性被严重低估”。

换言之，与支持经济修正主义的人相反，贸易逆差扩大是在名义汇率跌速最快时发生的，而其缩小则出现在马克稳定时。正当德国通过廉价出口商品占领对方市场来对协约国赔偿征收者施加压力时，它也在通过向其出口商品提供活跃的市场来减轻这种压力。这或许对世界经济来说是一件好事，它可以帮助世界走出经济不景气的局面（这种局面有可能会导致经济大萧条），但从德国外交的角度来看，则事与愿违。

德国出现出人意料的巨大贸易逆差，原因十分明了。国外对德国出口商品的敌意是其中一个因素，但真正的问题在于，尽管马克在兑换其他主要货币中的确贬值（名义上），但实际上，考虑到相对价格，德国的竞争能力并没有出现明显增强。这反映出英国和美国物价水平较低，国外投机行为持续存在，以及德国国内物价和工资水平已迅速调整。

因此，认为持续的贬值能够帮助德国避免支付赔款，基本上是一种误解。如果有可能，这种方法可能会适得其反。它不可避免地回避了问题的实质：稳定货币的政策难道就不能通过抑制德国进口的需求来更有效地向协约国施加压力吗？1930 年发生的一切（严格的通货紧缩政策彻底地削减了德国的进口）表明这是有可能实现的。毕竟在经历过 1923 年的危机之后，战争赔款需要修改和重新确定支付方法，但金额并没有降低；但 1931 年美国总统胡佛在大萧条高潮期间宣布暂停偿付政府之间债务，则直接取消了它的存在。这是魏玛外交付出极大代价才取得的胜利。当时德国的战争外债——1931 年其金额名义上达到 770 亿美元——以牺牲其前对手的代价被取消了（见表 14–1）。考虑到德国偿还真实赔款总额未超过 45 亿美元，结论便相当明显了。以相当少的花销参加了第一次世界大战之后，德意志帝国终于成功逃避了支付所有战争赔款的厄运，而仅承担了其中的一小部分。

**表 14–1　1931 年未支付的战争借款以及赔款债务（单位以每千英镑计）**

| | 终止的收益 | 终止的赔款 | 净损益 |
|---|---|---|---|
| 美国 | 53 600 | | –53 600 |
| 英国 | 42 500 | 32 800 | –9 700 |
| 加拿大 | 900 | | –900 |
| 澳大利亚 | 800 | 3 900 | 3 100 |
| 新西兰 | 330 | 1 750 | 1 420 |
| 南非 | 110 | | –110 |
| 法国 | 39 700 | 23 600 | –16 100 |
| 意大利 | 9 200 | 7 400 | –1 800 |
| 比利时 | 5 100 | 2 700 | –2 400 |
| 德国 | | 77 000 | 77 000 |
| 匈牙利 | | 350 | 350 |
| 奥地利 | | 300 | 300 |
| 保加利亚 | 150 | 400 | 250 |

**资料来源**：Eichengreen, *Golden Fetters*, p. 278.

## 无力收款

和平条约真正的问题不是在于过于严苛，而是协约国并没能成功执行，“无力收款”的程度超过了“无心偿还”。1870~1873 年，德国占领了北法的大片领土，并将赔偿与撤出国境的速度相挂钩：法国什么时候偿清战争赔款，德国便在什么时候撤出法国。1919 年发生的事情却截然相反，在解除了海上封锁之后，协约国于 1921 年提出赔款总额，但当时协约国在莱茵兰地区布置的兵力相当有限。除了使用占领手段来敦促对方偿还赔款，协约国，或者说法国，还试图以占领更多地盘为威胁来约束并处罚拖欠赔偿。这让人在心理上产生了误解，鼓动德国人冒一下险，没准法国是在危言耸听（凯恩斯在 1922 年也轻率地如此判断）。另一种可能是自愿偿清赔款；不出意外，经过民主方式选出的政治家极其不情愿以税收的形式解决该问题。魏玛的政客们面临的难题——甚至有些人发自内心地相信德国必须践行和平条约——其实非常简单：他们必须缓和德国预算中相互矛盾的两方利益，一方来自于选民，另一方来自德国之前的敌人。简而言之，协约国可能认为自己在战争中遭受了损失，因而索取赔款，但德国选民同样认为，在遭受了 1914 年发生的苦难之后，自己也理应得到“赔偿”。

根据德国的预算数据，1920~1923 年，《凡尔赛和约》规定的实际总支出达到 65.4 亿~76.3 亿黄金马克，占德国总支出的 20%以及公共总支出的 10%。换言之，1920 年，战争赔款占德国赤字的 1/5，1921 年为 2/3。但即便将赔款从中扣除，公共总开支仍然保持占国民生产净值的 33%，与此相比，战前这一数据仅为 18%左右。尽管如若没有战争赔款，通货膨胀可能会有所缓解，收益也会因此而增加，但赤字无论如何都会存在。我们不能简单地说，如果赔款奇迹般地被废止，那么国内开支就不会增加。

除了缩小长期债务的实际花销，德国对本国人民的赔款——这也是国内开支的对象——包括了公共部门的高额花销、失业救济金（国家支付一半）、房屋修缮补助以及为抑制食品价格而发放的补贴。针对在战争中受伤的人，国家同样支付了超过 80 万的抚恤金；用于阵亡士兵遗孀和战争孤儿的津贴总额则分别为 53.3 万和 120 万。然而，预算中最大的困难是铁路和邮政系统造成的赤字：1920~1923 年，德国铁道部的亏空约占德国总赤字的 1/4。从某种程度上说，购买新的运输工具、经营不善是导致这种后果的原因。但它同样也可以被归咎于政府保持就业水平的考虑（导致了人浮于事的局面）。邮政、电报和电话体系的局面与此大同小异。除此之外，德国商船队的重建（旨在保持造船工业的就业率）开支在 1919 年和 1920 年占到德国总开支的 6%。这种“面向国内的赔偿”在造成德国财政赤字方面比实际赔偿起到了更大的作用。

所有参战国都面临着同样的问题：负债的压力过高，以至于支付利息的同时大量福利开支面临压力。1918 年 2 月英国战后重建部大臣克里斯托弗 · 艾迪生列出的“购物清单”很典型地说明了这一点：

> 适当的住房规划……包括材料的购买以及大规模收购土地……这是以小地产、士兵安置、造林计划以及开垦计划为目的，从农业用地向政府集中管理的巨大转变……道路的重建以及铁路（设施）的修缮……某些核心产业在一段时间内应全部或部分由国家帮助融资……在下一阶段的转型期，要扩大失业保险覆盖面，以此弥补工业的错位……加强中央和地方的公共医疗卫生服务。

艾迪生反对“任何事情的重要性都次于偿清债务”；他认为，英国应当“尽早地将开支用于重点建设，采取最为合理的方法提高国家生产力”，这与战后德国的思路如出一辙。但两者的不同之处在于，英国国内支持分期还债的人占据了上风；而在德国，支持福利建设的人有压倒性优势。这是 1921 年英国从通货膨胀演变成通货紧缩的原因，而在德国，印钞厂一直在工作，直到货币崩溃。

早在 1922 年，德国国债在通货膨胀的影响下已经几乎降至 1914 年的水平（为 13 亿美元，战前则为 12 亿美元）。与此相反，英国的债务几乎是其战前水平的 10 倍（见表 14–2）。6 年后，德国经历了超级通货膨胀，英国则重新回到战前水平，这种差距就变得更为显著。德国及联邦州的联合债务占到了 1913 年 GNP 的 40%。1928 年，这一数字仅为 8.4%。与此相反，英国的国债从 1913 年占 GNP 的 30.5% 上升到 1928 年的 178%。尽管德国国内出现了“货币升值”的声音，但财政部部长汉斯 · 路德在取消德国战争债款的问题上还是颇有成就的。1924 年 2 月，在起草《第三次临时税法》（它保证了对私人抵押贷款和信用债券从 10% 稳步升到 15%）时，他明确排除了对仍在发行的价值 6 000 万马克的战争债券采取相似的做法（直到赔款被偿付）。格奥尔格 · 赖曼曾在战争期间预言，古雅典立法者梭伦的“解负令”会在德国重新上演；而今，该预言现已实现。

**表 14–2　1914 年和 1922 年各国国债**

| | 1914 年 | 1922 年 | 后者占前者的百分比 |
|---|---|---|---|
| 美国 | 1 338 | 23 407 | 1 749 |
| 英国 | 3 440 | 34 251 | 996 |
| 法国 | 6 492 | 27 758 | 428 |
| 意大利 | 3 034 | 8 689 | 286 |
| 德国 | 1 228 | 1 303 | 106 |

**资料来源**：Bankers Trust Company, *French Public Finance*, p. 137.

通货膨胀和通货紧缩之间的抉择在微观经济和社会领域都有重要意义。凯恩斯的《货币改革论》更加直接地表达了这种观点：一个能够平衡预算并使其货币恢复到战前水平的政府同时也在冒着降低经济总产出和就业率的风险；而一个将赤字财政和通货膨胀贯彻到底的政府却正相反，其产量和就业水平会有所增强，但这一结果是以牺牲债券所有人以及其他票据资产储户的利益为代价的。因此在英国，为战争付账的方式是通过实施通货紧缩政策以及降低工薪阶层就业率来实现的（更甚，战争债务的实际价值是在增加的）；而在德国（当然还有俄国），付账的是债券持有人。

但哪种方式更为合理？在《货币改革论》一书中，凯恩斯认为，尽管通货膨胀"在改变财富分配"上要"次于"通货紧缩，但后者在"减缓财富生产"方面却"更为有害"。尽管他表达了对中产阶级的同情，但"鉴于其带来的积极影响"，他显然更为赞同通货膨胀的政策，"因为在一个贫穷的世界里，让靠收租生活的人感到痛苦总归比增加失业率更好"。实际上，他明确表达"德国的通货膨胀其实是个例外"。弗兰克·格雷厄姆认为，德国通货膨胀在"物质利益和损失"的较量中显然偏向于"物质利益的获得"。劳尔森和佩德森于20世纪60年代发展了这种观点。他们认为，1920~1922年，不仅是产量增加，投资也有所提升，并由此创造了持续增长的潜力，只有在1924年之后不景气的情况下，它才得以被抑制。该观点中一个重要的证据是，如果按照国际标准来衡量，德国的就业率在1920年到1922年期间出奇的高——这也是格雷厄姆考虑到的一点，他认为"与英国和美国相比，德国以较低的实际花销，顺利地完成了从战争走向稳定的战后货币结构的转型过程"。现代经济历史教材苦心孤诣地强调这些通货膨胀带来的相对优势，至少是在超级通货膨胀出现之前。言外之意，另外一种政策将导致较低的增长率、较低的投资但更高的失业率。

为了解释每个国家做出的不同选择，历史学家采用将社会学和政治文化相结合的方式。他们得出结论是，在英国，某些社会团体的物质利益受到通货紧缩的影响，虽然如此，出于非理性的经济考量，他们仍然支持健全货币的"传统智慧"，这类似于格莱斯顿关于道德操守的正统说教。法国采取了折中的方法，即适度地降低国债的价值——相对（而不是绝对地）承认法国社会食利者的权力。意大利的议会体制则无法解决分配产生的冲突，因此墨索里尼独裁统治不得不承诺保持货币的稳定。与此相反，在德国，资产阶级的关键组成部分——企业家和商业管理精英——出卖了工薪阶层，转而支持通货膨胀政策，这使得德国的工业得到迅速扩张，但与此同时却伤害了股东、债券持有人以及银行的利益。然而早期阶段，大公司被当作是通货膨胀的唯一受益者，它们通过较低的实际利率、低税收以及低汇率来获利；但现在，工人的情况同样得到了相对改善。因此，通货膨胀成为产业部门、有组织的劳动者以及其他社会团体之间反对通货紧缩而心照不宣地达到“通货膨胀共识”的意外结果。真正没有得到好处的是食息者。但若与通货紧缩相比，这种局面带来的整体作用是社会的好转和公平。这种论点同样拥有政治寓意。在汉斯·哈勒尔的一篇颇有影响力的文章中，他做出估算，认为若想在摆脱政府借债的情况下平衡预算，那么税收水平需超过国家收入的 35%；虽然这种税收级别在现在看来是合理的，但哈勒尔认为，20 世纪 20 年代早期，政策上是决不允许这种情况发生的。因此，通货膨胀在一定程度上“在魏玛共和国时期确保了政府的议会体制”，因为其他任何试图稳定财政和货币局面的政策将导致政治危机。

实际上，在当时的政治辩论中，到处都是为通货膨胀辩护的例子。1922 年 6 月，拉特瑙（当时已成为德国外交部部长）和实业家胡戈·施廷内斯在柏林与美国大使的一场会谈中提出了两种意见，但却都是对德国现行政策的补充辩护：

> 拉特瑙认为……从经济方面看，通货膨胀比控制租金更好，财富从所有者那里转移至两手空空的人，在德国这样如此落后的国家，这是非常合理的。施廷内斯称，通货膨胀和发动革命是德国面临的两种选择，就这两种选择而言，他偏向于前者。

对施廷内斯而言，通货膨胀是“保证人民就业率的唯一途径，也可确保国家的正常运行”。之后他对霍顿说，“从政治上看，我们必须让 300 万从战场上归来的人有一份工作。这个问题实际上是金钱还是生活的抉择问题。”梅尔希奥的观点与他大同小异：

> 当下，不论从政治上还是社会上，这样做都是有必要的……如果局面能够控制，则不会再出现永久性伤害。这并非事先计划……它演变为新资本的创造，以便让企业有能力雇佣复员士兵。

此外他还认为，公有制下铁路部门出现的巨大赤字能够“避免让 10 万雇员陷入无业状态，并避免了政治激进主义的产生”。1923 年 11 月，沃伯格强调：“我们是否希望通货膨胀停止，希望爆发一场革命——这是一直存在的问题。”许多商人也普遍持有这种观点。保守党的保罗·昂布里特反对减少社会开支，“如果经济和社会影响是相互对立的，则需要优先保障社会利益。”

然而我们也有十足的理由去怀疑这些观点的真实性。实际上，通货膨胀政策付出的代价比格雷厄姆、劳尔森和佩德森等人所预期的还要多。意大利经济学家科斯坦蒂诺·布雷夏尼-图罗尼 1931 年对这一问题进行了谨慎的研究，成为最早研究这一领域的人，他在书中列举了通货膨胀带来的后果：生产力下降、资源配置不合理、“经济有机体极度不平衡”、“出现了和平时期从未有过的针对某些社会阶层的最大限度的剥削”、公共卫生和道德水平下降：

> 它使得社会不再提倡节俭……它毁灭了道德观和理智……它通过在所有阶层中传播投机思想以及引导人们离开原有的常规工作，来毒害德国人民；它持续不断地扰乱政治和道德秩序……此外，通过加强右翼政党骨干所处社会阶层（比如大工业家和金融家）的经济地位，它煽动了针对民主的反动政治。

尽管赞同通货膨胀，凯恩斯同样表达了类似的观点，指出了其中的不足。在他的《和平的经济后果》一书中，他提出了著名的观点——“放任货币是摧毁资本主义体系的最佳途径”：

> 通过持续的通货膨胀，政府能够不知不觉地没收公民手中很重要的一部分财富。通过这种手段，政府可以恣意专横地侵吞私人财产；这一过程让一部分人陷入贫穷，另一部分人自然会中饱私囊。这种对财富的专断整合不仅打击了债券，也对现有财富的平等分配造成了打击。那些因此而大发横财的人成为“暴发户”，同时也成为资产阶级仇恨的对象，后者与无产阶级一样，因为通货膨胀政策而陷入悲惨的境地。随着通货膨胀的发展……债务人和债权人之间的永久关系（这种关系是资本主义的根本基础）失调，甚至失去意义……也没有更加可靠的方式可以推翻现有的社会基础……在俄国和奥匈帝国，这一过程已经达到一定程度，为进行对外贸易，货币实际上已经一文不值……而这导致人民生活境况更加悲惨，社会根基摇摇欲坠，发生在这些国家的现实对欧洲其他国家来说仍然只存在于虚幻中。

最前沿的研究为这些论点提供了最充分的支撑。具体而言，林登劳勃对通货膨胀刺激投资增长的论断表示怀疑；其关于工程公司的具体研究表明，上涨的物价（或更准确地说，是未来物价的不确定性）的确阻碍了投资。1920 年——物价稳定的一年，这些公司从事了许多新的资本项目，但在 1921 年通货膨胀卷土重来时，其中许多项目不得不被终止。我们不得不承认，不管通货膨胀在 1921 年和 1922 年带来了什么好处，在超级通货膨胀出现后，这些好处都被生产和就业的急剧下跌所替代。鲍尔德斯顿还颇让人信服地指出，由于通货膨胀在银行系统和资本市场造成了破坏，因此它对德国 1929~1932 年经济危机的发端及其罕见的严重程度负有间接责任。从经济学角度来看，通货膨胀的代价要大于利益的获得。

社会学的分类解释将问题过于简单化。社会学家往往忽略了这样一个事实：在财政方面，严重的冲突发生在政府债务持有人以及纳税人之间，而这两个群体并非是彼此孤立的。战争之后，新增的债券所有人如雨后春笋般增加。1924 年，英国国内的公债中 12%是由小储蓄者持有的。人们经常忘记，战争债券的最大持有人是机构性质的而不是个人投资者——保险公司、储蓄银行等——其大量的战时购买有效地维护了小储蓄者的利益。例如，1924 年英国债务的 5.5%由保险公司持有，8.9%由清算银行持有。

与此同时，缴纳直接税收的人数出现了增长。在英国，所得税的纳税人数量增长了 3 倍——从 1913~1914 年的 113 万增长到 1918~1919 年的 354.7 万人，而工薪阶层的成员比例则从 0%上升到 58%。实际上，在源自于所得税的净收益中，工薪阶层的贡献仅有 2.5%，但 1918~1919 年，他们人均支付的 3.72 英镑却不容小觑。在德国，由于中产阶级延期支付税款，直接税收总收益的稳定上升则要归因于以工资为来源的税款。因此，德国的工薪阶层纳税人对直接税收更为关心。同样值得注意的是选举权在战后的变化，在此之前，大多数国家的选举权受到财富或收入等条件的限制。民主化的背景下，那些既不是债券持有人，也不是直接纳税人的选民的政治权力有所增加。然而在英国，选民与所得税纳税人的比例从战前的 6.8∶1 下降到 1918 年的 6∶1，纳税人的数量增速超过了选民人数的增加（两者分别为 214%和 117%）。

因此，由于关键社会群体——债券持有者、纳税人和选民——已经因为战争而表现出极大的变化（不同于旧有的阶级基础模式，三者出现了重叠），因此社会学研究所青睐的阶级分析作用并不大。在一方面是赢家，在另一方面可能就是失败者，德国的农民就是个典型的例子。因此，1914 年以前以及战时，英国财富精英们所做出的牺牲（额外税以及遗产税）在一定程度上通过其金融资产价值的实际增长以及他们获得的收入，对战后的局面有所弥补。与此相反，德国富人却在战前和战时成功地抵制或逃避了更高的直接税收，因而在战后也受到了处罚，支付一大笔通货膨胀税。在某种意义上，欧洲中产阶级面临的“选择”是：要么接受战争债券利息带来的收入，但却需要缴纳更高的税收；要么避免纳税，但尾随而来的将是通货膨胀。

在政治上，哪种选择更为冒险一目了然。在英国，中产阶级可能会对“公务员问题”以及 1914 年以来出现的相对穷困满腹牢骚，但他们仍然保持着对议会保守主义的忠诚。但在德国，尊重议会政治的中产阶级却受到通货膨胀的致命打击。德国司法部部长岑霍夫在 1923 年 11 月准确预言，“法制的失败必然会导致对国家法律理性和自信的严重破坏。”德国“资产阶级政党”的瓦解可以追溯到 1924 年的选举；6 年后，许多曾经背叛过他们的选民组成了暂时的分裂组织，比如经济党向国家社会主义的转变。

希特勒对通货膨胀的态度一贯强硬。早在 1922 年他便谴责“这孱弱的共和国为了喂饱它所有的政党官员而将自己的纸币恣意处置”。纳粹党在 1930 年的宣言为（当年，该政党赢得了最大的选举胜利）："其他政党可能会与通货膨胀的剽窃行为达成妥协，可能会认同共和国的欺诈行为，但国家社会主义会将这些盗贼和叛徒绳之以法。""我保证会稳定物价，"希特勒向他的选民承诺，"这是我的冲锋队员的使命。"尽管纳粹政党的宣传中经常利用希特勒（以及战争能手戈林）本人参加兵役的事迹现身说法——他们甚至还在竞选中举行伤残老兵的游行，但这种行动实际上仅仅是"前线经验"的间接产物。1933 年投票给纳粹党的选民中，有 38%的人在战争结束时只有 16 岁或更年轻，而大部分老兵则支持德国社会民主党。催生纳粹主义诞生的并不是战争，而是战后的经济危机。由此，下一场大战开始酝酿。

## 超级通货膨胀的选择

问题依然是，超级通货膨胀的灾难是否可以避免。

很明显，任何试图将马克恢复到战前水平的"英国式"尝试都是不可能的；毫不夸张地说，无论是产出下降 5%还是失业率超过 10%（1920~1921 年英国的通货紧缩带来的结果）都可能影响政治局面。但马克真无法稳定在 1 美元兑换 50 马克，或是战前价值的 8%吗？可以说，这种货币稳定程度（类似于南斯拉夫、芬兰、捷克斯洛伐克和法国的情况）是不会造成英国式经济萎靡的。

德国在 1920 年向持久稳定迈进的第一步是更大限度地降低预算赤字。作为国民生产净值的一部分，1919 年赤字下降的幅度为 18%，1920 年为 16%，而 1921 年则为 12%。此外还需多管齐下。合理的税收能够带来更多的收益；韦伯认为，如果直接税收的收益并没有被 1921 年中期后出现的新一轮通货膨胀所侵蚀，那么 1920 年 7 月到 1921 年 6 月之间的实际赤字将仅占国民生产净值的 4%。更实际一点儿说，如果埃茨贝尔格同样提高了消费税，他的整个税收体系在中产阶级眼中可能也不会显得如此"财政社会化"。在埃茨贝尔格的改革下，来源于直接税收的帝国税收获益份额从 1920~1921 年的 60%上升到 1921~1922 年的 75%，与此相比，战前水平仅有 14.5%（包括印花税）。此外，更高的消费税——在左派人士眼中这是一种政治上的倒退——实际上变得更容易征收。公共开支也出现了相应的削减。为了将 1920 年的赤字减少一半，需要将税收增加 15 亿黄金马克，同时削减开支。

当然，仅凭财政政策是无法解释失去持续稳定的原因。尽管货币政策深受政府债务货币化的影响，但也不至于出现具有依赖性的彻底的可变因素。问题可以得到简化。从流通货币方面看，1920 年货币供应的增长率实际上高于 1919 年或 1921 年。由于当时非帝国银行持有的国库券出现上升趋势，这种扩张仅有很小一部分原因是源自于政府的持续性赤字。上述情况反映了货币市场的高度流通以及德国银行的静态贴现率政策，导致直到 1922 年，市场利率保持在 3.5%，贴现率在 5%。尽管德国银行在 1919 年确实受到国库券贴现停止的威胁，但它并不会收紧私营部门的信用状况。实际上，当这种紧缩初具形态时，它出手进行了干预，试图通过对商业票据进行贴现来保持经济流通性。

然而除此之外，还有可能实行另外一种货币政策。直到 1921 年 5 月，德国银行仍然保持着原有的储备金要求。显然，由于将储备金中的战时附加纸币与黄金视为等价物，这些规范被大为削弱了。但 1920 年年底，这些纸币的总数与前一年相比下降了 12.5%；而德国银行的黄金储备却与其 1913 年的水平旗鼓相当（10.92 亿黄金马克），占流通货币实际价值的 19%（1913 年这一比例为 18%）。因此，实际稳健的货币政策在 1920 年能够得以实施，而且并没有造成严重的实际货币收缩。为了避免内部货币改革的法律困境，最简单的方法是将马克纸币兑美元的汇率固定在 5 或 10 黄金芬尼。

这些措施为何没有落实？有些历史学家倾向于强调该时期内德国经济理论的不足，当然也有许多经济学家出于完全虚假的原因而反对稳健的货币政策。然而政治家们也并不是没有注意到让通货膨胀恣意发展所带来的风险。1920 年 6 月 28 日，康斯坦丁·费伦巴赫总理敦促国会代表，“当下极为紧急的是要促进帝国财政的改革”：

> 浮动债务的大肆增加抑制了货币的购买力，限制了我们的信用并将物价抬升到虚高的地步。纸质货币的数量并不意味着繁荣（太对了！），而是仅仅体现了日益增加的贫穷程度。货币价值越低，对薪资的抗争就越发激烈——没有什么能够与飞涨的物价比肩。它给贸易和交通运输，给工业部门和劳动者施加了前所未有的巨大威胁。如果我们想要避免国家财政和经济崩溃的可怕局面，那么就必须通过各种可能的方法来解除这种危险。

他的呼吁得到了广泛的欢迎，这也明确体现了德国政治家对赤字财政风险的认识，并深知自己不得不采取的稳健货币政策。

那么，此时有没有反对这种稳健政策的声音呢？其实，确实有些人反对货币贬值。例如有人认为，对于拥有战时外币债务的企业和个人来说，这意味着马克就无法在长期内实现复苏。然而，更重要的是存在国内流通危机或“信用短缺”的危险。就算没有实行稳健的政策，1921 年上半年出现的破产情况也会比 1920 年上半年高出 2.5 倍。当然，应该忧虑的并非破产本身，而是由此导致的失业率上升。但紧缩政策确实可能会引起价值重估的“二次革命”。

毫无疑问，稳健的货币政策会在短期内造成失业率的增加。货币贬值虽然可以停止国外的马克投机并阻止未来面向马克的资产投资，但它同样可以消除出现在1921年和1922年的德国贸易赤字的扩张，并因此为国内的消费设定一个最大限度。而且，稳定的物价和货币贬值也可以刺激1920年开始的投资项目的继续发展（但随后还是被取消了）。同样，我们也无法设想国外贷款有任何永久性停滞的可能性。毕竟，它在1924年迅速恢复，但可能会承担比1920年造成的货币贬值更加严重的损失。可以想见，1920~1921年的稳定政策危机的危害性会次于1923~1924年的紧缩局面；当时，货币经历了彻底的崩溃，国民生产净值下降了10%，工会成员中的失业率达到高峰（25%），其中还不包括超过40%的临时工。如此级别的失业率直到1931年才再次出现。与此相反，1920年的失业率只在两个月内就超过了5%（7月和8月），全年的平均水平为4.1%。法国的经历告诉我们，在稳健的货币政策下，失业率将会翻一番。与1923年和1924年的情况相比，工会成员中约10%的失业率象征着一种意义深远的"软着陆"。

魏玛政治家对失业率造成的社会结果的担忧未免被夸大了。实际上，在1920年马克相对稳健时期，失业率引发了无数的小规模游行示威。这些游行示威活动发生在反卡普总罢工之后，同时伴随着一些消费者针对过高物价的抗议活动，因此难免会引起当局的恐慌。然而，将这些多发性的群众表达不满的活动当作潜在的革命威胁，并将两者混为一谈，未免不合逻辑。稳健政策可能会通过稳定物价以及消除为争取更高工资而罢工的动机来降低有组织劳动者的激进性以及消费者的不满。与此相反，对政府敏感部门的工人（如运输部）实行的补贴政策只能带来最虚妄的社会和平，因为对这些工人的人数和薪资待遇的提高只会助长工会和工人委员会中最为激进的因素，导致雇员产生敌对心理并因此而激化工业摩擦。

实际上，在相互矛盾的机构中有许多经济利益瓜葛，这使魏玛政府将有可能成功实行轻度通货紧缩政策。就连在1923年和1924年——费伦巴赫最为担心的事情发生之时，改革货币的唯一途径也只能利用总理手中颁布紧急法令的权力。当然，这正是1930年之后所采取的削弱魏玛体系的措施。如果德国早在10年前便拥有更为独裁的政府，那么事情会缓和许多。如果马克在1920年成功稳值，而不是跌至恶性通货膨胀的深渊，德国在20世纪30年代的历史便将会重写，从而避免毁灭的道路。但事在人为，很快，凯恩斯又在为下一场战争的赔偿而劳神了。

# 后记

## 善恶之战的选择

在《罪与罚》一书的结尾，虚无主义杀人犯拉斯科尔尼科夫做了一个狂热而具有明显寓意的梦，其中，“全世界……在一场闻所未闻、见所未见的可怕的瘟疫中毁灭”，

> 那些被感染的人会立刻陷入疯狂。他们认为自己是如此智慧而正确，这种自信的姿态是史无前例的。同样，他们对自己的判断、科学演绎、道德观念以及宗教信仰深信不疑。所有的村庄、城市和国家都被这种病原体感染并陷入疯狂状态。每个人都神经过敏，用狐疑的眼光看待其他人，每个人都坚信自我即真理。当他们观望其他人时，他们捶胸顿足，愤然涕下，十分痛心。他们不知道该审判谁，该如何审判，他们无法明辨是非。他们不知道该谴责谁，该原谅谁。出于无意识的狂躁，人们相互杀戮。一支军队被召集起来抵御其他军队，然而这些军队一旦进军，它们的内部便开始出现分裂。队伍四散成一盘散沙，士兵相互推搡、挥砍、猛刺，撕咬和吞吃对方。在城市里，警钟从早到晚地嘶鸣着。所有人都被召集起来，人心惶惶，但却不知受谁之命，为何而来。平日的生意也没人去做，因为每个人都聒噪地固执己见，恣意批判，而不知悉心听取，农业生产也荒废了。在某些地方，人们会集合成群，达成某些共识，并承诺保持团结。然而话

音未落，就开始做起相反的事情。于是他们开始相互指责，扭打成一团。火光冲天，饥荒四起。所有事，所有人，都毁于一旦。

在某种意义上，这种场景在1914年到1918年的欧洲的确出现过。

人们究竟在这场末日之战中得到了什么？德国士兵已从比利时和法国北部被清除出去，罗马尼亚、波兰、乌克兰和巴尔干国家也是这样。德国、俄国和土耳其帝国的力量已大为削弱，奥地利也一并遭受了致命的打击。匈牙利和保加利亚的领土锐减，此外还有大英帝国——它一步步地失去了爱尔兰。新兴国家逐步形成：奥地利和匈牙利分道扬镳，塞尔维亚人与克罗地亚人和斯洛文尼亚人（此外还有波斯尼亚的穆斯林）一道，完成了建立南部斯拉夫国家的目标——1929年正式命名为“南斯拉夫”；捷克斯洛伐克、波兰、立陶宛、拉脱维亚、爱沙尼亚和芬兰独立。尽管没能满足其领导人的愿望，但意大利通过获取南蒂罗尔、伊斯的利亚、达尔马希亚的一部分以及多德卡尼斯群岛（1923年）而扩大了自己的领土。在1871年失去阿尔萨斯-洛林后，法国重新收回了对两地的主权。法国和英国同样以“授权”前敌方殖民地的方式扩充了自己的殖民帝国，如法国的叙利亚和黎巴嫩，英国的伊拉克和巴勒斯坦，后者还致力于建立“犹太民族之家”。这两位胜者还分割了喀麦隆和多哥兰。此外，德国在西南非洲的势力范围归南非所有，德属萨摩亚和德属新几内亚分别归于新西兰和澳大利亚。英国同样攫取了德国在东非的殖民地，这使得比利时和葡萄牙懊恼不已（它们仅分得了非洲并不吸引人的几块土地，被草草打发了）。萨松是正确的，这场战争已经发展成“侵略之战”；正如鲍尔弗所言，世界版图已经“被进一步瓜分了”。埃德温·蒙塔古在英国的战时内阁会议中讽刺说，他宁愿听到一些反对英国吞并整个世界的观点。美国与英国还为世界银行老大的地位暗中较量，而前者更是离全球经济霸主地位仅有一步之遥。威尔逊总统关于以国际联盟和国际法为基础的“世界新秩序”的设想变成现实。但世界并没有注意到日本的自负狂妄，作为战利品，它将山东半岛从德国手中夺走；当土耳其和俄国对业已独立的亚美尼亚进行暂时瓜分时（这破坏了《塞夫勒条约》），同样没有出现激烈的反对声音。

更重要的是，战争推翻了罗曼诺夫、哈布斯堡和霍亨索伦王朝（奥斯曼土耳其帝国也已处于消亡的边缘），代替它们的是共和体制。就此而言，第一次世界大战成为君主制与共和制长期斗争的转折点，这场斗争可以上溯到18世纪的美国和法国，如若更加追本溯源，则为17世纪的英国。尽管有两个君主制国家在1911年时就已经面临垮台——中国和葡萄牙——但1914年，这两个国家的共和意识还相当薄弱。实际上，战争给三大欧洲主要君主政体带来了致命的打击，并严重动摇了其他几个君主国的地位。在战争前夕，维多利亚女王的子嗣和其他亲戚不仅在大英帝国以及爱尔兰称王，其势力还涉及奥匈帝国、俄国、德国、比利时、罗马尼亚、希腊和保加利亚。在欧洲，只有瑞士、法国和葡萄牙是真正的共和政体。尽管诸帝国的战前外交中颇具火药味，但这些统治者私下却保持着诚挚亲密而友好的关系："乔治"、"威利"、"尼基"（皆为通信时使用的昵称）之间的信件表明了这种世界性、多语种、拥有共同利益的皇家精英集团的持续存在。尽管英国的战争宣传者不断对德皇进行攻击和谴责（这些攻击被历史学家所采用），但威廉二世本人无须为1914年爆发的战争负责；实际上，当他得知英国会在全面战争中支持法国和俄国时，他也曾对奥地利占领贝尔格莱德进行限制，但却没有成功。沙皇也将其和平主义的意愿过多地托付给了他的总参谋长，因此有了"砸毁电话"的事件。尽管君主拥有多项涉及政治家和士兵的权力，但他们最终还是在相互敌对的全面战争面前犹豫了。意识到这一点之后，正如贝特曼在1914年的预言："战争将会颠覆一个又一个君王的统治。"最终，君主的地位注定会受到一场数以百万计的人民参加的战争的威胁。本质上来看，第一次世界大战是一场民主的战争。

因此，当战争开始造成损害时，君主制度是首当其冲失去其合理性的组织建构之一；因此，战争使得共和制走向胜利，这是18世纪90年代的人们做梦也想不到的。1918年7月，尼古拉二世和他的家人在叶卡捷琳堡被杀，并被抛尸矿洞（直到80年后人们才发现他们的尸体）；德皇秘密出逃荷兰，他的政府坚决反对将其出逃看作是战犯的行为；哈布斯堡皇帝卡尔一世先后出逃瑞士和马德拉岛；奥斯曼土耳其帝国最后一位君主从君士坦丁堡慌忙出逃，搭上了一艘等待他的英国船只。英国、比利时、罗马尼亚、保加利亚、意大利、南斯拉夫、希腊、阿尔巴尼亚以及荷兰和斯堪的纳维亚国家的君主制因为没有受到战争影响而得以存留；在原有的奥斯曼帝国的废墟上，又萌生了新的君主制形态。然而，在战后的欧洲版图中，俄国、德国、奥地利、匈牙利、捷克斯洛伐克、波兰、巴尔干三国，以及白俄罗斯、乌克兰西部、格鲁吉亚、亚美尼亚和阿塞拜疆（后几个国家在1919~1921年期间加入苏维埃社会主义共和国）皆诞生了共和体制。这是战争带来的惊人结果。俄国走向内战的命运或许就是德国发动战争的最初目的：打破东方大国的军事威胁。但其他所有参战国（包括德国）开始对列宁取得的胜利感到后悔。尽管世界范围内的示威游行活动风起云涌——从格拉斯哥到北京，从科多巴到西雅图——然而就像西班牙大流感，全世界人民对布尔什维克主义的担忧未免被刻画得过头了。然而苏维埃俄国却逐渐成为甚于俄罗斯帝国的潜在的更大的军事力量，但直到20世纪40年代，新政权发展壮大的程度才足以成为新一代德国士兵的对手。

第一次世界大战的赢家所付出的代价远远超过了其收获；由于国内的物价过高，不久后它们便发觉自己吃不消了。双方在战争中损失的人数超过了900万，约占到参加战争的6 580万人中的1/8。在4年3个月的机械化屠杀中，每天平均有6 046人因此殒命。大英帝国共有92.1万人不幸阵亡：根据英国军人墓地管理委员会发起人费边·韦尔的计算，如果这些死去的人肩并肩经过白厅，那么这支队伍的游行将持续3天半。1919年，埃内斯特·博加特试图对死者的资本价值进行评估；根据他的计算，德国总花销为70亿美元，法国为40亿美元，英国为30亿美元。实际上，根据人口统计，阵亡人口的空缺很快被弥补了（但替代者在技术上往往不如原来）。10年前移居海外的英国移民人数超过了在战争中牺牲的英国士兵人数。自1902年开始，德国的出生率锐减（1917年，从35‰之多跌至14‰的谷底），但在战争结束时，年轻人的人力资源从未出现短缺，甚至出现了相反的情况。1910年，年龄在15岁到45岁之间的男性占总人口的比例为22.8%，1925年反而上升到23.5%。在英格兰和威尔士，15岁到24岁的男性人口数在1911年和1921年相差无几，其占总人口数的比例仅出现轻微下滑（从18.2%下降到17.6%）。

更棘手的问题是150万遭受永久伤残的士兵。在曾经服役过的1 300万德国人中，有270万人落下了永久的伤残，其中有80万人接受了伤病抚恤金。奥托·迪克斯描写了那些伤残人士：昔日的前线英雄，今日却沦落到在贫民窟乞讨的地步。在法国，至少有110万人伤残，其中有10万人为永久伤残。超过4.1万英国士兵因为战争而不得不截肢，其中有2/3的人失去了一条腿，28%的人则失去了胳膊，另有27.2万人遭受着不需要截肢的伤病。20世纪30年代末期，22万军官和41.9万士兵仍在接受着残疾人抚恤金。除此之外，战争还以另外的形式摧残人们的身心：6.5万英国老兵因为“神经衰弱症”领取残疾人抚恤金，其中有许多人（如诗人艾弗·格尼）终生都在医院中度过。

战争还为活着的人带来了永不磨灭的悲痛。近期，历史学家将注意力转移到幸存者——包括阵亡者的父母、伴侣、兄弟姐妹以及朋友——面对并处理丧失亲人或朋友时处理情绪的多种方式。杰伊·温特认为，许多人都通过具有象征性的战争纪念物得到宽慰。毫无疑问，寄托于宗教同样有所帮助——包括相当流行但却是非正统的方式，即与死者的“灵魂”进行沟通。欧洲在战争中失去的人数要高于之后发生的犹太人大屠杀，英国在这一时代的确丧失了大批社会精英；然而他们牺牲的方式，以及并未受人口锐减影响的传统宗教精神和习惯则意味着战争生还者要比那些1945年从大屠杀中幸存的犹太人幸运得多（后者的整个民族都受到了影响）。实际上，战争留下的是将痛苦传递给那些没有遭到直接损失的幸运者；南非的珀西·菲茨帕特里克爵士提到所有英国人在每年11月11日11点默哀2分钟，他也是这个意思。那些在战争中痛失爱子的人的声明——阿斯奎思，博纳·劳、罗斯伯里、吉卜林、哈里·劳德爵士——证明了世间没有什么比白发人送黑发人更让人痛不欲生的了。吉卜林更是将这种悲恸寄托在作品中：他对儿子约翰所在军团的历史的描写备受后人称赞，其非凡之处在于轻描淡写中透出的深刻情感，而吉卜林关于战争主题的诗歌却包含浓浓的忧郁和愁思。然而回忆并没能帮助人们减轻痛苦。士兵戴维·萨瑟兰在1916年5月16日的一场突袭中阵亡，他的排长尤尔特·麦金托什中尉背着他的尸体穿过无人区，并写下了这首所有人都为之动容的诗：

啊，戴维的父亲，
他是您唯一的儿子，
新切割的泥炭正在腐烂，
工作被搁置一边，
这个老人无助地呜咽，
这个老人在痛苦中沦陷，
因为戴维，他的儿子戴维，
再也见不到他的容颜。

除了死亡、伤残和哀悼，战争还将一个世纪以来的经济成果在朝夕间摧毁。一项关于战争开支的统计得出了高达2 080亿美元的结果，这正是战争导致的经济损失的一个缩影。战后数十年中的经济困境——那个时代货币危机导致了通货膨胀、通货紧缩和失业率高涨、贸易萎缩、债务横行——与1896~1914年经济的空前繁荣（这些年中，在稳定货币的基础上，就业率迅速全面增长，贸易和自由资本流动增加）相比，这种落差让人绝望。第一次世界大战使得人类经济“全球化”的第一次黄金时代化为泡影。人们为此感到惊讶，在经历了如此大规模的屠杀之后，失业情况仍旧让人头疼；在经历了如此大规模的毁灭之后，提供给人们的工作岗位却少之又少。除了恢复人口，财政和货币的稳定是人们面临的重大问题。事后，凯恩斯主义的追随者或许会批评政府平衡预算的能力——为了给创造就业提供资金援助，他们应当去借钱，但参战国的负债已经达到了最大限度，并且新赤字带来的收益是否超过花销还有待考量。艾肯格林认为，世界经济在两次世界大战之间出现的问题很大程度上归咎于对恢复现有的不合理金本位制度的空想。民主议会拒绝践行旧有金本位制度。死板的劳动力市场——工会成员拒绝接受降低工资——让数以百万的资金浪费在失业救济金上。然而人们还有没有别的选择？那些通过货币贬值寻求逃避战争债务的国家在经济上取得了适得其反的效果。浮动汇率的体制是否能够改善还不得而知。

当时，在对和平协议的经济条款的批评声中，人们感叹德国背负的赔款负担注定会让欧洲重燃战火。但我们已经了解，这种论点是不正确的。魏玛经济的瓦解并非因为战争赔款，而是一个自我毁灭的过程。法国在莱茵兰–鲁尔区与德国实行经济合作计划的失败同样也不应被过分解读；尽管对那些成功预言 1945 年后欧洲一体化的历史学家来说这无疑很有趣，但两场世界大战中间并不存在相关性。和平带来的麻烦体现在别处，它存在于人们天真的幻想中，即裁军足以将军国主义根除（《凡尔赛和约》将德国国防军队的人数限制在 10 万人内）；此外，它还表现在“自决”的理论创新。

早在 1914 年 12 月，伍德罗 · 威尔逊总统便认为，任何和平解决方案都“要以欧洲国家和人民的发展和进步为基础，而不能让某些国家将其政府的意志强加到别国人民头上”。1915 年 5 月 27 日，他在面向和平执行联盟的演讲中进一步明确指出，“每个国家和民族都有权力按照自愿的原则选择自己的政治道路”。1917 年 2 月 22 日，他重申了这一原则：“每个民族都有政策决定的自由”；1918 年 1 月 8 日（当时，“14 点计划”在不同程度上被布尔什维克、德国以及劳合 · 乔治采纳），他结合“14 点计划”中的第 5~13 点对这一原则的意义进行了详细说明。按照威尔逊的计划，国际联盟并没有保证其成员国家的领土统一，而可能会“根据自决原则”对未来的国土问题进行调解。

除了美国参议院对《凡尔赛和约》给予了的否认，对此还存在一个关键问题，那就是中欧和东欧国家的种族异质性，具体是指生活在德意志帝国国土之外的离散的德国犹太人。表 0–1 揭示了 1919 年左右居住在中欧和东欧的以德语为母语的人群的大致分布情况。需要注意的是，第一次世界大战之后，至少有 950 万德国人生活在德国本土以外的地方，约占德语总人数的 13%。如果算上生活在阿尔萨斯–洛林以及苏联（即所谓的“伏尔加德国人”）的德国人，这些数字还会更大；此外，它们还没有包括在欧洲以外的自觉的德国团体（实际上，如果算上这些组织联盟的人数，那么 1918 年后德国境外总人数将接近 1 700 万人；在纳粹之后的宣传中，他们更是将这一数字鼓吹到 2 700 万人）。

**表 0–1　德国人口在各大欧洲国家的数量，1919 年（人数以千计）**

| | 德国人口 | 总人口 | 所占比例 |
|---|---|---|---|
| 德意志帝国 | 61 211 | 62 410 | 98.1 |
| 奥地利 | 6 242 | 6 500 | 96.0 |
| 丹麦 | 40 | 3 260 | 1.2 |

（续）

| | 德国人口 | 总人口 | 所占比例 |
|---|---|---|---|
| 捷克斯洛伐克 | 551 | 4 725 | 11.7 |
| 意大利 | 199 | 38 700 | 0.5 |
| 南斯拉夫 | 505 | 11 900 | 4.2 |
| 罗马尼亚 | 713 | 18 000 | 4.0 |
| 波兰 | 1 059 | 27 100 | 3.9 |
| 爱沙尼亚 | 18 | 1 100 | 1.6 |
| 拉脱维亚 | 70 | 1 900 | 3.7 |
| 立陶宛 | 29 | 2 028 | 1.4 |
| 总计 | 70 637 | 177 623 | 39.8 |

将“自决”作为和平指导原则是致命的，因为这个原则并不适应现在的德国，除非它的领土扩大到比1919年前的帝国时期更广阔的疆域。共有两条路可供选择，第一种是有组织的伪善，但这样德国人就失去了其他地方拥有的“自决”权利；第二种是无法抗拒的修正主义，这种情况最终会结束，赋予德国人1914~1918年合并成果的重要部分。从一开始就存在着矛盾，即德国不会与残余的奥地利合并，但同时，它也要全民投票表决石勒苏益格、普鲁士东南部、西里西亚地区的归属。菲利普·吉布斯认为，正是和平条约“丝毫不顾及种族边界以及中间产生的仇恨和宿怨，才注定了一场新的战争的发生”。他的话至少有一半是有道理的。而实际上，引发矛盾的是和平缔造者们鼓吹的“自决”原则——如若不发生新的暴力冲突，该原则是无法在中欧和东欧落实贯彻的。巴尔干和安纳托利亚的情况预示着即将要发生的事情——120万希腊人和50万土耳其人被“驱逐”，而这意味着从自己的国家被驱逐出去。希腊的人口增加了1/4，这彻底改变了希腊马其顿的宗教平衡。相同的人口迁移也发生在欧洲，程度各不相同：到1925年，77万说德语的人离开了“失去的领土”，而1/5的人自从1910年便生活在那里了。希腊的人口转移按照宗教来进行，即未来发生的大规模驱逐大致基于种族差别的基础上的。尤其棘手的问题是那些将近有200万的“无国籍”难民，这是俄国内战导致的结果，他们大部分是逃避大屠杀的犹太人。如果德国人赢得战争，他们会如何处理这种情况？答案不得而知。就连沃伯格都在1916年呼吁德国在拉脱维亚和库尔兰的巴尔干地区建立德国“殖民地”：

> 拉脱维亚人很容易组织转移。在俄国，重新定居的问题并不很残酷，俄国人民已经习惯了……那些遭遇不公平对待的拥有德国血统的人们可以就此联合起

来，在该地区建立殖民地。这些地方没必要并入德国，但是必须成为德国的附属地，以防重新被俄国控制。

然而对于东欧的犹太人来说，被相对于亲闪米特的德意志帝国征服，相对来说要比被布尔什维克控制要理想得多，然而被第三帝国征服的结果却是灾难性的。

## 结　论

本书致力于解决关于第一次世界大战的以下问题：

1. 这场战争真的不可避免吗？它缘起于军国主义、帝国主义、秘密外交，还是单纯的军备竞赛？

2. 德国领导人为何对 1914 年的战争下了赌注？

3. 当欧洲大陆燃起战火时，英国的领导者为何决定出手干预？

4. 这场战争真像人们想的那样，是人们的激情使然吗？

5. 卡尔 · 克劳斯认为宣传手段，特别是媒体，是导致战争爆发的元凶。是这样吗？

6. 拥有强大经济优越性的大英帝国为何无法在美国不干预的情况下，对同盟国给予更迅速的打击？

7. 拥有强大军事实力的德国军队在西线为何无法战胜英法联军，却能够轻取塞尔维亚、罗马尼亚和俄国？

8. 正如战争诗人所说，为何在战事如此惨烈的境地下，人们还不肯罢休？

9. 是什么给战争画上句号？

10. 谁最终赢得了和平？

最后一个问题的答案大家已经知晓。在此，我试着将另外 9 个问题的答案进行总结：

1. 无论是军国主义，还是帝国主义以及秘密外交政策，都不是点燃战火的原因。1914 年的欧洲遍地都是反对军国主义的声音，其政治呼声越发强烈。商人们——包括克虏伯这样的“死亡贸易商”——对欧陆大战并不感兴趣。无论秘密与否，外交政策成功地解决列强之间的冲突：不管是在殖民地问题还是海军问题，英国和德国都因此而消除了分歧。英国与德国国家关系之间并没有达成一份正式协约的主要原因为，不像法国、俄国、日本或美国，德国并没有对大英帝国造成严重的威胁。

2. 1914 年，德国冒险在欧洲发动战争并非出于傲慢，他们并未想过要称霸世界。相反，德国领导人的行为正是出于对自身弱势的担忧，这种动机最初建立在他们无力赢得海上及陆上军备竞赛的基础之上。战争前夕，英国和德国的战舰吨位之比为 2.1∶1；战争中，俄国、法国、塞尔维亚和比利时的人力与德国和奥匈帝国相比则为 2.5∶1。很明显，这种差距并非源自经济资源的短缺，而是政治，特别是财政的局限性；权力相对分散的联邦体制与民主国家议会相结合的政体使德国政府几乎不可能与其实行中央集权的邻国相抗衡。此外，在经历了国债增长达 150% 的 15 年之后，到 1913 年和 1914 年，德国借债的增长已经越发困难。因此，在 1913 年和 1914 年，德国只得花费国内总产值的 3.5% 用于国防事业，与此相比，法国为 3.9%，俄国为 4.6%。自相矛盾的是，如果德国实际上已经成为像法国和俄国那样的军国主义国家，那么它没有理由感到不安，进而在“它或多或少能够经受考验的时候”，将赌注押在先发制人地发动攻击上。

3. 英国人之所以决定出手干预，是基于早在 1905 年就由军方和外交家们制订的一个秘密计划。英法之间没有官方意义上的“大陆协定”，这一点在 1907~1914 年间也曾被包括格雷在内的多位大臣在议会上以及面对媒体采访时重申过。自由党政府也没有认识到要根据 1839 年的条约维护比利时的中立国地位，但如果德国没在 1914 年入侵比利时，情况将是完全相反的了。事态演变的关键在于，有一小部分将军、外交官和政客坚持认为，一旦欧洲大陆的战争爆发，英国必须派兵增援法国。这是基于将德国的侵略意图与拿破仑相提并论的一种误读。那些负责人应在另一方面受到谴责：英国国会下议院被误导，而同时他们也事实上没有针对所设想的战术做出任何军事上的部署。1914 年 8 月 2 日他们不得不要做出决定了，而这一决定却完全不是他们想象中的：英国会出手干预。大部分人都是犹豫不决的，但最终他们还是出于怕自己被清理出去，并让保守党有机可乘的担忧，同意了格雷的观点。这是一场历史性的灾难——但对他自己的事业并无太大影响——劳合·乔治在关键时刻没有支持反战人士。即便战争最终会使英国付出包括损失大量军队在内的沉重代价，这在当时也比“袖手旁观”的做法更受到人们拥护。客观来说，如果英国不参战，德国并不会对大英帝国造成直接的威胁。削弱俄国在东欧的势力、建立中欧联盟、攫取更多的法属殖民地——这些才是英国当时真正的目的所在。

4. 英国人参战并非是出于对“丧权辱国的比利时”的关切与担忧，大战开始后数周，很多人参战的原因是由于战争带来的经济危机导致了失业率的上升。1914 年的经济危机也确实是战争悲观主义产生的最好论据。对很多欧洲人来说，战争本身并非那么激动人心，反倒让人忧虑：启示录灾难论和爱国言论并存，通过这场战争，人们仿佛亲身体验到了《圣经》中所提到的世界末日时的善恶大决战的情境。

5. 这场战争也确实是一场媒体战。与其说是出于政府的控制，倒不如说各样的宣传工作是出于媒体、学术界、专业作家们和电影制片者的自发动员。起初，报纸在战时很受欢迎，并由此带来了巨大的销量增长，但最终经济问题还是使大部分报纸的经营受挫。此外，对于那些在前线作战的人来说，报纸和一些其他宣传者对敌军的诽谤和对开战原因的神圣化并没有起到什么作用，宣传工作对于前线的战事起到了反作用。只有在报道诸如比利时暴行或路西塔尼亚号沉没这类事实时，宣传工作才会激励人们的战斗意志。

6. 协约国与同盟国相比，拥有压倒性的经济优势。国家综合总收入高出 60%，人口数高出 4.5 倍，且多拥有 28% 的劳动力。此外，战时英国的经济持续增长，而德国经济则有所萎缩。经济冲突无法弥补这种巨大的经济差距。而不知为何，德国没能妥善处理好本国的战时经济。把资源的差别算在内的话，这也是以英美为代表的国家战争低效的另一个方面。英国的人员使用尤为糟糕，很大一部分在工厂中充当重要角色的工人都被征募入伍，并在战场上被杀或受伤。与此同时，那些留在工厂或者新被聘用的人则收到了远高于生产绩效的工资。这一点在公会中也有更明显的体现，英法两国的公会在战时的成员数都有显著增加，而德国则减少了超过 1/4。1914~1918 年，英国由于工人罢工所引发的停工就达到约 2 700 万工时，而德国仅有 530 万。再次，令人难以置信的是，收入不均和食物供应不足竟然没能影响德国人的战斗意志，更不要说诸如贫富矛盾、老弱病残孕生活保障等这些相比来说不足道的问题了。德国人从未丧失斗志，更没有发动起义。

7. 同盟国在造成敌军伤亡的方面比协约国及其盟国军队更为成功。与其损失的人数相比，他们所消灭的敌军人数至少要高出 35%。同样，在俘虏人数方面，他们成功俘获敌军的人数要比被敌军俘虏的人数高出 25%~38%。同盟国造成对方 1 030 万人的永久损失，而他们自己损失的人数为 710 万人。实际上，同盟国的军队规模不如对手，但是他们的死亡率仅为动员人数的 15.7%，仅比对方相应的数据略高一点儿（12%）。无论如何，高死亡率并没有对战争的结果产生必然影响，否则最先崩溃的则是法国，而非俄国，且苏格兰军团也会发生暴动。这表明，协约国是消耗战中失败的一方：简而言之，是他们的基本战略招致了失败，其第二策略同样以失败收场——即通过海上封锁使处于饥饿状态的德国束手就擒。在 1914 年 8 月到 1918 年 6 月期间，德国始终保持着这样的战绩——其杀害和俘虏的英国和法国士兵比他们失去的人数要多。1918 年，局势出现了对他们不利的情况，但这与其归咎于协约国的战略水平提高，不如说是德军自己的失误。如果将军事和财政数据相结合，那么德国的成功与协约国的失败则更为一目了然：同盟国仅需 1.1 万美元就能将一名敌军致死，而协约国及其盟国的数据则显示，他们杀害敌人需要花费 3.6 万美元，几乎是对手的 3 倍。

8. 那么是什么原因让人们继续战斗？毫无疑问，前线的情况已经非常惨烈了。机关枪、狙击手、炮弹、刺刀以及其他杀戮工具每天都在造成巨大的伤亡。除了担心自己被炮弹“击中”，恐惧、忧虑、悲痛、疲惫和不适也时刻纠结在人们内心。与最糟糕的贫民窟相比，堑壕仿佛更加潮湿阴冷、肮脏不堪、遍布害虫。然而对敌人的仇恨仍旧没有因此而减少，逃跑的情况在大多数情况下并没有发生，特别是在西线的战斗中，起义事件也鲜有发生。

在很多情况下，我们认为，产生于冲突发生前和发生时的庞大的国家官僚机构是迫使人们坚持战斗的幕后主使。毫无疑问，有些士兵的作战动机的确在此，但有明确的证据表明，被迫作战的人数凤毛麟角。军纪的作用并不在于胁迫人们作战，而是对他们进行鼓励，因此军官和士兵之间的关系相当重要。

此外，正如克劳斯所言，正是由于那些极具煽动性的媒体，人们才会奔赴战场。虽然在当时找到了许多共鸣，但这种假设同样站不住脚。毫无疑问，有些人的确轻信了政府向他们灌输的信息，从而踏上了不归路；然而有许多人对政策并不理解，或是根本不相信这些说辞。

士兵的士气取决于对战场上的适应与不适的感受：暖和的衣服、宜居的环境、食物供应、酒水与烟草供应、休息时间、娱乐活动、性爱以及探亲假等都会对此造成影响。士兵之间的战友情也是一种凝聚力。有些人甚至通过文字传达出堑壕中的特殊的男性情谊：有些人深深迷恋自己的伙伴和战友。有些证据同样表明，宗教是刺激人们进行反抗的原因。双方的随军牧师利用布道圣战的主题和宣扬基督教的自我牺牲精神，消除了士兵们的罪恶感和痛苦，使其将自己的杀戮行为合理化。

但最为关键的一点是，人们坚持作战，因为他们不介意如此。这里我不敢苟同威尔弗雷德·欧文关于战争是“可怜的”，参加战斗的士兵更令人怜悯的观点。对于大部分士兵来说，杀戮和被杀戮的危险并不如我们今天普遍认为的那般无法让人承受。在某种程度上说，受欧文诗歌的影响，这或许是关于战争的最让人感到震惊的观点。然而就连一些著名的战争作家都提出证据，说明屠杀和死亡并不是士兵们厌恶战争的原因。杀戮并没有引起反感，对死亡的恐惧也最终消失，甚至有人希望自己受到无关痛痒的“小伤痛”。弗洛伊德提出的“死亡本能”在战场上找到了用武之地。对有些人来说，复仇的确是他们作战的原因。但对于另外一些人来说，他们是在享受杀戮的过程：战争对于那些陶醉在暴力中的人来说确实是“可爱的”。同时，人们低估了自己殒命的概率。尽管在法作战的英国士兵的伤亡率几乎为总人数的一半，但大多数人还是坚信，地狱的丧钟不会为自己而鸣，并且在多次目睹别人当场暴毙的场景后对此逐渐感到麻木（相比之下，看到一个人慢慢死去才是最让人揪心的）。人们丧失了时间意识。在战斗中，时间飞逝而过，而战斗打响前的漫漫长夜却使得人们在等待中度日如年。战争仿佛永远不会终止，宿命论油然而生。

9. 因此，我们面临着一个终极的、最困难的问题：如果说战争在人们的可承受范围之内，那么为何要停战呢？问题的关键在于厘清复杂的投降人数，因为全线胜利的标志并非由大规模的杀戮决定的，而是敌人大规模的投降。从1918年8月开始，随着德军被俘人数的大幅度增加，德国也在逐渐走向崩溃。这一戏剧性变化虽然并不容易被诠释，但实际上，我们不得不强调，投降（当然还有俘虏敌方士兵）是有一定危险性的。双方在俘虏问题上都发生了许多意外，包括在远离直接战场的敌方，大批人数并不确定的俘虏被冷血地杀害了——但其实俘虏具有可作为情报来源和廉价劳动力。杀害俘虏的动机一部分是受到了嗜血成性的前线氛围的熏陶，许多人杀害俘虏是为了报仇雪恨。但事实证明，许多军官的确通过“格杀勿论”的指令来煽动其手下的杀欲。这种意外在1918年或许会越发减少，但事实并非如此。更有可能的是，由于春季总进攻的明显失策、鲁登道夫关于签署停战协议的要求以及士兵中病患问题的逐渐严重，士气的普遍降低使得继续作战的德国士兵需要付出比1917年还要惨烈的代价。然而，我们也不能将这种投降的意愿当作对暴力的厌倦。在1918年11月，西线战事总算平息了，但在东欧以及其他一些地区，战争的阴霾依然没有散尽。

## 其他的回忆

纵观全局，我们需要批判地重新审视本书序言中讨论过的假设：文学艺术作品中对战争的还原和回忆是极度可怕而恐怖的。就连大家最为耳熟能详的诗歌也并非公认地那么具有“反战”情结。在欧文的诗歌全集中，103首作品中只有31首能够算得上是含有“反战”意味的。而在这其中，萨松的作品《吻》则是关于肉搏战的矛盾心理的最好诠释。

萨松关于战争的最著名谴责——战争即“侵略与征服”，被一小部分和平主义者所称道，但他的一些朋友和上司则认为这是“神经病”的症状。他们并没有送他进军事法庭，而是宽容地将他送去了“痴呆镇”——克雷格豪斯的精神病院。在经过治疗之后，他和欧文都自发成为了现役军人。与其说对战争持有敌意，不如说其他“战争诗人”对此表现出的是一种矛盾的情感。查尔斯·汉密尔顿·索利便是个很好的例子。他的作品《当你见到百万个无口的死者》（*When You See Millions of the Mouthless Dead*，1915）基调肃穆，但不能算得上是充满“反战”感情。阿波里奈尔和温加雷蒂也不属于反战诗人，但后者的诗歌具有神秘的现代主义色彩，但其《河流》以及《意大利》等诗歌作品却充斥着感人的爱国情操。

同样值得一提的是，许多著名诗歌并非由那些真正荷枪实弹浴血奋战的人写就的：托马斯·哈代创作《战后的平静》（*And There Was a Great Calm*）时已78岁高龄；埃兹拉·庞德的《休·塞尔温·莫伯利》（*Hugh Selwyn Mauberley*，1920）根本算不上是战争诗歌，充其量是一位从未接近过堑壕的作家的拙劣模仿和再现。

德国诗人中，对战争最为耿耿于怀地进行谴责的当属里尔克；但是尽管他应征入伍，并短暂地服役于第一步枪预备役团，但他始终没有上过前线。《企鹅图书第一次世界大战诗歌合集》（*The Penguin Book of First World War Poetry*）的第二版中收录了托马斯·哈代、吉卜林、D·H·劳伦斯、福特·马多克斯·福特以及其他9名著名女性诗人的作品（为了照顾女性的情感）。然而这些人也无一人有过作战经历。还有一些诗歌或多或少地流露出对战争的热情，特别是布鲁克的作品——迄今为止所有战争诗人中最受欢迎的一位，以及朱利安·格伦费尔、约翰·麦克雷以及爱德华·托马斯。战争期间出现的浩如烟海的诗歌中，无论其作者究竟有无作战经历，其绝大部分作品都流露出爱国主义情感。

反战散文同样遭到了质疑。据休·塞西尔观察，尽管《西线无战事》可谓是描写第一次世界大战题材中最为人们熟知的作品，但在1918年到1939年期间出版的逾400部战争虚构类小说中，该作品并不具有典型性。战争期间，爱国主义情感是压倒一切的基本情感。伊恩·海的作品：《第一个十万》（*The First Hundred Thousand*，1915）充斥着战争初期人们表现出的热情。战时具有强烈国家情感的作品包括威廉·J·洛克的《红色星球》（*The Red Planet*，1916）和《坎坷的道路》（*The Rough Road*，1918），以及约瑟夫·霍金的《火幕》（*The Curtain of Fire*，1916）。战争结束后，人们的头脑仍未清醒。《觉醒》（*Disenchantment*）这本书本身并没有达到惊人的销量：截至1927年，该书在英国仅卖出9 000册。《没有条纹的勋章》（*Medal Without Bar*）虽然以其真实性赢得了老兵的喜爱，但也只卖出了1万册。诚然，这些销售数字并不错，但更为热销的则是前随军牧师欧内斯特·雷蒙德的煽情而伤感的作品《正告英格兰》（*Tell England*）。该书与《西线无战事》仅有一个共同点，那就是曾经在1914年入伍的士兵最后都牺牲了。这个"关于光荣的年轻人的伟大浪漫故事"在1922年再版14次。尽管威尔弗雷德·尤尔特的作品《启示之路》（*Way of Revelation*）中的主人公不得不与在后方堕落的女友做斗争，但他对战争本身的谴责却显得十分缄默。

同样，并非所有的战争回忆录都表现出清醒的理解。实际上，在萨松、布伦登和格雷夫斯的作品中，其反战情感比人们想象中的要淡化许多。人们将《向一切告别》视为"对战争进行猛烈抨击的论文"，格雷夫斯本人对此都错愕万分。格雷夫斯精辟地揭示了人们是如何“算计”其生还概率的：

> 要使对方一人致死，我们要冒1/5的危险，特别是当我们的目标不仅仅局限于削弱敌方的人数时；比如，干掉一个著名的狙击手……只有那一次我看到德国人但没有开枪……将一个受伤的德国士兵带到安全的敌方需要冒1/20的危险……当弹尽粮绝，需要在不被击中的情况下从堑壕的一个位置转移到另一个位置（有时我们需要走捷径——径直翻过去），那么如果动作够快，该风险为1/200；如果精疲力竭的话，那么这种风险则提高到了1/50。

格雷夫斯同样描写了“军队并不关心我们盟友的成败以及战争的根源”，在这种情况下，“军团士气历经所有灾难却始终没有被湮灭”。作为“普通士兵”中存在暴力文化的证明，他援引了一个事件：两个士兵接受了军事法庭的审判，并被执行死刑，原因是他们谋杀了自己的一名中士。此外他还评论道，“很奇怪，为什么英国人和法国当地居民之间只发生了零星的几场冲突。”他同样没有忽略这样一个事实：“性病医院总是人满为患。”格雷夫斯简单而颇具黑色幽默地解释，所有情节并非旨在传达愤慨。布伦登的《战争的寓意》（*Undertones of War*）揭示了战争的可怕，但它同样传达了普通士兵对死亡的痴迷（目睹教堂院子中被炮击而炸翻的坟墓中的“怪人”），以及他们将这些恐怖轻描淡写的淡定。在萨松那本小说性并不强的回忆录中，人们漠然而坚定地回忆，“之所以在堑壕作战，是为了去杀人”，由此来给逝去的朋友报仇雪恨；之后，人们“因为能上战场而欢欣鼓舞……翻越堑壕如同某种宗教体验一般”。萨松指出，他并不是“强烈谴责战争的信徒……1917年，我开始体会到，大多数人的生命就是对抗不公正的丑恶奋斗，并以一个廉价的葬礼收场”。他同样承认死亡本能：“每当我的思绪重返战场时……一种半自杀式的本能便开始纠缠我，使我痛苦，那是一种需要被消灭的诡诈的强烈欲望。”

与巴比塞一样，甚至连雷马克都承认前线战友情起到了补偿作用，包括集体解手、粗鄙的玩笑、出于对食物的妄想而去偷一只鹅的搞笑举动，以及忘掉一位死去的战友，并得到他留下的靴子。吉尔伯特·弗朗科的《彼得·杰克逊，雪茄商人》（*Peter Jackson, Cigar Merchant*，1920）一书中表达了对军队管理不善甚至腐败作风的批判，但原因仅仅在于它们妨碍了对战争的谴责。诸如罗纳德·格纳、威廉·巴尼特·洛根以及爱德华·汤普森这样的回忆录作者并没有什么名气，但他们都拒绝清醒的观念。此外，就算有些人在某种程度上是清醒的——诸如蒙塔古以及埃德蒙兹这样的人，但与其说他们对战争本身是清醒的，不如说他们对和平不抱任何幻想。军事历史学家道格拉斯·杰罗尔德1930年出版的作品《战争谎言：对若干当代战争书籍的观点》（*The*

*Lie about the War: A Note on Some Contemporary War Books*）并不是孤掌难鸣的——该书对 16 位作家（包括雷马克和巴比塞）进行了谴责，原因是他们“为了达到宣传的目的而否认了战争的悲惨情节”。他的同事西瑞尔·法尔斯在其作品《战争书籍：批判指南》（*War Book: A Critical Guide*，1930）中表达了相同的观点：他认为，“那些死去的人们像牲口一样被驱赶到屠宰场，然后像牲口那样死去”，这样的观点是不正确的。毫无疑问，那些屈尊阅读雷马克的寥寥几位高级军官并不同意他的观点。许多普通士兵也和悉尼·罗杰森一样，对那些“在尸体上大做文章，煽动其毫无价值的恐怖”的书籍产生厌恶之情。正如人们常说的，20 世纪 20 年代和 30 年代的回忆录中有大量作品出自那些战前艰难时期经验有限（更别提亲历战争了）、毕业于公立学校和大学的人之手。幸运的年轻人在其错误的幻想中表达了他们破灭的理想，但他们口中抱怨的东西对普通士兵来说已经并不新鲜了。科珀德回忆录中那位兴高采烈的英国兵就是一个很好的例子，他的观点完美地展现了人们是如何在宿命论（“如果生死簿上注定要你去死，那么任何人都无力回天”）、对尼古丁的沉溺（“它的重要性不亚于军火”）以及仇恨（“敌人就是嗜血的混蛋”）的混合体的支撑下坚持作战的。科珀德甚至承认，如果有上级的命令，那么他是不会拒绝射杀一个有罪的人的。

那些认为战后的作品都基于同一论调的人同样犯了一个巨大的错误。直接描写同盟国战争故事的佳作当属哈谢克的《好兵帅克》，这是众多趣味盎然的作品中的一部。与此相对的另外一个极端是恩斯特·云格尔的战争小说。正如我们所见，对于云格尔来说，战争是场令人振奋的考验——人们为了荣耀，要学会克服恐惧；尽管他也承认堑壕战会让人产生憎恶和恐怖感，但他一再重申，自己作为一名突击队军官，从作战中获得了十足的满足感。“的确，战斗是最伟大的经历之一，”他在《作为内心体验的战斗》（*Combat as Inner Experience*）一书中如是写道，“我始终找不到一个人，对于他来说，胜利的时刻并不能让他产生最为心醉神迷的快感。”在战争中，“一个真实的人在把酒狂欢中弥补了他一直以来所忽略的所有。在被社会和法度束缚了太久之后，他的激情继而再一次成为独一无二的主宰，成为神圣的终极原因。”他将战争称作“一个伟大的学校”，并称“世界将在其上面被锤打出新的边界线和新的共同体的铁砧”，云格尔所表达的与战前的社会达尔文主义者的观点如出一辙：对许多德国人来说，战争不但没有使军国主义没落，反而彰显了它的魅力。魏玛共和国时期，有许多表达了类似情感（但却对此少了些许溢美之词）的作品问世，如鲁道夫·宾丁的回忆录《关于战争》（*Vom Kriege*，1924）、格奥尔格的作品《士兵祖伦》（*Soldat Suhren*，1927）以及沃纳·博伊梅尔堡的《连珠炮火包围德国》（*Trommelfeuer um Deutschland*）。在停战协议签署后仍然顽强反抗的非常规志愿军们在其回忆录中表达了顽固不化的嗜血情结。在意大利，1922 年法西斯主义的兴起证明，尽管战争的经历既心酸又残忍，但它依旧彪炳史册。实际上，邓南遮早在 1922 年之前便助长了这种风头。在苏联，布尔什维克政权鼓励作者将 1917 年 10 月之前的事件缩写成革命序曲的程度。斯大林最喜爱的书——米哈伊尔 · 布尔加科夫的《白军部队》（*The White Guard*）——开头描述了德国军队从乌克兰逃跑的场景，其结尾则是布尔什维克党人的到来结束了内战的无序状态。

同样，我们也不能说，战争题材的戏剧都是清一色反战的。尽管在鲁登道夫的春季大反攻前夜，在离圣昆丁不远的一处防空洞上演了R · C · 谢里夫的戏剧《旅程的终点》，但它本身并不算是表现和平主义的作品。高级军官酗酒成性，另一个胆小懦弱，他们的 2 名同僚在劫难逃，死在了突袭中，但是这部戏剧呈现的却是坚定沉着地应战的精神。对战争最持批判态度的英国剧作家当属萧伯纳，但他的反战新闻作品以及小册子实际上并没有赢得广泛的支持，其间接讽刺战争的《伤心之家》（*Heartbreak House*）以及《千岁人》（*Back to Methuselah*）的序言与克劳斯的代表作相比则要逊色得多。战争音乐作品同样不能一概而论。哈弗格尔 · 布赖恩的《老虎》（*The Tigers*）或许可以算得上是"讽刺的反战作品"，但约翰 · 富尔德夸张的作品《世界安灵曲》（连续 4 年在停战协议签署的纪念活动中演奏，该纪念活动由英国军队出资赞助）又该如何解释？作为"传达向所有国家那些痛失亲人的人表示的一种安慰"，该作品几乎不能算是反战的。诸如此类的作品还有很多。

最著名的战争电影当属《西线无战事》以及其德国的《西线 1918》（*Westfront 1918*）。在 1930 年放映的 5 场电影中，《西线无战事》直到现在还定期在英国上映；看过该片的人都不会忘记这样一个场景：战争的尾声，年轻的英雄伸出手臂去捉一个停在掩体上的蝴蝶时被击中了。更让人触目惊心的，或许是阿贝尔的作品《我控诉》中，一个死去的人从坟墓中复活的画面——这部电影也成为法国最伟大的反战电影，与让 · 雷诺的《大幻影》齐名。英国在 20 世纪 20 年代同样制作了 6 部电影：《日德兰战役》、《善恶大决战》、《泽布勒赫》、《伊普尔》、《蒙斯》以及《科罗内尔和马尔维纳斯群岛战役》。有人指摘这些电影"充斥着让人战栗的伤感"，"完全从男孩的浪漫冒险的角度"来诠释战争。但这不就是两次世界大战之间，电影观众最喜爱的电影效果吗？

什么样的艺术能够算得上是真正的"战争艺术"呢？在那些"辉格党主义"更为浓厚的历史教科书中，通过质疑浪漫的表现手法的传统，战争的恐惧在某种程度上加速了现代主义的发展，但这一观点还有待商榷。在经历了战争的洗礼，浪漫主义风格并没有动摇，如约翰 · 哈索尔的《战争中的乔治街》（*Vision of St George over the*

*Battlefield*，1915）、路西 · 肯普的《前进吧，枪！》（*Forward the Guns!*）和乔治 · 贝屡的《伊迪斯 · 卡维尔》（*Edith Cavell*，1918）以及他的一系列描写比利时暴行的杰出的油画作品。达达派是在1914~1918年现代主义发展最为迅速的流派，其代表人物是雨果 · 鲍尔和理查德 · 胡森贝克——他们都离开营地，逃到了中立的瑞士。对于那些参加战斗的人来说，战争提供给他们几何主题的灵感——如那些漩涡派或立体派的拥趸，爆炸主题风格吸引了表现主义艺术家，怪诞风格则符合那些怀揣遁世情怀的人。事实上，在现代人看来，这些艺术家中没有人讴歌战争，然而也鲜有人将这些作品视为说教性的反战作品。格罗斯在战争期间和战后公开的30余幅战争画作中却少有明确影射战争的。只有在其1915年的2部卡通作品以及1920年《上帝与我们同在》中的9部卡通画中，我们才能体会到格罗希本人曾经参加过战争的事实。直到1928年，他才真正创作出一系列具有明确反战意味的卡通作品。

此外，一大批现代派艺术家对战争美学津津乐道。曾在1914年以前盛赞战争的意大利未来派艺术家马里内蒂在战后仍然没有停止对它的讴歌。但对战争充满乐观情绪的不只是未来派。刘易斯、莱热以及迪克斯至少对其亲历过的恐怖表现出一种矛盾的心态。曾敦促其漩涡派同人“如果可以，那么不要错过战争”的刘易斯，之后又充满矛盾地写道：

> 那些咧着嘴欢笑的头骨，那些还被钢盔保护着的颅骨，那些沾满泥块的铁丝绕成了花圈，那些橙黄色泥土的小山丘，那些貌似绞刑架的枯树——这样的场景仅仅对于将其赋予浪漫气息的“演员”来说，才是戏中的道具。

莱热曾经为“炙热的阳光下的一口大炮的后膛感到震惊，耀眼的阳光在白色的金属上起舞，熠熠夺目”。然而之后他写道，战争让他醍醐灌顶，突然意识到“现在的日子所富有的深度”：

> 满目皆是一排排士兵。他们足智多谋，工人们源源不断地组成新的部队。堆成小山的原材料以及经过加工制造的成品……美国生产的摩托车，马来西亚的匕首，英国的果酱，来自各个国家的部队，德国的化工品……一切都打上了极其协调而团结的烙印。

正如评论家们的见解，他的作品《牌局》（*The Card Game*，1917）“集中爆发了他的愤懑，他反感战争强加在人们身上那机器人般可怕的机械统一性，同时，人们对制造发明这些战争工具的人表示赞美，因为这些工具奏出的韵律引燃了人们的控制欲，一发不可收拾”。

或许所有反面例证中最让人感到意外的是奥托·迪克斯。迪克斯曾经在西线和东线参战，他将战争视为“自然事件”，曾经向他的表达过这样的愉悦之情，他的朋友不禁大惊失色，他曾说“将刺刀插进一个人的内脏，并旋转之”。或许是迪克斯的经纪人试图追随20世纪20年代出现在德国的和平主义浪潮，他的许多作品被误认为含有谴责战争的意图；他的怪诞主义画作表现了作为一名年轻的志愿者，试图“让自己经历和洞悉生命那苍白恐怖、无底深渊般的深意”。之后他做出了如此的解释：“我不得不去经历身边有人突然被子弹射中，直挺挺地倒下毙命的场景。我必须亲身感受这样的场景，我想拥有这样的经历。”“战争是个可怕的东西，”他回忆道，“但其中蕴含着深远的寓意。”作为战前以及战争进行时疯狂追随尼采的人，迪克斯比其他艺术家对大规模死亡和毁灭的暴力美学都要着迷。正如他在给一位友人的明信片上所写的：“在废墟中——布满弹孔的村庄蕴藏着一种自然的能量……这是向我们呈现的一种非凡而罕见的美。”一位德国士兵艺术家同样热衷于描摹和绘画被炮火洗劫的村庄：这就是巴伐利亚第16后备步兵团士兵阿道夫·希特勒那些鲜为人知的作品，然而它们中流露出的感情却是平静和安详。

英国之后的战争艺术同样含有这样的分裂性质。斯坦利·斯宾塞在谈及其作品时（其风格与迪克斯的战后作品极为相似）说，他试图传递“一种愉悦和希冀的感觉”。甚至当他在战时被要求以画作来表现中士们与普通士兵使用的厕所的不同之处时，他还试图表现一种振奋的情感，将中士的单词拼写中的“S”饰以玫瑰花环。

## 如果一切可以重来

1932年，赔偿和战争债务被冻结，世界陷入一片大萧条之中，作家J·C·斯夸尔出版了一本颇为有趣（尽管这本书如今已经被淡忘）的作品集，他将其称为“误入想象中的历史”。11位投稿人中有3位选择重新改写历史，想象了第一次世界大战被“避免”的情况。安德烈·莫鲁瓦同样想象了如果法国大革命不存在历史将会怎样。他借著名的“大天使”解释道，一个半世纪之后的想象中的世界（在此期间，法国一直被波旁王朝统治），发生了剧烈的变化，“势力进行了重组。美国并没有与英国决裂……相反，它们发展的速度如此之快，以至于它们现在统治了英国……帝国议会坐落在堪萨斯城……美利坚合众国在欧洲的首都位于维也纳。”“1914~1918年那场战争从来没有发生过”。温斯顿·丘吉尔也做了一番类似的猜想，假设南部联盟在葛底斯堡获得了胜利，之后（1905年）诞生了一个由英国、南部联盟国与北方联邦组成的“英语国家联盟”：

> 一旦1914年的危险被成功避免，且欧洲的裁军也颇有进展，关于一个“欧洲合众国”的设想便必然会被人们时常提起。这个英语国家联合体具有耀眼的宏伟规模、万无一失的安全性、无边的权限，能够迅速创造价值，并在其边界内部进行价值分配，人民大众当中普遍弥漫着愉悦和希望；这一道德体吸引着欧洲的眼球，只有最愚蠢的人才会对其视而不见。威廉二世的帝国是否能够在新的重要历史时期，在即将到来的1932年泛欧洲会议上继续成功推行其欧洲一体化还不得而知……如果他能够因此而名垂千古，那么他可能会反思，1914年那场战争如若爆发，自己的政治生涯将以多么轻而易举的方式就此完结，他可能就此被赶下台，他的国家也将一蹶不振。

埃米尔·路德维希以一种更为现实的口吻指出，如果德国皇帝弗里德里克三世在1888年并没有因为癌症撒手人寰（在他即位99天后），德国的政治发展路线将会以更为自由的风貌呈现于世：在这个假设的世界中，长寿的弗里德里克将政体议会化，缔结了一个英德联盟，他本人也于1914年8月1日满足地闭上了双眼，长眠地下。只有希莱尔·贝洛克所构想的世界要比现有的历史事实还要糟糕。与莫鲁瓦一样，他也假设法国大革命不存在，但法国却加速了其力量衰退的速度，这使得神圣罗马帝国扩张成为欧洲的一个联邦，“其国土从波罗的海延伸到西西里，从哥尼斯堡延伸到奥斯坦德”。因此，当1914年战争爆发时，人们面对的是一个更加强大的德国，战败的一方变成了英国，它也沦为“欧洲联合体的一个行省”。

除了不约而同地挖空心思设想一个欧洲联盟体的建成（这也是1914年德国的战争目的），让人震惊的是，所有上述文章的作者都回溯到久远的历史，并试图找出一个能够让欧洲历史明显走向另一条道路的转折点。如果德国追寻的是一种保守的防守战略，将心思更多地用在其和平时期的防御力量上，而不是将一切赌注压在施利芬计划上，那将会发生什么？如果英国在1914年袖手旁观呢？

如果第一次世界大战从来没有发生，那么最糟糕的结果恐怕也只是“第一次世界冷战”的发生——5个列强继续保持大规模的军事建设速度，但却没有妨碍到它们自身经济的持续增长；如果第一次世界大战的确发生了，但英国和美国并没有牵涉其中，那么胜利的德国可能会缔造出一个欧洲联盟的版本，而这将使得这一目标的达成提前80年。

如果英国没有派遣远征军，那么毫无疑问，德国将会打赢战争。即便他们在马恩河遭到了顽强的抵抗，他们也完全能够在数量可观的英国援军缺席的情况下成功横扫法国军队。就算英国远征军的确被派遣，但如果晚到达一周，或是由于伦敦的政治危机而被派遣到另外一个地点，小毛奇依旧可以胜券在握。至少他不会将部队撤退至埃纳河。那么将会发生什么？毫无疑问，英国的干涉可能还会熄灭德国的野心，但是我们仍然可以设想另外一种方式的干涉。远征军的努力可能因为法国的失败而显得为时已晚，如果被派遣，那么结局与敦刻尔克大撤退无异。海军主义者之前的规划——登陆德国沿海地区同样会被丢弃，无论如何，这都是它的历史命运。有可能发生的是，达达尼尔海峡入侵的计划仍会作为陆军最为可信的计划出现（特别是如果丘吉尔继续留在海军部的话，事实上他差一点儿留下）。除了这项危险的事业——甚至将所有的远征军部队悉数派出——英国最有可能采取的措施是利用其海军力量来对德国进行某种海上打击，这是菲舍尔一直提倡的主张：将德国商船聚到一起，使其与敌军进行的中立贸易不堪其扰，并没收德国的海外资产。

这样的双轨制战略必然会刺激柏林，但即便这样也很难锁定胜局。因为已经有证据表明，对德封锁不会像策划者所希望的那样，让德国沦落到屈从的地步。而对土耳其的胜利显然也无法动摇德国的地位，后者已经赢得了整个西方。如果在西线没有实行消耗战的战略，英国的人力、经济以及其遥遥领先的财政资源则不足以锁定胜局。一个更为可能的结果是，双方在外交上实现妥协（这是兰斯多恩最想看到的），英国不再表现出敌对状态，作为回报，德国保证了比利时的统一和中立。无论如何，这是贝特曼自始至终的目的。随着法国战败以及德国提出帮助将比利时恢复到之前的状态，任何一个英国政府都不会继续进行海上战争，抑或是望不到边际的中东战争了。我们仍然能够想象痛苦的自由党仍旧呼吁与德国的军国主义奋战到底，但真要打一场战争，让俄国保留控制波兰的权力，将君士坦丁堡拱手让给沙皇吗？尽管格雷有时似乎已准备去打这一仗，但他必然会被诸如威廉·罗伯逊这样的人制止，后者在 1916 年 8 月仍然在辩驳，要“在中欧保持条顿的力量”，以牵制俄国。德国提出的中欧关税同盟并非难以拒绝。

如果英国袖手旁观——甚至仅几星期的时间——那么欧陆将会以一种与今天的欧盟相似的形式实现转型，而英国的海外实力也不会在经过两次世界大战后如此大规模地缩水了。此外，或许俄国不会彻底崩溃，并陷入内战的深渊，布尔什维克也不会乘虚而入。虽然农村和城市的暴动仍然造成了许多不可克服的问题，但人们可以考虑建立一个结构合理的君主制体制（或许这一时机发生在尼古拉退位之后）。或者更有可能的是，在短暂的战争之后成立议会共和国。这样一来，美国的财政和军事力量便不会长驱直入进入欧洲，并使英国在世界经济的主导权丧失殆尽。20 世纪 20 年代，欧洲仍然会有法西斯主义存在，但法国的激进民族主义者可能会堪比德国。这并没有什么值得惊奇的：1914 年以前，法国的右翼在反犹立场上比德国更为嚣张——通过德雷福斯案便可窥见一斑。或许，如果世界大战的经济局限性并不存在，那么发生在20世纪20年代和30年代初期的通货膨胀和通货紧缩将不会那么严重。

如果胜利的是德皇，那么阿道夫·希特勒或许就以一名平庸的明信片画家以及一名鲜有怨言的退伍老兵度过其一生了（他会心满意足，因为中欧已经在德国的统治之下了）。而列宁则会继续待在苏黎世，愤懑地书写他的烦恼，永远地等待着资本主义灭亡的那一天，并永远地陷在失望里。毕竟，是德国的军队，让希特勒拥有了其挚爱的“前线经历”，以及在战后介入政坛、发表演讲的机会。同样，是德国的军队，将列宁送回彼得格勒，赢得了1917年十月革命的胜利。

在最终的分析中，历史学家们必然会发问，如果接受了德方的胜利，那么对英国的利益损害真的会如同格雷以及其他仇恨德国的人所说的那么严重吗？在这里要说的是，不会的。艾尔·克罗一直都怀有一个疑虑：“当战争到来之时，英国是否应当袖手旁观……让德国和奥地利取得胜利，击败法国，毁灭俄国？届时，这个无依无靠的英国会落个什么下场呢？”历史学家的答案是：总归会比1919年那个精疲力竭的英国要强。

伊曼纽尔·盖斯曾言：

> 以下结论毋庸置疑：德国以及俄国以西的欧洲国家，只有在欧洲团结一致的情况下，才能够获得自身的发展。然而这个统一的欧洲则几乎必然会自动将领导权让与最为强大的力量——德国……但在鼓励这一未来在政治和经济领域的力量集团崛起的过程中，德国领导统一的欧洲需要克服其他欧洲国家不情愿接受邻国对自己管理的问题。德国需要说服欧洲服从于自己……它需要让欧洲国家知道，整个欧洲的利益与德国开明的自身利益相辅相成……这样才能在1900年之后的几年中取得像今天这样的联盟共和国的成就。

尽管他的假设或许无意中反映了后统一时代的心高气傲，但其中的一个观点是正确的：如果德国能够在不发动两次世界大战的情况下取得欧陆霸主地位，那么一切必然顺遂。但这毕竟没有发生，造成这种结果的原因并非都在德国。虽然德国在1914年使丝毫不情愿的法国（以及并非那么不情愿的俄国）卷入了欧陆战争，但最终决定将这场欧陆战争演变成世界大战的却是英国政府——这场世界范围内的大战在时长上比德国第一次提出“欧洲联盟”构想时计划的时间翻了一番，损失的人口也大大超过了该计划。通过1914年与德国的战争较量，阿斯奎思、格雷以及他们的同人坚定了一个信念：如果德国真如愿攫取欧洲霸权，那么英国则无法阻止它。

本书的书名同时也被威尔弗里德·欧文两度使用过，并且道出了在堑壕作战的普通士兵们的心声。在诗人那里，第一次世界大战不亚于一种“悲悯”——其糟糕程度超越了悲剧，并且以残忍的现实告诉我们，它最终仍然是无法避免的。它无疑使现代历史上一个最深刻的错误。

# 致谢

许多研究第一次世界大战的优秀历史学家在我埋头调查和著书时，无私地给予我鼓励和建议，他们都比我优秀。我特别想感谢阿德里安·格雷戈里以及戴维·史蒂文森，他们在初稿完成后阅读全稿，并帮我改正了很多错误。布雷安·邦德、约翰·基根、阿夫纳·奥弗、哈特穆特·波格·冯斯特兰德曼、格雷·谢菲尔德以及彼得·西姆金斯同样给予了我许多帮助。

如果没有尼克·贝里、格伦·奥哈拉以及托马斯·韦伯协助我进行一些重要的调查，本书也无法问世。丹尼尔·法塔勒、约翰·荣克劳森、乔恩·汤普森以及安德鲁·维里克同样为此做出了杰出贡献。

伦敦的现代战争档案馆人员蒂莫西·普鲁斯以及芭芭拉·亚当斯为本书的插图提供了必不可少的帮助。同样，我想感谢吉利安·提米斯向我介绍了芬奇的日记，也感谢芬奇家族同意我对此进行引用。

就在酝酿创作本书期间，我受到了来自牛津大学历史系以及牛津大学耶稣学院慷慨的资金支持，在此我表示衷心的感谢。同样，我还要感谢维维安·鲍耶帮助我整理表格和图表。

在此，我对我的出版社——企鹅出版社，以及那些付出辛勤劳动，将我的草稿变成一本书的众多工作人员表示由衷的感谢。

最后，我还要感谢我的家庭，感谢他们对我疯狂的工作以及工作中表现出的情绪化予以宽容和理解。

谨以此书纪念我的祖辈们，他们在两次世界大战中为自己的祖国而战。